合格するための

本試験問題集

Exercises in the Exam

ネット試験用
模擬試験プログラムにチャレンジしよう！

本書購入特典としてネット試験の演習ができる、解説つきの模擬試験プログラム10回分※が付属しています。
実際にパソコンで解いてみると、下書用紙の使い方や、日本語入力への切り替えなど、ペーパー試験とは違った工夫が必要なことに気づかれると思います。
ネット試験を受験されるかたは、ぜひこの模擬試験プログラムを活用して、ネット試験用の対策をすすめてください。

※本サービスの問題は、本書とは異なる10回分を収載しております。なお、本サービスの提供期間は、本書の改訂版刊行月末日までです。

（免責事項）

(1) 本アプリの利用にあたり、当社の故意または重大な過失によるもの以外で生じた損害、及び第三者から利用者に対してなされた損害賠償請求に基づく損害については一切の責任を負いません。

(2) 利用者が使用する対応端末は、利用者の費用と責任において準備するものとし、当社は、通信環境の不備等による本アプリの使用障害については、一切サポートを行いません。

(3) 当社は、本アプリの正確性、健全性、適用性、有用性、動作保証、対応端末への適合性、その他一切の事項について保証しません。

(4) 各種本試験の申込、試験申込期間などは、必ず利用者自身で確認するものとし、いかなる損害が発生した場合であっても当社では一切の責任を負いません。

（推奨デバイス）PC・タブレット
（推奨ブラウザ）Microsoft Edge 最新版／Google Chrome 最新版／Safari最新版

詳細は、下記URLにてご確認ください。
https://bookstore.tac-school.co.jp/pages/add/boki32app_kiyaku/

模擬試験プログラムへのアクセス方法

STEP 1　TAC出版　検索

STEP 2　書籍連動ダウンロードサービス　にアクセス

STEP 3　パスワードを入力

240810851

はしがき

本書は、日本商工会議所および各地商工会議所が主催する簿記検定試験で出題された本試験の問題およびＴＡＣオリジナル問題と、これらの解答・解説を収録し、編纂したものです。

日商簿記検定は2022年度より新形式で実施されていますが、ＴＡＣ出版では、本試験問題の分析をそのつど行い、問題を改題して、新試験形式で対策ができるようになっておりますので、安心してご利用ください。

学習にあたっては、第１部（巻頭）の「ＴＡＣ式　出題別攻略テクニック編」で、本試験の出題傾向とその攻略テクニックを理解したうえで、第２部の「本試験演習編」にチャレンジしてください。そのために次のような工夫がしてあります。

◎ **第１部「ＴＡＣ式　出題別攻略テクニック編」では、過去に出題された問題や新出題区分に対応した仕訳問題を、第１問対策として取り上げています。また、第２問・第３問対策として、出題頻度の高い問題の攻略テクニックについて解説をしています。**

◎ **第２部「本試験演習編」では、過去に出題された問題を中心に構成したものを回数別（第１回～第８回）に掲載し、その解答と解説（解答への道）を収録してあります。さらに、本試験をベースとした「予想問題」を第９回～第12回に収載しています。本試験形式の３問構成の問題を解く手順を練習するとともに、論点ごとの知識を確認してください。**

巻末には、答案用紙を抜き取り式で収録してあります。答案用紙の最初のページにありますチェック・リスト（回数別得点一覧表）を活用し、本試験演習を繰り返すことで、知識を確かなものにしてください。

本書の解説（解答への道）には、ＴＡＣ簿記検定講座が教室講座および通信講座の運営を通じて培ったノウハウが随所に生かされていますので、きっとご満足いただけるものと思います。

読者のみなさんが合格され、新たな一歩を踏み出されますよう、心よりお祈り申し上げます。

2024年７月

ＴＡＣ簿記検定講座

合格するためのロードマップ

第1部　攻略テクニック編

まずは、本試験対策の準備です。本試験を攻略するためのテクニックを身につけましょう。

第1回～第8回

第2部　本試験演習編

次は、本試験の問題演習です。ご自身の学習状況に合わせて、回数別学習か設問別学習を行います。

＼勉強が順調な方におすすめ／

選択　回数別学習

第1回から第8回までを回数別に解きます。解答時間の計60分をどのように使うかが重要です。設問ごとにも「解答時間は何分だったか」計るようにしましょう。より確実に合格点を獲るためのプランニング力（＝攻め方）を鍛えていきます。

＼勉強がちょっと心配な方におすすめ／

選択　論点別学習

第1問から第3問を「設問ごとに」解きます。

例）第1回から第8回までの第3問だけを解くということです。

設問ごとの出題傾向はある程度決まっています。設問ごとに解くことで出題傾向を知り、心配な部分を効率良くカバーしていきます。

合流▶　◀合流

第9回～第12回

第2部　本試験演習編

いよいよ、本試験に向けて実力を試すときです！
本試験と同じ環境でチャレンジしてみましょう。応援しています。ガンバって!!

本書の第1部「出題別攻略テクニック編」では、本試験対策として体系的な学習ができるよう、過去に本試験で出題された内容を分析し、なかでも重要度の高い問題を厳選しています。とくに第1問対策と証ひょう対策では、合格点（70点）の半分以上も占める仕訳問題を網羅していますので、満点（45点）を獲得する準備をしましょう。具体的に「仕訳の練習は、少しずつ**毎日確認する**こと」が大事です。第1問対策と証ひょう対策を併せて、10日間で一回転を目標に繰り返し行います。毎日15題ずつ確認すれば一回転は10日もあれば完了します。第2問対策と第3問対策は1週間を目標に確認しましょう。

第2部「本試験演習編」は以下のような構成になっています。

● 第1回から第8回まで

本試験での3問構成による問題演習に重点をおき、過去に出題された定番問題を取り上げています。解答時間に意識しながら解きましょう。

● 第9回から第12回まで

知識の定着、判断力や分析力、そして解答スピードに重点をおき、本試験問題を織り交ぜたオリジナル問題を「予想問題」として出題しています。

本書は、受験する皆さまが着実に合格への階段を上がれるよう、学習状況に合わせた2つの使い方をご提案いたします。

学習の進め方

本書の使い方

第1部 TAC式 出題別攻略テクニック編

■ 第１問対策

巻頭にある「TAC式　出題別攻略テクニック編」は、第１問対策として仕訳問題を出題内容別に取り上げています。さらにその内容の難易度は易しいものから順に整理されています。

各仕訳のポイント、別解などをのせています。解答を理解するうえで役立ててください。

会計基準や試験範囲が変更されている問題についても、現行の会計基準、試験範囲に準拠するように改題してありますので、安心して問題演習が行えます。

必要に応じて「計算式」を入れています。

●手付金（内金）と仕入諸掛り

仕入先静岡商店に注文していた商品¥200,000が到着した。商品代金のうち20%は手付金として支払済みであるため相殺し、残額は掛けとした。なお、商品の引取運賃¥3,000は着払いとなっているため運送業者に現金で支払った。

(仕　　入)*3	203,000	(前　払　金)*1	40,000
		(買　掛　金)*2	160,000
		(現　　　金)	3,000

＊1　200,000円×20%＝40,000円
＊2　200,000円－40,000円＝160,000円
＊3　200,000円＋3,000円＝203,000円

商品の引き渡しを受ける前に支払った手付金（または内金）は「前払金」としています。
手付金（または内金）は、商品を受け取ったときに代金の一部として充当します。

■ 第２問・第３問対策

第２問・第３問の内容は、確実に解答したい既出問題を示してあります。

必要に応じて典型的な問題の「出題パターン」を示しています。

第３問では、主に精算表または財務諸表の作成問題が出題されています。ここでは、過去の本試験における出題パターンを整理するための「パターン整理編」と、出題区分の改定による追加論点を含めた「実践問題編」とに分けて見ていきます。

Ⅰ パターン整理編

出題パターン	その１	精算表の作成	問題１	文章題の順進問題
			問題２	全体推定問題
	その２	財務諸表の作成	問題３	決算整理後残高試算表より
			問題４	決算整理前残高試算表より

Ⅱ 実践問題編

問題５	問１	決算整理後残高試算表の作成
	問２	財務諸表の作成（決算整理前残高試算表より）
	問３	精算表の作成

Ⅰ パターン整理編

まずは、精算表や財務諸表の作成問題で、過去の本試験で繰り返し出題されている決算整理事項を確認しておきましょう。

問題 1　精算表の作成（文章題の順進問題）

次の決算整理事項等にもとづいて、答案用紙の精算表を作成しなさい。ただし、会計期間は×1年4月1日から×2年3月31日までの1年である。

会計期間は必ずチェックしましょう！

残高試算表上の金額は帳簿残高です。実際有高に合わせるためにはどうすればよい？

1．現金の実際有高は¥16,800であった。帳簿残高との差額は原因不明のため、雑損または雑益で処理する。
2．仮受金は、全額得意先に対する売掛金の回収額であることが判明した。
3．受取手形と売掛金の期末残高に対し、2％の貸倒引当金を差額補充法により設定する。

期末残高とは、貸借対照表欄に記載する金額のこと！ 慌てて残高試算表欄の金額で計算しないようにしましょう。売上債権の修正はない？

4．期末商品棚卸高は¥19,000であった。なお、売上原価は「仕入」の行で計算すること。
5．建物および備品について、定額法で減価償却を行う。
(1)　建　物：耐用年数30年、残存価額は取得原価の10％
(2)　備品A：取得原価¥15,000、耐用年数5年、残存価額はゼロ
　　備品B：取得原価¥ 6,000、耐用年数3年、残存価額はゼロ
　　なお、備品Bは×1年10月1日に取得したものである。減価償却は月割計算による。

「なお、～」から始まる文章は慎重に読みましょう。重要な指示である場合が多いですよ！

月数は指折り数えるとよいです。原始的ですが正確ですよ。

問題

「出題パターン」のアドバイスに従って、問題を解いていきましょう。

解　答

精　算　表

（単位：円）

勘定科目	残高試算表		修正記入		損益計算書		貸借対照表	
	借方	貸方	借方	貸方	借方	貸方	借方	貸方
現金	17,000			200			16,800	
当座預金	52,100						52,100	
受取手形	35,000						35,000	
売掛金	42,000			2,000			40,000	
繰越商品	18,500		19,000	18,500			19,000	
建物	80,000						80,000	
備品	21,000						21,000	
支払手形		17,400						17,400
買掛金		30,500						30,500
仮受金		2,000	2,000					
借入金		40,000						40,000
貸倒引当金		700		800				1,500
建物減価償却累計額		36,000		2,400				38,400
備品減価償却累計額		6,000		4,000				10,000
		100,000						

解答

答えとなる部分は、一目でわかるよう色文字となっています。

解答への道

決算整理仕訳は以下のとおりです。

1．現金の過不足

決算において過不足が生じた場合は現金過不足勘定は設けずに、原因判明分については該当する勘定科目で処理し、原因不明分については雑損または雑益として処理します。本問では、現金の帳簿残高17,000円（残高試算表欄より）を実際有高16,800円に合わせるため、帳簿残高から200円減らす仕訳が必要です。なお、その原因については不明のため、仕訳の相手勘定科目は雑損とします。

（雑　　損）	200	（現　　金）	200

2．売掛金の回収〈未処理事項〉

（仮　受　金）	2,000	（売　掛　金）	2,000

解答への道

この解説をしっかりと理解して、第2部への準備としましょう。

第2部 本試験演習編

問題は回数別に収録してありますので、時間配分を考えながら本試験タイプの演習を行ってください。解答にあたっては巻末に収録されている「答案用紙」を抜き取ってご利用ください。

各問の点数は、別冊の最初にある「チェック・リスト」に記録し、2回解くことを目標に頑張りましょう。まちがいなく合格に近づきます！「解答時間はどれくらいだったのか」、時間を意識することは大事です。時間を測って解くようにしてください。チェック・リストの最後にある出来具合（○△×）に印をつけ、自己分析をしましょう。大幅に時間をオーバーしたときは、何がいけなかったのか分析してくださいね。場合によっては、どの問いに重点をおくべきか取捨選択も必要です。

チェック・リスト

問題	回数	第1問	第2問	第3問	合計	解答時間	出来具合
1回	1回目	点	点	点	点	分	○ △ ×
	2回目	点	点	点	点	分	○ △ ×
2回	1回目	点	点	点	点	分	○ △ ×
	2回目	点	点	点	点	分	○ △ ×
3回	1回目	点	点	点	点	分	○ △ ×
	2回目	点	点	点	点	分	○ △ ×

x～xiページに「出題論点一覧表」がありますので、得意な論点や苦手な論点の分析にお役立てください。

■ 問題

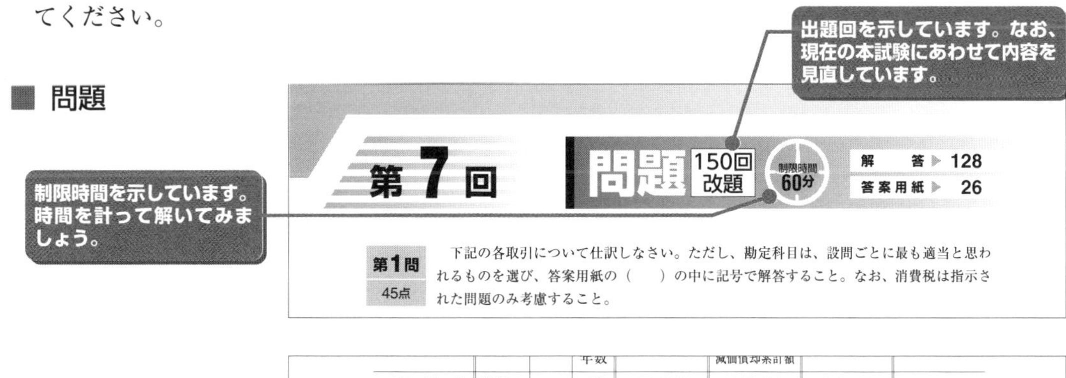

■ 解答

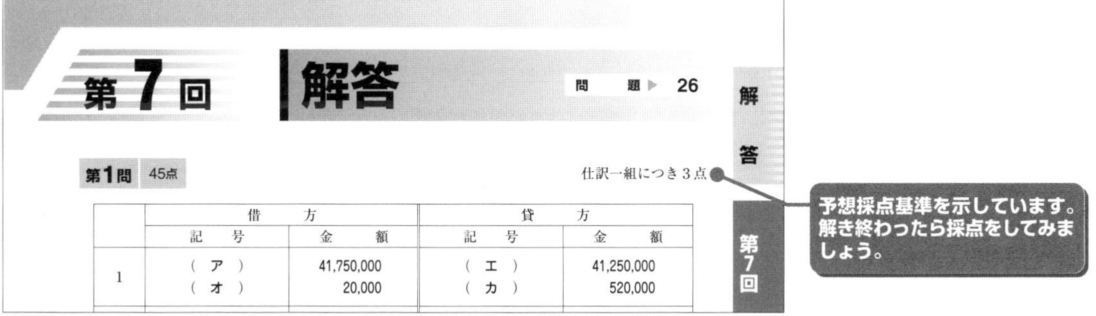

■ 解答への道

第7回 解答への道

問題▶ 26

問題の全体講評を示していますので、全体的な難易度を一目で知ることができます。

今回の第３問は、過去にどのような仕訳を行い、その結果、各時点における帳簿残高（勘定残高）が何を示しているのか等、考える力が試されます。短い時間の中で正しい修正仕訳を導くことが容易ではないため、難易度は高いです。また、第２問の固定資産台帳の記入問題では、有形固定資産に関する処理を理解しているかが試されています。合格点確保のためには、固定資産台帳をマスターすることは必須です。

難易度は、Ａ：普、Ｂ：やや難、Ｃ：難となっています。

各問いに示しています。

第1問 統一試験では、指定された勘定科目は記号で解答しなければ正解にならないので注意してください。Ａレベルは正解できるようにしましょう。
解答時間は１題につき30秒～１分以内を目標に！

答案用紙に解答を記入するときは記号で行いますが、勘定科目を使った解答も示してあります。

1．有形固定資産の購入　難易度 A

解答
（土　　地）	41,750,000 *2	（未　払　金）	41,250,000 *1
（租 税 公 課）	20,000	（普 通 預 金）	520,000

＊１　750㎡×@55,000円＝41,250,000円〈土地代金〉
＊２　41,250,000円＋500,000円＝41,750,000円
　　　土地代金　　付随費用

月末払いの土地代金については、商品売買以外の取引から生じた代金の未払分であるため、未払（負債）の増加とします。また、土地の…

14．伝票の推定（仕入取引）　難易度 A

解答
（仕　　入）	50,000	（買　掛　金）	50,000

一部現金取引の起票には、「いったん全額を掛取引として起票する方法」と「取引を分解して起票する方法」の２つがあります。取引を仕訳すると次のようになります。

（仕　　入）	50,000	（買　掛　金）	35,000
		（現　　金）	15,000

仕入代金の一部は現金で支払っているのにもかかわらず、出金伝票の相手科目を「買掛金」と記入していることから、「いったん全額を掛取引として起票する方法」であると判断します。

１つの取引を２つの伝票に分けて記入すると次のようになります。

（仕　　入）	50,000	（買　掛　金）	50,000	… 振替伝票（解答）
（買　掛　金）	15,000	（現　　金）	15,000	… 入金伝票

参考

「取引を分解して起票する方法」では、振替伝票の金額は「35,000」となり、出金伝票に記入する相手科目は「仕入」となります。取引を２つの伝票に分けて記入すると次のようになります。

（仕　入）	35,000	（買 掛 金）	35,000	… 振替伝票
（仕　入）	15,000	（現　　金）	15,000	… 出金伝票

関連して覚えておきたい知識をまとめてあります。

15．売掛金の回収　難易度 A

解答
（普 通 預 金）	180,400	（売　掛　金）	180,400

本問は、かねて（＝過去に）横浜株式会社へ商品を売り上げ、納品書兼請求書を送付していた神奈川物産株式会社（以下、当社とする）の代金回収…商品を販売して…

第2問 難易度 (1) A
(1) 問１は、取引ごとに必要な補助簿を選択する問題です。仕訳から記入する補助簿をイメージすると上手に選択できます。また問３は、売掛金勘定（総勘定元帳）と、売掛金元帳（補助簿）の関係を問う良問です。満点がとれるまで繰り返し練習しましょう。

問題を解くにあたっての注意点、個別講評などを示しています。

問１　補助簿の選択

各取引の仕訳をもとにして、記入する補助簿を判断します。なお、商品有高帳には商品に関わる取引を記入しますので注意しましょう。

「×3年６月中の取引」の仕訳および記入する補助簿（問１の解答）は次のようになります。

７日　商品の仕入れ

仕入帳 ←	（仕　入）	242,500*	（買 掛 金）	240,000	→ **買掛金**元帳
商品有高帳 ← 〈商品の増加〉			（現　金）	2,500	→ **現金**出納帳

＊　仕入諸掛り（本問では引取運賃）は、仕入原価に含めます。

したがって、記入される補助簿は、計**４つ**です。

出題論点を知ろう！

日商簿記検定３級は全部で３題の問題が出題され、100点満点中の70点以上が合格となります。はじめから100点満点をねらうのではなく、時間内に正確に解答できるようペース配分を身に付けることが重要です。過去における出題傾向は次に示すとおりですが、**出題区分の改定にともなう新しい出題傾向も予想されるので、本書の第１部で、しっかりと対策してください。**

	出　題　傾　向	配　点	解答時間
第１問	**仕訳形式で解答を求められる問題15題**が出題されます。 具体的な出題内容は、「TAC式　出題別攻略テクニック編」と「出題論点一覧表」に示してありますので、まずは出題頻度の高いものから優先的に理解していくようにしましょう。	45点	8〜12分
第２問	**補助簿に関連する問題、取引を勘定に記入する問題**や**文章の空所補充問題**が出題されています。補助簿では、**掛け元帳の推定、商品有高帳**や**固定資産台帳の記入問題**、取引に応じて必要な**補助簿を選択させる問題**が定番といえます。 勘定記入の問題では、特に決算仕訳（決算整理仕訳・決算振替仕訳）が関係するものが多く出題されます。 主に、金銭の貸し借りで生じる利息の取引、繰越利益剰余金勘定や法人税等に関係する記帳になります。	20点	12〜18分
第３問	**財務諸表（損益計算書・貸借対照表）、精算表**や**決算整理後残高試算表**の作成問題が出題されます。 それぞれの作成目的は異なりますが、すべて決算整理後の金額を載せるものなので、問題資料に与えられた決算修正事項等を正確に処理できるかどうかが勝負の分かれ目となります。 第３問に関しては、答案用紙を作成することに慣れることが、一番の合格への近道です。高得点（目標30点）がねらえるようになるまで、繰り返し練習しましょう。	35点	25〜30分

（注）解答時間は目安ですので、実施回ごとに時間配分を考えながら解いていきましょう。

３級のレベル

業種・職種にかかわらずビジネスパーソンが身に付けておくべき「必須の基本知識」として、多くの企業から評価される資格。

基本的な商業簿記を修得し、小規模企業における企業活動や会計実務を踏まえ、経理関連書類の適切な処理を行うために求められるレベル。

出題論点一覧表

本書における論点別の出題回は以下のとおりです。**1**～**12**が「第２部　本試験演習編」での出題回を示しています。苦手な論点を中心に繰り返し演習し、弱点強化に役立ててください。

第１問（①～⑮は問題番号）

	論点	1	2	3	4	5	6	7	8	9	10	11	12
商品売買	返品	①			⑪				①	⑭		⑭	
	諸掛り		⑥⑬		⑦	①	②			⑩⑮*	⑨	⑮*	⑥⑩
	手付金（内金）		⑥⑩⑬	⑤⑩	⑦	①⑬	②	⑬		⑩⑬	⑨		
現金預金	現金過不足	⑩			①			③			⑤	⑧	⑭
	預金口座	②⑬			⑨		⑩				⑧		⑤
債権・債務	貸付け		③				①	⑫		⑦		⑩	
	借入れ			⑦		⑤			⑤	②	④		③
	手形	⑤⑪		⑧		①	⑧⑬	⑥⑪	⑩⑭	⑫	⑨⑭	①	
	クレジット売掛金	⑥		⑪		⑩	⑫		⑬				⑮*
	電子記録債権・債務		⑦	⑥		⑨	⑪			⑪	⑩		
	未収入金・未払金	③	④⑮*	②		③⑭	⑤	①⑦	④⑫	③	③⑥⑮		⑨
	立替金・預り金	⑦	⑤	⑨⑭			⑥⑦		⑦⑨		②⑦	⑤	⑪
	受取商品券							⑧		⑧		②	
有形固定資産	購入	⑮*	④			④		①⑦	③	⑤	⑥⑮*		
	売却	⑨		②			⑤		⑫		⑬	④	⑨
	賃借		⑭		③⑤				⑪				④
	改良と修繕		②			⑭		④			③		①
費用の支払	租税公課		⑪	③	⑭	⑦		①⑤		①	①	⑬	
	通信費	⑤	⑪	⑫	⑭					⑫	①	⑬	
	旅費交通費		⑫	⑤	①⑮*	⑫			④	③		③	
	給料	⑦		⑨			⑥		⑨		⑦		⑪
	その他の費用	③	⑮*	⑫⑭			④		④	⑤	②	③	
資本（純資産）	株式の発行	⑧				⑪				④		⑪	
	剰余金の配当と処分		①						⑥			⑨	
会社の税金	消費税	⑫		⑧⑮*		⑥			⑮*		⑪	②	
	法人税等				⑥⑬	⑮*	⑮*	⑩					⑦
仮払金・仮受金		⑮*	⑩⑫	⑤	⑩⑮*	⑬		⑬		③	⑬	③	
訂正仕訳				①		⑧				⑨		⑥	⑬
貸倒れ		④		④	②		③		⑧		⑫		
決算整理仕訳					⑭					⑥	①		
決算振替仕訳		⑭	⑨				⑨	②				⑫	②
再振替仕訳			⑧		④		⑭						
伝票の推定					⑫			⑭				⑦	
その他の内容				⑬	⑧	②		⑨⑮*	②				⑧⑫

＊　証ひょう

第2問

(1)（★：出題箇所、売：売掛金元帳、買：買掛金元帳）

論　点	1	2	3	4	5	6	7	8	9	10	11	12
勘定記入	★	★		★	★	★				★	★	★
固定資産台帳	★											
売掛金・買掛金元帳							売	買				
補助簿の選択			★				★		★			
その他の内容									★			

(2)（★：出題箇所）

論　点	1	2	3	4	5	6	7	8	9	10	11	12
勘定記入			★						★		★	
固定資産台帳							★					★
商品有高帳				★				★		★*		
文章の空所補充問題		★			★	★						
その他の内容	★			★			★			★	★	★

＊　売上戻りあり

第3問（★：出題箇所、☆：通常とは異なるパターンでの出題箇所）

論　点		1	2	3	4	5	6	7	8	9	10	11	12
精算表作成			★		★			★			★		
前T/Bから財務諸表作成		★				★			★	★		★	
前T/Bから後T/B作成				★			★						★
固定資産の帳簿価額					★			★			★		
決算整理事項	現金の過不足	★		★			★			★			★
	〃(現金過不足の行あり)		★						★		★		
	借越残高の振替		★	★			★				★		
	貸倒引当金の設定	☆	☆	☆	☆	★	☆	★	☆	☆	☆	☆	★
	売上原価の計算	★	★	★	☆	★	★	★	★	★	★	★	★
	貯蔵品への振替											★	
	固定資産の減価償却	★	★	☆	★	☆	☆	★	☆	☆	☆	★	☆
	未払法人税等の計上	★	★	★	★	★	★	★	★	★	★	★	★
	未払消費税の計上	★	★	★	★	★	★	★	★	★	★	★	★
	前払費用の計上	★	★	★	★	★	★	★	★	★	★	★	★
	前受収益の計上			★	★	★	★		★				
	未払費用の計上	★			★	★		★		★	★	★	★
	未収収益の計上	★		★									
未処理事項等		★	★	★	★	★	★	★	★	★	★	★	★

（注）貸倒引当金の設定　☆：売上債権の増減あり　　前払費用の計上　☆：再振替あり
　　売上原価の計算　☆：「売上原価」の行あり　　前受収益の計上　☆：再振替あり
　　固定資産の減価償却　☆：月割計算あり

勘定科目（3級）一覧表

1．貸借対照表の勘定科目

〔企業が所有するもの・権利・債権〕	資産	負債	〔将来返済しなければならない義務・債務〕
通貨および換金可能な通貨代用証券	現金	支払手形	手形金額を後日支払う義務
少額な支払時に必要な手許資金	小口現金	買掛金	掛仕入代金を後日支払う義務
銀行への現金預入額（引出しは自由）	★普通預金	電子記録債務	電子的に記録・管理されている債務
預金の一種で引出しに「小切手」を用いる	★当座預金	前受金	手付金等の商品代金の前受額
銀行への現金預入額（満期まで預入れ）	★定期預金	★預り金	源泉税等、取引内容に応じた一時預り額
手形金額を後日受け取る権利	受取手形	★借入金	借入れを行ったときの後日返済の義務
掛売上代金を後日受け取る権利	売掛金	手形借入金	手形を用いた場合の資金の返済額
クレジットカード提示による掛売上代金	クレジット売掛金	当座借越	当座預金残高を超過している資金借入額
電子的に記録・管理されている債権	電子記録債権	未払金	商品以外の代金等を後日支払う義務
期末（または期首）の商品在庫額（三分法）	繰越商品	未払配当金	株主配当金の未払額
手付金等の商品代金の前渡額	前払金	未払法人税等	確定申告時に納付する法人税額
誰かの代わりに支払ったときの請求の権利	★立替金	未払消費税	納付する消費税額
他社発行の商品券代金を受け取る権利	受取商品券	仮受金	内容・金額が不明な場合の受取額
郵便切手・収入印紙等の期末保有額	貯蔵品	仮受消費税	商品販売時等に受け取った消費税
貸付けを行ったときの返済請求の権利	★貸付金	★未払費用	当期の費用のうちの未払分
手形を用いた場合の資金の貸付額	手形貸付金	★前受収益	当期に受け取った収益のうち次期以降の分
商品以外の代金等を後日受け取る権利	未収入金		
不動産賃借時に差し入れた敷金・保証金等	差入保証金		
内容・金額が不明な場合の支払額	仮払金	●資産の評価勘定	
中間申告時に納付する法人税額	仮払法人税等	貸倒引当金	金銭債権の貸倒見積額（債権から控除）
商品仕入れ時等に支払った消費税	仮払消費税	★減価償却累計額	固定資産の価値減少の記録（資産から控除）
当期に支払った費用のうち次期以降の分	★前払費用		
当期の収益のうちの未収分	★未収収益		
営業用の事務所・店舗・倉庫等	建物	資本（純資産）	〔企業のもとでともうけ〕
営業用に使用する物品全般（OA機器等）	備品	資本金	会社のもとで
営業用の運搬車両（トラックなど）	車両運搬具	利益準備金	社内に積み立てられる留保利益
事務所・店舗等の敷地	土地	繰越利益剰余金	次期に繰り越される留保利益

2．損益計算書の勘定科目

〔収益を獲得するために使われたものおよび労働力〕	費用	収益	〔ものおよび労働力を提供して得た対価〕
販売したさいに引き渡した商品の取得原価	仕入（売上原価）	売上	商品を販売して受け取った対価（売価）
従業員の労働力提供契約に対する対価	給料	受取手数料	仲介等、役務の提供に対する対価
チラシ・看板等、宣伝活動の支払額	広告宣伝費	受取利息	貸付金に対する利息の受取額
電話代・切手代等の支払額	通信費	受取地代	土地の貸付けによる地代の受取額
バス代他、移動・出張宿泊のための支払額	旅費交通費	受取家賃	建物（部屋等）の貸付けによる家賃の受取額
事務用品等、少額物品の消費額	消耗品費	雑益（雑収入）	少額またはその他の収益
電気・ガス・水道代の支払額	水道光熱費	★固定資産売却益	固定資産の売却によって得た差益
固定資産税・印紙税等、費用となる税金	租税公課	償却債権取立益	前期以前に貸倒処理した債権の回収額
土地の借用による地代の支払額	支払地代	貸倒引当金戻入	貸倒引当金の設定超過額
建物（部屋等）の借用による家賃の支払額	支払家賃		
売掛金等の債権の回収不能額	貸倒損失		
少額またはその他の費用	雑費		
貸倒引当金の設定不足額	貸倒引当金繰入		
固定資産の使用等による価値減少額	減価償却費		
生命保険や損害保険などの保険会社への支払額	保険料		
商品発送時の費用	発送費		
建物等の修繕に係る費用	修繕費		
預金の振り込みや引き出しに係る手数料	支払手数料		
社会保険料の会社負担部分	法定福利費		
商品等の保管に係る費用	保管費		
商工会議所や自治会等に支払う会費	諸会費		
借入金に対する利息の支払額	支払利息		
活動とは無関係に生じた少額の損失	雑損（雑損失）		
固定資産の売却によって生じた損失	★固定資産売却損		
会社の利益に対して課される税額	★法人税等		

●：「資産勘定から控除する勘定」としての性格を有しています。
★：より具体的な勘定科目を用いる場合もあります。

合格するための3ステップ

はじめて簿記を学習する方は、簿記検定試験の受験にあたって、次の３つのステップ（段階）を踏まえて学習を進めるとよいでしょう。

<table>
<tr><th colspan="2"></th><th>内　　容</th><th>使 用 教 材</th></tr>
<tr><td colspan="2">①インプット</td><td>学習すべき項目の一つ一つの論点について、正確に知識を身に付けることが大切です。
このとき１日にまとめて学習するよりは毎日１～２時間ずつ学習することをお勧めします。
簿記は「慣れる」ことが大切です。</td><td>◆ 日商簿記３級合格テキスト
◆ 日商簿記３級合格トレーニング</td></tr>
<tr><td rowspan="2">アウトプット</td><td>②本試験問題研究</td><td>本書の「TAC式　出題別攻略テクニック編」を理解することで、その出題傾向をつかんでください。出題傾向を知ることで、より効果的な学習が可能となります。
続いて、「本試験演習編」で問題演習をしていきましょう。過去に出題された問題をベースに2021年度からの新試験形式に完全にアジャストしていますので、本試験に一番近い問題で演習が可能です。
なお、回数ごとに第１問から順に解く方法もありますが、第２問だけ、第３問だけ…というように設問別に解くことも効果的です。</td><td>◆ 日商簿記３級
合格するための本試験問題集
（TAC式　出題別攻略テクニック編付き）</td></tr>
<tr><td>③予想問題演習</td><td>予想問題を解くことで、最後の総仕上げをします。
ここでは時間配分はもちろん、苦手な問題をつくらないようにしましょう。</td><td>◆ 日商簿記３級
2024年度試験をあてるTAC予想模試＋解き方テキスト（９月～12月試験対応／１月～３月試験対応）
◎さらに通信講座「直前対策パック」を利用すれば、質問電話、質問カードにより適切なアドバイスを受けられます。</td></tr>
</table>

（注）使用教材は発行時期によりバージョン（改訂版）が変更されていますので、ご注意ください。
また、書名等は変更になる場合があります。

日商簿記検定はこんな試験

現在、実施されている簿記検定試験の中で最も規模が大きく、また歴史も古い検定試験が、日本商工会議所および各地商工会議所が主催する簿記検定試験です（略して日商検定といいます）。

日商検定は知名度も高く、企業の人事労務担当者にも広く知れ渡っている資格の一つです。一般に履歴書に書ける資格といわれているのは同検定３級からですが、社会的な要請からも今は２級合格が一つの目安になっています。

主催団体	日本商工会議所、各地商工会議所	
受験資格	特に制限なし	
試験日	●統一試験（ペーパー試験） 年３回 ６月（第２日曜日）、11月（第３日曜日）、 ２月（第４日曜日） ※１級は６月・11月のみ	◆ネット試験 随時（テストセンターが定める日時。ただし、統一試験前後10日間他、休止期間あり）
試験級	１級・２級・３級・簿記初級・原価計算初級	
申込手続き	●統一試験（ペーパー試験） 試験の２か月前から開始 申込期間は各商工会議所によって異なる （注）実施のない商工会議所はネット試験で受験を！	◆ネット試験 テストセンターの申し込みサイトより随時
受験料（税込）	１級　￥8,800　２級　￥5,500　３級　￥3,300　簿記初級・原価計算初級　￥2,200 （一部の商工会議所およびネット試験では受験料のほかに要事務手数料）	
試験科目	１級：商業簿記・会計学・工業簿記・原価計算 ２級：商業簿記・工業簿記、３級：商業簿記	
試験時間	１級商会・工原：各90分、２級：90分、３級：60分 簿記初級：40分、原価計算初級：40分	
合格基準	70点以上　※１級は上記に加えて、各科目10点以上	
問い合せ先	最寄りの各地商工会議所　検定試験ホームページ：https://www.kentei.ne.jp/	

（注１）刊行時のデータです。最新の情報は検定試験ホームページをご確認ください。
（注２）統一試験において、使用できる筆記用具は次のとおりに限定されています。⑴HBまたはBの黒鉛筆／⑵シャープペンシル／⑶消しゴム。なお、ラインマーカーや色鉛筆、定規等の使用は認められていません。
　また、ネット試験では、筆記用具が貸与されます。
（注３）商工会議所で施行するすべての検定試験（認定試験）について本人確認のため、身分証明書（運転免許証、旅券〈パスポート〉、社員証、学生証など）の携帯が義務付けられました。詳しくは受験地の商工会議所へお問い合わせください。

合格率

統一試験	第159回（21年11月）	第160回（22年２月）	第161回（22年６月）	第162回（22年11月）	第163回（23年２月）	第164回（23年６月）
受験者数	49,095人	44,218人	36,654人	32,422人	31,556人	26,757人
合格者数	13,296人	22,512人	16,770人	9,786人	11,516人	9,107人
合格率	27.1％	50.9％	45.8％	30.2％	36.5％	34.0％

統一試験	第165回（23年11月）	第166回（24年２月）	第167回（24年６月）
受験者数	25,727人	23,977人	20,927人
合格者数	8,653人	8,706人	8,520人
合格率	33.6％	36.3％	40.7％

ネット試験	
22年４月～23年３月	23年４月～24年３月
207,423人	238,155人
85,378人	88,264人
41.2％	37.1％

目次

第1部　TAC式　出題別攻略テクニック編

第2部　本試験演習編

第1部

ＴＡＣ式 出題別 攻略テクニック編

第1問対策

第１問では15題の仕訳問題が出題されています。過去の本試験において実際に出題された問題だけでなく、出題が予想される問題を含めて整理すると次のようになります。

● 商品売買	１．仕入取引
	２．売上取引
● 現金預金	１．現金の預け入れと引き出し
	２．預金口座間の預け替え
	３．現金過不足の処理
● 債権債務	１．金銭の貸付け
	２．金銭の借入れ
	３．売掛金の貸倒れ
	４．貸倒れ処理した売掛金の回収
	５．売掛金の回収と買掛金の支払い
	６．その他の債権債務
● 費用の支払い	１．給料の支払い
	２．その他の費用
● 仮払金・仮受金	１．旅費交通費の概算払い
	２．内容不明の入金
● 有形固定資産	１．購　入
	２．売　却
	３．賃貸借と差入保証金
	４．修繕と改良
● 資本（純資産）	１．株式の発行
	２．繰越利益剰余金
● 会社の税金	１．消費税
	２．法人税、住民税及び事業税
● その他の内容	１．決算整理仕訳と再振替仕訳
	２．決算振替仕訳
	３．伝票の推定
	４．証ひょう

上の表に示した順で取引内容に関する仕訳問題を見ていきます。**出題可能性のある問題をひと通り網羅しているので、すべてをマスターすれば確実に高得点が狙える**でしょう。

（注）本試験では、その試験において指定された勘定科目（統一試験〈ペーパー試験〉では記号を選択する形式）で解答しないと不正解となるので注意しましょう。なお、次ページ以降の解答の仕訳は、その試験において実際に指定された勘定科目を用いて示してあります。

商品売買

以下に示す商品売買取引の処理は、３分法によっています。

1 仕入取引

●手形の振り出し

栃木株式会社から商品¥285,000を仕入れ、代金のうち¥250,000は同社あての約束手形を振り出し、残額は掛けとした。

(仕　　入)	285,000	(支 払 手 形)	250,000
		(買 掛 金)*	35,000

＊　285,000円－250,000円＝35,000円

約束手形を振り出したときは、支払手形勘定（負債）の増加とします。

●仕入戻し（返品）

仕入れた商品のうち¥20,000が品違いであったため返品し、この分は掛け代金より差し引かれた。

(買 掛 金)	20,000	(仕　　入)	20,000

仕入戻しは、仕入取引の取り消しです。具体的には仕入時の仕訳の逆仕訳を行います。

●企業の業種が示されているとき

販売用の中古車を¥850,000で購入し、代金は掛けとした。なお、当社は中古車販売業を営んでいる。

(仕　　入)	850,000	(買 掛 金)	850,000

「当社は○○業を営んでいる」など、業種が示されているときは注意してください。
中古車販売業における「販売用の中古車」の購入は、「商品の仕入れ」となります。それに気づくことができるかを試されるため、あえて「商品」という言葉は使われません。

●仕入諸掛り

販売目的の中古自動車を¥1,200,000で購入し、代金は後日支払うこととした。また、その引取運送費として¥10,000を現金で支払った。なお、当社は自動車販売業を営んでいる。

(仕　　入)*	1,210,000	(買 掛 金)	1,200,000
		(現　　金)	10,000

＊　1,200,000円＋10,000円＝1,210,000円

自動車販売業における「販売目的の自動車」の購入は、「商品の仕入れ」となります。また、仕入時に支払った引取運送費は、仕入諸掛りとなりますので仕入原価に含めます。

●手付金（内金）の支払い

商品¥76,000を注文し、手付金として¥26,000の小切手を振り出して渡した。

(前 払 金)	26,000	(当 座 預 金)	26,000

商品の引き渡しを受ける前に支払った手付金（または内金）は「前払金（資産）」で処理します。また、小切手を振り出したときは、当座預金勘定（資産）の減少とします。

●手付金（内金）と仕入諸掛り

仕入先静岡商店に注文していた商品¥200,000が到着した。商品代金のうち20%は手付金として支払済みであるため相殺し、残額は掛けとした。なお、商品の引取運賃¥3,000は着払いとなっているため運送業者に現金で支払った。

商品の引き渡しを受ける前に支払った手付金（または内金）は「前払金」としています。
手付金（または内金）は、商品を受け取ったときに代金の一部として充当します。

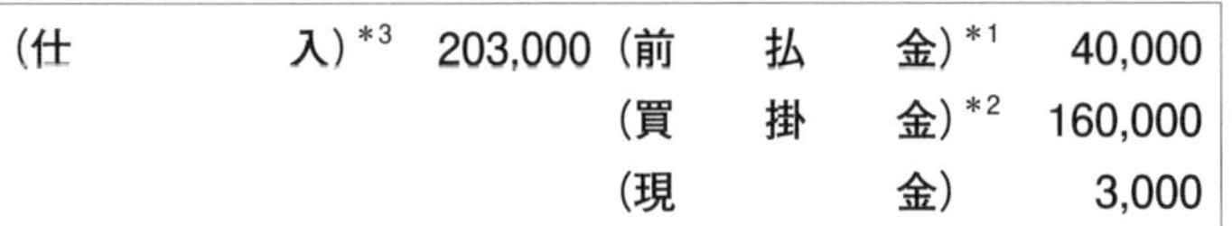

借方科目	金額	貸方科目	金額
（仕　　入）*3	203,000	（前　払　金）*1	40,000
		（買　掛　金）*2	160,000
		（現　　金）	3,000

＊1　200,000円×20%＝40,000円
＊2　200,000円－40,000円＝160,000円
＊3　200,000円＋3,000円＝203,000円

●約束手形の振り出しと仕入諸掛り

大宮株式会社から商品¥90,000を仕入れ、代金のうち¥30,000は注文時に支払っていた手付金を充当し、残額は、同社あての約束手形を振り出して支払った。なお、商品の引取運賃¥5,000は現金で支払った。

借方科目	金額	貸方科目	金額
（仕　　入）*2	95,000	（前　払　金）	30,000
		（支払手形）*1	60,000
		（現　　金）	5,000

＊1　90,000円－30,000円＝60,000円
＊2　90,000円＋5,000円＝95,000円

2 売上取引

●手形の受け取り

長崎株式会社に商品¥350,000を売り渡し、代金のうち¥150,000は同社振出しの約束手形を受け取り、残額については掛けとした。

商品代金として約束手形を受け取ったときは、手形金額を受け取る権利として「受取手形」とし、資産の増加として処理します。

【指定勘定科目】

現　金	受取手形	売掛金	当座預金
仮受金	前受金	売　上	発送費

借方科目	金額	貸方科目	金額
（受取手形）	150,000	（売　　上）	350,000
（売　掛　金）*	200,000		

＊　350,000円－150,000円＝200,000円

●売上戻り（返品）

かねて販売した商品¥50,000の返品を受けたため、掛代金から差し引くこととした。

売上戻りは、売上取引の取り消しです。
具体的には売上時の仕訳の逆仕訳を行います。

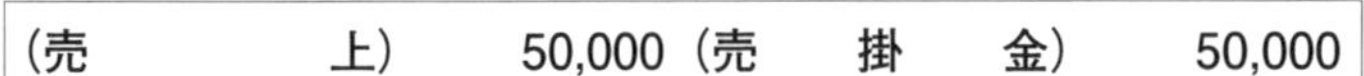

借方科目	金額	貸方科目	金額
（売　　上）	50,000	（売　掛　金）	50,000

●商品券の受け取り

商品を¥15,000で販売し、代金のうち¥5,000は現金で受け取り、残額は共通商品券で受け取った。

(現　　　　金)	5,000	(売　　　　上)	15,000
(受取商品券)	10,000		

他社発行の商品券は、あとで発行元に買い取ってもらえるので、受け取ったときは、借方を「受取商品券」とし、資産の増加として処理します。

●クレジット取引

商品¥100,000をクレジットカードにより販売するとともに、信販会社へのクレジット手数料（販売代金の４％）を計上する。

(クレジット売掛金)＊2	96,000	(売　　　　上)	100,000
(支払手数料)＊1	4,000		

＊1　100,000円×４％＝4,000円
＊2　100,000円〈売上〉－4,000円〈手数料〉＝96,000円

商品をクレジットカードにより販売した場合には、「クレジット売掛金」を使用し、その他の売掛金とは区別して記録します。また、クレジット手数料を支払ったときは、借方を「支払手数料」とし、費用の増加として処理します。

●手付金（内金）

商品¥40,000の注文を受け、手付金として現金¥10,000を受け取った。

(現　　　　金)	10,000	(前　受　金)	10,000

商品を引き渡す前に受け取った手付金（または内金）は「前受金（負債）」で処理します。

以前注文をうけていた商品¥3,000,000を引き渡し、注文時に受け取った手付金¥600,000を差し引き、残額は月末の受け取りとした。

【指定勘定科目】
現　金　売掛金　前払金　買掛金
仮受金　前受金　売　上　未収入金

(前　受　金)	600,000	(売　　　　上)	3,000,000
(売　掛　金)＊	2,400,000		

＊　3,000,000円－600,000円＝2,400,000円

商品を売り渡す前に受け取った手付金（または内金）は「前受金」としています。
手付金（または内金）は商品を売り渡したときに代金の一部として充当します。
なお、「月末の受け取りとした」分については商品代金であるため「売掛金」とします。

●売上諸掛り

商品¥490,000（送料込み）を販売し、代金は掛けとした。また、同時に配送業者へ商品を引き渡し、送料¥10,000（費用処理する）は現金で支払った。

【指定勘定科目】
現　金　売掛金　前払金　買掛金
仮受金　前受金　売　上　発送費

(売　掛　金)	490,000	(売　　　　上)	490,000
(発　送　費)	10,000	(現　　　　金)	10,000

売上諸掛り（本問では送料）を含めて商品の金額とした場合、それについて特別な指示がなければ売上代金にも含めて処理します。なお、当社による送料の支払いについては発送費勘定（費用）で処理します。
また、問題文に、「発送費は**当社負担**とする」旨の指示があった場合、本問の仕訳は次のようになります。
（問題文例）
商品¥480,000を販売し、代金は掛けとした。また、送料（**当社負担**）¥10,000は現金で支払った。

(売掛金)	480,000	(売上)	480,000
(発送費)	10,000	(現金)	10,000

●手付金（内金）と売上諸掛り

商品￥428,000に発送費用￥5,000を加えた合計額で販売し、代金のうち￥40,000は注文時に受け取った手付金と相殺し、残額を掛けとした。また、同時に配送業者へ商品を引き渡し、発送費用￥5,000は現金で支払った。

【指定勘定科目】
現金　売掛金　前払金　買掛金
仮受金　前受金　売上　発送費

(前受金)	40,000	(売上)*1	433,000
(売掛金)*2	393,000		
(発送費)	5,000	(現金)	5,000

＊1　428,000円＋5,000円＝433,000円
＊2　433,000円－40,000円－393,000円

問題文に、「発送費は**当社負担**とする」旨の指示があった場合、本問の仕訳は次のようになります。
（問題文例）
商品￥428,000を売り上げ、代金については注文時に受け取った手付金￥40,000と相殺し、残額を掛けとした。なお、**当社負担**の発送費用￥5,000は現金で支払った。

(前受金)	40,000	(売上)	428,000
(売掛金)	388,000		
(発送費)	5,000	(現金)	5,000

現金預金

1 現金の預け入れや引き出し

銀行の普通預金口座に現金￥30,000を預け入れた。

(普通預金)	30,000	(現金)	30,000

銀行に預け入れた分だけ、手元にある現金は減ります。

銀行の普通預金口座から現金￥30,000を引き出した。

(現金)	30,000	(普通預金)	30,000

銀行から引き出した分だけ、手元に現金が増えます。

2 預金口座間の預け替え

銀行で当座預金口座を開設し、￥3,000,000を普通預金口座からの振り替えにより当座預金口座に入金した。また、小切手帳の交付を受け、手数料として￥10,000を現金で支払った。

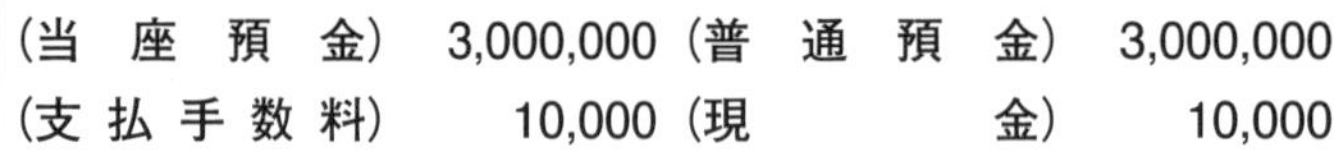

(当座預金)	3,000,000	(普通預金)	3,000,000
(支払手数料)	10,000	(現金)	10,000

普通預金口座の金額を1銀行口座間で振り替えて（動かして）、当座預金口座へ預け入れる取引です。

当座預金口座を開設し、普通預金口座から￥100,000を預け入れた。また、口座開設と同時に当座借越契約（限度額￥1,800,000）を締結し、その担保として普通預金口座から￥2,000,000を定期預金口座へ預け入れた。

(当座預金)	100,000	(普通預金)	2,100,000
(定期預金)	2,000,000		

「口座開設と同時に当座借越契約（限度額￥1,800,000）を締結し」という問題文は、本問を解くうえで考慮する必要のないものです。

甲銀行の普通預金口座から乙銀行の普通預金口座に¥400,000を振り込んだ。振込手数料¥400は甲銀行の普通預金口座から引き落とされた。

金融機関に対して手数料を支払った時は、支払手数料勘定（費用）の増加とします。

【指定勘定科目】

現　　　金	支払手数料	乙銀行普通預金	乙銀行当座預金
支払利息	甲銀行普通預金	甲銀行当座預金	受取手数料

借方科目	金額	貸方科目	金額
(乙銀行普通預金)	400,000	(甲銀行普通預金)*	400,400
(支払手数料)	400		

＊　400,000円＋400円＝400,400円

●利息の受け取り

令和銀行に預けていた定期預金¥3,000,000が満期をむかえ、利息¥1,500とともに同行の普通預金口座に入金された。

「利息が入金された」とは、「利息を受け取った」と読み取ります。

【指定勘定科目】

受取利息	当座預金令和銀行	定期預金令和銀行	東商銀行当座預金
普通預金令和銀行	支払手数料	現　　　金	支払利息

借方科目	金額	貸方科目	金額
(普通預金令和銀行)*	3,001,500	(定期預金令和銀行)	3,000,000
		(受取利息)	1,500

＊　3,000,000円＋1,500円＝3,001,500円

3　現金過不足の処理

●期中において過不足が発生したとき

現金の実際有高が帳簿残高より¥4,000不足しているので、不一致の原因を調査することにした。

仮に現金勘定（帳簿）の残高が10,000円だとすると、実際有高（金庫の中身）は6,000円しかないということです。実際有高に合わせるためには、現金勘定の残高から4,000円減らす処理をし、期中の間は、原因が判明するまで、現金過不足勘定に置いておくイメージです。

借方科目	金額	貸方科目	金額
(現金過不足)	4,000	(現　　　金)	4,000

現金の帳簿残高が実際有高より¥3,000少なかったので、不一致の原因を調査することにした。

仮に現金勘定（帳簿）の残高が10,000円だとすると、実際有高（金庫の中身）は13,000円あるということです。実際有高に合わせるためには、現金勘定の残高を3,000円増やす処理をし、期中の間は、原因が判明するまで、現金過不足勘定に置いておくイメージです。

借方科目	金額	貸方科目	金額
(現　　　金)	3,000	(現金過不足)	3,000

●原因の判明（期中）

現金の実際有高が帳簿残高より¥3,200不足していたので現金過不足勘定で処理しておいたが、同額のバス運賃の支払額が記帳漏れとなっていることが判明した。

期中に、現金の過不足（不足額）3,200円が生じた際、次のように記帳していたと考えます。

(現金過不足)3,200　(現　金)3,200
不足

現金過不足
3,200
転記

原因が判明したら、適切な勘定科目に振り替えます。

借方科目	金額	貸方科目	金額
(旅費交通費)	3,200	(現金過不足)	3,200

現金の実際有高が帳簿残高より￥2,000多かったので現金過不足勘定で処理しておいたが、同額の手数料の受け取りが記帳漏れとなっていることが判明した。

(現金過不足)	2,000	(受取手数料)	2,000

期中に、現金の過不足(超過額)2,000円が生じた際、次のように記帳していたと考えます。

(現　金)2,000　(現金過不足)2,000

超過

現金過不足 2,000 ← 転記

原因が判明したら、適切な勘定科目に振り替えます。

かねて貸方に計上していた現金過不足￥3,800の原因を調査したところ、同額の消耗品費の支払いが二重記帳されていることが判明した。

(現金過不足)	3,800	(消耗品費)	3,800

期中に、現金の過不足3,800円が生じた際、次のように記帳していたと考えます。

(現　金)3,800　(現金過不足)3,800

現金過不足 3,800 ← 貸方に計上

実際に消耗品費3,800円を支払ったのは1回だけですが、帳簿上は誤って2回支払いの記録をしてしまったということです。現金勘定のズレは、現金過不足勘定で調整済みなので、多すぎる「消耗品費(費用)」の記録を1回分減らし、相手科目を「現金過不足」とすれば修正完了です。

かねて借方に計上していた現金過不足￥10,000の原因を調査したところ、同額の手数料の受け取りが二重記帳されていることが判明した。

(受取手数料)	10,000	(現金過不足)	10,000

期中に、現金の過不足10,000円が生じた際、次のように記帳していたと考えます。

(現金過不足)10,000　(現　金)10,000

現金過不足 10,000 ← 借方に計上

実際に手数料10,000円を受け取ったのは1回だけですが、帳簿上は誤って2回受け取りの記録をしてしまったということです。現金勘定のズレは、現金過不足勘定で調整済みなので、多すぎる「受取手数料(収益)」の記録を1回分減らし、相手科目を「現金過不足」とすれば修正完了です。

●決算日における現金過不足勘定の整理

決算日において、現金過不足(借方残高)￥20,000の原因を改めて調査した結果、旅費交通費￥18,000の記入漏れが判明した。残額は原因不明のため、適切に決算処理する。

【指定勘定科目】
現金　当座預金　受取手形　現金過不足
受取手数料　旅費交通費　雑益　雑損

(旅費交通費)	18,000	(現金過不足)	20,000
(雑損)	2,000		

期中に、現金の過不足(不足額)20,000円が生じた際、次のように記帳していたと考えます。

(現金過不足)20,000　(現　金)20,000

不足

現金過不足 20,000 ← 転記

本問は決算において、現金過不足勘定の借方残高20,000円を整理する(＝片付ける)仕訳です。「雑損」または「雑益」は仕訳の貸借差額で判断すると良いです。借方差額は「雑損」、貸方差額は「雑益」です。

現金の帳簿残高が実際有高より￥10,000少なかったので現金過不足として処理していたが、決算日において、受取手数料￥8,500の記入漏れが判明した。残額は原因不明のため、適切に決算処理する。

期中に、現金の過不足(超過額)10,000円が生じた際、次のように記帳していたと考えます。

(現　金)10,000　(現金過不足)10,000

超過

現金過不足 10,000 ← 転記

【指定勘定科目】

現　　金	当座預金	受取手形	現金過不足
受取手数料	旅費交通費	雑　　益	雑　　損

借方	金額	貸方	金額
(現金過不足)	10,000	(受取手数料)	8,500
		(雑　　益)	1,500

本問は決算において、現金過不足勘定の貸方残高10,000円を整理する（＝片付ける）仕訳です。原因不明分は、「雑損」または「雑益」としますが、仕訳の貸借差額で判断すると良いです。借方差額は「雑損」、貸方差額は「雑益」です。

●決算時点で過不足が発生したとき

現金の実際有高を調べたところ、帳簿残高より¥4,000不足していることが判明したが、原因は不明のため、適切に決算処理する。

【指定勘定科目】

現　　金	未収入金	仮払金	仮受金
支払手数料	雑　　損	受取手数料	雑　　益

借方	金額	貸方	金額
(雑　　損)	4,000	(現　　金)	4,000

決算時点で現金に不足額が生じたときは、**現金過不足勘定は経由せず**、原因不明のものは「雑損」とします。
原因が判明するまでの間、一時的に現金過不足勘定に置いておけるのは、過不足が期中に生じたときだけです。

現金の実際有高を調べたところ、帳簿残高より¥7,000超過していることが判明したが、原因は不明のため、適切に決算処理する。

【指定勘定科目】

現　　金	未収入金	仮払金	仮受金
支払手数料	雑　　損	受取手数料	雑　　益

借方	金額	貸方	金額
(現　　金)	7,000	(雑　　益)	7,000

決算時点で現金に超過額が生じたときは、**現金過不足勘定は経由せず**、原因不明のものは「雑益」とします。
原因が判明するまでの間、一時的に現金過不足勘定に置いておけるのは、過不足が期中に生じたときだけです。

債権債務

1 金銭の貸付け

●役員に対する貸付け

当社の役員に対し、¥1,000,000を現金で貸し付けた。

【指定勘定科目】

現　　金	普通預金	受取手形	役員貸付金
支払手形	役員借入金	受取利息	支払利息

借方	金額	貸方	金額
(役員貸付金)	1,000,000	(現　　金)	1,000,000

当社の役員に対して資金を貸し付けた場合には、その重要性を考慮し、本問のように「役員貸付金」を使用し、通常の「貸付金」とは区別して記録します。従業員に対して貸し付けた場合も同様に、「従業員貸付金」を使用します。

●貸付金の回収と利息の計算（利息の受け取りは返済時）

大阪株式会社に期間９か月、年利率4.5％で¥400,000を貸し付けていたが満期日になり、元利合計が当座預金口座に振り込まれた。

借方	金額	貸方	金額
(当座預金)	413,500	(貸　付　金)	400,000
		(受取利息)*	13,500

＊　$400{,}000円 \times 4.5\% \times \frac{9か月}{12か月} = 13{,}500円$

「**元利**（がんり）」とは、「**元金**（本問では当初の貸付額400,000円）」と「**利息**」のことです。
ところで…
利息の計算は大丈夫？
年利とは年（**12か月分**）の利息のことです。したがって、貸付期間に関係なく利息の計算をする際の**分母**は**12か月**です。

$貸付額 \times ○\%〈年利〉\times \frac{計算月数}{12か月}$

●手形による貸付け（利息の受け取りは貸付時）

神戸株式会社に¥600,000を貸し付け、同額の約束手形を受け取り、利息¥6,000を差し引いた残額を普通預金口座から振り込んだ。

【指定勘定科目】

現金	普通預金	受取手形	手形貸付金
支払手形	手形借入金	受取利息	支払利息

(手形貸付金)	600,000	(普通預金)*	594,000
		(受取利息)	6,000

＊ 600,000円－6,000円＝594,000円

貸付けの際、手形を受け取ったときは「手形貸付金」とします。なお、貸付額は600,000円です。実際の振込額で仕訳しないように気をつけましょう。594,000円だけを振り込んだのは、先に6,000円を利息として受け取ることにしたためです。よって「受取利息」の仕訳も忘れずに。

●手形貸付金の返済

京都株式会社に対し、同社振出しの約束手形を受け取って貸し付けていた¥800,000が満期日となり、同額が当社の普通預金口座に振り込まれたので、約束手形を同社に返却した。

【指定勘定科目】

受取手形	当座預金	普通預金	手形貸付金
支払手数料	手形借入金	受取利息	支払利息

(普通預金)	800,000	(手形貸付金)	800,000

金銭の貸付時に約束手形を振り出していた場合、返済時の仕訳は「手形貸付金」の減少となります。なお、金銭の貸し借りのために振り出す手形は、担保の要素が強いものです。したがって、返済は手形の決済で行われるわけではなく現金等で行われ、完済された後に手形を返却する（担保を返す）のが一般的です。

2 金銭の借入れ

●借入金の返済と利息の計算（利息の支払いは返済時）

借入金¥2,000,000の支払期日が到来したため、元利合計を当座預金口座から返済した。なお、借入れにともなう利率は年2.19%であり、借入期間は150日であった。利息は1年を365日として日割計算する。

(借入金)	2,000,000	(当座預金)*2	2,018,000
(支払利息)*1	18,000		

＊1　2,000,000円×2.19%×$\frac{150日}{365日}$＝18,000円

＊2　2,000,000円＋18,000円＝2,018,000円

「**元利**（がんり）」とは、「**元金**（本問では当初の借入額2,000,000円）」と「**利息**」のことです。借入金を返済するとともに利息の支払いを当座預金から行った取引です。
ところで…
利息の計算は大丈夫？
利率は年単位で与えられますので、**日割計算**の場合は**365日分**ということです。したがって、借入期間に関係なく利息の計算をする際の**分母**は**365日**です。

借入額×利率年○%×$\frac{計算日数}{365日}$

借入金¥3,000,000の支払期日が到来したため、元利合計を普通預金口座から返済した。なお、借入れにともなう利率は年3.6%、借入期間は9か月間であり、利息は月割計算する。

(借入金)	3,000,000	(普通預金)*2	3,081,000
(支払利息)*1	81,000		

＊1　3,000,000円×3.6%×$\frac{9か月}{12か月}$＝81,000円

＊2　3,000,000円＋81,000円＝3,081,000円

ところで…
利息の計算は大丈夫？
利率は年単位で与えられますので、**月割計算**の場合は**12か月分**ということです。したがって、借入期間に関係なく利息の計算をする際の**分母**は**12か月**です。

借入額×利率年○%×$\frac{計算月数}{12か月}$

第1問対策

借入金（元金均等返済）の今月返済分の元本￥200,000および利息（各自計算）が普通預金口座から引き落とされた。利息の引落額は未返済の元本￥1,000,000に利率年3.65％を適用し、30日分の日割計算（１年を365日とする）した額である。

本問は、借入金の一部200,000円の返済と、利息の支払いを普通預金口座から行った取引ですが、利息の計算には注意が必要です。問題文の指示どおりに計算しましょう。

借方	金額	貸方	金額
(借　入　金)	200,000	(普　通　預　金)*2	203,000
(支　払　利　息)*1	3,000		

＊1　1,000,000円×3.65％×$\frac{30日}{365日}$＝3,000円

＊2　200,000円＋3,000円＝203,000円

●手形による借入れ（利息の支払いは借入時）

日商銀行から￥5,000,000を借り入れ、同額の約束手形を振り出し、利息￥80,000を差し引かれた残額が当座預金口座に振り込まれた。

借入れの際、手形を振り出したときは「手形借入金」とします。なお、借入額は5,000,000円です。実際に振り込まれた額で仕訳しないように気をつけましょう。

4,920,000円だけが振り込まれたのは、先に80,000円を利息として支払うことにしたためです。よって「支払利息」の仕訳も忘れずに。

【指定勘定科目】

現　　金	当座預金	受取手形	手形貸付金
支払手形	手形借入金	受取利息	支払利息

借方	金額	貸方	金額
(当　座　預　金)*	4,920,000	(手形借入金)	5,000,000
(支　払　利　息)	80,000		

＊　5,000,000円－80,000円＝4,920,000円

銀行から￥3,000,000を借り入れ、同額の約束手形を振り出すとともに、利息を差し引かれた手取金を当座預金とした。なお、借入期間は８か月間、年利率は２％であり、利息は月割計算する。

【指定勘定科目】

現　　金	当座預金	受取手形	手形貸付金
支払手形	手形借入金	受取利息	支払利息

借方	金額	貸方	金額
(当　座　預　金)*2	2,960,000	(手形借入金)	3,000,000
(支　払　利　息)*1	40,000		

＊1　3,000,000円×２％×$\frac{8か月}{12か月}$＝40,000円

＊2　3,000,000円－40,000円＝2,960,000円

●手形借入金の返済

かねて手形を振り出して借り入れていた￥1,000,000が満期日になり、同額が当座預金口座から引き落とされ、手形が返却された。

金銭の借入時に手形を振り出していた場合、返済時の仕訳は「手形借入金」の減少となります。

なお、金銭の貸し借りのために振り出す手形は、担保の要素が強いものです。したがって、返済は手形の決済で行われるわけではなく現金等で行われ、完済した後に手形が返却される（担保が返される）のが一般的です。

【指定勘定科目】

現　　金	当座預金	受取手形	手形貸付金
支払手形	手形借入金	受取利息	支払利息

借方	金額	貸方	金額
(手形借入金)	1,000,000	(当　座　預　金)	1,000,000

3 売掛金の貸倒れ

●前期販売分の売掛金が貸倒れたとき

大阪株式会社の倒産により、同社に対する売掛金（前期販売分）¥130,000が貸倒れとなった。なお、貸倒引当金の残高は¥50,000である。

前期販売分の売掛金には、前期末の決算で貸倒引当金を設定しています。
貸倒引当金の残高を超える部分は「貸倒損失」とします。

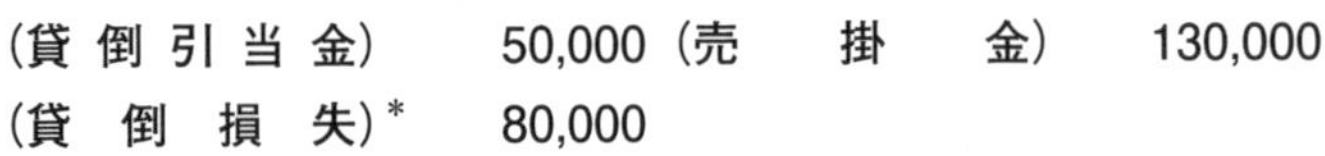

借方科目	金額	貸方科目	金額
（貸倒引当金）	50,000	（売掛金）	130,000
（貸倒損失）*	80,000		

＊　130,000円－50,000円＝80,000円

●一部回収を含む貸倒れ

徳島商店に対する売掛金¥200,000（前期販売分）について、本日、¥70,000を現金で回収し、残額については貸倒れとして処理した。なお、貸倒引当金の残高は¥300,000である。

借方科目	金額	貸方科目	金額
（現金）	70,000	（売掛金）	200,000
（貸倒引当金）*	130,000		

＊　200,000円－70,000円＝130,000円

●当期販売分の売掛金が貸倒れたとき

得意先に対する売掛金（当期の販売から生じたもの）¥150,000が貸し倒れた。

当期の販売から生じた売掛金が貸し倒れたとは、一度も決算を経ることなく回収不能になったということです。よって、貸倒引当金の設定はできていないので、全額が「貸倒損失」となります。

借方科目	金額	貸方科目	金額
（貸倒損失）	150,000	（売掛金）	150,000

●前期販売分、当期販売分の売掛金が混在する貸倒れ

得意先に対する売掛金¥150,000（内訳：前期販売分¥100,000、当期販売分¥50,000）が貸し倒れた。なお、貸倒引当金の残高は¥80,000である。

前期販売分と当期販売分とに仕訳を分けると次のようになります。
［前期販売分］
（貸倒引当金）80,000（売掛金）100,000
（貸倒損失）20,000
［当期販売分］
（貸倒損失）50,000（売掛金）50,000
当期販売分の売掛金については、全額が「貸倒損失」となります。当期中に商品を販売し、決算日になる前に貸し倒れたことになるので、貸倒引当金の設定はできていません。

借方科目	金額	貸方科目	金額
（貸倒引当金）	80,000	（売掛金）	150,000
（貸倒損失）*	70,000		

＊　20,000円〈前期販売分の貸倒引当金不足額〉＋50,000円〈当期販売分〉＝70,000円

4 貸倒れ処理した売掛金の回収

前期において貸倒れ処理した売掛金¥120,000のうち¥50,000を回収し、同額が普通預金口座へ振り込まれた。

前期に貸倒れ処理済みなので、売掛金を減らす仕訳はしません。

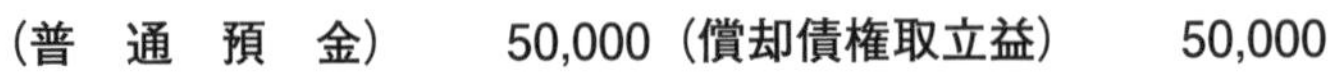

借方科目	金額	貸方科目	金額
（普通預金）	50,000	（償却債権取立益）	50,000

5 売掛金の回収と買掛金の支払い

●売掛金の回収

得意先から先月締めの掛代金￥300,000の回収として、振込手数料￥400（当社負担）を差し引かれた残額が当社の当座預金口座に振り込まれた。

振込手数料を当社が負担したときは、支払手数料勘定（費用）で処理します。

(当座預金)*	299,600	(売掛金)	300,000
(支払手数料)	400		

＊　300,000円－400円＝299,600円

●買掛金の支払い

秋田株式会社に対する買掛金￥270,000を普通預金口座から振り込んで支払った。また、振込手数料￥300（当社負担）が同口座から引き落とされた。

(買掛金)	270,000	(普通預金)*	270,300
(支払手数料)	300		

＊　270,000円＋300円＝270,300円

買掛金￥100,000を当座預金口座から振り込んで支払った。ただし、支払前の当座預金残高は￥80,000であり、当社は銀行と借越限度額￥800,000の当座借越契約を締結している。

「ただし～」の文章に対する処理はありません。当座借越契約を結んでいるため、当座預金の残高が足りなくても借越限度額までは銀行側で補って支払いをしてくれます。

(買掛金)	100,000	(当座預金)	100,000

●買掛金の支払いと郵送代金

買掛金の支払いとして￥250,000の約束手形を振り出し、仕入先に対して郵送した。なお、郵送代金￥500は現金で支払った。

(買掛金)	250,000	(支払手形)	250,000
(通信費)	500	(現金)	500

6 その他の債権債務

先月末に￥500,000の土地を￥600,000で横浜株式会社に売却していたが、本日、代金の全額が普通預金口座に振り込まれた。

土地を売却する仕訳は、先月末（過去）の時点で記帳済みです。**「本日」**の時点（＝代金回収時点）が解答要求であることに気をつけてください。
商品売買以外の取引から生じた未収分は「未収入金」としています。

【指定勘定科目】

現金	当座預金	普通預金	売掛金
未収入金	土地	固定資産売却益	固定資産売却損

(普通預金)	600,000	(未収入金)	600,000

●商品券の精算

自治体発行の商品券￥100,000を金融機関で換金し、同額を現金で受け取った。

借方	金額	貸方	金額
(現　　　　金)	100,000	(受 取 商 品 券)	100,000

商品券の精算は、発行元による買取りを意味するので、貸方を「受取商品券」とし、資産の減少とします。

●小口現金の支払報告と資金の補給

小口現金係から、旅費交通費として￥2,600、消耗品費として￥1,700を使用したとの報告を受け、ただちに同額の小切手を振り出して小口現金係に渡した。なお、当社は定額資金前渡制を採用している。

借方	金額	貸方	金額
(旅 費 交 通 費)	2,600	(当　座　預　金)	4,300
(消　耗　品　費)	1,700		

支払報告と同時に小切手を振り出して精算したときは、小切手により支払いが行われたと考えて、帳簿上「小口現金」の増減記録（小口現金からの支払いと使った分の補給）を省略することができます。
キーワードは「ただちに小切手を振り出して～」です。

●手形の決済

かねて商品仕入時に振り出した約束手形￥400,000が当座預金口座から決済された。

借方	金額	貸方	金額
(支　払　手　形)	400,000	(当　座　預　金)	400,000

約束手形を振り出したときは、支払手形勘定（負債）の増加としています。

かねて商品販売に際して受け取った他社振出の約束手形￥250,000が決済され、同額が当座預金口座に振り込まれた。

借方	金額	貸方	金額
(当　座　預　金)	250,000	(受　取　手　形)	250,000

他社振出の約束手形を受け取ったときは、受取手形勘定（資産）の増加としています。

●電子記録債務

仕入先に対する買掛金￥100,000について電子記録債務の発生記録の請求を行った。

借方	金額	貸方	金額
(買　　掛　　金)	100,000	(電子記録債務)	100,000

買掛金について、電子記録債務の発生記録の請求を行ったときは、科目を「電子記録債務」に振り替えます。

電子記録債務￥100,000が決済され、同額が当座預金口座から引き落とされた。

借方	金額	貸方	金額
(電子記録債務)	100,000	(当　座　預　金)	100,000

銀行口座から決済資金が引き落とされたときは、借方を「電子記録債務」とし、負債の減少として処理します。

●電子記録債権

取引銀行より、得意先に対する売掛金￥100,000について、電子記録債権の発生記録の通知を受けた。

借方	金額	貸方	金額
(電子記録債権)	100,000	(売　　掛　　金)	100,000

売掛金について、取引銀行より電子記録債権の発生記録の通知を受けたときは、科目を「電子記録債権」に振り替えます。

電子記録債権￥100,000が決済され、同額が当座預金口座へ振り込まれた。

(当座預金)	100,000	(電子記録債権)	100,000

銀行口座へ決済資金が振り込まれたときは、貸方を「電子記録債権」とし、資産の減少として処理します。

費用の支払い

1 給料の支払い

●所得税の源泉徴収と社会保険料（従業員負担分の預り）

従業員の給料￥350,000の支給に際して、従業員負担の社会保険料￥20,000と、所得税の源泉徴収額￥14,000を差し引き、残額を当座預金口座から支払った。

【指定勘定科目】

現金	当座預金	従業員立替金	社会保険料預り金
所得税預り金	売上	仕入	給料

(給料)	350,000	(社会保険料預り金)	20,000
		(所得税預り金)	14,000
		(当座預金)*	316,000

＊　350,000円－20,000円－14,000円＝316,000円

従業員の給料に対する所得税と社会保険料はまとめて「預り金」とする場合もありますが、日商3級では、「所得税預り金」と「社会保険料預り金」とに分けて処理することが多いです。

従業員の給料￥600,000の支給に際して、源泉所得税￥32,000、住民税の源泉徴収額￥43,000および従業員負担の社会保険料￥52,000を控除した残額を、普通預金口座から支払った。

【指定勘定科目】

現金	普通預金	住民税預り金	社会保険料預り金
所得税預り金	売上	仕入	給料

(給料)	600,000	(所得税預り金)	32,000
		(住民税預り金)	43,000
		(社会保険料預り金)	52,000
		(普通預金)*	473,000

＊　600,000円－32,000円－43,000円－52,000円＝473,000円

従業員の源泉所得税、住民税や社会保険料は、給料の支給額から差し引き、あとで税務署や年金事務所等に納付するので、これらを預かったときは、貸方を内容ごとに分けて「○○預り金」とし、負債の増加として処理します。

●社会保険料（従業員負担分と会社負担分）の納付

従業員にかかる社会保険料￥90,000を普通預金口座から納付した。このうち従業員負担分は￥45,000、残額は会社負担分である。

【指定勘定科目】

現金	普通預金	前払金	所得税預り金
社会保険料預り金	売上	法定福利費	租税公課

(社会保険料預り金)	45,000	(普通預金)	90,000
(法定福利費)	45,000		

従業員にかかる社会保険料のうち会社負担分を納付したときは、その金額を「法定福利費（費用）」の増加とします。また、従業員負担分は、給料支給時に預った「社会保険料預り金（負債）」の減少とします。

7月10日に本年度の雇用保険料¥216,000を現金で一括納付した。このうち、¥144,000は会社負担分であり、残額は従業員負担分である。従業員負担分のうち、4月から6月までの3か月分についてはすでに給料支給時に月額相当額を毎月差し引いて預り金で処理している。これに対し、7月以降の9か月分についてはいったん会社が立て替えて支払い、その後の毎月の給料から精算することとしているので立替金勘定で処理する。

雇用保険料などの社会保険料の納付額のうち、会社負担分は当社の費用として処理するため、「法定福利費」とします。また、従業員負担分のうち、すでに給料から差し引いて預かっている分は「社会保険料預り金（負債）」の減少とし、立替払いした分は「従業員立替金（資産）」の増加として処理します。

【指定勘定科目】

現　　金	普通預金	従業員立替金	社会保険料預り金
所得税預り金	売　　上	法定福利費	給　　料

（法定福利費）	144,000	（現　　金）	216,000
（社会保険料預り金）*1	18,000		
（従業員立替金）*2	54,000		

＊1　216,000円－144,000円〈会社負担分〉＝72,000円〈従業員負担分〉

72,000円×$\frac{3か月}{12か月}$＝18,000円〈4月～6月までの預り分〉

＊2　72,000円×$\frac{9か月}{12か月}$＝54,000円〈7月以降の立替分〉

●給料の支払い（会社が立替払いした雇用保険料あり）

従業員の給料¥2,000,000の支給に際し、所得税の源泉徴収額¥150,000、健康保険・厚生年金の保険料¥194,000および雇用保険料の月額相当額¥6,000（会社が立替払いした分）を控除した残額を、普通預金口座から振り込んだ。

従業員に対する立替金を、給料から差し引いて回収したときは、貸方を「従業員立替金」とし、資産の減少として処理します。

【指定勘定科目】

現　　金	普通預金	従業員立替金	社会保険料預り金
所得税預り金	売　　上	仕　　入	給　　料

（給　　料）	2,000,000	（所得税預り金）	150,000
		（社会保険料預り金）	194,000
		（従業員立替金）	6,000
		（普通預金）*	1,650,000

＊　2,000,000円－150,000円－194,000円－6,000円＝1,650,000円

●所得税の納付

従業員の所得税の源泉徴収額¥1,500,000を、普通預金口座から納付した。

従業員から源泉徴収した所得税を納付すれば、納付義務は消滅するため、「所得税預り金（負債）」の減少となります。

【指定勘定科目】

現　　金	普通預金	立　替　金	所得税預り金
未　払　金	売　　上	給　　料	租税公課

（所得税預り金）	1,500,000	（普通預金）	1,500,000

所轄税務署より納期の特例承認を受けている源泉徴収所得税１月から６月までの合計税額￥94,000を現金で納付した。

【指定勘定科目】

現金	当座預金	立替金	所得税預り金
未払金	売上	給料	租税公課

(所得税預り金)	94,000	(現金)	94,000

給料から源泉徴収した所得税は、原則として毎月納付しなければなりませんが、一定の要件を満たした場合に、半年分をまとめて納付することができる特例があります。これを「納期の特例」といいます。

2 その他の費用

消耗品￥30,000を購入し、代金は後日支払うこととした。

【指定勘定科目】

現金	普通預金	売掛金	買掛金
未払金	売上	仕入	消耗品費

(消耗品費)	30,000	(未払金)	30,000

商品売買**以外**の取引から生じた代金の未払分は、未払金勘定で処理します。

営業の用に供している建物および土地の固定資産税￥500,000を当座預金口座から納付した。

【指定勘定科目】

現金	当座預金	建物	土地
支払手数料	売上	租税公課	通信費

(租税公課)	500,000	(当座預金)	500,000

事業で使用する建物や土地に対する固定資産税は「租税公課」とし、費用で処理します。

郵便局で店舗の固定資産税￥49,000を現金で納付するとともに、収入印紙￥5,500と郵便切手￥2,000を現金で購入した。なお、収入印紙と郵便切手はすぐに使用した。

【指定勘定科目】

現金	当座預金	受取手形	資本金
買掛金	売上	租税公課	通信費

(租税公課)*	54,500	(現金)	56,500
(通信費)	2,000		

＊　49,000円〈固定資産税〉＋5,500円〈収入印紙〉＝54,500円

収入印紙は「租税公課」、郵便切手は「通信費」、どちらも費用で処理します。

営業活動で利用する電車およびバスの料金支払用ＩＣカードに現金￥30,000を入金した。なお、当社は日頃より入金時に全額を費用に計上している。

【指定勘定科目】

現金	当座預金	普通預金	受取手形
資本金	売上	旅費交通費	通信費

(旅費交通費)	30,000	(現金)	30,000

従業員が業務のために立て替えた1か月分の諸経費は次のとおりであった。そこで、来月の給料に含めて支払うこととし、未払金として計上した。

電車代　¥6,750　　タクシー代　¥4,500

消耗品の購入　¥5,000

当社が支払うべき業務のための諸経費を、従業員に一時的に立替払いしてもらっているときは、あとで従業員に対して返済しなければならないため、負債の増加として処理します。

【指定勘定科目】

現金	未収入金	買掛金	未払金
売上	旅費交通費	給料	消耗品費

借方	金額	貸方	金額
(旅費交通費)*	11,250	(未払金)	16,250
(消耗品費)	5,000		

＊　6,750円＋4,500円＝11,250円

広告宣伝費¥35,000を普通預金口座から支払った。また、振込手数料として¥300が同口座から引き落とされた。

借方	金額	貸方	金額
(広告宣伝費)	35,000	(普通預金)*	35,300
(支払手数料)	300		

＊　35,000円＋300円＝35,300円

仮払金・仮受金

1 旅費交通費の概算払い

従業員の出張に際し、旅費交通費の概算額¥50,000を現金で渡した。

概算額の支払いは、旅費交通費としていくら使用するかが不明確であるため、いったん「仮払金」で処理します。

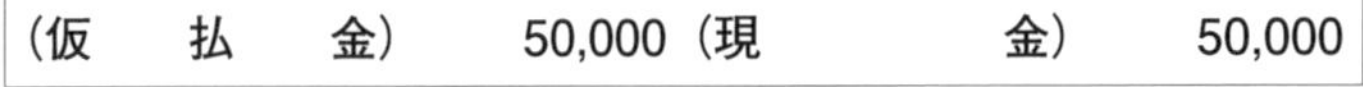

借方	金額	貸方	金額
(仮払金)	50,000	(現金)	50,000

●ICカードによる支払い

従業員が事業用のＩＣカードから旅費交通費¥2,600および消耗品費¥700を支払った。なお、ＩＣカードのチャージ（入金）については、チャージ時に仮払金勘定で処理している。

本問では、ＩＣカードのチャージ時に以下の処理をしています。
(仮 払 金)××(現金など)××
したがって、ＩＣカードを使用して支払いをしたときは、仮払金勘定から該当する勘定に振り替えます。

借方	金額	貸方	金額
(旅費交通費)	2,600	(仮払金)	3,300
(消耗品費)	700		

●概算払いの精算

従業員が出張から帰社し、旅費交通費の精算を行ったところ、あらかじめ手渡していた概算額¥50,000では足りず、不足額¥25,000を現金で支払った。

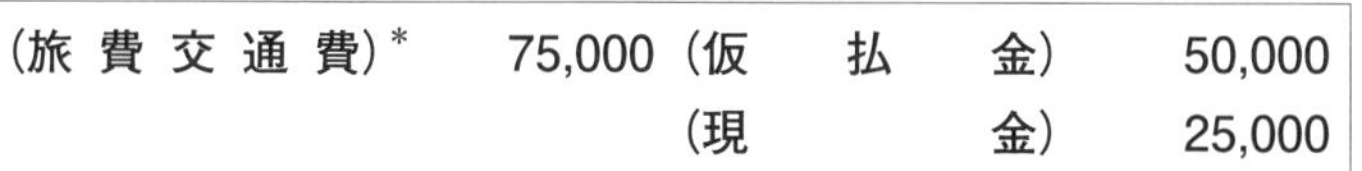

(旅 費 交 通 費)*	75,000	(仮　　払　　金)	50,000
		(現　　　　　金)	25,000

＊　50,000円＋25,000円＝75,000円

仮払金（概算払い額）は、適切な勘定科目または金額が確定したときに、該当する勘定科目へ振り替えます。

旅費交通費の精算を行ったところ、現金¥2,300が返金された。なお、この従業員には旅費交通費の概算額として現金¥20,000を渡していた。

(現　　　　　金)	2,300	(仮　　払　　金)	20,000
(旅 費 交 通 費)*	17,700		

＊　20,000円〈概算額〉－2,300円〈返金分〉＝17,700円

2 内容不明の入金

●入金内容の判明

従業員が出張から戻り、さきの当座預金口座への¥230,000の入金は、山梨商店からの売掛金¥200,000の回収および甲府商店から受け取った商品代金の手付金¥30,000であることが判明した。なお、入金時には内容不明の入金として処理してある。

内容不明の入金は「仮受金」としています。
「手付金¥30,000」については、商品の引渡義務を表す「前受金」へ振り替える処理をします。

(仮　　受　　金)	230,000	(売　　掛　　金)	200,000
		(前　　受　　金)	30,000

有形固定資産

1 購入

●備品の購入と付随費用

備品¥540,000を購入し、配送運賃¥20,000を含めた¥560,000のうち、¥260,000は小切手を振り出して支払い、残額は翌月以降の分割払いとした。

購入にともない発生した配送運賃は備品を購入するための付随費用ですから、備品の取得原価に含めます。なお、「翌月以降の分割払い」とありますが、「分けて支払う」というだけで後払いであることにかわりはありません。

(備　　　　　品)*1	560,000	(当　座　預　金)	260,000
		(未　　払　　金)*2	300,000

＊1　540,000円＋20,000円＝560,000円
＊2　560,000円－260,000円＝300,000円

●備品と消耗品の同時購入

事務用のオフィス機器￥550,000とコピー用紙￥5,000を購入し、代金の合計を普通預金口座から振り込んだ。

【指定勘定科目】

現金	普通預金	備品	建物
未払金	売上	仕入	消耗品費

(備品)	550,000	(普通預金)*	555,000
(消耗品費)	5,000		

*　550,000円＋5,000円＝555,000円

事務用のオフィス機器の購入は「備品（資産）」、コピー用紙の購入は「消耗品費（費用）」の増加でそれぞれ処理します。

●建物の購入と付随費用

建物￥3,000,000を購入し、代金は不動産会社への手数料￥90,000とともに小切手を振り出して支払った。

(建物)*	3,090,000	(当座預金)	3,090,000

*　3,000,000円＋90,000円＝3,090,000円

建物を購入する際の不動産会社への手数料は、建物の取得原価に含めます。なお、小切手を振り出して支払ったときは、当座預金勘定（資産）の減少とします。

●土地の購入と付随費用

土地550㎡を1㎡あたり￥35,000で購入し、不動産会社への手数料￥400,000は現金で支払い、土地の代金は後日支払うこととした。

(土地)*2	19,650,000	(現金)	400,000
		(未払金)*1	19,250,000

*1　@35,000円×550㎡＝19,250,000円
*2　19,250,000円＋400,000円＝19,650,000円

土地を購入する際の不動産会社への手数料は、土地の取得原価に含めます。
なお、商品売買**以外**の取引から生じた代金の未払分は、「未払金」とします。

店舗を建てる目的で購入した土地について建設会社に依頼していた整地作業が完了し、その代金￥150,000を現金で支払った。

(土地)	150,000	(現金)	150,000

土地を購入するための付随費用は、土地の取得原価に含めます。なお、取得原価とは「その資産を手に入れて、使用できるまでにかかった金額」を表すものです。したがって、整地費用も土地の取得原価に含めます。

新店舗を開設する目的で、土地750㎡を、1㎡当たり￥55,000で購入し、土地代金は月末に支払うことにした。なお、不動産会社への手数料￥500,000、および売買契約書の印紙代￥20,000（費用処理すること）は、普通預金口座から支払った。

(土地)*2	41,750,000	(未払金)*1	41,250,000
(租税公課)	20,000	(普通預金)*3	520,000

*1　@55,000円×750㎡＝41,250,000円
*2　41,250,000円＋500,000円〈手数料〉＝41,750,000円
*3　500,000円＋20,000円＝520,000円

不動産会社への手数料は土地の取得原価に含めますが、売買契約書の印紙代は問題文の指示どおり「租税公課」として費用処理します。

●土地と建物の同時購入と付随費用

建物￥1,000,000および土地￥3,000,000を購入し、売買手数料（それぞれの代金の３％）を加えた総額を普通預金口座から振り込むとともに引渡しを受けた。

建物や土地の購入にともなう売買手数料は、それぞれの固定資産の取得原価に含めます。

(建　　　物) *1	1,030,000	(普　通　預　金) *3	4,120,000
(土　　　地) *2	3,090,000		

＊1　1,000,000円 × ３％ = 30,000円〈売買手数料〉
　　1,000,000円 + 30,000円 = 1,030,000円
＊2　3,000,000円 × ３％ = 90,000円〈売買手数料〉
　　3,000,000円 + 90,000円 = 3,090,000円
＊3　1,030,000円 + 3,090,000円 = 4,120,000円

土地付き建物（購入代価は建物￥5,000,000、土地￥7,500,000）を購入し、不動産会社への手数料（それぞれ購入代価の３％）を加えた総額を普通預金口座から支払い、印紙税（￥20,000）は現金で支払った。なお、印紙税は費用処理する。

「土地」と「建物」は別の固定資産であるため、「土地付き建物を購入」とあっても分けて記録します。

(建　　　物) *1	5,150,000	(普　通　預　金) *3	12,875,000
(土　　　地) *2	7,725,000		
(租　税　公　課)	20,000	(現　　　金)	20,000

＊1　5,000,000円 × ３％ = 150,000円〈手数料〉
　　5,000,000円 + 150,000円 = 5,150,000円
＊2　7,500,000円 × ３％ = 225,000円〈手数料〉
　　7,500,000円 + 225,000円 = 7,725,000円
＊3　5,150,000円 + 7,725,000円 = 12,875,000円

2 売却

●期首売却

期首に、不用になった備品（取得原価￥360,000、減価償却累計額￥300,000、間接法で記帳）を￥10,000で売却し、売却代金は現金で受け取った。

期首において固定資産を売却した場合は、当期分（１日分）の減価償却費の計上は不要です。

【指定勘定科目】

現　　　金	未収入金	備　　　品	土　　　地
備品減価償却累計額	固定資産売却益	減価償却費	固定資産売却損

(備品減価償却累計額)	300,000	(備　　　品)	360,000
(現　　　金)	10,000		
(固定資産売却損) *	50,000		

＊　360,000円 − 300,000円 = 60,000円〈簿価〉
　　10,000円 − 60,000円 = △50,000円〈売却損〉

期首に不用になった車両(取得原価¥1,500,000、減価償却累計額¥1,050,000、間接法で記帳)を¥370,000で売却し、代金は2週間後に当社指定の普通預金口座に振り込んでもらうこととした。

代金については、「2週間後に当社指定の普通預金口座に振り込んでもらうこと」にしただけなので、売却時点では支払われていません。「普通預金」としないように気をつけましょう。商品売買**以外**の取引から生じた代金の未収分は「未収入金」とします。

【指定勘定科目】

売掛金	未収入金	車両運搬具	普通預金
車両運搬具減価償却累計額	固定資産売却益	減価償却費	固定資産売却損

借方科目	金額	貸方科目	金額
(車両運搬具減価償却累計額)	1,050,000	(車両運搬具)	1,500,000
(未収入金)	370,000		
(固定資産売却損)*	80,000		

* 1,500,000円－1,050,000円＝450,000円〈簿価〉
370,000円－450,000円＝△80,000円〈売却損〉

期首に、備品(取得原価¥600,000、帳簿価額¥150,000、間接法で記帳)を不用になったため¥130,000で売却し、代金は月末に受け取ることとした。

毎期の減価償却額は減価償却累計額勘定の貸方に記録しています。
「間接法で記帳」⇒「減価償却累計額」を思いつくようにしましょう。とは言うものの、本問には肝心な減価償却累計額の金額はなく、計算に必要な耐用年数などの情報もありません。このようなときは、帳簿価額をもとに計算します。

【指定勘定科目】

備品	普通預金	未収入金	固定資産売却益
売掛金	減価償却累計額	減価償却費	固定資産売却損

借方科目	金額	貸方科目	金額
(減価償却累計額)*1	450,000	(備品)	600,000
(未収入金)	130,000		
(固定資産売却損)*2	20,000		

*1 取得原価－減価償却累計額＝帳簿価額
600,000円－減価償却累計額＝150,000円
減価償却累計額＝450,000円
*2 130,000円－150,000円＝△20,000円〈売却損〉

当期首に、2年前の期首に取得した備品(取得原価¥600,000、残存価額ゼロ、耐用年数5年)を¥300,000で売却し、代金は月末に当社指定の普通預金口座に振り込んでもらうことにした。減価償却費は定額法で計算し、記帳は間接法を用いている。

「2年前の期首に取得」とは、当期首までに決算が2回あったので、2年分の減価償却をしたということです。

※ 決算日は3/31とする。

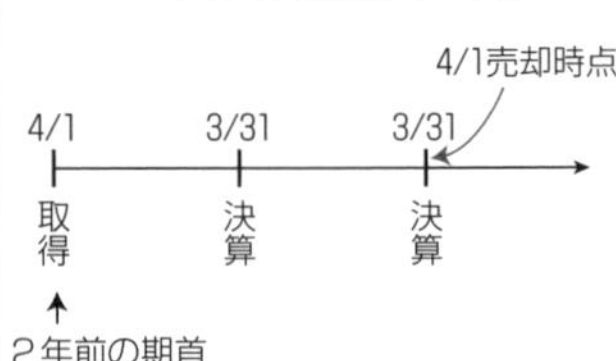

【指定勘定科目】

現金	未収入金	備品	土地
備品減価償却累計額	固定資産売却益	減価償却費	固定資産売却損

借方科目	金額	貸方科目	金額
(備品減価償却累計額)*1	240,000	(備品)	600,000
(未収入金)	300,000		
(固定資産売却損)*2	60,000		

*1 600,000円÷5年×2年＝240,000円
*2 600,000円－240,000円＝360,000円〈簿価〉
300,000円－360,000円＝△60,000円〈売却損〉

当期首に、5年前の期首に取得した車両運搬具（取得原価¥1,200,000、耐用年数6年、残存価額ゼロ）を¥208,000で売却し、代金は現金で受け取った。

「5年前の期首に取得」とは、当期首までに決算が5回あったので、5年分の減価償却をしたということです。

※　決算日は3/31とする。

【指定勘定科目】

車両運搬具	普通預金	現金	固定資産売却益
売掛金	減価償却累計額	減価償却費	固定資産売却損

(減価償却累計額) *1	1,000,000	(車両運搬具)	1,200,000
(現金)	208,000	(固定資産売却益) *2	8,000

＊1　1,200,000円÷6年×5年＝1,000,000円

＊2　1,200,000円－1,000,000円＝200,000円〈簿価〉
　　208,000円－200,000円＝8,000円〈売却益〉

×2年12月1日に取得した業務用パソコン（取得原価¥150,000、残存価額ゼロ、耐用年数5年、減価償却費の計算は定額法、間接法で記帳）を×5年4月1日に¥83,000で売却し、売却代金は現金で受け取った。なお、当社の決算日は3月31日であり、取得年度の減価償却費については月割計算による。

減価償却累計額は、

$\frac{\text{取得原価}-\text{残存価額}}{\text{耐用年数}}\times\text{経過年数}$

で求めますが、計算に注意してください。

本問では、固定資産を期中に取得しているため、初年度は4か月分の月割償却になります。

$\frac{\text{取得原価}-\text{残存価額}}{\text{耐用年数}}\times\frac{\text{経過月数}}{\text{12か月}}$

【指定勘定科目】

現金	当座預金	備品	土地
備品減価償却累計額	固定資産売却益	減価償却費	固定資産売却損

(備品減価償却累計額) *1	70,000	(備品)	150,000
(現金)	83,000	(固定資産売却益) *2	3,000

＊1　150,000円÷5年×$\frac{\text{4か月}}{\text{12か月}}$＝10,000円〈×2.12.1～×3.3.31〉
　　150,000円÷5年×2年＝60,000円〈×3.4.1～×5.3.31〉
　　10,000円＋60,000円＝70,000円

＊2　150,000円－70,000円＝80,000円〈簿価〉
　　83,000円－80,000円＝3,000円〈売却益〉

●期中売却

×3年4月4日に購入した備品（取得原価¥360,000、残存価額ゼロ、耐用年数6年、定額法で計算、間接法で記帳）が不用になったので、本日（×7年6月30日）¥80,000で売却し、代金は翌月末に受け取ることにした。なお、決算日は3月31日とし、減価償却費は月割りで計算する。

売却する期（×7年度）も3か月分の月割償却が必要です。これを当期分の「減価償却費」として計上します。

$\frac{\text{取得原価}-\text{残存価額}}{\text{耐用年数}}\times\frac{\text{経過月数}}{\text{12か月}}$

(注) 日割計算は行わないため、月の途中であっても月初から月末まで使用したとみなして計算します。

【指定勘定科目】

売掛金	未収入金	備品	土地
備品減価償却累計額	固定資産売却益	減価償却費	固定資産売却損

(備品減価償却累計額) *1	240,000	(備品)	360,000
(減価償却費) *2	15,000		
(未収入金)	80,000		
(固定資産売却損) *3	25,000		

＊1　360,000円÷6年×4年＝240,000円〈×3.4.4～×7.3.31〉

＊2　360,000円÷6年×$\frac{\text{3か月}}{\text{12か月}}$＝15,000円〈×7.4.1～×7.6.30〉

＊3　360,000円－240,000円－15,000円＝105,000円〈簿価〉
　　80,000円－105,000円＝△25,000円〈売却損〉

3 賃貸借と差入保証金

●建物の賃借時に生じる敷金と仲介手数料

オフィスとしてビルの1部屋を1か月の家賃¥200,000で賃借する契約を結び、1か月分の家賃、敷金（家賃2か月分）、および不動産業者への仲介手数料（家賃1か月分）を現金で支払った。

敷金や保証金は、解約時に問題がなければ返金されるので、これらを支払ったときは、借方を「差入保証金」とし、資産の増加として処理します。また、不動産を賃借する契約を締結した際に仲介手数料を支払ったときは、借方を「支払手数料」とし、費用の増加として処理します。

(支払家賃)	200,000	(現　　　金)*3	800,000
(差入保証金)*1	400,000		
(支払手数料)*2	200,000		

＊1　@200,000円〈月額家賃〉×2か月分＝400,000円〈敷金〉
＊2　@200,000円〈月額家賃〉×1か月分＝200,000円〈仲介手数料〉
＊3　200,000円＋400,000円＋200,000円＝800,000円

●建物の賃貸借契約の解除

建物の賃貸借契約を解約し、契約時に支払っていた敷金（保証金）¥400,000について、修繕費を差し引かれた残額¥320,000が普通預金口座に振り込まれた。

契約解除をもって納めていた敷金（保証金）は返金されるため、全額の400,000円で「差入保証金（資産）」を減らします。これに対し、実際の返金額は320,000円でした。戻らなかった差額分は、修繕を行う費用を負担したためです。「修繕費」で処理することを忘れずに。

(修　繕　費)*	80,000	(差入保証金)	400,000
(普通預金)	320,000		

＊　400,000円−320,000円＝80,000円

不動産の賃貸借契約を解約し、契約時に支払っていた保証金（敷金）について、修繕費¥100,000が差し引かれた残額¥500,000が当座預金口座に振り込まれた。

本問は、保証金（敷金）の金額が資料にない問題です。実際の返金額と、戻らなかった差額分を合算すれば、契約時に支払った保証金（敷金）はいくらであったか判明します。

(修　繕　費)	100,000	(差入保証金)*	600,000
(当座預金)	500,000		

＊　100,000円＋500,000円＝600,000円

4 修繕と改良

保有する建物について¥400,000の改良（資本的支出）と、¥1,600,000の修繕（収益的支出）を行い、代金は普通預金口座から支払った。

固定資産にかかる支出については「修繕」の名目に関係なく、「機能向上や資産価値を高める支出額（＝資本的支出という）」と判断された分は、建物勘定（資産増加）で処理します。また、「機能回復および現状を維持するための支出額（＝収益的支出という）」については、修繕費勘定（費用増加）で処理します。

【指定勘定科目】

現　　金	普通預金	建　　物	資本金	
売　　上	支払家賃	修繕費	消耗品費	

(建　　　物)	400,000	(普通預金)	2,000,000
(修　繕　費)	1,600,000		

営業に供している建物の改修と修繕を行い、代金¥8,000,000を小切手を振り出して支払った。支払額のうち¥5,500,000は収益的支出に、残額は資本的支出に該当する。

【指定勘定科目】

現　金	当座預金	建　物	資本金
売　上	支払家賃	修繕費	消耗品費

(建　　物)*	2,500,000	(当　座　預　金)	8,000,000
(修　繕　費)	5,500,000		

＊　8,000,000円－5,500,000円＝2,500,000円

資本（純資産）

1 株式の発行

●設立時

株式会社の設立にあたり、株式5,000株を１株当たり¥580で発行し、払込金額は普通預金とした。

株式を発行したときは、原則として、払込金額の全額を「資本金」とします。

(普　通　預　金)	2,900,000	(資　　本　　金)*	2,900,000

＊　5,000株×@580円＝2,900,000円

●増資時

増資に際して、株式8,000株を１株あたり¥600で発行し、株主からの払込金は当座預金口座に振り込まれた。

(当　座　預　金)	4,800,000	(資　　本　　金)*	4,800,000

＊　8,000株×@600円＝4,800,000円

2 繰越利益剰余金

●当期純損益の計上

損益勘定の記録によると、当期の収益総額は¥8,750,000で費用総額は¥7,930,000であった。この差額を繰越利益剰余金勘定へ振り替える。

(損　　　益)	820,000	(繰越利益剰余金)	820,000

＊　8,750,000円〈収益総額〉－7,930,000円〈費用総額〉＝820,000円〈純利益〉

損益勘定の記録によると、当期の収益総額は¥6,350,000で費用総額は¥6,560,000であった。この差額を繰越利益剰余金勘定へ振り替える。

(繰越利益剰余金)*	210,000	(損　　　益)	210,000

＊　6,350,000円〈収益総額〉－6,560,000円〈費用総額〉＝△210,000円〈純損失〉

●剰余金の配当と処分

株主総会において、繰越利益剰余金の残高￥1,000,000から、￥100,000を配当し、利益準備金として￥10,000を積み立てることが承認された。

配当金は、株主総会の決議時ではなく、あとで株主に支払われるので、貸方を「未払配当金」とし、負債の増加として処理します。また、利益準備金の積立額は、貸方を「利益準備金」とし、資本の増加として処理します。

【指定勘定科目】

現金	仮払金	未払配当金	資本金
利益準備金	繰越利益剰余金	受取手数料	支払手数料

(繰越利益剰余金)*	110,000	(未払配当金)	100,000
		(利益準備金)	10,000

＊　100,000円＋10,000円＝110,000円

●配当金の支払い

目黒商事株式会社は、株主総会で承認された株主への配当金を普通預金口座から支払った。なお、発行済み株式総数は7,000株であり、1株当たりの配当額は￥80であった。

株主総会で承認された時点では「未払配当金」とし、負債で処理しています。

【指定勘定科目】

現金	普通預金	未収入金	繰越利益剰余金
未払配当金	利益準備金	借入金	資本金

(未払配当金)*	560,000	(普通預金)	560,000

＊　7,000株×1株当たり80円＝560,000円

会社の税金

1 消費税

●仮払消費税の計上

商品￥100,000（税抜価格）を仕入れ、代金は消費税を含めて掛けとした。なお、消費税率は10％であり、税抜方式で処理する。

商品の仕入時などに支払った消費税は、「仮払消費税」とし、資産の増加で処理します。なお、買掛金などの支払額は、税込金額で記録する点に注意しましょう。

(仕入)	100,000	(買掛金)＊2	110,000
(仮払消費税)＊1	10,000		

＊1　100,000円〈税抜価格〉×10％＝10,000円
＊2　100,000円〈税抜価格〉＋10,000円＝110,000円〈税込価格〉

商品￥110,000（税込価格）を仕入れ、代金は消費税を含めて掛けとした。なお、消費税率は10％であり、税抜方式で処理する。

本問のように、商品の仕入代金などが税込価格で与えられる場合もあるので、注意が必要です。

(仕入)＊1	100,000	(買掛金)	110,000
(仮払消費税)＊2	10,000		

＊1　110,000円〈税込価格〉×$\frac{100\%}{100\%+10\%}$＝100,000円〈税抜価格〉
＊2　100,000円〈税抜価格〉×10％＝10,000円

商品¥85,000（本体価格）を仕入れ、代金は８％の消費税（軽減税率適用）を含めた合計額のうち、¥20,000を現金で支払い、残額は掛けとした。なお、消費税は税抜方式で処理する。

（仕　　入）	85,000	（現　　金）	20,000
（仮払消費税）＊1	6,800	（買　掛　金）＊2	71,800

＊1　85,000円〈本体価格＝税抜価格〉×８％＝6,800円
＊2　85,000円＋6,800円＝91,800円〈消費税を含めた合計額〉
　　91,800円－20,000円＝71,800円

備品¥340,000（本体価格）を購入し、代金は10％の消費税を含めて月末に支払うこととした。なお、消費税は税抜方式で処理する。

商品売買**以外**の取引から生じた代金の未払分は、未払金勘定で処理します。

（備　　品）	340,000	（未　払　金）＊2	374,000
（仮払消費税）＊1	34,000		

＊1　340,000円〈本体価格＝税抜価格〉×10％＝34,000円
＊2　340,000円＋34,000円＝374,000円〈税込価格〉

●仮受消費税の計上

商品¥308,000（消費税10％を含む）を売り渡し、代金は掛けとした。消費税は税抜方式で処理する。

商品の販売時などに受け取った消費税は、「仮受消費税」とし、負債の増加で処理します。なお、売掛金などの受取額は、税込金額で記録する点に注意しましょう。

（売　掛　金）	308,000	（売　　上）＊1	280,000
		（仮受消費税）＊2	28,000

＊1　308,000円×$\frac{100\%}{100\%+10\%}$＝280,000円〈税抜価格〉

＊2　280,000円×10％＝28,000円

商品¥16,000（本体価格）を売り上げ、消費税¥1,600を含めた合計額のうち¥7,600は現金で受け取り、残額は共通商品券を受け取った。なお、消費税は税抜方式で処理する。

（現　　金）	7,600	（売　　上）	16,000
（受取商品券）＊	10,000	（仮受消費税）	1,600

＊　16,000円＋1,600円＝17,600円〈消費税を含めた合計額〉
　　17,600円－7,600円＝10,000円

●未払消費税の納付

消費税の確定申告を行い、未払い計上されていた消費税¥142,000を普通預金口座から納付した。

（未払消費税）	142,000	（普通預金）	142,000

2 法人税、住民税及び事業税

●中間納付

中間申告を行い、法人税、住民税及び事業税¥100,000を現金で納付した。

中間申告時に納付した法人税等は、「仮払法人税等」としておきます。

【指定勘定科目】

現金	普通預金	仮払消費税	仮払法人税等
前払金	仮受消費税	売上	仕入

(仮払法人税等)	100,000	(現金)	100,000

●法人税等の計上

決算の結果、確定した税引前当期純利益について法人税、住民税及び事業税が¥250,000と計算された。なお、¥100,000については、すでに中間納付をしている。

中間納付額は、「仮払法人税等」としています。法人税等の金額が確定ときに充当し、残額を「未払法人税等」とします。

【指定勘定科目】

現金	普通預金	仮払消費税	仮払法人税等
未払法人税等	繰越利益剰余金	法人税、住民税及び事業税	租税公課

(法人税、住民税及び事業税)	250,000	(仮払法人税等)	100,000
		(未払法人税等)*	150,000

* 250,000円－100,000円＝150,000円

その他の内容

1 決算整理仕訳と再振替仕訳

●未収利息の処理

前期の決算において、未収利息¥36,000を計上していたので、本日（当期首）、再振替仕訳を行った。

前期の決算で以下のような仕訳をしています。

(未収利息) 36,000 (受取利息) 36,000

再振替仕訳とは、翌期首の日付で逆仕訳することで、もとの勘定に戻すための仕訳です。

(受取利息)	36,000	(未収利息)	36,000

●当座借越の処理

決算にあたり、当座預金勘定の貸方残高¥100,000を当座借越勘定に振り替える。なお、当社は取引銀行との間に¥500,000を借越限度額とする当座借越契約を締結している。

決算日に当座預金勘定が貸方残高（＝借越状態）となっているときは、一時的な銀行からの借入れと考え、その残高を当座借越勘定または借入金勘定に振り替えます。

(当座預金)	100,000	(当座借越)	100,000

本日（期首）、前期末に計上した当座借越¥100,000を当座預金勘定に振り戻した。

期首に振り戻すこと（前期決算において行った決算整理仕訳の逆仕訳）により、もとの状態に戻します。これを再振替仕訳といいます。

(当座借越)	100,000	(当座預金)	100,000

●貯蔵品の処理

収入印紙￥30,000、郵便切手￥3,000を購入し、いずれも費用として処理していたが、決算日に収入印紙￥10,000、郵便切手￥820が未使用であることが判明したため、これらを貯蔵品勘定に振り替えた。

(貯　蔵　品)	10,820	(租 税 公 課)	10,000
		(通　信　費)	820

郵便切手やはがきを購入時に費用処理する場合、借方を「通信費」としますが、決算日に未使用分があるときは、その金額を「貯蔵品」に振り替えます。同様に、収入印紙を購入時に費用処理する場合、借方を「租税公課」としますが、決算日に未使用分があるときは、その金額を「貯蔵品」に振り替えます。

本日（期首）、前期末に費用勘定から貯蔵品勘定に振り替えていた収入印紙￥10,000、郵便切手￥820について、適切な勘定科目に振り戻した。

(租 税 公 課)	10,000	(貯　蔵　品)	10,820
(通　信　費)	820		

期首に振り戻すこと（前期決算において行った決算整理仕訳の逆仕訳）により、もとの状態に戻します。　これを再振替仕訳といいます。

2 決算振替仕訳

仕入勘定において算定された売上原価￥2,800,000を損益勘定に振り替えた。

(損　　益)	2,800,000	(仕　　入)	2,800,000

決算整理後の保険料勘定の借方残高￥120,000を損益勘定に振り替えた。

(損　　益)	120,000	(保　険　料)	120,000

当期の総売上高は￥28,500,000、売上戻り高は￥1,250,000であり、いずれも売上勘定に転記されている。

(売　　上)	*27,250,000	(損　　益)	27,250,000

＊　28,500,000円－1,250,000円＝27,250,000円<純売上高>

3 伝票の推定

次の(1)と(2)の取引について、下記のように入金伝票または出金伝票を作成した場合、答案用紙の振替伝票に記入される仕訳を答えなさい。なお、3伝票制を採用しており、商品売買取引の処理は3分法によっている。

(1) 商品¥700,000を販売し、代金のうち¥300,000を現金で受け取り、残額は掛けとした。

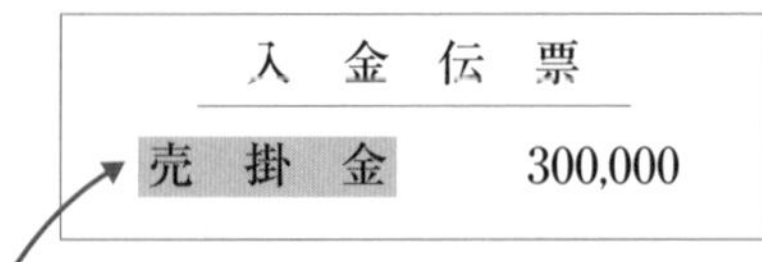

入 金 伝 票

売 掛 金	300,000

いったん全額を掛取引として起票する方法か、取引を分解して起票する方法か？
相手勘定科目がポイントです。

(2) 商品¥500,000を仕入れ、代金のうち¥200,000を現金で支払い、残額は掛けとした。

出 金 伝 票

仕　　入	200,000

(1)

振替伝票			
借方科目	金額	貸方科目	金額

(2)

振替伝票			
借方科目	金額	貸方科目	金額

解　答

(1)

振替伝票			
借方科目	金額	貸方科目	金額
売 掛 金	700,000	売　　上	700,000

(2)

振替伝票			
借方科目	金額	貸方科目	金額
仕　　入	300,000	買 掛 金	300,000

解答への道

⑴　取引を仕訳すると次のようになります。

(売　掛　金)	400,000	(売　　　上)	700,000
(現　　　金)	300,000		

入金伝票に「売掛金」の記入があることから、いったん取引の全額を掛けで売り上げたとみなして起票していると判断します。

取引を２つの仕訳に分けると次のようになるからです。

(売　掛　金)	700,000	(売　　　上)	700,000…振替伝票
(現　　　金)	300,000	(売　掛　金)	300,000…入金伝票

参考

取引を分解して起票した場合、入金伝票には「売上」と記入されます。

入　金　伝　票	
売　　上	300,000

このようになります

取引を２つの仕訳に分けると次のようになるからです。

(売　掛　金)	400,000	(売　　　上)	400,000…振替伝票
(現　　　金)	300,000	(売　　　上)	300,000…入金伝票

⑵　取引を仕訳すると次のようになります。

(仕　　　入)	500,000	(買　掛　金)	300,000
		(現　　　金)	200,000

出金伝票に「仕入」の記入があることから、取引を現金仕入と掛け仕入に分けて起票していると判断します。

取引を２つの仕訳に分けると次のようになるからです。

(仕　　　入)	300,000	(買　掛　金)	300,000…振替伝票
(仕　　　入)	200,000	(現　　　金)	200,000…出金伝票

参考

いったん全額を掛け取引として起票した場合、出金伝票には「買掛金」と記入されます。

出　金　伝　票	
買　掛　金	200,000

このようになります

取引を２つの仕訳に分けると次のようになるからです。

(仕　　　入)	500,000	(買　掛　金)	500,000…振替伝票
(買　掛　金)	200,000	(現　　　金)	200,000…出金伝票

従業員が出張から戻り、下記の報告書および領収書を提出したので、本日、全額を費用として処理した。旅費交通費等報告書記載の金額は、その全額を従業員が立て替えて支払っており、月末に従業員に支払うこととした。なお、電車運賃は領収書なしでも費用計上することにしている。

旅費交通費等報告書

日商太郎

移動先	手段等	領収書	金額
千葉商店	電車	無	1,400
ホテル日商	宿泊	有	9,000
帰社	電車	無	1,400
	合計		11,800

領収書

日商商事㈱
日商太郎 様

金 9,000円

但し、宿泊料として

ホテル日商

【指定勘定科目】

現金	未収入金	買掛金	未払金
売上	旅費交通費	給料	消耗品費

(旅費交通費)	11,800	(未払金)	11,800

当社が支払うべき業務のための諸経費を、従業員に一時的に立替払いしてもらっているときは、あとで従業員に対して返済しなければならないため、負債の増加として処理します。最も適当な科目については、商品売買以外の取引から生じた代金の未払分であることや、指定勘定科目により「未払金」とします。

オフィスのデスクセットを購入し、据付作業ののち、次の請求書を受け取り、代金は後日支払うこととした。

請求書

日商株式会社　御中

大門商事株式会社

品物	数量	単価	金額
オフィスデスクセット	1	¥ 2,000,000	¥ 2,000,000
配送料			¥ 30,000
据付費			¥ 100,000
	合計		¥ 2,130,000

×8年11月30日までに合計額を下記口座へお振り込み下さい。

千代田銀行千代田支店　普通　7654321　ダイモンシヨウジ（カ

(備品)	2,130,000	(未払金)	2,130,000

購入したデスクセットは、オフィス用であることから、その取得原価を「備品（資産）」の増加とします。
本問では、請求書に記載されている配送料や据付費が備品の購入にともなう付随費用であることから、取得原価に含めて処理します。なお、商品以外のものを購入した際の代金の未払額は、「未払金（負債）」の増加とします。

株式会社宮城商事に商品を売り上げ、品物とともに次の納品書兼請求書を発送し、代金は消費税を含めて掛けとした。なお、消費税は、税抜方式で処理する。

納品書　兼　請求書

株式会社宮城商事　御中　　　　　　　　×9年10月20日

岩手商事株式会社

品　名	数　量	単　価	金　額
S商品	150	200	¥　30,000
T商品	100	350	¥　35,000
	消費税		¥　6,500
	合　計		¥　71,500

×9年11月20日までに合計額を下記口座にお振り込みください。

日商銀行××支店　普通　1234567　イワテショウジ（カ

（売　掛　金）	71,500	（売　　上）	65,000
		（仮 受 消 費 税）	6,500

受け取った消費税は、消費者に代わって納付するために預かったものなので、貸方を「仮受消費税」とし、負債の増加として処理します。なお、顧客に対する売掛金などは、税込金額で記録する点に注意しましょう。

証ひょう対策

問題資料として証ひょう（取引の事実を証明する資料）が与えられる形式は、第1問だけでなく第2問での出題も考えられます。そこで、「証ひょう対策」として、証ひょうの種類や、それぞれの出題パターンなどを整理すると次のようになります。

証ひょうの種類

証ひょうには、主に以下のような種類があります。

1 商品の仕入時や物品の購入時に受け取る書類

種　類	記載内容
納　品　書	仕入れた商品や購入した物品の名称・数量・単価・総額等
請　求　書	商品の仕入代金や物品の購入代金の請求額
領　収　書	商品の仕入代金や物品の購入代金の支払額

2 商品の販売時に作成する書類

種　類	記載内容
納品書(控)	販売した商品の名称・数量・単価・総額等
請求書(控)	商品の販売代金の請求額
売上集計表	一定期間における商品の販売代金の集計額

3 その他の書類

種　類	記載内容
旅費交通費等報告書	旅費交通費等の精算報告
振込依頼書	振込金額とその内容、振込先の口座情報等
税金の納付書	税金の種類、納税額、申告の種類、納税者の住所・氏名等
当座勘定照合表	当座預金口座の入出金明細
入出金明細書	普通預金口座・定期預金口座の入出金明細

出題パターン

1 商品の仕入時や物品の購入時

納品書の受け取り

T商事株式会社は、商品を仕入れ、代金は後日支払うこととした。なお、品物とともに、以下の納品書を受け取っている。また、消費税については、税抜方式で記帳する。

納　品　書
（軽減税率対象）

T商事株式会社　御中

F製菓株式会社

品　物	数　量	単　価	金　額
ミルクチョコレート（50袋入りケース）	20	7,500	¥ 150,000
ミックスチョコレート（50袋入りケース）	20	10,000	¥ 200,000
生チョコレート（20箱入りケース）	10	5,000	¥ 50,000
	消費税		¥ 32,000
	合　計		¥ 432,000

【指定勘定科目】

現　　金	仮払消費税	仮払法人税等	買　掛　金
未　払　金	仮受消費税	売　　上	仕　　入

仕		訳	
借方科目	金　額	貸方科目	金　額

解　答

仕		訳	
借方科目	金　額	貸方科目	金　額
仕　　入	400,000*	買　掛　金	432,000
仮払消費税	32,000		

*　150,000円＋200,000円＋50,000円＝400,000円〈税抜価格〉

解答への道

商品の仕入時に納品書を受け取ったときは、その記載内容にもとづいて「仕入（費用）」を計上します。なお、商品の仕入時に支払った消費税は、「仮払消費税（資産）」としておきます。この場合、仕入先に対する買掛金などは、税込金額で記録する点に注意しましょう。

●納品書兼請求書の受け取り

T商事株式会社は商品を仕入れ、品物とともに以下の納品書兼請求書を受け取り、代金は掛けとした。

納品書　兼　請求書

T商事株式会社　御中

A食品株式会社

品　名	数　量	単　価	金　額
ミルクチョコレート	30	250	¥　7,500
ミックスチョコレート	30	300	¥　9,000
生チョコレート	10	400	¥　4,000
	送　料		¥　1,200
	合　計		¥　21,700

×2年８月31日までに合計額を下記口座へお振込みください。

M銀行神保町支店　当座　3456789　エーシヨクヒン（カ

【指定勘定科目】

現　金	当座預金	売掛金	買掛金	
売　上	仕　入	支払手数料	発送費	

仕		訳	
借方科目	金　額	貸方科目	金　額

解　答

仕		訳	
借方科目	金　額	貸方科目	金　額
仕　入	21,700	買掛金	21,700

解答への道

納品書兼請求書の記載内容により、商品を仕入れたT商事（株）は商品代金とともに送料も請求されていることがわかります。これは、仕入諸掛り（本問では送料）を負担して商品を仕入れたということです。したがって、その金額を含めて仕入原価とし、代金については問題文の指示どおりに全額を「買掛金（負債）」とします。

なお、本問のように、商品代金とあわせて送料をも仕入先へ支払うときは、送料だけを別途「未払金」で処理することはせず、簡便的に「買掛金」に含めて処理することもあります。

●請求書の受け取り

T商事株式会社は、事務用の物品を購入し、代金は後日支払うこととした。なお、品物とともに、以下の請求書を受け取っている。

請 求 書

T商事株式会社　御中

O商会株式会社

品　物	数　量	単　価	金　額
コピー用紙（500枚入）	5	500	¥　2,500
プリンター用インクカートリッジ（4色パック）	2	6,000	¥　12,000
油性ボールペン・黒（5本入り）	10	500	¥　5,000
送　料	—	—	¥　500
	合　計		¥　20,000

×2年7月31日までに合計額を下記口座へお振込みください。

Y銀行飯田橋支店　普通　6543210　オーシヨウカイ（カ

【指定勘定科目】

現金　普通預金　売掛金　買掛金
未払金　売上　仕入　消耗品費

仕		訳	
借方科目	金　額	貸方科目	金　額

解　答

仕		訳	
借方科目	金　額	貸方科目	金　額
消耗品費	20,000	未払金	20,000

解答への道

会社が事務作業などで使用する少額の物品で、すぐに使って無くなってしまうようなものを消耗品といいます。消耗品の購入時に請求書を受け取ったときは、その記載内容にもとづいて「消耗品費(費用)」を計上します。

なお、消耗品の購入にともなう送料は、「消耗品費（費用)」に含めて処理します。また、商品以外のものを購入したときの代金の未払額は「買掛金（負債)」ではなく、「未払金（負債)」とする点に注意しましょう。

「買掛金」は「商品」のときだけ！

●領収書の受け取り

T商事株式会社は、事務用の物品をネット通販で購入し、代金の支払額を仮払金勘定で処理していたが、本日、品物とともに、以下の領収書を受け取ったため、適切な勘定に振り替える。

領　収　書

T商事株式会社　御中

Y電機株式会社

品　物	数　量	単　価	金　額
H社製ノートパソコン	3	200,000	¥ 600,000
配送料	—	—	¥ 3,000
初期設定費用	3	9,000	¥ 27,000
	合　計		¥ 630,000

上記の合計額を領収いたしました。

仕		訳	
借　方　科　目	金　　額	貸　方　科　目	金　　額

解　答

仕		訳	
借　方　科　目	金　　額	貸　方　科　目	金　　額
備　　品	630,000	仮　払　金	630,000

解答への道

事務用に購入した物品が、領収書の記載内容からノートパソコンであることがわかるため、仮払金勘定から備品勘定に振り替えます。なお、備品の購入にともなう配送料や初期設定費用は、付随費用として取得原価に含めて処理します。

また、本問の領収書には、200円分の収入印紙が貼り付けられていますが、領収書の作成者が負担するものなので、当社側では「仕訳不要」となる点に注意しましょう。

2 商品の販売時

●請求書（控）の作成

T商事株式会社は、C商店に対する１か月分の売上代金（月末締め、翌月末払い）を集計し、以下の請求書の原本を発送した。なお、C商店に対する売上は、１か月分をまとめて計上することとしているため、本日、その仕訳を行う。

請　求　書（控）

C商店　御中

T商事株式会社

品　物	数　量	単　価	金　額
ミルクチョコレート	500	250	¥ 125,000
ミックスチョコレート	350	300	¥ 105,000
生チョコレート	100	400	¥ 40,000
	合　計		¥ 270,000

×2年９月30日までに合計額を下記口座へお振込みください。

M銀行神保町支店　当座　3456789　テイーシヨウジ（カ

仕		訳	
借　方　科　目	金　　額	貸　方　科　目	金　　額

解　答

仕		訳	
借　方　科　目	金　　額	貸　方　科　目	金　　額
売　　掛　　金	270,000	売　　　　上	270,000

解答への道

特定の顧客に対し、継続的に商品を掛販売している場合には、１か月分の売上代金を集計し、まとめて請求することがあります。また、一般的には、商品の引渡しのつど、売上計上の仕訳を行いますが、本問のように１か月分をまとめて行うこともあります。本試験で出題される場合には、指示が与えられるため、その指示に従って解答するようにしてください。

●売上集計表の作成

T商事株式会社は、本日の店頭での売上を集計し、以下の売上集計表を作成した。この集計結果にもとづいて、本日分の売上計上の仕訳を行う。なお、合計額のうち、¥5,000は現金決済、残額はクレジットカード決済であった。なお、クレジット会社への手数料（クレジット決済額の２％）も計上する。

売上集計表

×2年11月７日

品　物	数　量	単　価	金　額
ミルクチョコレート	50	250	¥　12,500
ミックスチョコレート	55	300	¥　16,500
生チョコレート	40	400	¥　16,000
	合　計		¥　45,000

【指定勘定科目】

現　　金	クレジット売掛金	仮払消費税	買　掛　金
受取手数料	売　　上	仕　　入	支払手数料

仕		訳	
借方科目	金　額	貸方科目	金　額

解　答

仕		訳	
借方科目	金　額	貸方科目	金　額
現　　金	5,000	売　　上	45,000
クレジット売掛金	39,200*2		
支払手数料	800*1		

＊1　45,000円－5,000円＝40,000円〈クレジットカード決済額〉
40,000円×２％＝800円

＊2　40,000円－800円＝39,200円

解答への道

販売した商品の代金がクレジットカード決済になった場合は、その金額を「クレジット売掛金（資産)」の増加とし、「売掛金」とは区別して処理します。また、クレジット会社に対する手数料を販売時に計上する場合は、クレジットカード決済となった金額から手数料を差し引いた残額がクレジット売掛金となります。

3 その他の書類

●旅費交通費等報告書

従業員が出張より帰社し、出発時に概算払いしていた¥15,000について、以下の報告書と領収書が提出され、残額を現金で受け取った。なお、当社では、１回あたり¥3,000以下の場合、電車賃の領収書の提出を不要としている。

旅費交通費等報告書

後楽園太郎

移動先	手段等	領収書	金　額
横浜駅	電車	無	550
赤レンガ商店	タクシー	有	3,250
大さん橋ホテル	宿泊	有	8,000
帰社	電車	無	550
	合　計		¥ 12,350

領収書

運賃　¥3,250

上記のとおり領収いたしました。

㈱本牧交通

領収書

宿泊費　シングル１名　¥8,000

またのご利用をお待ちしております。

大さん橋ホテル

【指定勘定科目】

現金	普通預金	前払金	仮払金
前受金	仮受金	消耗品費	旅費交通費

仕		訳	
借方科目	金　額	貸方科目	金　額

解　答

仕		訳	
借方科目	金　額	貸方科目	金　額
旅費交通費	12,350	仮払金	15,000
現金	2,650*		

＊　15,000円－12,350円＝2,650円

解答への道

出張旅費を事前に概算払いしたときは、その金額を「仮払金」として処理しておき、帰社した従業員から報告書や領収書の提出を受け、旅費の金額が確定した時点で仮払金勘定から旅費交通費勘定などに振り替えます。なお、本問の解答要求は、旅費の金額が確定した時点の仕訳のみである点に注意しましょう。また、報告書と領収書とで内容が重複しているもの（本問では、タクシー運賃と宿泊費）があるので、二重で計上しないように気をつけましょう。

●振込依頼書の受け取り

Ｔ商事株式会社は、事務所として使用する物件の賃借契約を行い、以下の振込依頼書どおりに普通預金口座から振り込んだ。

振込依頼書

Ｔ商事株式会社　御中

株式会社Ｓ不動産

ご契約ありがとうございます。

以下の合計額を下記口座へお振込みください。

内容		金額
仲介手数料		¥　100,000
敷金		¥　800,000
初月賃料		¥　200,000
	合計	¥ 1,100,000

Ｋ銀行板橋支店　当座　7788990　カ）エスフドウサン

【指定勘定科目】

現金	普通預金	当座預金	差入保証金	
建物	受取家賃	支払家賃	支払手数料	

仕		訳	
借方科目	金額	貸方科目	金額

解答

仕		訳	
借方科目	金額	貸方科目	金額
支払手数料	100,000*1	普通預金	1,100,000
差入保証金	800,000*2		
支払家賃	200,000*3		

＊1　仲介手数料
＊2　敷金
＊3　初月賃料

解答への道

不動産を賃借する（賃料を払って借りる）契約を締結した際に仲介手数料を支払ったときは、借方を「支払手数料」とし、費用の増加として処理します。なお、不動産を取得する際に支払った仲介手数料は、不動産の取得原価に含めるので、混同しないように注意しましょう。

また、敷金や保証金は、解約時に問題がなければ返金されるので、これらを支払ったときは、借方を「差入保証金」とし、資産の増加として処理します。

●税金の納付書

1．法人税の中間申告

T商事株式会社は、以下の納付書にもとづき、普通預金口座から振り込んだ。

領　収　証　書

税目	
法人税	

本　　税	300,000	納期等の区分	×20401 ×30331
○　○　○　税			(中間申告)　確定申告
△　　△　　税			
□□税			
××税			
合計額	¥300,000		

住所	東京都千代田区○○
氏名	T商事株式会社

出納印
×2.11.7
M銀行

【指定勘定科目】

現　　金	普通預金	当座預金	仮払法人税等
仮払消費税	未払法人税等	仮受消費税	租税公課

仕		訳	
借方科目	金額	貸方科目	金額

解　答

仕		訳	
借方科目	金額	貸方科目	金額
仮払法人税等	300,000	普通預金	300,000

解答への道

本問の納付書は、税目欄に『法人税』との記載があり、『中間申告』の箇所に丸印が付いていることから、法人税の中間申告時のものであることを読み取ります。中間申告時に納付した法人税は、「仮払法人税等（資産)」としておきます。

2．法人税の確定申告

Ｔ商事株式会社は、以下の納付書にもとづき、普通預金口座から振り込んだ。

領　収　証　書

税目	法人税

本　　　税	400,000
○　○　○　税	
△　　△　　税	
□□税	
××税	
合計額	¥400,000

納期等の区分　×20401　×30331

中間申告　（確定申告）

住所	東京都千代田区○○
氏名	Ｔ商事株式会社

出納印　×3.5.22　Ｍ銀行

仕		訳	
借　方　科　目	金　　額	貸　方　科　目	金　　額

解　答

仕		訳	
借　方　科　目	金　　額	貸　方　科　目	金　　額
未払法人税等	400,000	普　通　預　金	400,000

解答への道

本問の納付書は、税目欄に『法人税』との記載があり、『確定申告』の箇所に丸印が付いていることから、法人税の確定申告時のものであることを読み取ります。

本問の場合、納付書の金額が400,000円であることから、前期末の決算時に次のような仕訳をしていることがわかります。

(法人税、住民税及び事業税)	××	(仮払法人税等)	××
		(未払法人税等) 負債⊕	400,000

したがって、確定申告時に法人税を納付したときは、借方を「未払法人税等」とし、前期末の決算時に計上した負債を減らします。

3．消費税の納付

T商事株式会社は、以下の納付書にもとづき、普通預金口座から振り込んだ。

領　収　証　書

税目		本　税	100,000	納期等の区分	×20401 ×30331 中間申告 （確定申告）
消費税及び地方消費税		○○○税			
		△△税			
住所	東京都千代田区○○	□□税		出納印 ×3.5.22 M銀行	
		××税			
氏名	T商事株式会社	合計額	¥100,000		

【指定勘定科目】

現金	普通預金	当座預金	仮払消費税
仮払法人税等	未払消費税	仮受消費税	租税公課

仕		訳	
借方科目	金額	貸方科目	金額

解　答

仕		訳	
借方科目	金額	貸方科目	金額
未払消費税	100,000	普通預金	100,000

解答への道

本問の納付書は、税目欄に『消費税及び地方消費税』との記載があることから、消費税の納付時のものであることを読み取ります。

本問の場合、納付書の金額が100,000円であることから、前期末の決算時に次のような仕訳をしていることがわかります。

（仮受消費税）	××	（仮払消費税）	××
		（未払消費税） 負債⊕	100,000

したがって、消費税を納付したときは、借方を「未払消費税」とし、前期末の決算時に計上した負債を減らします。

●当座勘定照合表

以下の当座勘定照合表にもとづいて、T商事株式会社の各取引日における仕訳を示しなさい。なお、御茶ノ水商店と九段下商店はいずれも商品の取引先であり、取引はすべて掛けで行っている。なお、小切手（No.117）は9月20日以前に振り出したものである。

×2年10月2日

当座勘定照合表

T商事株式会社　御中

M銀行神保町支店

取引日	摘　要	お支払金額	お預り金額	取引残高
9.21	融資ご返済	200,000		省略
9.21	融資お利息	1,600		
9.22	お振込　御茶ノ水商店	100,000		
9.22	お振込手数料	200		
9.25	お振込　九段下商店		220,000	
9.26	小切手引落（No.117）	160,000		
9.26	手形引落（No.522）	40,000		

取引日		仕		訳	
		借方科目	金額	貸方科目	金額
9	21				
9	22				
9	25				
9	26				

解　答

取引日		仕		訳	
		借方科目	金額	貸方科目	金額
9	21	借入金 支払利息	200,000 1,600	当座預金	201,600*1
9	22	買掛金 支払手数料	100,000 200	当座預金	100,200*2
9	25	当座預金	220,000	売掛金	220,000
9	26	支払手形	40,000	当座預金	40,000

＊1　200,000円＋1,600円＝201,600円
＊2　100,000円＋200円＝100,200円

解答への道

当座勘定照合表にもとづいて仕訳を行う場合、お預り金額欄の記載額を当座預金勘定の借方に記入して残高を増やすとともに、お支払金額欄の記載額を貸方に記入して減らします。

なお、同一の日付の行は、複数の行で一つの取引を示していることがあるので、摘要欄をきちんと確認しましょう。本問では、『融資ご返済』と『融資お利息』や、『お振込　御茶ノ水商店』と『お振込手数料』は、それぞれ一つの取引と判断できるので、まとめて仕訳を行う必要があります。

9/21『融資ご返済』と『融資お利息』

お支払金額欄に記載があることから、借入金の返済と利息の支払いであることがわかります。

9/22『お振込　御茶ノ水商店』と『お振込手数料』

御茶ノ水商店が当社と掛取引を行っている商品の取引先であり、かつ、お支払金額欄に記載があることから、買掛金の支払いであることを読み取ります。

なお、当社負担の振込手数料は、借方を「支払手数料」とし、費用の増加として処理します。

9/25『お振込　九段下商店』

九段下商店が当社と掛取引を行っている商品の取引先であり、かつ、お預り金額欄に記載があることから、売掛金の回収であることを読み取ります。

9/26『小切手引落（No.117)』

冒頭の問題文中に、9月20日以前に振り出した小切手である旨の指示があり、その振出時に当座預金勘定の残高を減らす処理が済んでいるため、9月26日時点では仕訳不要となります。

9/26『手形引落（No.522)』

お支払金額欄に記載があることから、支払手形の決済であることがわかります。

●入出金明細書

T商事株式会社は、以下の普通預金口座の入出金明細にもとづいて記帳した。よって、各取引日における仕訳を示しなさい。なお、株式会社竹橋食品と大手町ドラッグ株式会社はいずれも商品の取引先であり、取引はすべて掛けで行っている。

入出金明細

日　付	内　容	出金金額	入金金額	取引残高
10.20	ＡＴＭ入金		50,000	省略
10.22	振込　カ）タケバ゛シシヨクヒン	300,000		
10.23	振込　オオテマチト゛ラツク゛（カ		177,500	
10.25	給与振込	926,000		
10.25	振込手数料	1,000		

10月23日の入金金額は、当社負担の振込手数料￥500が差し引かれた残額である。
10月25日の給与振込額は、所得税の源泉徴収額￥74,000を差し引いた残額である。

【指定勘定科目】

現金　普通預金　売掛金　立替金
買掛金　所得税預り金　給料　支払手数料

取引日		仕訳			
		借方科目	金額	貸方科目	金額
10	20				
10	22				
10	23				
10	25				

解　答

取引日		仕		訳	
		借方科目	金額	貸方科目	金額
10	20	普通預金	50,000	現金	50,000
10	22	買掛金	300,000	普通預金	300,000
10	23	普通預金 支払手数料	177,500 500	売掛金	178,000 *1
10	25	給料 支払手数料	1,000,000 *2 1,000	所得税預り金 普通預金	74,000 927,000 *3

＊1　177,500円＋500円＝178,000円〈振込手数料控除前の金額〉
＊2　926,000円〈給与振込額〉＋74,000円〈所得税の源泉徴収額〉＝1,000,000円〈給料総額〉
＊3　926,000円〈給与振込額〉＋1,000円〈振込手数料〉＝927,000円〈出金総額〉

解答への道

普通預金の入出金明細にもとづいて仕訳を行う場合、入金金額欄の記載額を普通預金勘定の借方に記入して残高を増やすとともに、出金金額欄の記載額を貸方に記入して減らします。

同一の日付の行は、複数の行で一つの取引を示していることがあるので、摘要欄をきちんと確認しましょう。本問では、『給与振込』と『振込手数料』は、一つの取引と判断できるので、まとめて仕訳を行う必要があります。

10/20『ＡＴＭ入金』

ＡＴＭ（Automatic Teller Machine）とは、現金自動預け払い機の略語です。したがって、本問における『ＡＴＭ入金』は、手許現金を普通預金口座へ預け入れた取引ということになります。

10/22『振込　カ）タケハ゛シシヨクヒン』

㈱竹橋食品が当社と掛取引を行っている商品の取引先であり、かつ、出金金額欄に記載があることから、買掛金の支払いであることを読み取ります。

10/23『振込　オオテマチト゛ラツク゛（カ』

大手町ドラッグ㈱が当社と掛取引を行っている商品の取引先であり、かつ、入金金額欄に記載があることから、売掛金の回収であることを読み取ります。なお、当社負担の振込手数料が入金金額から差し引かれている旨の指示があるため、借方を「支払手数料」とし、費用の増加として処理します。また、売掛金の減少額は、振込手数料控除前の金額となる点に注意が必要です。

10/25『給与振込』と『振込手数料』

給料として費用計上する金額は、所得税の源泉徴収額控除前の金額となります。なお、当社負担の振込手数料は、借方を「支払手数料」とし、費用の増加として処理します。

●納品書兼請求書／入出金明細

T商事株式会社と株式会社W商店との商品売買に係る以下の証ひょうにもとづいて、下記の**問**に答えなさい。なお、入出金明細は普通預金口座に係るものである。また、T商事は商品発送時に売上を計上しており、W商店は商品受取時に仕入を計上している。

納品書 兼 請求書

株式会社W商店　御中

T商事株式会社

品物	数量	単価	金額
ミルクチョコレート	30	250	¥　7,500
ミックスチョコレート	30	300	¥　9,000
生チョコレート	10	400	¥　4,000
	合　計		¥ 20,500

振込期限：８月31日

振 込 先：M銀行神保町支店

当座 3456789 テイーシヨウジ（カ

入出金明細（抜粋）

株式会社W商店　様

S信用金庫早稲田支店

取引日	摘要	支払金額
8.31	振込テイーシヨウジ（カ	20,500
8.31	振込手数料	200

問　(1)から(4)までの各時点における仕訳を示しなさい。なお、勘定科目は次の中から最も適当と思われるものを選ぶこと。

現　　金	普通預金	当座預金	売掛金	買掛金	
売　　上	受取手数料	仕　　入	支払手数料	発送費	

(1)　T商事が商品を発送した時の仕訳を示しなさい。

(2)　W商店が商品を受け取った時の仕訳を示しなさい。

(3)　W商店が代金を振り込んだ時の仕訳を示しなさい。

(4)　T商事が代金の振り込みを受けた時の仕訳を示しなさい。

	仕		訳	
	借方科目	金額	貸方科目	金額
(1)				
(2)				
(3)				
(4)				

解　答

	仕		訳	
	借方科目	金額	貸方科目	金額
(1)	売掛金	20,500	売上	20,500
(2)	仕入	20,500	買掛金	20,500
(3)	買掛金 支払手数料	20,500 200	普通預金	20,700*
(4)	当座預金	20,500	売掛金	20,500

＊　20,500円＋200円＝20,700円

解答への道

(1)　**T商事の商品発送時の仕訳**

T商事が作成した納品書兼請求書には、商品代金の振込期限や振込先が記載されていることから、商品を掛けで販売したことを読み取ります。

これにより、金額欄の合計20,500円を借方「売掛金」とし、資産の増加として処理します。

(2)　**W商店の商品受取時の仕訳**

T商事が掛けで販売した相手先となるW商店では、商品を掛けで仕入れたことになります。これにより、金額欄の合計20,500円を貸方「買掛金」とし、負債の増加として処理します。

(3)　**W商店の買掛金支払時の仕訳**

(2)で「買掛金」として計上していた請求額を振り込んだので、借方を「買掛金」とし、負債の減少として処理します。また、問題文にW商店の入出金明細が、普通預金口座に係るものである旨の指示があることから、貸方は「普通預金」になります。

入出金明細における同一の日付の行は、複数の行で一つの取引を示していることがあるので、摘要欄をきちんと確認しましょう。本問では、「振込テイーシヨウジ（カ」と「振込手数料」は、一つの取引と判断できるので、まとめて仕訳を行う必要があります。

なお、当方負担の振込手数料は、借方を「支払手数料」とし、費用の増加として処理します。

(4)　**T商事の売掛金回収時の仕訳**

(1)で「売掛金」として計上していた請求額の振り込みを受けたので、貸方を「売掛金」とし、資産の減少として処理します。また、納品書兼請求書に記載されている振込先が、T商事の当座預金口座（「当座 3456789 テイーシヨウジ（カ」と記載）であることから、借方が「当座預金」になることを読み取ります。

第2問対策

第２問では、補助簿に関連する問題、伝票に関する問題、文章の空所補充問題や勘定記入の問題が出題されています。特に勘定記入の問題では、受験生が苦手としやすい決算仕訳（決算整理仕訳・決算振替仕訳）が必要となる問題は頻繁に出題されますので、しっかりマスターしておきましょう。

過去に出題された中から問題を厳選すると、次のようになります。

問題１　商品有高帳

(1)　先入先出法　　(2)　移動平均法

問題２　売掛金元帳

問題３　買掛金元帳

問題４　固定資産台帳

問題５　取引に応じた補助簿の選択

問題６　伝票

(1)　伝票記入　※　第１問でも出題されます。

(2)　仕訳日計表の作成

問題７　勘定記入

勘定記入の問題に強くなるためには

例題１　例題２

(1)　未払費用の計上・再振替仕訳あり　(2)　未収収益の計上・再振替仕訳あり

(3)　前払費用の計上・再振替仕訳なし　(4)　決算振替

(5)　有形固定資産

問題 1 (1)　商品有高帳（先入先出法）

商品有高帳は原価を記入する補助元帳です。

次の仕入帳と売上帳の記録にもとづいて、下記の**問**に答えなさい。

仕　入　帳

×5年		摘　　要	金　額
1	7	秋田商店　　掛	
		A商品　150個　@¥ 80	12,000
	20	岩手商店　　掛	
		A商品　140個　@¥ 70	9,800
	21	**岩手商店　　掛・返品**	
		A商品　10個　@¥ 70	**700**

売　上　帳

×5年		摘　　要	金　額
1	15	新潟商店　　掛	
		A商品　120個　@¥105	12,600
	28	富山商店　　掛	
		A商品　160個　@¥100	16,000

問　(1)　1月におけるA商品の商品有高帳を作成しなさい。前月繰越額は¥9,000（100個×@¥90）であった。払出単価の決定方法は先入先出法を採用し、締め切りを行う必要はない。なお、21日の仕入戻しについては、払出欄に記入すること。

(2)　1月におけるA商品の売上原価と売上総利益を答えなさい。

(1)

商　品　有　高　帳

A　商　品

（先入先出法）

×5年		摘　要	受入 数量	受入 単価	受入 金額	払出 数量	払出 単価	払出 金額	残高 数量	残高 単価	残高 金額
1	1	前月繰越									
	7	仕　入									
	15	売　上									
	20	仕　入									
	21	仕入戻し									
	28	売　上									

(2)

売上原価の計算

月初商品棚卸高	（　　　　）
当月商品仕入高	（　　　　）
合　　計	（　　　　）
月末商品棚卸高	（　　　　）
売上原価	（　　　　）

売上総利益の計算

売上高	（　　　　）
売上原価	（　　　　）
売上総利益	（　　　　）

解　　答

(1)

商品有高帳

(先入先出法)　　　　A 商品

×5年		摘要	受入 数量	受入 単価	受入 金額	払出 数量	払出 単価	払出 金額	残高 数量	残高 単価	残高 金額
1	1	前月繰越	100	90	9,000				100	90	9,000
	7	仕　入	150	80	12,000				{ 100	90	9,000
									150	80	12,000
	15	売　上				{ 100	90	9,000			
						20	80	1,600	130	80	10,400
	20	仕　入	140	70	9,800				{ 130	80	10,400
									140	70	9,800
	21	仕入戻し				10	70	700	{ 130	80	10,400
									130	70	9,100
	28	売　上				{ 130	80	10,400			
						30	70	2,100	100	70	7,000

(2)

売上原価の計算

月初商品棚卸高	(　9,000)
当月商品仕入高	(　21,100)
合　計	(　30,100)
月末商品棚卸高	(　7,000)
売上原価	(　23,100)

仕入返品分を差し引いた純仕入高です。

売上総利益の計算

売上高	(　28,600)
売上原価	(　23,100)
売上総利益	(　5,500)

解答への道

先入先出法とは、先に取得した単価のものから先に払い出されると仮定して、払出単価を決定する方法です。したがって、単価の異なる商品を受け入れた場合は、それらを区別しておく必要があります。

商品有高帳

A 商品

（先入先出法）

❶ 受入　❷ 払出　❸ 残高

×5年		摘要	受入 数量	受入 単価	受入 金額	払出 数量	払出 単価	払出 金額	残高 数量	残高 単価	残高 金額
1	1	前月繰越	100	90	9,000				100	90	9,000
	7	仕入	150	80	⊕12,000				{ 100	90	9,000
									150	80	12,000
	15	売上			❹→	{ 100	90	⊕ 9,000			
						20	80	⊕ 1,600	130	80	10,400
	20	仕入	140	70	⊕ 9,800				{ 130	80	10,400
									140	70	9,800
	21	仕入戻し				❺ 10	70	⊖ 700	{ 130	80	10,400
									130	70	9,100
	28	売上			❹→	{ 130	80	⊕10,400			
						30	70	⊕ 2,100	100	70	7,000

「売上高」は売価で計算します！

売上原価の計算

月初商品棚卸高	(	9,000)
当月商品仕入高	(①	21,100)*
合計	(	30,100)
月末商品棚卸高	(⊖	7,000)
売上原価	(	23,100)

＊　12,000円＋9,800円－700円〈仕入戻し〉＝21,100円

売上総利益の計算

売上高	(	28,600)*
売上原価	(⊖	23,100)
売上総利益	(	5,500)

＊　12,600円＋16,000円〈売上帳の金額欄より〉

はじめに、前月繰越額を受入欄と残高欄に記入します。

焦って売価を記入しないように…。

❶　商品を仕入れたときには、受入欄に記入します。

❷　商品を販売したときには、払出欄に原価で記入します。

試験では印刷済みであることが多いです。

❸　在庫品の有高を残高欄に記入します。その際、単価が異なる場合は先に取得した商品の単価から先に記入し、中カッコでくくります。

❹　商品の販売数量になるまで、先に取得した商品の単価から払い出します。その際、単価が異なる商品を記入する場合は分けて記入し、中カッコでくくります。

❺　仕入戻しや売上戻りが生じる場合、その書き方は問題文に指示がありますので、そのとおりに記入しましょう。

仕入戻しとは、仕入先へ商品を返品することです。商品有高帳上でも「在庫として記帳した商品が減る」ことになるため、払出欄に記入させる指示が多いです。

これに対し、売上戻りとは、販売先から商品が返品されることです。商品有高帳上でも「在庫として記帳する商品が増える」ことになるため、受入欄に記入させる指示が多いです（本問では問われていません）。

先入先出法には、もう一方の書き方があります。次ページの 参考 を確認しておきましょう。

参考

先入先出法には、もう一方の書き方があります。違いは、**商品を仕入れたときの残高欄の書き方**にあります。**問題1**(1)では、仕入れたつど、**①すでに在庫となっている商品（古い単価の商品）をまず記入**し、②新しく仕入れた商品が異なる単価であれば、①の次に新しい単価の商品を記入しています。

もう一方の書き方というのは、上記①の記入を省略する書き方です。**問題1**(1)で示すと以下のようになります。

商品有高帳

（先入先出法）　A商品

×5年		摘要	受入			払出			残高		
			数量	単価	金額	数量	単価	金額	数量	単価	金額
1	1	前月繰越	100	90	9,000				{ 100	90	9,000
	7	仕入	150	80	12,000				150	80	12,000
	15	売上				{ 100	90	9,000			
						20	80	1,600	{ 130	80	10,400
	20	仕入	140	70	9,800				140	70	9,800
	21	仕入戻し				10	70	700	{ 130	80	10,400
									130	70	9,100
	28	売上				{ 130	80	10,400			
						30	70	2,100	100	70	7,000

違いを見分けるポイント

３級の本試験では、中カッコのくくりは印刷済みであることが多いです。

残高欄に印刷された１つ目の中カッコはどの行からくくられているかが判断ポイントです。

★　残高欄の**二行目から中カッコでくくられていた場合**は、**問題1**(1)**の解答どおりの書き方**になります。

×5年		摘要	受入			払出			残高		
			数量	単価	金額	数量	単価	金額	数量	単価	金額
1	1	前月繰越	100	90	9,000				100	90	9,000
	7	仕入	150	80	12,000				{ 100	90	9,000
									150	80	12,000

★　残高欄の**一行目から中カッコでくくられていた場合**は、参考**に示した方法**と判断しましょう。

×5年		摘要	受入			払出			残高		
			数量	単価	金額	数量	単価	金額	数量	単価	金額
1	1	前月繰越	100	90	9,000				{ 100	90	9,000
	7	仕入	150	80	12,000				150	80	12,000

問題 1 (2)　商品有高帳（移動平均法）

次の6月におけるA商品に関する資料にもとづいて、下記の設問に答えなさい。

[A商品に関する資料]

6月1日	前月繰越	10個	@¥ 750
6日	仕　　入	140個	@¥ 795
12日	売　　上	125個	@¥1,440
18日	仕　　入	100個	@¥ 772
20日	仕入戻し	25個	@¥ 772
24日	売　　上	80個	@¥1,420

1．6月のA商品の商品有高帳を作成し締め切りなさい。なお、商品の払出単価の決定方法は移動平均法を採用している。また、仕入戻しは払出欄に記入すること。

2．6月のA商品の売上高、売上原価および売上総利益を答えなさい。

1．

商　品　有　高　帳

（移動平均法）　　A　商　品

日付		摘　要	受入			払出			残高		
			数量	単価	金額	数量	単価	金額	数量	単価	金額
6	1	前月繰越									
	6	仕　　入									
	12	売　　上									
	18	仕　　入									
	20	仕入戻し									
	24	売　　上									
	30	次月繰越									
				—			—				

2．

売　上　高	売上原価	売上総利益
¥	¥	¥

第2問対策

解　答

1.

(移動平均法)

商　品　有　高　帳

A　商　品

日付		摘　要	受入 数量	受入 単価	受入 金額	払出 数量	払出 単価	払出 金額	残高 数量	残高 単価	残高 金額
6	1	前月繰越	10	750	7,500				10	750	7,500
	6	仕　　入	140	795	111,300				150	792	118,800
	12	売　　上				125	792	99,000	25	792	19,800
	18	仕　　入	100	772	77,200				125	776	97,000
	20	仕入戻し				25	772	19,300	100	777	77,700
	24	売　　上				80	777	62,160	20	777	15,540
	30	次月繰越				20	777	15,540			
			250	—	196,000	250	—	196,000			

2.

売　上　高	売 上 原 価	売上総利益
¥　293,600	¥　161,160	¥　132,440

解答への道

1．払出単価の決定方法が移動平均法による場合の商品有高帳の記入

移動平均法とは、異なる単価の商品を受け入れるごとに平均単価を計算し、それを次の払出単価とする方法です。

6月1日：前月繰越

受入欄と残高欄へ記入します。10個×@750円(**原価**)＝7,500円

6日：仕入

仕入分を受入欄へ記入します。140個×@795円(**原価**)＝111,300円

残高欄に記入する単価は、直前の残高（6月1日時点）と合算して算定した平均単価になります。

$$\frac{7{,}500\text{円〈前月繰越〉}+111{,}300\text{円〈6日仕入分〉}}{10\text{個〈前月繰越〉}+140\text{個〈6日仕入分〉}}=\textbf{@792円}\text{〈6日時点の平均単価〉}$$

12日：売上

販売分の125個を払出欄に**原価で記入**します。

(注) 問題資料の@1,440円は売価ですから使用しません。

払出額および在庫となる25個分の計算は、6日時点の平均単価792円を用います。

払出欄：125個×@792円＝99,000円

残高欄：　25個×@792円＝19,800円

18日：仕入

仕入分を受入欄へ記入します。100個×@772円(**原価**)＝77,200円

残高欄に記入する単価は、直前の残高（12日時点）と合算して算定した平均単価になります。

$$\frac{19{,}800\text{円〈12日残高〉}+77{,}200\text{円〈18日仕入分〉}}{25\text{個〈12日残高〉}+100\text{個〈18日仕入分〉}}=\textbf{@776円}\text{〈18日時点の平均単価〉}$$

20日：仕入戻し

仕入戻し分を払出欄へ記入します。25個×@772円（**原価**）＝19,300円

$$\frac{97{,}000円\langle 18日残高\rangle - 19{,}300円\langle 20日仕入返品分\rangle}{125個\langle 18日残高\rangle - 25個\langle 20日仕入返品分\rangle} = \textbf{@777円}\langle 20日時点の平均単価\rangle$$

残高欄：100個〈125個－25個〉×@777円＝77,700円

24日：売上

販売分の80個を払出欄に**原価で記入**します。

（注）問題資料の@1,420円は売価ですから使用しません。

払出額および在庫となる20個分の計算は、20日時点の平均単価777円を用います。

払出欄：80個×@777円＝62,160円

残高欄：20個×@777円＝15,540円

30日：次月繰越

残高欄の最後の在庫（20個×@777円＝15,540円）を次月繰越額として払出欄へ記入し、受入欄と払出欄の「数量」と「金額」の合計が一致することを確認して締め切ります。

2．売上高、売上原価および売上総利益の計算

売　上　高：180,000円（12日売上分125個×売価@1,440円）

113,600円（24日売上分 80個×売価@1,420円）

293,600円

売上原価：商品有高帳は、すべて原価で記録しています。

12日に125個、24日に80個の商品を販売していますので、各日付の払出欄に記入した金額が、**売り上げ**た商品の**原価**になります。

99,000円〈12日の払出〉＋62,160円〈24日の払出〉＝**161,160円**

売上総利益：293,600円〈売上高〉－161,160円〈売上原価〉＝**132,440円**

問題 2 売掛金元帳

当社は、新潟商店、富山商店を販売先にしており、得意先元帳を開設している。そこで、次の得意先元帳の記入にもとづいて、売掛金勘定の空欄に語句または金額を記入しなさい。

得　意　先　元　帳

新　潟　商　店

5/1	前月繰越	200,000	5/6	回収(当座振込)	158,000
12	売　　上	120,000	15	返　　品	12,000
28	売　　上	55,000	31	次月繰越	205,000
		375,000			375,000

富　山　商　店

5/1	前月繰越	210,000	5/10	回収(約手受取)	100,000
20	売　　上	80,000	31	次月繰越	190,000
		290,000			290,000

総　勘　定　元　帳

売　掛　金

5/1	前月繰越	(　　)	5/6	(　　)	(　　)
12	売　　上	(　　)	10	(　　)	(　　)
20	(　　)	(　　)	15	(　　)	(　　)
28	(　　)	(　　)	31	次月繰越	(　　)
		(　　)			(　　)

解　答

総　勘　定　元　帳

売　掛　金

5/1	前月繰越	(410,000)	5/6	(当座預金)	(158,000)
12	売　　上	(120,000)	10	(受取手形)	(100,000)
20	(売　　上)	(80,000)	15	(売　　上)	(12,000)
28	(売　　上)	(55,000)	31	次月繰越	(395,000)
		(665,000)			(665,000)

得意先元帳（＝売掛金元帳）とは、売掛金の増減を相手取引先別（得意先別）に管理する補助簿です。したがって、本問では、得意先元帳の新潟商店分と富山商店分を合算すれば、売掛金勘定が完成することになります。

各商店の「前月繰越」を合算すれば、売掛金勘定の「前月繰越」になります。

各商店の「次月繰越」を合算すれば、売掛金勘定の「次月繰越」になります。

得　意　先　元　帳

新　潟　商　店

5/1	前月繰越	200,000		⋮	
	⋮		31	次月繰越	205,000

富　山　商　店

5/1	前月繰越	210,000		⋮	
	⋮		31	次月繰越	190,000

問題資料の得意先元帳から取引を読み取り、日付順に仕訳を行って、売掛金勘定へ転記します。なお、得意先元帳には、売掛金が増減する取引のみが記入されていることから、その仕訳の借方または貸方は、必ず「**売掛金**」になります。

日付	取引	借方	金額	貸方	金額
5/6	回収(当座振込)：	(当座預金)	158,000	(売掛金)	158,000
10	回収(約手受取)：	(受取手形)	100,000	(売掛金)	100,000
12	売上：	(売掛金)	120,000	(売上)	120,000
15	返品：	(売上)	12,000	(売掛金)	12,000
20	売上：	(売掛金)	80,000	(売上)	80,000
28	売上：	(売掛金)	55,000	(売上)	55,000

問題 3　買掛金元帳

当社は、青森商店、秋田商店を仕入先にしており、仕入先元帳を開設している。そこで、次の仕入先元帳の記入にもとづいて、買掛金勘定の空欄に語句または金額を記入しなさい。

仕　入　先　元　帳

青　森　商　店

6/10	支払(小切手振出)	100,000	6/1	前月繰越	171,000
23	返　品	15,000	21	仕　入	85,000
30	次月繰越	141,000			
		256,000			256,000

秋　田　商　店

6/15	支払(約手振出)	103,000	6/1	前月繰越	183,000
30	次月繰越	138,000	8	仕　入	58,000
		241,000			241,000

総　勘　定　元　帳

買　掛　金

6/10	(　　)	(　　)	6/1	前月繰越	(　　)
15	(　　)	(　　)	8	仕　入	(　　)
23	(　　)	(　　)	21	(　　)	(　　)
30	次月繰越	(　　)			
		(　　)			(　　)

解　答

総　勘　定　元　帳

買　掛　金

6/10	(当座預金)	(100,000)	6/1	前月繰越	(354,000)
15	(支払手形)	(103,000)	8	仕　入	(58,000)
23	(仕　入)	(15,000)	21	(仕　入)	(85,000)
30	次月繰越	(279,000)			
		(497,000)			(497,000)

解答への道

仕入先元帳（＝買掛金元帳）とは、買掛金の増減を相手取引先別（仕入先別）に管理する補助簿です。したがって、本問では、仕入先元帳の青森商店分と秋田商店分を合算すれば、買掛金勘定が完成することになります。

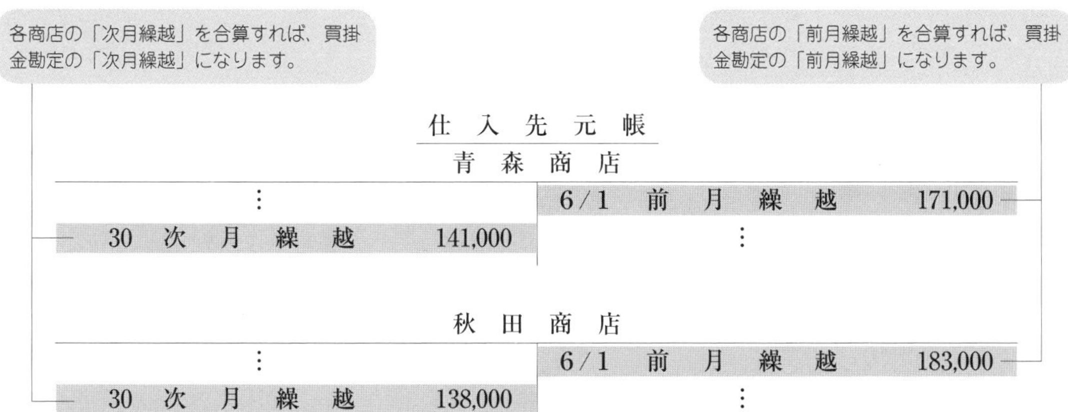

問題資料の仕入先元帳から取引を読み取り、日付順に仕訳を行って、買掛金勘定へ転記します。なお、仕入先元帳には、買掛金が増減する取引のみが記入されていることから、その仕訳の借方または貸方は、必ず「**買掛金**」になります。

6/8	仕　　入：	（仕　　入）	58,000	（買　掛　金）	58,000
10	支払(小切手振出)：	（買　掛　金）	100,000	（当　座　預　金）	100,000
15	支払(約手振出)：	（買　掛　金）	103,000	（支　払　手　形）	103,000
21	仕　　入：	（仕　　入）	85,000	（買　掛　金）	85,000
23	返　　品：	（買　掛　金）	15,000	（仕　　入）	15,000

問題 4　固定資産台帳

当社（決算年1回、3月末）における次の**[資料]**にもとづいて、備品勘定と備品減価償却累計額勘定の空欄①から⑤にあてはまる語句または金額を答案用紙に記入しなさい。なお、減価償却費は残存価額をゼロとする定額法により月割計算で計上する。

[資料]

正しく読み取れることが大事！

固　定　資　産　台　帳
×9年3月31日現在

種　類	用　途	取得年月日	期末数量	耐用年数	期首(期中取得)取得原価	期首減価償却累計額	差引期首(期中取得)帳簿価額	当期減価償却費
備　品	備品A	×5年4月1日	3	15年	90,000	18,000	72,000	6,000
	備品B	×7年3月2日	2	4年	300,000	81,250	218,750	75,000
	備品C	×8年11月7日	1	6年	144,000	0	144,000	10,000
	小　計				534,000	99,250	434,750	91,000

備　　品

年	月	日	摘　要	借　方	年	月	日	摘　要	貸　方
×8	4	1	前期繰越	（　①　）	×9	3	31	次期繰越	（　　）
	11	7	普通預金	（　②　）					
				（　　）					（　　）

備品減価償却累計額

年	月	日	摘　要	借　方	年	月	日	摘　要	貸　方
×9	3	31	次期繰越	（　　）	×8	4	1	前期繰越	（　③　）
					×9	3	31	（　④　）	（　⑤　）
				（　　）					（　　）

①	②	③	④	⑤

解　答

①	②	③	④	⑤
390,000	144,000	99,250	減価償却費	91,000

解答への道

答案用紙の各勘定の日付より、本問は、×8年４月１日から×9年３月31日までの１年を当期とする問題であることがわかります。よって、当期に行われた処理を［資料］の固定資産台帳から読み取り、解答していくことになります。

×8年４月１日　開始記入

×8年３月31日（前期末）までに取得した備品の取得原価が、備品勘定の前期繰越額となります。よって、固定資産台帳より備品Ａの『期首取得原価』90,000円と備品Ｂの『期首取得原価』300,000円の合計額390,000円を、備品勘定の前期繰越額①として記入します。

これにより、備品減価償却累計額勘定の前期繰越額③も、備品Ａと備品Ｂのものとして、『期首減価償却累計額』の小計額99,250円を記入します。

備品Ｃについては、当期中の×8年11月７日に取得しています。×8年３月31日時点では当社に存在していないので、備品勘定の前期繰越額には含まれないのです。したがって、固定資産台帳の『期首減価償却累計額』もゼロなのです。

×8年11月７日　備品Ｃの取得

備品Ｃの取得年月日が当期中の×8年11月７日であるため、その取得時の仕訳・転記を行います。なお、備品勘定の×8年11月７日の摘要欄に「普通預金」と記入されていることから、代金は普通預金口座から支払われたことがわかります。

借方科目	金額	貸方科目	金額
（備　　　　品）	144,000*	（普　通　預　金）	144,000

＊　備品Ｃの取得原価

×9年３月31日　減価償却費の計上

決算にあたり、減価償却費の計上の仕訳・転記を行います。なお、本問では、［資料］の固定資産台帳に『当期減価償却費』の小計額91,000円が示されているため、自ら減価償却費の計算をする必要はありません。

借方科目	金額	貸方科目	金額
（減価償却費）	91,000*	（備品減価償却累計額）	91,000

＊　当期減価償却費の小計額

×9年３月31日　繰越記入

備品勘定の借方残高534,000円を次期繰越額として貸方に記入し、貸借の合計金額を一致させて締め切ります。なお、備品勘定の次期繰越額が、固定資産台帳の『期首（期中取得）取得原価』の小計額534,000円と一致していることを確認しましょう。

また、備品減価償却累計額勘定の貸方残高190,250円を次期繰越額として借方に記入し、貸借の合計金額を一致させて締め切ります。なお、備品減価償却累計額勘定の次期繰越額が、『期首減価償却累計額』の小計額99,250円と『当期減価償却費』の小計額91,000円とを、合わせた金額190,250円と一致していることを確認しましょう。

問題 5　取引に応じた補助簿の選択

長野株式会社は、記帳にあたって答案用紙に記載した補助簿を用いている。下記の取引が、答案用紙に示したどの補助簿に記入されるか、該当する補助簿の欄に○印を付して答えなさい。

(1)　大阪商店より商品¥100,000を仕入れ、代金のうち¥60,000は約束手形を振り出して支払い、残額は掛とした。

(2)　四国商店に対する買掛金¥200,000の支払いのため、同店あての約束手形を振り出した。

(3)　東北商店に商品¥150,000を売り上げ、代金のうち¥100,000は先方振出の約束手形で受け取り、残額は小切手で受け取った。

(4)　京都商店に対する売掛金¥40,000を、同店振出の小切手で回収した。

(5)　先月、土地を¥1,000,000で購入する契約をした際に、手付金として¥600,000を支払い、仮払金勘定で処理していたが、本日、土地の引渡しを受けたため、残額を現金で支払った。

帳簿 / 取引	現金出納帳	仕入帳	売上帳	商品有高帳	売掛金元帳 (得意先元帳)	買掛金元帳 (仕入先元帳)	受取手形記入帳	支払手形記入帳	固定資産台帳
(1)									
(2)									
(3)									
(4)									
(5)									

解　答

帳簿 / 取引	現金出納帳	仕入帳	売上帳	商品有高帳	売掛金元帳 (得意先元帳)	買掛金元帳 (仕入先元帳)	受取手形記入帳	支払手形記入帳	固定資産台帳
(1)		○		○		○		○	
(2)						○		○	
(3)	○		○	○			○		
(4)	○				○				
(5)	○								○

解答への道

　はじめに取引の仕訳を行い、そこから1つ1つ考えていくと、記帳される補助簿をスムーズに選択することができます。

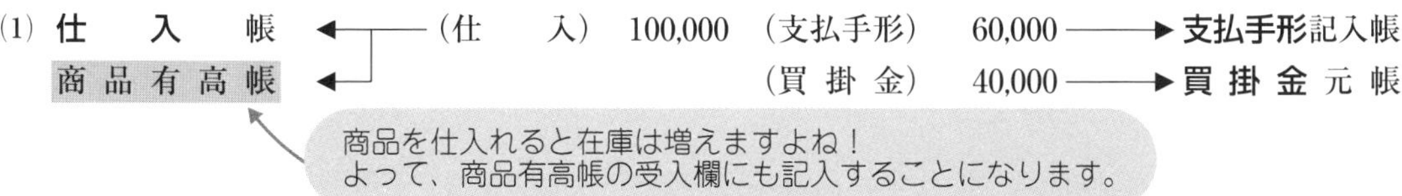

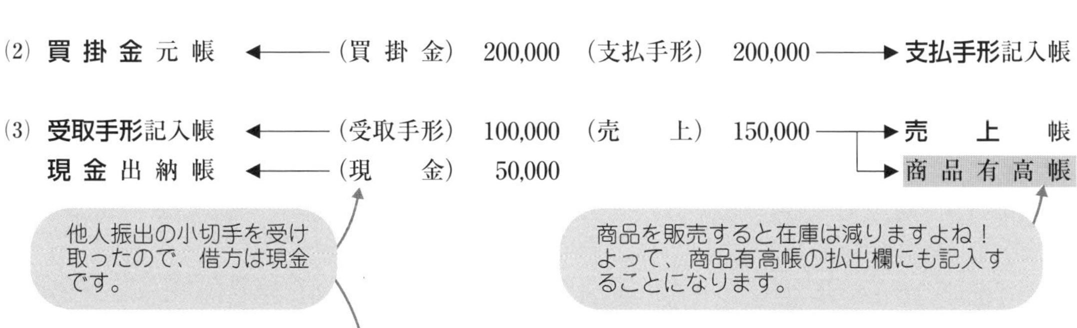

(4) **現金**出納帳 ← (現　　金) 40,000 (売 掛 金) 40,000 → **売掛金**元帳

(5) **固定資産**台帳 ← (土　　地) 1,000,000 (仮 払 金) 600,000

(現　　金) 400,000 → **現金**出納帳

問題 6 (1) 伝票記入

次の各取引の伝票記入について、空欄①～⑬にあてはまる適切な語句または金額を答えなさい。

かねてより、当社では3伝票制を採用している。掛仕入および掛売上における一部現金取引について、全額を掛取引として起票する方法と、取引を分解して起票する方法のいずれを採用しているかは取引ごとに異なるため、各伝票の記入から各自判断すること。

なお、使用しない伝票の解答欄には「記入なし」と答えること。

(1) 商品を¥500,000で売り上げ、代金のうち¥50,000については現金で受け取り、残額は掛けとした。

(　①　) 伝 票	
科　目	金　額
(　　　)	(　②　)

振 替 伝 票			
借方科目	金　額	貸方科目	金　額
(　③　)	500,000	売　上	500,000

(2) 商品を¥300,000で仕入れ、代金のうち¥30,000については現金で支払い、残額は掛けとした。

(　　　) 伝 票	
科　目	金　額
仕　入	(　　　)

振 替 伝 票			
借方科目	金　額	貸方科目	金　額
(　④　)	(　　　)	(　　　)	(　⑤　)

(3) 静岡商店へ商品¥400,000を売り上げ、代金のうち¥100,000は同店振り出しの約束手形で受け取り、残額は同店振り出しの小切手で受け取った。

入 金 伝 票	
科　目	金　額
	(　⑥　)

振 替 伝 票			
借方科目	金　額	貸方科目	金　額
(　⑦　)	100,000	(　⑧　)	100,000

(4) 今週のはじめに、旅費交通費支払用のＩＣカードに現金¥10,000をチャージ（入金）し、仮払金として処理していた。当社はこのＩＣカードを使用したときに費用に振り替える処理を採用しているが、本日¥4,000分使用した。

出 金 伝 票	
科　目	金　額
(　⑨　)	

振 替 伝 票			
借方科目	金　額	貸方科目	金　額
		(　⑩　)	

(5) 備品を¥200,000で購入し、引取費¥2,000とあわせて小切手を振り出して支払った。

出 金 伝 票	
科　目	金　額
(　　　)	(　⑪　)

振 替 伝 票			
借方科目	金　額	貸方科目	金　額
(　　　)	(　⑫　)	(　⑬　)	(　　　)

①	②	③	④	⑤
⑥	⑦	⑧	⑨	⑩
⑪	⑫	⑬		

解　答

①	②	③	④	⑤
入金	50,000	売掛金	仕入	270,000
⑥	⑦	⑧	⑨	⑩
300,000	受取手形	売上	記入なし	仮払金
⑪	⑫	⑬		
記入なし	202,000	当座預金		

解答への道

(1)　取引を仕訳すると次のようになります。

(売　掛　金)	450,000	(売　　　上)	500,000
(現　　　金)	50,000		

商品代金のうち50,000円は現金で受け取っているため、振替伝票のほかに入金伝票が必要です。

①（入金）伝　票	
科　　目	金　　額
(　　　　)	(　②　)

振　替　伝　票			
借方科目	金　　額	貸方科目	金　　額
(　③　)	500,000	売　　上	500,000

代金の一部は現金で受け取っているにもかかわらず、振替伝票には代金の全額を記入していることから、「全額を掛取引として起票する方法」であると判断します。

(**売　掛　金**) ③	500,000	(売　　　上)	500,000	… 振替伝票
(現　　　金)	**50,000** ②	(売　掛　金)	50,000	… 入金伝票

参考

「取引を分解して起票する方法」では、振替伝票の金額は「450,000」となり、入金伝票に記入する相手科目は「売上」となります。取引を２つの仕訳に分けると次のようになります。

（売　掛　金）　450,000　（売　　　上）　450,000 … 振替伝票
（現　　　金）　50,000　（売　　　上）　50,000 … 入金伝票

(2)　取引を仕訳すると次のようになります。

（仕　　　入）　300,000　（買　掛　金）　270,000
　　　　　　　　　　　　（現　　　金）　30,000

商品代金のうち30,000円は現金で支払っているため、振替伝票のほかに出金伝票が必要です。

（出　金）伝　票	
科　目	金　額
仕　入	（　　　）

振　替　伝　票			
借方科目	金　額	貸方科目	金　額
（　④　）	（　　　）	（　　　）	（　⑤　）

出金伝票の相手科目を「仕入」と記入していることから、「取引を分解して起票する方法」であると判断します。

（**仕　　　入**）④　270,000　（買　掛　金）　**270,000**⑤ … 振替伝票
（仕　　　入）　30,000　（現　　　金）　30,000 … 出金伝票

参考

「全額を掛取引として起票する方法」では、振替伝票の金額は「300,000」となり、出金伝票に記入する相手科目は「買掛金」となります。取引を２つの仕訳に分けると次のようになります。

（仕　　　入）　300,000　（買　掛　金）　300,000 … 振替伝票
（買　掛　金）　30,000　（現　　　金）　30,000 … 出金伝票

(3)　取引を仕訳すると次のようになります。

（受　取　手　形）　100,000　（売　　　上）　400,000
（現　　　金）　300,000

商品代金400,000円のうち、振替伝票に「100,000」だけを仕訳していますので、手形売上100,000円分と現金売上300,000円分とは分けて起票することがわかります。

（**受　取　手　形**）⑦　100,000　（**売　　　上**）⑧　100,000 … 振替伝票
（現　　　金）　**300,000**⑥　（売　　　上）　300,000 … 入金伝票

⑷ 取引を仕訳すると次のようになります。過去の時点から仕訳を考えてみましょう。

① ＩＣカードにチャージ（入金）した時

（仮　払　金）	10,000	（現　　　金）	10,000 … 出金伝票

② ＩＣカードを使用した（旅費交通費支払い）時**〈本問の解答〉**

（旅 費 交 通 費）	4,000	（**仮　払　金**）⑩	4,000 … 振替伝票
			記入なし⑨ … 出金伝票

出金伝票が必要となったのは、ＩＣカードにチャージ（入金）するために現金を支出した時点です。したがって、ＩＣカードを旅費交通費として使用した時点では、仮払金勘定からの振替仕訳のみになります。

⑸ 取引を仕訳すると次のようになります。

（備　　　品）	202,000	（当 座 預 金）	202,000

備品の取得にともなう付随費用（本問では引取費2,000円）は、備品の取得原価に含めます。なお、代金の支払いはすべて小切手の振り出しにより行ったため、当座預金勘定の減少となります。

現金勘定の減少取引は生じないので、出金伝票は不要です。

（備　　　品）	**202,000**⑫	（**当 座 預 金**）⑬	202,000 … 振替伝票
			記入なし⑪ … 出金伝票

参考

3（種類）伝票制

入金伝票……入金取引を記入します。
出金伝票……出金取引を記入します。
（入金伝票・出金伝票）現金の増減取引だけは専用の伝票があります。
振替伝票……入金取引および出金取引以外の取引を記入します。

問題 6（2）　伝票（仕訳日計表の作成）

石川商事株式会社は、毎日の取引を入金伝票、出金伝票、および振替伝票に記入し、これを１日分ずつ集計して仕訳日計表を作成し、この仕訳日計表から総勘定元帳に転記している。同社の×1年９月１日の取引について作成された次の各伝票（略式）にもとづいて、次の問に答えなさい。

問1　仕訳日計表を作成し、総勘定元帳に転記しなさい。

問2　伝票の記録から得意先元帳の横浜商店勘定に転記しなさい。

問3　9月1日現在の埼玉商店に対する買掛金の残高を求めなさい。なお、8月31日現在の同店に対する買掛金の残高は¥1,200であった。

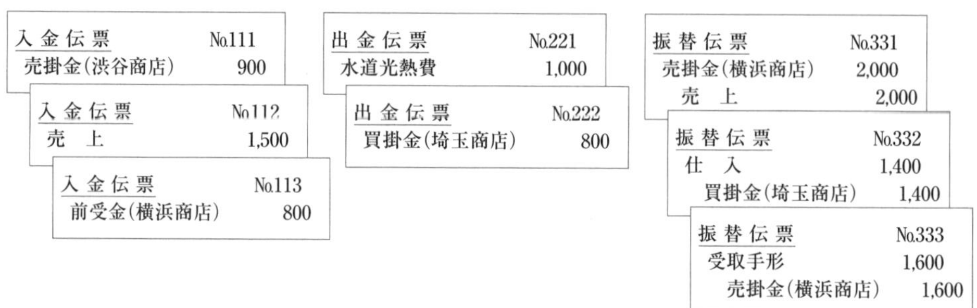

入金伝票 No.111
売掛金(渋谷商店) 900

入金伝票 No.112
売　上 1,500

入金伝票 No.113
前受金(横浜商店) 800

出金伝票 No.221
水道光熱費 1,000

出金伝票 No.222
買掛金(埼玉商店) 800

振替伝票 No.331
売掛金(横浜商店) 2,000
売　上 2,000

振替伝票 No.332
仕　入 1,400
買掛金(埼玉商店) 1,400

振替伝票 No.333
受取手形 1,600
売掛金(横浜商店) 1,600

問1

仕　訳　日　計　表

×1年9月1日

借　　方	勘定科目	貸　　方
	現　　　金	
	受 取 手 形	
	売　掛　金	
	買　掛　金	
	前　受　金	
	売　　　上	
	仕　　　入	
	水道光熱費	

※元丁欄と仕丁欄は省略している。

総　勘　定　元　帳

現　　　金

日付	摘　　要	借方金額	日付	摘　　要	貸方金額
9/1	前　月　繰　越	2,600	9/1	(　　　　)	(　　　　)
〃	(　　　　)	(　　　　)			

問2

得　意　先　元　帳

横　浜　商　店

日付	摘　　要	借方金額	日付	摘　　要	貸方金額
9/1	前　月　繰　越	1,100	9/1	(　　　　)	(　　　　)
〃	(　　　　)	(　　　　)			

問3

9月1日現在の埼玉商店に対する買掛金残高　　(¥　　　　　　)

解　答

問1

仕　訳　日　計　表
×1年9月1日

借　方	勘定科目	貸　方
3,200	現　金	1,800
1,600	受取手形	
2,000	売　掛　金	2,500
800	買　掛　金	1,400
	前　受　金	800
	売　上	3,500
1,400	仕　入	
1,000	水道光熱費	
10,000		10,000

※元丁欄と仕丁欄は省略している。

総　勘　定　元　帳
現　　金

日付	摘　要	借方金額	日付	摘　要	貸方金額
9/1	前月繰越	2,600	9/1	(仕訳日計表)	(　1,800)
〃	(仕訳日計表)	(　3,200)			

どこから転記してきたかを記入します。

問2

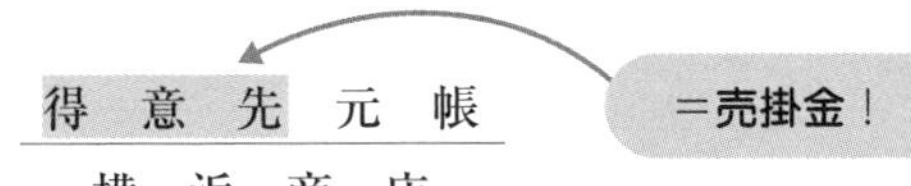

得　意　先　元　帳
横　浜　商　店

日付	摘　要	借方金額	日付	摘　要	貸方金額
9/1	前月繰越	1,100	9/1	(振替伝票)	(　1,600)
〃	(振替伝票)	(　2,000)			

どこから転記してきたかを記入します。

問3

9月1日現在の埼玉商店に対する買掛金残高　　(¥　　　1,800)

解答への道

Ⅰ　仕訳日計表の作成と総勘定元帳への転記

手順1：伝票を仕訳の形に直します。

入金伝票……（現　金）×××　（○○○）×××
入金伝票には、借方の勘定科目がすべて「現金」となる取引を記入しています。

No.	借方	金額	貸方	金額
No.111	（現　金）	900	（売掛金・渋谷）	900
No.112	（現　金）	1,500	（売　上）	1,500
No.113	（現　金）	800	（前　受　金）	800

出金伝票……（○○○）×××　（現　金）×××
出金伝票には、貸方の勘定科目がすべて「現金」となる取引を記入しています。

No.	借方	金額	貸方	金額
No.221	（水道光熱費）	1,000	（現　金）	1,000
No.222	（買掛金・埼玉）	800	（現　金）	800

振替伝票……（○○○）×××　（○○○）×××
振替伝票には、「現金」の増減とならない取引を記入しています。

No.	借方	金額	貸方	金額
No.331	（売掛金・**横浜**）	2,000	（売　上）	2,000
No.332	（仕　入）	1,400	（買掛金・埼玉）	1,400
No.333	（受取手形）	1,600	（売掛金・**横浜**）	1,600

手順2：仕訳日計表に集計します。

伝票の情報（1日分の取引）だけで合計試算表を作るイメージで、仕訳日計表に集計してみましょう！

手順3：仕訳日計表から総勘定元帳へ合計転記（仕訳日計表に集計した金額を転記）します。その際、摘要欄には相手科目に代えて「仕訳日計表」と記入します。

Ⅱ　得意先元帳の横浜商店勘定への転記

得意先元帳（＝売掛金元帳）とは、**売掛金**の増減を取引先別に管理する補助簿です。

したがって、伝票に記入された「売掛金（横浜商店）」の情報を拾って横浜商店勘定に転記します。その際、摘要欄には相手科目に代えて「伝票名」を記入します。

（注）横浜商店に関わるすべての取引を記帳するものではありません。

入金伝票	No.113
前受金（横浜商店）	800

←「横浜商店」とありますが、横浜商店から受け取った手付金の処理であり、**売掛金**に関わる取引ではないため、得意先元帳には記帳しません。

Ⅲ　埼玉商店に対する買掛金の集計

手順1で仕訳するときに取引先名を付記しておくと集計しやすいです。

埼　玉　商　店

9/1　伝票No.222より	800	8/31　現在の残高	1,200
9/1　現在の残高	**1,800**	9/1　伝票No.332より	1,400

勘定記入の問題に強くなるためには

まずは「仕訳と転記」。次に、必要なのは計算力となりますが、これは受験する皆さんなら理解していることでしょう。しかし、本試験では簿記一巡に沿って問われるので、会計期間（一年）における手続きの流れ（展開のようなもの）を覚えていないと上手に答案用紙を埋めることができません。手続きの流れについて簡便的に示したものが以下の図になります。

手続きの流れ

会計期間は、４月１日から３月31日とします。

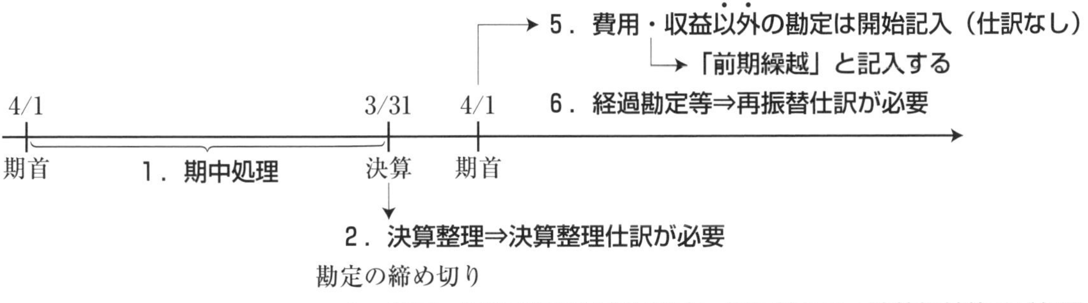

ここでは、本試験の定番問題である利息に関する勘定記入を取りあげ、２期間で見ていきます。

上図に示した流れを頭に入れて、それが答案用紙に反映できるようになるまで次の 例題１ と 例題２ を繰り返し解きましょう。

本試験では、次の 例題１ と 例題２ の中にある【取引内容②】の時点から問われることが多いです。時間制限のある中で、瞬時に【取引内容①】の時点でどのように処理されているかに気づき、【取引内容②】の時点に向けて勘定記入の組み立てをイメージできる力が必要になります。繰り返される会計期間のつながりも意識しましょう。

勘定記入の手順 を見なくても解けるようになれれば、安定して良い点数がとれるようになります。

例題１

次の【取引内容①】と【取引内容②】にもとづいて、支払利息に関連した２つの勘定科目の空欄にあてはまる適切な語句または金額を記入しなさい。利息計算はすべて月割計算とする。

【取引内容①】会計期間は×2年４月１日から×3年３月31日とする。

当期の×2年８月１日に銀行から￥3,000,000（期間１年、利息は利率年２％で満期に支払い）を借り入れ、現金で受け取った。

勘定記入の手順①（この手順の番号は **手続きの流れ** の番号と対応しています）

１．**期中処理**

利息の支払いは満期（返済時）のため、利息に関連する仕訳は不要。

２．**決算整理**

未払利息の計上（決算整理仕訳）を行い、各勘定に転記する。

３．**費用の勘定の締め切り**

支払利息勘定の借方残高を損益勘定の借方に振り替える仕訳（決算振替仕訳）を行い、支払利息勘定に転記する。

４．**負債の勘定の締め切り**

未払利息勘定の貸方残高を、期末の日付で借方に「次期繰越」と記入する。

５．**負債の勘定の開始記入**

未払利息勘定の貸方に期首の日付で「前期繰越」と記入し、「次期繰越」とした金額をもとの位置へ戻す。

支　払　利　息

3/31	（　　）	（　　）	3/31	（　　）	（　　）

未　払　利　息

3/31	（　　）	（　　）	3/31	（　　）	（　　）
			4/1	（　　）	（　　）

【取引内容②】 会計期間は×3年４月１日から×4年３月31日とする。

前期の×2年８月１日に銀行から¥3,000,000（期間１年、利息は利率年２％で満期に支払い）を借り入れた。この借入れについては、予定どおり利息の支払いとともに元本の返済を普通預金口座より行っている。

また、当期の×3年８月１日に銀行から¥4,000,000（期間１年、利息は利率年2.4％で満期に支払い）を借り入れ、現金で受け取った。

勘定記入の手順②（この手順の番号は **手続きの流れ** の番号と対応しています）

6．未払利息勘定の再振替仕訳

前期の決算整理で行った仕訳の逆仕訳を行い、各勘定に転記する。

1．期中処理

借入金3,000,000円の返済と利息の支払いの仕訳を行い、支払利息勘定に転記する。

借入金4,000,000円に対する利息の支払いは満期（返済時）のため、利息に関連する仕訳は不要。

2．決算整理

借入金4,000,000円に対する未払利息の計上（決算整理仕訳）を行い、各勘定に転記する。

3．費用の勘定の締め切り

支払利息勘定の借方残高を損益勘定の借方に振り替える仕訳（決算振替仕訳）を行い、支払利息勘定に転記する。

4．負債の勘定の締め切り

未払利息勘定の貸方残高を、期末の日付で借方に「次期繰越」と記入する。

5．負債の勘定の開始記入

未払利息勘定の貸方に期首の日付で「前期繰越」と記入し、「次期繰越」とした金額をもとの位置へ戻す。

支　払　利　息

日付	摘要	金額	日付	摘要	金額
7/31	普　通　預　金	（　　）	4/1	（　　）	（　　）
3/31	（　　）	（　　）	3/31	（　　）	（　　）
		（　　）			（　　）

未　払　利　息

日付	摘要	金額	日付	摘要	金額
4/1	（　　）	（　　）	4/1	前　期　繰　越	40,000
3/31	（　　）	（　　）	3/31	（　　）	（　　）
		（　　）			（　　）
			4/1	（　　）	（　　）

第2問対策

解　答

【取引内容①】

支　払　利　息

3/31	（未払利息）	（　40,000）	3/31	（損　益）	（　40,000）

未　払　利　息

3/31	（次期繰越）	（　40,000）	3/31	（支払利息）	（　40,000）
			4/1	（前期繰越）	（　40,000）

【取引内容②】

支　払　利　息

7/31	普通預金	（　60,000）	4/1	（未払利息）	（　40,000）
3/31	（未払利息）	（　64,000）	3/31	（損　益）	（　84,000）
		（　124,000）			（　124,000）

未　払　利　息

4/1	（支払利息）	（　40,000）	4/1	前期繰越	40,000
3/31	（次期繰越）	（　64,000）	3/31	（支払利息）	（　64,000）
		（　104,000）			（　104,000）
			4/1	（前期繰越）	（　64,000）

解答への道

【取引内容①】 勘定記入の手順① にもとづくと次のようになります。

1．期中処理

8月1日　3,000,000円の借入れの処理

（現　金）	3,000,000	（借　入　金）	3,000,000

2．決算整理

×2年8月1日から×3年3月31日までの8か月分の利息は、当期中に支払っていないので未計上です。しかし、当期に係る費用であるため、支払利息勘定（費用）の増加とするとともに、未払利息勘定（負債）として計上します。

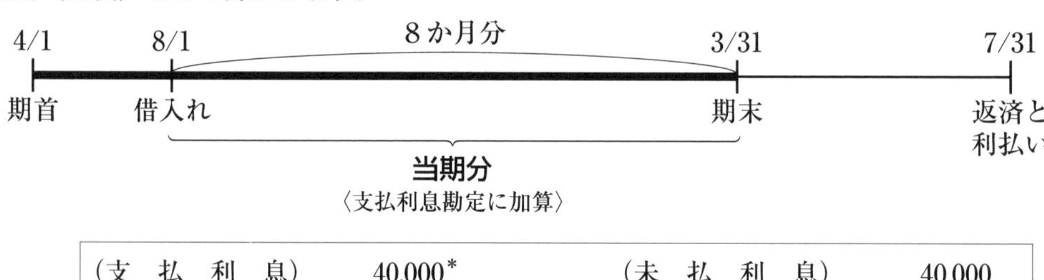

（支　払　利　息）	40,000*	（未　払　利　息）	40,000

＊　3,000,000円×利率年2％×$\frac{8か月}{12か月}$＝40,000円

支払利息	
3/31 **未払利息　40,000**	

未払利息	
	3/31 **支払利息　40,000**

3．費用の勘定の締め切り

決算整理後の支払利息勘定の借方残高40,000円を損益勘定へ振り替え（決算振替仕訳）、支払利息勘定は残高ゼロで締め切ります。

（損　　　　益）	40,000	（支　払　利　息）	40,000

支払利息	
3/31 未払利息　40,000	3/31 **損　　益　40,000**

未払利息	
	3/31 支払利息　40,000

4．負債の勘定の締め切りと5．負債の勘定の開始記入

決算整理後の未払利息勘定の貸方残高40,000円を、借方に「次期繰越」と記入し、借方と貸方の合計金額を一致させて締め切ります。次に、翌期首の日付で貸方に「前期繰越」と記入し、残高を貸方に戻します。

支払利息	
3/31 未払利息　40,000	3/31 損　　益　40,000

未払利息	
3/31 **次期繰越　40,000**	3/31 支払利息　40,000
	4/ 1 **前期繰越　40,000**

【取引内容②】 勘定記入の手順② にもとづくと次のようになります。

6．未払利息勘定の再振替仕訳

前期の未払利息に関する決算整理仕訳を翌期首の日付で逆仕訳することで、もとの費用の勘定に戻します。

（未　払　利　息）	40,000	（支　払　利　息）	40,000

支払利息	
	4/ 1 **未払利息　40,000**

未払利息	
4/ 1 **支払利息　40,000**	4/ 1 前期繰越　40,000

1．期中処理

7月31日　借入金3,000,000円の返済と利息の支払いの処理

（借　　入　　金）	3,000,000	（普　通　預　金）	3,060,000
（支　払　利　息）	60,000*		

＊　3,000,000円×利率年２％＝60,000円

支払利息	
7/31 普通預金　**60,000**	4/ 1 未払利息　40,000

未払利息	
4/ 1 支払利息　40,000	4/ 1 前期繰越　40,000

８月１日　4,000,000円の借入れの処理

（現　　　　金）	4,000,000	（借　　入　　金）	4,000,000

2．決算整理

借入金4,000,000円に対する×3年８月１日から×4年３月31日までの８か月分の利息は、当期中に支払っていないので未計上です。しかし、当期に係る費用であるため、支払利息勘定（費用）の増加とするとともに、未払利息勘定（負債）として計上します。

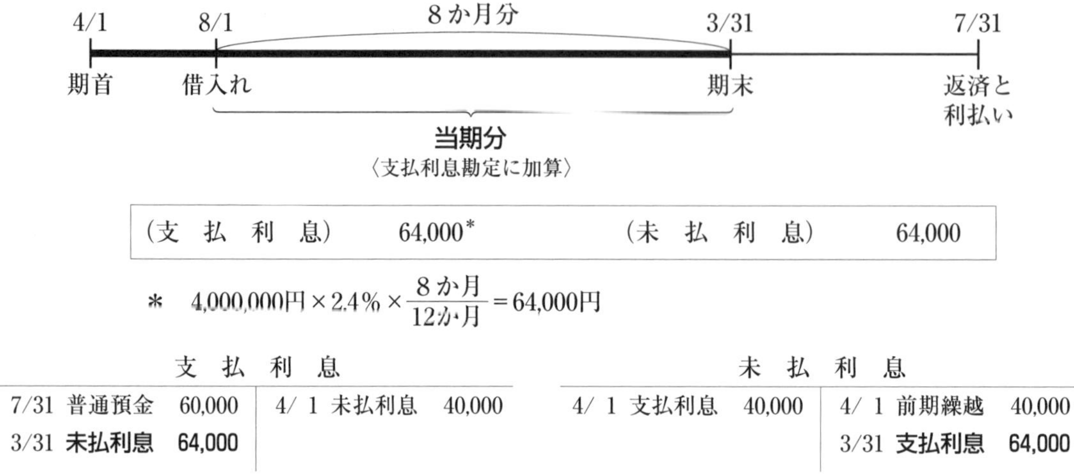

（支払利息）	64,000*	（未払利息）	64,000

＊　4,000,000円×2.4%×$\frac{8か月}{12か月}$＝64,000円

支払利息

7/31	普通預金	60,000	4/ 1	未払利息	40,000
3/31	**未払利息**	**64,000**			

未払利息

4/ 1	支払利息	40,000	4/ 1	前期繰越	40,000
			3/31	**支払利息**	**64,000**

3．費用の勘定の締め切り

決算整理後の支払利息勘定の借方残高84,000円を損益勘定へ振り替え（決算振替仕訳）、支払利息勘定は残高ゼロで締め切ります。

（損益）	84,000	（支払利息）	84,000

支払利息

7/31	普通預金	60,000	4/ 1	未払利息	40,000
3/31	未払利息	64,000	3/31	**損益**	**84,000**

未払利息

4/ 1	支払利息	40,000	4/ 1	前期繰越	40,000
			3/31	支払利息	64,000

4．負債の勘定の締め切りと５．負債の勘定の開始記入

決算整理後の未払利息勘定の貸方残高64,000円を、借方に「次期繰越」と記入し、借方と貸方の合計金額を一致させて締め切ります。次に、翌期首の日付で貸方に「前期繰越」と記入し、残高を貸方に戻します。

支払利息

7/31	普通預金	60,000	4/ 1	未払利息	40,000
3/31	未払利息	64,000	3/31	損益	84,000
		124,000			124,000

未払利息

4/ 1	支払利息	40,000	4/ 1	前期繰越	40,000
3/31	**次期繰越**	**64,000**	3/31	支払利息	64,000
		104,000			104,000
			4/ 1	**前期繰越**	**64,000**

次の【取引内容①】と【取引内容②】にもとづいて、受取利息に関連した2つの勘定科目の空欄にあてはまる適切な語句または金額を記入しなさい。利息計算はすべて月割計算とする。

【取引内容①】 会計期間は×4年4月1日から×5年3月31日とする。

当期の×4年11月1日に取引先に対して¥2,500,000（期間1年、利息は利率年1.2％で満期に受け取り）を小切手の振り出しにより貸し付けた。

勘定記入の手順①（この手順の番号は **手続きの流れ** の番号と対応しています）

1．期中処理

利息の受け取りは満期（返済時）のため、利息に関連する仕訳は不要。

2．決算整理

未収利息の計上（決算整理仕訳）を行い、各勘定に転記する。

3．収益の勘定の締め切り

受取利息勘定の貸方残高を損益勘定の貸方に振り替える仕訳（決算振替仕訳）を行い、受取利息勘定に転記する。

4．資産の勘定の締め切り

未収利息勘定の借方残高を、期末の日付で貸方に「次期繰越」と記入する。

5．資産の勘定の開始記入

未収利息勘定の借方に期首の日付で「前期繰越」と記入し、「次期繰越」とした金額をもとの位置へ戻す。

受　取　利　息

3/31	(　　　　)	(　　　　)	3/31	(　　　　)	(　　　　)

未　収　利　息

3/31	(　　　　)	(　　　　)	3/31	(　　　　)	(　　　　)
4/1	(　　　　)	(　　　　)			

【取引内容②】 会計期間は×5年4月1日から×6年3月31日とする。

前期の×4年11月1日に取引先に対して￥2,500,000（期間1年、利息は利率年1.2%で満期に受け取り）を貸し付けた。この貸付けについては、予定どおり利息の受け取りとともに元本の回収を現金により行っている。

また、当期の×5年11月1日に取引先に対して￥3,200,000（期間1年、利息は利率年1.5%で満期に受け取り）を小切手の振り出しにより貸し付けた。

勘定記入の手順②（この手順の番号は **手続きの流れ** の番号と対応しています）

6．未収利息勘定の再振替仕訳

前期の決算整理で行った仕訳の逆仕訳を行い、各勘定に転記する。

1．期中処理

貸付金2,500,000円の回収と利息の受け取りの仕訳を行い、受取利息勘定に転記する。

貸付金3,200,000円に対する利息の受け取りは満期（返済時）のため、利息に関連する仕訳は不要。

2．決算整理

貸付金3,200,000円に対する未収利息の計上（決算整理仕訳）を行い、各勘定に転記する。

3．収益の勘定の締め切り

受取利息勘定の貸方残高を損益勘定の貸方に振り替える仕訳（決算振替仕訳）を行い、受取利息勘定に転記する。

4．資産の勘定の締め切り

未収利息勘定の借方残高を、期末の日付で貸方に「次期繰越」と記入する。

5．資産の勘定の開始記入

未収利息勘定の借方に期首の日付で「前期繰越」と記入し、「次期繰越」とした金額をもとの位置へ戻す。

受　取　利　息

4/1	（　　）	（　　）	10/31	現　金	（　　）
3/31	（　　）	（　　）	3/31	（　　）	（　　）
		（　　）			（　　）

未　収　利　息

4/1	前期繰越	12,500	4/1	（　　）	（　　）
3/31	（　　）	（　　）	3/31	（　　）	（　　）
		（　　）			（　　）
4/1	（　　）	（　　）			

解　答

【取引内容①】

受　取　利　息

3/31	(損　　益)	(12,500)	3/31	(未 収 利 息)	(12,500)

未　収　利　息

3/31	(受 取 利 息)	(12,500)	3/31	(次 期 繰 越)	(12,500)
4/1	(前 期 繰 越)	(12,500)			

【取引内容②】

受　取　利　息

4/1	(未 収 利 息)	(12,500)	10/31	現　　金	(30,000)
3/31	(損　　益)	(37,500)	3/31	(未 収 利 息)	(20,000)
		(50,000)			(50,000)

未　収　利　息

4/1	前 期 繰 越	12,500	4/1	(受 取 利 息)	(12,500)
3/31	(受 取 利 息)	(20,000)	3/31	(次 期 繰 越)	(20,000)
		(32,500)			(32,500)
4/1	(前 期 繰 越)	(20,000)			

解答への道

【取引内容①】 勘定記入の手順① にもとづくと次のようになります。

１．期中処理

11月１日　2,500,000円の貸付けの処理

(貸　付　金)	2,500,000	(当 座 預 金)	2,500,000

２．決算整理

×4年11月１日から×5年３月31日までの５か月分の利息は、当期中に受け取っていないので未計上です。しかし、当期に係る収益であるため、受取利息勘定（収益）の増加とするとともに、未収利息勘定（資産）として計上します。

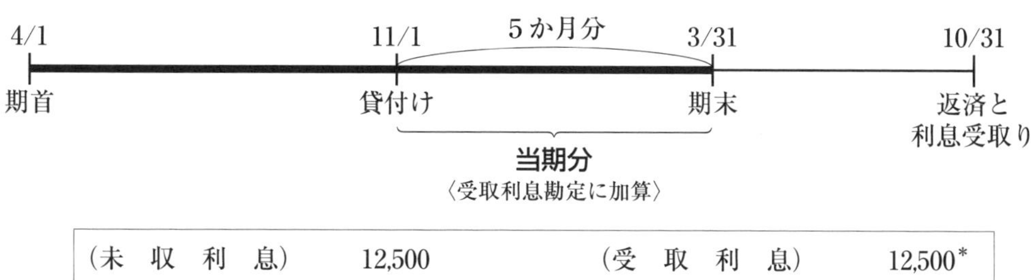

(未 収 利 息)	12,500	(受 取 利 息)	12,500*

＊　2,500,000円 × 利率年1.2% × $\frac{5か月}{12か月}$ = 12,500円

受　取　利　息

	3/31 未収利息　12,500

未　収　利　息

3/31 受取利息　12,500	

3．収益の勘定の締め切り

決算整理後の受取利息勘定の貸方残高12,500円を損益勘定へ振り替え（決算振替仕訳）、受取利息勘定は残高ゼロで締め切ります。

（受　取　利　息）	12,500	（損　　　益）	12,500

受　取　利　息

3/31	**損　　益**	**12,500**	3/31	未収利息	12,500

未　収　利　息

3/31	受取利息	12,500			

4．資産の勘定の締め切りと5．資産の勘定の開始記入

決算整理後の未収利息勘定の借方残高12,500円を、貸方に「次期繰越」と記入し、借方と貸方の合計金額を一致させて締め切ります。次に、翌期首の日付で借方に「前期繰越」と記入し、残高を借方に戻します。

受　取　利　息

3/31	損　　益	12,500	3/31	未収利息	12,500

未　収　利　息

3/31	受取利息	12,500	3/31	**次期繰越**	**12,500**
4/ 1	**前期繰越**	**12,500**			

【取引内容②】 勘定記入の手順② にもとづくと次のようになります。

6．未収利息勘定の再振替仕訳

前期の未収利息に関する決算整理仕訳を翌期首の日付で逆仕訳することで、もとの収益の勘定に戻します。

（受　取　利　息）	12,500	（未　収　利　息）	12,500

受　取　利　息

4/ 1	**未収利息**	**12,500**			

未　収　利　息

4/ 1	前期繰越	12,500	4/ 1	**受取利息**	**12,500**

1．期中処理

10月31日　貸付金2,500,000円の回収と利息の受け取りの処理

（現　　　金）	2,530,000	（貸　付　金）	2,500,000
		（受　取　利　息）	30,000*

＊　2,500,000円×利率年1.2％＝30,000円

受　取　利　息

4/ 1	未収利息	12,500	10/31	**現　　金**	**30,000**

未　収　利　息

4/ 1	前期繰越	12,500	4/ 1	受取利息	12,500

11月1日　3,200,000円の貸付けの処理

（貸　付　金）	3,200,000	（当　座　預　金）	3,200,000

2．決算整理

貸付金3,200,000円に対する×5年11月１日から×6年３月31日までの５か月分の利息は、当期中に受け取っていないので未計上です。しかし、当期に係る収益であるため、受取利息勘定（収益）の増加とするとともに、未収利息勘定（資産）として計上します。

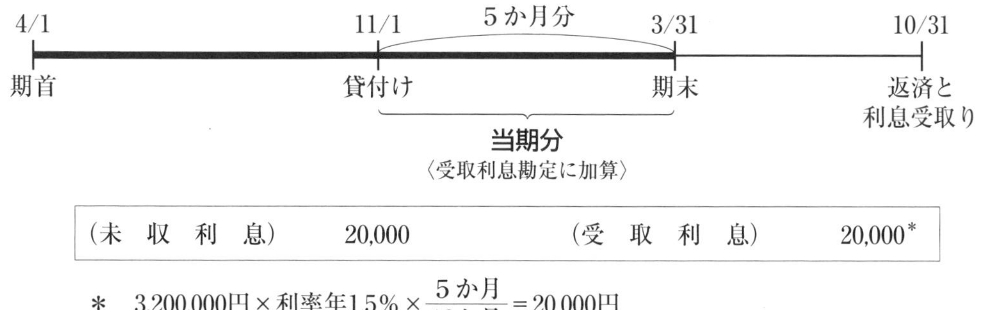

(借方)		(貸方)	
（未　収　利　息）	20,000	（受　取　利　息）	20,000*

＊　3,200,000円×利率年1.5％×$\frac{5か月}{12か月}$＝20,000円

受　取　利　息

日付	摘要	金額	日付	摘要	金額
4/ 1	未収利息	12,500	10/31	現　　金	30,000
			3/31	**未収利息**	**20,000**

未　収　利　息

日付	摘要	金額	日付	摘要	金額
4/ 1	前期繰越	12,500	4/ 1	受取利息	12,500
3/31	**受取利息**	**20,000**			

3．収益の勘定の締め切り

決算整理後の受取利息勘定の貸方残高37,500円を損益勘定へ振り替え（決算振替仕訳）、受取利息勘定は残高ゼロで締め切ります。

(借方)		(貸方)	
（受　取　利　息）	37,500	（損　　　　益）	37,500

受　取　利　息

日付	摘要	金額	日付	摘要	金額
4/ 1	未収利息	12,500	10/31	現　　金	30,000
3/31	**損　　益**	**37,500**	3/31	未収利息	20,000

未　収　利　息

日付	摘要	金額	日付	摘要	金額
4/ 1	前期繰越	12,500	4/ 1	受取利息	12,500
3/31	受取利息	20,000			

4．資産の勘定の締め切りと５．資産の勘定の開始記入

決算整理後の未収利息勘定の借方残高20,000円を、貸方に「次期繰越」と記入し、借方と貸方の合計金額を一致させて締め切ります。次に、翌期首の日付で借方に「前期繰越」と記入し、残高を借方に戻します。

受　取　利　息

日付	摘要	金額	日付	摘要	金額
4/ 1	未収利息	12,500	10/31	現　　金	30,000
3/31	損　　益	37,500	3/31	未収利息	20,000
		50,000			50,000

未　収　利　息

日付	摘要	金額	日付	摘要	金額
4/ 1	前期繰越	12,500	4/ 1	受取利息	12,500
3/31	受取利息	20,000	3/31	**次期繰越**	**20,000**
		32,500			32,500
4/ 1	**前期繰越**	**20,000**			

問題 7(1) 勘定記入（未払費用の計上・再振替仕訳あり）

下記の【資料】にもとづいて、当期（×6年４月１日から×7年３月31日）における利息に関連した２つの勘定科目の空欄にあてはまる適切な語句または金額（次期の開始記入も含む）を記入しなさい。利息計算はすべて月割計算とする。

【資料】

前期の×5年９月１日に銀行から￥5,000,000（期間１年、利息は利率年2.4％で満期に支払い）を借り入れた。この借入れについては、予定どおり利息の支払いとともに元本の返済を普通預金口座より行っている。

また、当期の×6年９月１日に銀行から￥4,800,000（期間１年、利息は利率年2.2％で満期に支払い）を借り入れた。

支　払　利　息

8/31	(　　)	(　　)	4/1	(　　)	(　　)
3/31	(　　)	(　　)	3/31	(　　)	(　　)
		(　　)			(　　)

未　払　利　息

4/1	(　　)	(　　)	4/1	(　　)	70,000
3/31	(　　)	(　　)	3/31	(　　)	(　　)
		(　　)			(　　)
			4/1	(　　)	(　　)

解　答

支　払　利　息

8/31	(普通預金)	(120,000)	4/1	(未払利息)	(70,000)
3/31	(未払利息)	(61,600)	3/31	(損　益)	(111,600)
		(181,600)			(181,600)

未　払　利　息

4/1	(支払利息)	(70,000)	4/1	(前期繰越)	70,000
3/31	(次期繰越)	(61,600)	3/31	(支払利息)	(61,600)
		(131,600)			(131,600)
			4/1	(前期繰越)	(61,600)

解答への道

前期の処理から考えてみましょう。

問題文に「前期の×5年9月1日に銀行から¥5,000,000（期間1年、利息は利率年2.4％で満期に支払い）を借り入れた。」とあります。これにより、前期末時点において支払利息7か月分（×5年9月1日から×6年3月31日）を前期の費用として計上したことがわかります。

[前期の決算]

決算整理仕訳：	（支払利息）	70,000*	（未払利息）	70,000

＊　5,000,000円×利率年2.4％×$\frac{7か月}{12か月}$＝70,000円

0．負債の勘定の締め切りと負債の勘定の開始記入

決算整理後の未払利息勘定の貸方残高70,000円を借方に「次期繰越」と記入し、借方と貸方の合計金額を一致させて締め切ります。次に、翌期首の日付で貸方に「前期繰越」と記入し、残高を貸方に戻します。

未払利息

借方	貸方
3/31 次期繰越　70,000	3/31 支払利息　70,000

開始記入を示すと次のようになるので、解答欄に印刷された「70,000」は「**前期繰越**」となります。

未払利息

借方	貸方
	4/ 1 前期繰越　70,000

[当　期]

1．未払利息勘定の再振替仕訳

前期末の未払利息に関する決算整理仕訳を翌期首の日付で逆仕訳することで、もとの費用の勘定に戻します。

4/1	（未払利息）	70,000	（支払利息）	70,000

支払利息

借方	貸方
	4/ 1 未払利息　70,000

未払利息

借方	貸方
4/ 1 支払利息　70,000	4/ 1 前期繰越　70,000

2．期中処理

借入金5,000,000円の返済と利息の支払いを仕訳します。

8/31	（借入金）	5,000,000	（普通預金）	5,120,000
	（支払利息）	120,000*		

＊　5,000,000円×利率年2.4％＝120,000円

支払利息

借方	貸方
8/31 普通預金　120,000	4/ 1 未払利息　70,000

未払利息

借方	貸方
4/ 1 支払利息　70,000	4/ 1 前期繰越　70,000

4,800,000円の借入れを仕訳します。

9/1	（現金など）	4,800,000	（借入金）	4,800,000

第2問対策

3．決算整理

借入金4,800,000円に対する×6年9月1日から×7年3月31日までの7か月分の利息は、当期中に支払っていないので未計上です。しかし、当期に係る費用であるため、支払利息勘定（費用）の増加とするとともに、未払利息勘定（負債）として計上します。

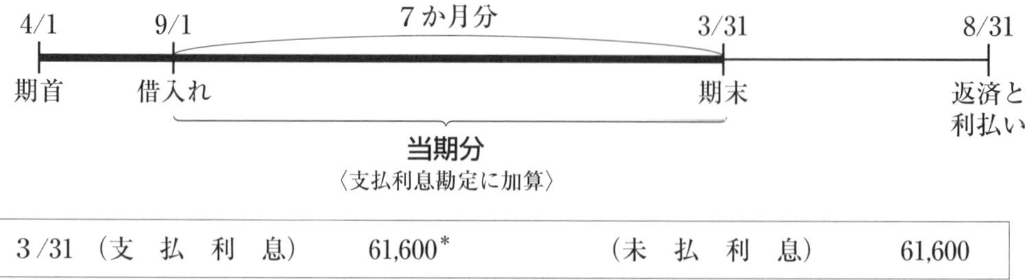

3/31	（支　払　利　息）	61,600*	（未　払　利　息）	61,600

*　$4,800,000円 \times 利率年2.2\% \times \frac{7か月}{12か月} = 61,600円$

支払利息

借方			貸方		
8/31	普通預金	120,000	4/1	未払利息	70,000
3/31	**未払利息**	**61,600**			

未払利息

借方			貸方		
4/1	支払利息	70,000	4/1	前期繰越	70,000
			3/31	**支払利息**	**61,600**

4．費用の勘定の締め切り

決算整理後の支払利息勘定の借方残高111,600円を損益勘定へ振り替え（決算振替仕訳）、支払利息勘定は残高ゼロで締め切ります。

3/31	（損　　　益）	111,600	（支　払　利　息）	111,600

支払利息

借方			貸方		
8/31	普通預金	120,000	4/1	未払利息	70,000
3/31	未払利息	61,600	3/31	**損　　益**	**111,600**

未払利息

借方			貸方		
4/1	支払利息	70,000	4/1	前期繰越	70,000
			3/31	支払利息	61,600

5．負債の勘定の締め切りと6．負債の勘定の開始記入

決算整理後の未払利息勘定の貸方残高61,600円を、借方に「次期繰越」と記入し、借方と貸方の合計金額を一致させて締め切ります。次に、翌期首の日付で貸方に「前期繰越」と記入し、残高を貸方に戻します。

支払利息

借方			貸方		
8/31	普通預金	120,000	4/1	未払利息	70,000
3/31	未払利息	61,600	3/31	損　　益	111,600
		181,600			181,600

未払利息

借方			貸方		
4/1	支払利息	70,000	4/1	前期繰越	70,000
3/31	**次期繰越**	**61,600**	3/31	支払利息	61,600
		131,600			131,600
			4/1	**前期繰越**	**61,600**

問題 7 (2)　勘定記入（未収収益の計上・再振替仕訳あり）

取引先に対して、前期の×4年12月1日に¥800,000を期間2年、年利率6％、利払日は5月および11月末日の条件で貸し付けた。当期（×5年4月1日から×6年3月31日）の受取利息に関する諸勘定の記入は、次のとおりであった。各勘定に記入された取引等（次期の開始記入も含む）を推定し、ア～オには適切な語句を、a～eには適切な金額を記入しなさい。なお、利息は利払日に現金で受け取っている。

受　取　利　息

日付	摘要	金額	日付	摘要	金額
4/1	（ア）	（　）	5/31	現金	（a）
3/31	（イ）	（　）	11/30	現金	（　）
			3/31	（ウ）	（b）
		（　）			（　）

未　収　利　息

日付	摘要	金額	日付	摘要	金額
4/1	前期繰越	（c）	4/1	（エ）	（　）
3/31	（　）	（　）	3/31	（オ）	（　）
		（　）			（d）
4/1	（　）	（　）			

損　　　益

日付	摘要	金額	日付	摘要	金額
			3/31	（　）	（e）

記号	語句
ア	
イ	
ウ	
エ	
オ	

記号	金額
a	¥
b	¥
c	¥
d	¥
e	¥

解　答

記　号	語　　句
ア	未 収 利 息
イ	損　　益
ウ	未 収 利 息
エ	受 取 利 息
オ	次 期 繰 越

記　号	金　　額
a	¥ 24,000
b	¥ 16,000
c	¥ 16,000
d	¥ 32,000
e	¥ 48,000

解答への道

前期の処理から考えてみましょう。

未収利息勘定に「4/1前期繰越」と記入されています。

問題文には「前期の×4年12月１日に¥800,000を…年利率６％、利払日は５月および11月末日の条件で貸し付けた。」とあります。これにより、前期末時点において受取利息４か月分（×4年12月１日～×5年３月31日）を前期の収益として計上したことがわかります。

[前期の決算]

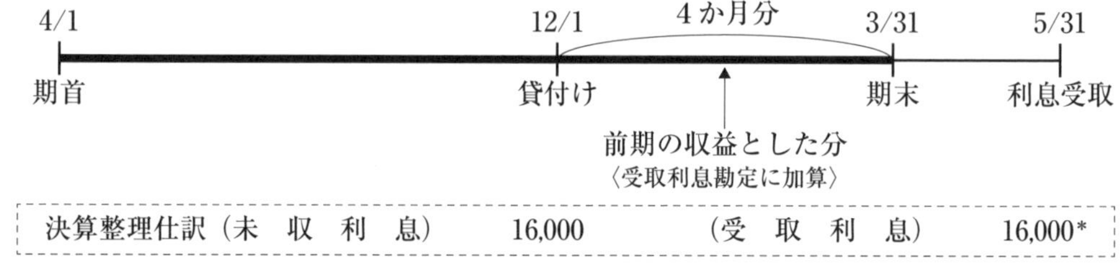

決算整理仕訳（未　収　利　息）	16,000	（受　取　利　息）	16,000*

＊　800,000円×利率年６％×$\frac{4か月}{12か月}$＝16,000円

0．資産の勘定の締め切りと資産の勘定の開始記入

決算整理後の未収利息勘定の借方残高16,000円を、貸方に「次期繰越」と記入し、借方と貸方の合計金額を一致させて締め切ります。次に、翌期首の日付で借方に「前期繰越」と記入し、残高を借方に戻します。

開始記入を示すと次のようになるので、解答欄に印刷された「前期繰越」は「**16,000**」となります。

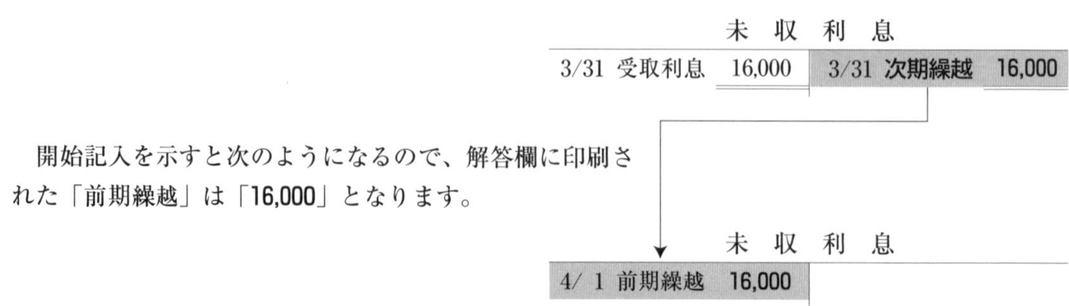

[当　期]

1．未収利息勘定の再振替仕訳

前期末の未収利息に関する決算整理仕訳を翌期首の日付で逆仕訳することで、もとの収益の勘定に戻します。

4/1	(受　取　利　息)	16,000	(未　収　利　息)	16,000

受　取　利　息

借方			貸方		
4/1	**未収利息**	**16,000**			

未　収　利　息

借方			貸方		
4/1	前期繰越	16,000	4/1	**受取利息**	**16,000**

2．期中処理

5月末日と11月末日に半年分の利息を受け取ります。

$$800{,}000円 \times 年利率6\% \times \frac{6か月}{12か月} = 24{,}000円$$

5/31	(現　　　　金)	24,000	(受　取　利　息)	24,000
11/30	(現　　　　金)	24,000	(受　取　利　息)	24,000

受　取　利　息

借方			貸方		
4/1	未収利息	16,000	5/31	現　　金	**24,000**
			11/30	現　　金	**24,000**

未　収　利　息

借方			貸方		
4/1	前期繰越	16,000	4/1	受取利息	16,000

3．決算整理

当期の×5年12月1日から×6年3月31日までの4か月分の利息は、当期中に受け取っていないので未計上です。しかし、当期に係る収益であるため、受取利息勘定の増加とするとともに、未収利息勘定（資産）として計上します。

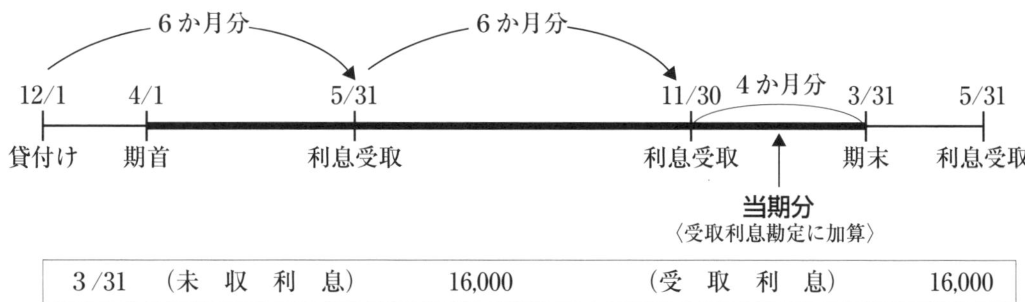

3/31	(未　収　利　息)	16,000	(受　取　利　息)	16,000

$$* \quad 800{,}000円 \times 年利率6\% \times \frac{4か月}{12か月} = 16{,}000円$$

受　取　利　息

借方			貸方		
4/1	未収利息	16,000	5/31	現　　金	24,000
			11/30	現　　金	24,000
			3/31	**未収利息**	**16,000**

未　収　利　息

借方			貸方		
4/1	前期繰越	16,000	4/1	受取利息	16,000
3/31	**受取利息**	**16,000**			

4．収益の勘定の締め切り

決算整理後の受取利息勘定の貸方残高48,000円を損益勘定へ振り替え（決算振替仕訳）、受取利息勘定は残高ゼロで締め切ります。

3/31	(受　取　利　息)	48,000	(損　　　　益)	48,000

			受取利息		
4/1	未収利息	16,000	5/31	現金	24,000
3/31	**損益**	**48,000**	11/30	現金	24,000
			3/31	未収利息	16,000

			未収利息		
4/1	前期繰越	16,000	4/1	受取利息	16,000
3/31	受取利息	16,000			

			損益		
			3/31	**受取利息**	**48,000**

5．資産の勘定の締め切りと6．資産の勘定の開始記入

決算整理後の未収利息勘定の借方残高16,000円を、貸方に「次期繰越」と記入し、借方と貸方の合計金額を一致させて締め切ります。次に、翌期首の日付で借方に「前期繰越」と記入し、残高を借方に戻します。

			受取利息		
4/1	未収利息	16,000	5/31	現金	24,000
3/31	損益	48,000	11/30	現金	24,000
			3/31	未収利息	16,000
		64,000			64,000

			未収利息		
4/1	前期繰越	16,000	4/1	受取利息	16,000
3/31	受取利息	16,000	**3/31**	**次期繰越**	**16,000**
		32,000			32,000
4/1	**前期繰越**	**16,000**			

			損益		
			3/31	受取利息	48,000

問題 7(3) 勘定記入（前払費用の計上・再振替仕訳なし）

当期（×3年4月1日から×4年3月31日）における家賃に関連した3つの勘定科目の空欄にあてはまる適切な語句または金額（次期の開始記入も含む）を記入しなさい。

東京商事株式会社は、当期の6月1日に、店舗として使用する目的で契約期間を3年とする建物の賃借契約（年額¥480,000）を結んだ。この契約で家賃は、6月1日と12月1日に向こう半年分をそれぞれ現金で支払うこととしている。

当期より支払いが始まったケースなので、期首の再振替仕訳を考慮する必要もなく解きやすい問題です。

			支払家賃		
6/1	(　　)	(　　)	3/31	(　　)	(　　)
12/1	(　　)	(　　)	〃	(　　)	(　　)
		(　　)			(　　)

			前払家賃		
3/31	(　　)	(　　)	3/31	(　　)	(　　)
4/1	(　　)	(　　)			

			損益		
3/31	(　　)	(　　)			

解　答

支　払　家　賃

6/1	(現　　　金)	(240,000)	3/31	(前 払 家 賃)	(80,000)
12/1	(現　　　金)	(240,000)	〃	(損　　　益)	(400,000)
		(480,000)			(480,000)

前　払　家　賃

3/31	(支 払 家 賃)	(80,000)	3/31	(次 期 繰 越)	(80,000)
4/1	(前 期 繰 越)	(80,000)			

損　　　益

3/31	(支 払 家 賃)	(400,000)			

解答への道

1．家賃の支払い〈期中処理〉

問題文に「家賃は6月1日と12月1日に向こう**半年分**をそれぞれ現金で支払うこととしている」とあります。

6月1日	(支　払　家　賃)	240,000*	(現　　　金)	240,000

12月1日	(支　払　家　賃)	240,000*	(現　　　金)	240,000

＊　年額480,000円 $\times \frac{6か月}{12か月}$ ＝240,000円〈半年分〉

2．前払家賃の計上〈決算整理仕訳〉

当期に支払った家賃のうち、2か月分は次期に係る費用の前払分であるため、支払家賃勘定（費用）から差し引き、前払家賃勘定（資産）として次期に繰り越します。

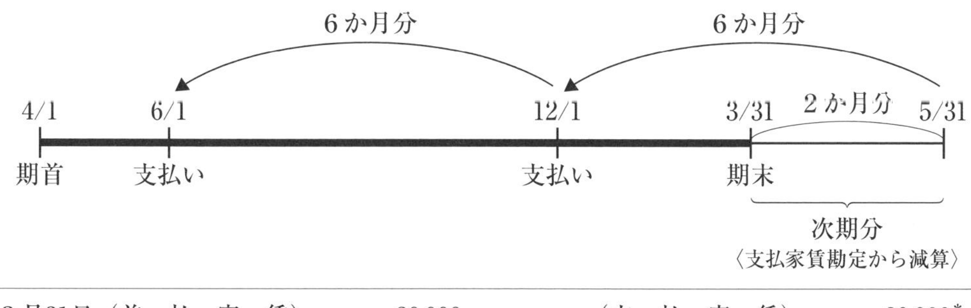

3月31日	(前　払　家　賃)	80,000	(支　払　家　賃)	80,000*

＊　年額480,000円 $\times \frac{2か月}{12か月}$ ＝80,000円　　または、半年分240,000円 $\times \frac{2か月}{6か月}$ ＝80,000円

これまでの仕訳を答案用紙の各勘定へ転記すると次のようになります。

支　払　家　賃

6/1 現　　金 240,000	3/31 前払家賃 80,000	
12/1 現　　金 240,000		

前　払　家　賃

3/31 支払家賃 80,000	

3．費用の勘定の締め切り〈決算振替仕訳〉

決算整理後の支払家賃勘定の借方残高400,000円を損益勘定へ振り替え、支払家賃勘定は残高ゼロで締め切ります。

3月31日	（損　　　　益）	400,000	（支　払　家　賃）	400,000

支　払　家　賃

6/1	現　　金	240,000	3/31	前払家賃	80,000
12/1	現　　金	240,000	〃	**損　　益**	**400,000**

前　払　家　賃

3/31	支払家賃	80,000			

損　　　益

3/31	**支払家賃**	**400,000**			

4．資産の勘定の締め切りと資産の勘定の開始記入

決算整理後の前払家賃勘定の借方残高80,000円を、貸方に「次期繰越」と記入（＝繰越記入）し、借方と貸方の合計金額を一致させて締め切ります。次に、翌期首の日付で借方に「前期繰越」と記入（＝開始記入）し、残高を借方に戻します。

支　払　家　賃

6/1	現　　金	240,000	3/31	前払家賃	80,000
12/1	現　　金	240,000	〃	損　　益	400,000
		480,000			480,000

前　払　家　賃

3/31	支払家賃	80,000	3/31	**次期繰越**	**80,000**
4/ 1	**前期繰越**	**80,000**			

※　繰越記入と開始記入に仕訳はありません。

損　　　益

3/31	支払家賃	400,000			

問題 7 (4)　勘定記入（決算振替）

下記の［資料］から、損益勘定と繰越利益剰余金勘定の空欄①から⑤にあてはまる適切な語句または金額を答案用紙に記入しなさい。決算は年1回、3月末である。なお、税金の計算は考慮外とする。

［資料］

1. 総売上高　¥11,000,000
2. 売上戻り高　¥135,000
3. 仕入勘定の決算整理前残高　借方¥7,200,000
4. 期首商品棚卸高　¥450,000
5. 期末商品棚卸高　¥500,000
6. 売上原価は仕入勘定で算定する。
7. 保険料勘定の決算整理前残高　借方¥70,000
8. 保険料勘定の決算整理後残高　借方¥66,000

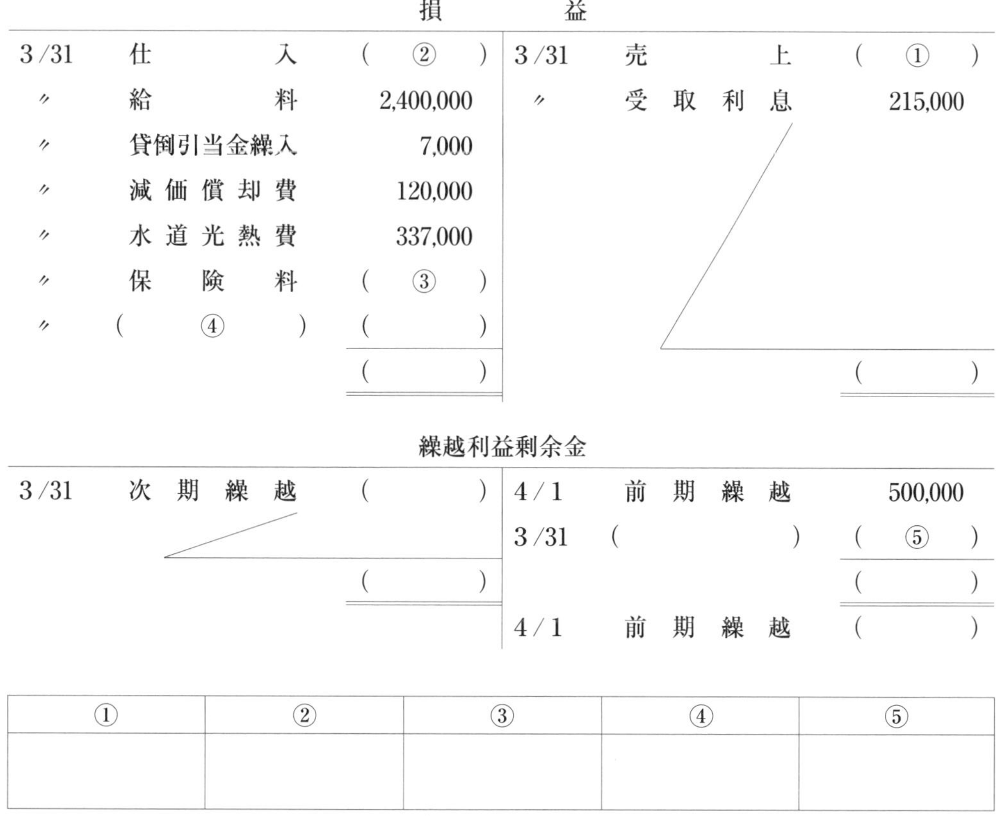

損　益

3/31	仕　入	（ ② ）	3/31	売　上	（ ① ）
〃	給　料	2,400,000	〃	受取利息	215,000
〃	貸倒引当金繰入	7,000			
〃	減価償却費	120,000			
〃	水道光熱費	337,000			
〃	保険料	（ ③ ）			
〃	（ ④ ）	（　　）			
		（　　）			（　　）

繰越利益剰余金

3/31	次期繰越	（　　）	4/1	前期繰越	500,000
			3/31	（　　）	（ ⑤ ）
		（　　）			（　　）
			4/1	前期繰越	（　　）

①	②	③	④	⑤

解　答

①	②	③	④	⑤
10,865,000	7,150,000	66,000	繰越利益剰余金	1,000,000

解答への道

収益・費用の諸勘定の残高を損益勘定へ振り替えることと、当期純利益の計上（これを決算振替という）に関する問題です。本問をとおして、決算振替の流れを確認しておきましょう。

参考

★　**収益・費用の勘定の締め切り**

決算振替仕訳を行います。

①　決算整理**後**の収益・費用の各勘定残高を損益勘定へ振り替えます。この振り替えにより、収益・費用の各勘定の残高はゼロとして締め切ります。

↓

損益勘定の貸借差額により、当期純利益（または当期純損失）を計算します。

↓

②　当期純利益（または当期純損失）を損益勘定から繰越利益剰余金勘定へ振り替えます。この振り替えにより、損益勘定の残高もゼロとして締め切ります。

↓

★　**資産・負債・資本（純資産）の勘定の締め切り**

決算振替後の資産・負債・資本（純資産）の各勘定の残高を「次期繰越」と記入し、借方と貸方の合計金額を一致させて締め切ります。次に、翌期首の日付で「前期繰越」と記入し、残高を戻します。

1．決算整理後の収益・費用の各勘定残高を損益勘定へ振り替えます。

(1)　①の金額は、純売上高です。

売上戻り（＝売上返品）分は総売上高から差し引きます。

11,000,000円〈総売上高〉－135,000円〈売上戻り高〉＝**10,865,000円**

決算振替仕訳：	（売　　上）	10,865,000	（損　　益）	① **10,865,000**

(2)　②の金額は、売上原価です。

仕入勘定で売上原価を計算するための決算整理仕訳は次のとおりです。

（仕　　入）	450,000	（繰 越 商 品）	450,000
（繰 越 商 品）	500,000	（仕　　入）	500,000

仕　　入

借方		貸方	
決算整理前の残高〈当期純仕入高〉	7,200,000	3/31 繰 越 商 品	500,000 ←期末商品
期首商品→ 3/31 繰 越 商 品	450,000	売上原価の金額	② **7,150,000**

決算整理仕訳転記後の仕入勘定の残高が売上原価を示します。

決算振替仕訳：	（損　　益）	② **7,150,000**	（仕　　入）	7,150,000

⑶　**③の金額は、決算整理後の残高です。**

したがって、問題資料８．を選択します。なお、問題資料７．は、本問を解くうえでは考慮する必要のない資料です。

決算振替仕訳：	（損　　益）	③ **66,000**	（保　険　料）	66,000

これまでの決算振替仕訳を損益勘定へ転記すると以下のようになります。

損　　益

日付	摘要	金額	日付	摘要	金額
3/31	仕　　入	（**7,150,000**）	3/31	売　　上	（**10,865,000**）
〃	給　　料	2,400,000	〃	受取利息	215,000
〃	貸倒引当金繰入	7,000			
〃	減価償却費	120,000			
〃	水道光熱費	337,000			
〃	保　険　料	（**66,000**）			
〃	（　④　）	（　　）			

損益勘定の貸借差額により、当期純利益（または当期純損失）を計算します。

貸方合計11,080,000円〈収益〉－借方合計10,080,000円〈費用〉＝**1,000,000円**〈当期純利益〉

２．当期純利益を損益勘定から繰越利益剰余金勘定へ振り替えます。

④は仕訳の相手勘定科目である「繰越利益剰余金」です。「当期純利益」と記入しないように気をつけてください。

決算振替仕訳：	（損　　益）	1,000,000	（④ **繰越利益剰余金**）	⑤ **1,000,000**

繰越利益剰余金勘定へ転記すると以下のようになります。

繰越利益剰余金

日付	摘要	金額	日付	摘要	金額
3/31	次期繰越	（　　）	4/1	前期繰越	500,000
			3/31	（損　　益）	（**1,000,000**）

３．繰越利益剰余金勘定の締め切り

決算振替後の繰越利益剰余金勘定の貸方残高を、借方に「次期繰越」と記入し、借方と貸方の合計金額を一致させて締め切ります。次に、翌期首の日付で「前期繰越」と記入し、残高を貸方に戻します。

問題 7(5)　勘定記入（有形固定資産）

次の資料にもとづいて、備品勘定と備品減価償却累計額勘定の空欄（ア）～（オ）には適切な語句を、（a）～（e）には適切な金額を答案用紙に記入しなさい。当社の決算日は毎年３月31日である。

減価償却費の計算と勘定の締切（繰越記入と開始記入）を正確に行えるかが問われています。帳簿記入においては基礎的なことになりますので、この問題をとおしてしっかりマスターしましょう。

×2年４月１日　備品¥300,000を小切手を振り出して購入した。
×3年３月31日　定額法によって減価償却費を計上する。耐用年数は５年、残存価額ゼロとする。
　　10月１日　備品¥200,000を小切手を振り出して購入した。
×4年３月31日　定額法によって減価償却費を計上する。なお、10月１日に購入した備品についても、耐用年数と残存価額は同様とし、減価償却費は月割計算によって計上する。

備　　品

×2/ 4/ 1	当座預金	300,000	×3/ 3/31	次期繰越	（ a ）
×3/ 4/ 1	（ ア ）	（ ）	×4/ 3/31	（ ）	（ ）
10/ 1	（ イ ）	（ b ）			
		（ ）			（ ）
×4/ 4/ 1	（ ）	（ ）			

備品減価償却累計額

×3/ 3/31	（ ウ ）	（ c ）	×3/ 3/31	（ エ ）	（ ）
×4/ 3/31	（ ）	（ ）	4/ 1	（ ）	（ ）
			×4/ 3/31	（ オ ）	（ d ）
		（ ）			（ ）
			4/ 1	（ ）	（ e ）

（ア）	（イ）	（ウ）	（エ）	（オ）

（a）	（b）	（c）	（d）	（e）
¥	¥	¥	¥	¥

解　答

（ア）	（イ）	（ウ）	（エ）	（オ）
前期繰越	当座預金	次期繰越	減価償却費	減価償却費

（a）	（b）	（c）	（d）	（e）
¥　300,000	¥　200,000	¥　60,000	¥　80,000	¥　140,000

解答への道

日付順に仕訳して転記します。

×2年

4/ 1	（備　　　　品）	300,000	（当　座　預　金）	300,000

×3年

3/31	（減 価 償 却 費）（エ）	60,000*	（備品減価償却累計額）	60,000

＊　減価償却費の計算には注意してください。
300,000円÷５年＝60,000円　←　問題文に「残存価額ゼロとする」とあります。

備　　　品

日付	摘要	金額	日付	摘要	金額
×2/ 4/ 1	当　座　預　金	300,000	×3/ 3/31	次　期　繰　越	（a）300,000
×3/ 4/ 1	（ア）前 期 繰 越	300,000			

手順１：貸借の合計金額を一致させて締め切るため、借方残高の勘定は、当期末の日付で貸方に「次期繰越　300,000」と記入（**繰越記入**）します。

手順２：翌期首の日付で借方に「前期繰越　300,000」と記入（**開始記入**）し、残高を借方に戻します。

備品減価償却累計額

日付	摘要	金額	日付	摘要	金額
×3/ 3/31	（ウ）次 期 繰 越	（c）60,000	×3/ 3/31	（エ）減 価 償 却 費	60,000
			4/ 1	前　期　繰　越	60,000

手順１：貸借の合計金額を一致させて締め切るため、貸方残高の勘定は、当期末の日付で借方に「次期繰越　60,000」と記入（**繰越記入**）します。

手順２：翌期首の日付で貸方に「前期繰越　60,000」と記入（**開始記入**）し、残高を貸方に戻します。

×3年

	借方科目	金額	貸方科目	金額
10/ 1	（備　　品）	200,000（b）	（当 座 預 金）（イ）	200,000

×4年

	借方科目	金額	貸方科目	金額
3/31	（減 価 償 却 費）（オ）	80,000*1	（備品減価償却累計額）	80,000（d）

＊1　×2年４月取得分：300,000円÷５年＝60,000円
　　×3年10月取得分：200,000円÷５年×$\frac{6か月^{*2}}{12か月}$＝20,000円
　　計80,000円

＊2　×3.10.1～×4.3.31

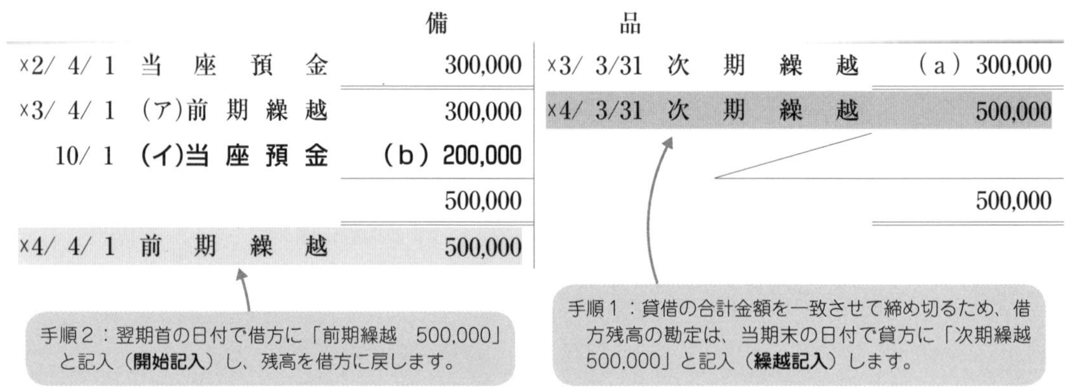

備　　品

日付	摘要	金額	日付	摘要	金額
×2/ 4/ 1	当 座 預 金	300,000	×3/ 3/31	次 期 繰 越	（a）300,000
×3/ 4/ 1	（ア）前 期 繰 越	300,000	×4/ 3/31	次 期 繰 越	500,000
10/ 1	**（イ）当 座 預 金**	**（b）200,000**			
		500,000			500,000
×4/ 4/ 1	前 期 繰 越	500,000			

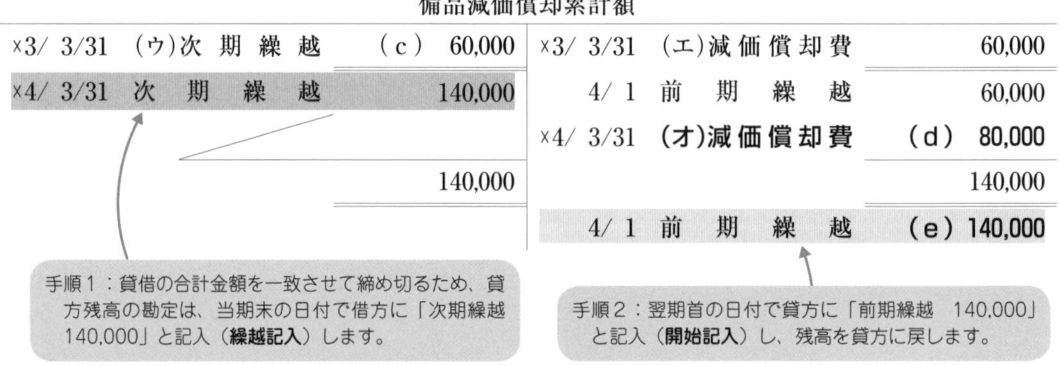

備品減価償却累計額

日付	摘要	金額	日付	摘要	金額
×3/ 3/31	（ウ）次 期 繰 越	（c）60,000	×3/ 3/31	（エ）減 価 償 却 費	60,000
×4/ 3/31	次 期 繰 越	140,000	4/ 1	前 期 繰 越	60,000
			×4/ 3/31	**（オ）減 価 償 却 費**	**（d）80,000**
		140,000			140,000
			4/ 1	前 期 繰 越	**（e）140,000**

第3問対策

第３問では、主に精算表または財務諸表の作成問題が出題されています。ここでは、過去の本試験における出題パターンを整理するための「パターン整理編」と、出題区分の改定による追加論点を含めた「実践問題編」とに分けて見ていきます。

Ⅰ パターン整理編

出題パターン	その１	精算表の作成	問題１	文章題の順進問題
			問題２	全体推定問題
	その２	財務諸表の作成	問題３	決算整理後残高試算表より
			問題４	決算整理前残高試算表より

Ⅱ 実践問題編

問題５	問１	決算整理後残高試算表の作成
	問２	財務諸表の作成（決算整理前残高試算表より）
	問３	精算表の作成

Ⅰ パターン整理編

まずは、精算表や財務諸表の作成問題で、過去の本試験で繰り返し出題されている決算整理事項を確認しておきましょう。

(1) 現金の過不足

① 期中、現金に過不足が生じた場合の決算整理

問題資料に現金過不足勘定の決算整理前残高が与えられるときは、①のケースになります。現金過不足勘定の残高は次期に繰り越さず、決算では残高をゼロにしますので、原因が判明した金額は適切な科目に振り替え、判明しなかった金額は雑損または雑益とします。

（例） 現金過不足勘定￥1,000（借方残高）のうち￥800は通信費の記帳漏れであった。残額は不明のため適切に処理する。

（通　信　費）	800	（現金過不足）	1,000
（雑　　　損）	200		

② 決算において、現金に過不足が生じた場合の決算整理

問題資料に現金過不足勘定の決算整理前残高が与えられないときは、②のケースになります。決算時点では、現金に過不足が生じていても一時的に記録する仮の科目である現金過不足勘定は経由せず、原因が判明した金額は適切な科目に振り替え、判明しなかった金額は雑損または雑益とします。

（雑　　　損）	××	（現　　　金）	××

（現　　　金）	××	（雑　　　益）	××

(2) 貸倒引当金の設定

(貸倒引当金繰入)	××	(貸倒引当金)	××

(参考) 計算手順　ステップ①　貸倒引当金の当期末設定額を計算します。
ステップ②　貸倒引当金の決算整理前残高を確認します。
ステップ③　①－②が繰入額です。

決算において未処理事項等による修正があれば、修正後の金額を使用します。

(3) 売上原価の計算　～仕入勘定で計算する場合～

仕入勘定の残高が売上原価を示すようにするため、下記の仕訳が必要です。

期首商品：	(仕入)	××	(繰越商品)	××
期末商品：	(繰越商品)	××	(仕入)	××

(4) 有形固定資産の減価償却

期中に固定資産を取得した場合は、前期以前に取得したものとは分けて計算する必要があります。月数の計算には気をつけましょう。

(減価償却費)	××	(減価償却累計額)	××

(5) 経過勘定項目の処理　(注)'○○'は具体的な科目を記入します。

	借方		貸方	
①前払費用の計上：	(前払○○) 資産の勘定	××	(　　　) 費用の勘定	××
②前受収益の計上：	(　　　) 収益の勘定	××	(前受○○) 負債の勘定	××
③未払費用の計上：	(　　　) 費用の勘定	××	(未払○○) 負債の勘定	××
④未収収益の計上：	(未収○○) 資産の勘定	××	(　　　) 収益の勘定	××

出題パターン その1 精算表の作成

ここでは、出題頻度の高い文章題の順進問題と、出題頻度は極めて低いですが、精算表の構造を理解するためには役立つ全体推定問題の２つを、同一の資料を使用して見ていきます。まずは、問題に入る前に、以下で精算表の仕組みを復習しておきましょう。

《精算表の仕組み》

残高試算表欄の金額に修正記入欄の金額を加算または減算して、修正後の金額を損益計算書欄または貸借対照表欄に書き移します。どの欄に書き移すかは、その勘定科目が資産・負債・資本(純資産)・収益・費用〈５要素という〉の何に属するかによって決まります。

精　算　表

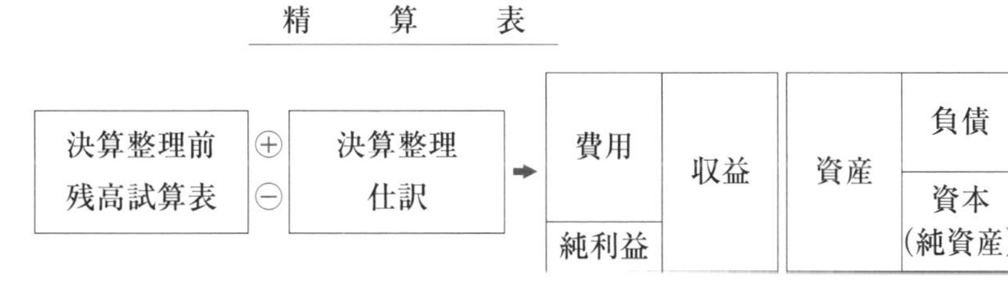

勘定科目	残高試算表		修正記入		損益計算書		貸借対照表	
	借方	貸方	借方	貸方	借方	貸方	借方	貸方
資産	100		10				110	
資産	100			20			80	
負債・資本（純資産）		100	30					70
負債・資本（純資産）		100		40				140
収益		100	50			50		
収益		100		60		160		
費用	100		70		170			
費用	100			80	20			
	××	××						
当期純利益					××			××
			××	××	×××	×××	×××	×××

問題 1　精算表の作成（文章題の順進問題）

次の決算整理事項等にもとづいて、答案用紙の精算表を作成しなさい。ただし、会計期間は×1年4月1日から×2年3月31日までの1年である。

会計期間は必ずチェックしましょう！

残高試算表上の金額は帳簿残高です。実際有高に合わせるためにはどうすればよい？

1．現金の実際有高は¥16,800であった。帳簿残高との差額は原因不明のため、雑損または雑益で処理する。
2．仮受金は、全額得意先に対する売掛金の回収額であることが判明した。
3．受取手形と売掛金の期末残高に対し、2％の貸倒引当金を差額補充法により設定する。

期末残高とは、貸借対照表欄に記載する金額のこと！ 慌てて残高試算表欄の金額で計算しないようにしましょう。売上債権の修正はない？

4．期末商品棚卸高は¥19,000であった。なお、売上原価は「仕入」の行で計算すること。
5．建物および備品について、定額法で減価償却を行う。
　(1)　建　物：耐用年数30年、残存価額は取得原価の10%
　(2)　備品A：取得原価¥15,000、耐用年数5年、残存価額はゼロ
　　　備品B：取得原価¥ 6,000、耐用年数3年、残存価額はゼロ
　　　なお、備品Bは×1年10月1日に取得したものである。減価償却は月割計算による。

「なお、～」から始まる文章は慎重に読みましょう。重要な指示である場合が多いですよ！

月数は指折り数えるとよいです。原始的ですが正確ですよ。

問題文中に日付の文言があったときは、すぐに取得日から決算日までのタイムテーブルを書いておきましょう。月割りの指示を忘れないですよ。

6．支払家賃¥13,200は11か月分であるため、3月分を未払費用として計上する。
7．保険料のうち¥600は、×1年10月1日に向こう1年分を支払ったものである。そこで、前払分を月割により計上する。

問題文中に日付の文言があったときは、タイムテーブルに情報を載せて考えてみるとよいでしょう。「**当期**」の会計期間に意識をしてね！

8．借入金のうち¥20,000は、×2年2月1日に期間1年、利率年6％で借り入れたもので、利息は返済時に元本とともに1年分を支払う約束である。利息の計算は月割による。

精　　算　　表

（単位：円）

勘定科目	残高試算表		修正記入		損益計算書		貸借対照表	
	借方	貸方	借方	貸方	借方	貸方	借方	貸方
現　　　金	17,000							
当座預金	52,100							
受取手形	35,000							
売　掛　金	42,000							
繰越商品	18,500							
建　　　物	80,000							
備　　　品	21,000							
支払手形		17,400						
買　掛　金		30,500						
仮　受　金		2,000						
借　入　金		40,000						
貸倒引当金		700						
建物減価償却累計額		36,000						
備品減価償却累計額		6,000						
資　本　金		100,000						
繰越利益剰余金		20,000						
売　　　上		136,200						
受取手数料		1,200						
仕　　　入	78,500							
給　　　料	27,400							
支払家賃	13,200							
保　険　料	1,400							
消耗品費	1,600							
支払利息	2,300							
	390,000	390,000						
雑（　　　）								
貸倒引当金繰入								
減価償却費								
（　　　）家賃								
（　　　）保険料								
（　　　）利息								
当期純（　　　）								

解　答

精　算　表

（単位：円）

勘定科目	残高試算表		修正記入		損益計算書		貸借対照表	
	借方	貸方	借方	貸方	借方	貸方	借方	貸方
現金	17,000			200			16,800	
当座預金	52,100						52,100	
受取手形	35,000						35,000	
売掛金	42,000			2,000			40,000	
繰越商品	18,500		19,000	18,500			19,000	
建物	80,000						80,000	
備品	21,000						21,000	
支払手形		17,400						17,400
買掛金		30,500						30,500
仮受金		2,000	2,000					
借入金		40,000						40,000
貸倒引当金		700		800				1,500
建物減価償却累計額		36,000		2,400				38,400
備品減価償却累計額		6,000		4,000				10,000
資本金		100,000						100,000
繰越利益剰余金		20,000						20,000
売上		136,200				136,200		
受取手数料		1,200				1,200		
仕入	78,500		18,500	19,000	78,000			
給料	27,400				27,400			
支払家賃	13,200		1,200		14,400			
保険料	1,400			300	1,100			
消耗品費	1,600				1,600			
支払利息	2,300		200		2,500			
	390,000	390,000						
雑（損）			200		200			
貸倒引当金繰入			800		800			
減価償却費			6,400		6,400			
（未払）家賃				1,200				1,200
（前払）保険料			300				300	
（未払）利息				200				200
＊当期純（利益）					5,000			5,000
			48,600	48,600	137,400	137,400	264,200	264,200

＊　当期純利益の金額は、損益計算書欄の借方へ記入し、貸借対照表欄の貸方へ同額を移記して、貸借合計が一致することを確認します。

解答への道

決算整理仕訳は以下のとおりです。

1．現金の過不足

決算において過不足が生じた場合は現金過不足勘定は設けずに、原因判明分については該当する勘定科目で処理し、原因不明分については雑損または雑益として処理します。本問では、現金の帳簿残高17,000円（残高試算表欄より）を実際有高16,800円に合わせるため、帳簿残高から200円減らす仕訳が必要です。なお、その原因については不明のため、仕訳の相手勘定科目は雑損とします。

借方	金額	貸方	金額
（雑　　損）	200	（現　　金）	200

2．売掛金の回収〈未処理事項〉

借方	金額	貸方	金額
（仮　受　金）	2,000	（売　掛　金）	2,000

3．貸倒引当金の設定

「2．売掛金の回収」により、売掛金の残高が2,000円減少していることに注意して貸倒引当金を設定します。本問のように、受取手形や売掛金の残高に修正が必要となることも多いです。この場合、修正後の金額に対して貸倒引当金を設定することになるため、慌てて残高試算表欄の金額だけを見て計算しないように注意しましょう。

借方	金額	貸方	金額
（貸倒引当金繰入）	800*	（貸 倒 引 当 金）	800

＊ 設　定　額　(35,000円（受取手形）＋42,000円−2,000円（売掛金）) × 2 % = 1,500円

決算整理前残高　700円

差引：繰 入 額　800円

4．売上原価の計算

売上原価＝期首商品棚卸高＋当期商品仕入高−期末商品棚卸高

売上原価は「仕入」の行で計算する旨の指示があります。帳簿上、仕入勘定の残高が売上原価の算式と同じ結果を示すようにするためには、以下の仕訳が必要となります。

	借方	金額	貸方	金額
期首商品：	（仕　　入）	18,500	（繰 越 商 品）	18,500
期末商品：	（繰 越 商 品）	19,000	（仕　　入）	19,000

5．有形固定資産の減価償却

備品の減価償却費は前期以前から所有していた備品A15,000円と、期中に取得した備品B6,000円を分けて計算します。期中に取得した備品については月割計算をしますが、月数の数えミスが出やすいところです。単純な計算ほど慎重に行いましょう。

建　　物：80,000円×0.9÷30年 ＝2,400円 ← 建物の残存価額は取得原価の10%です。

備品A（前期以前取得分）：15,000円÷5年 ＝3,000円

備品B（期中取得分）：6,000円÷3年×$\frac{6か月^{*}}{12か月}$ ＝1,000円 ← 耐用年数が異なることに注意！

合計 6,400円

＊ ×1年10月1日～×2年3月31日

借方	金額	貸方	金額
（減 価 償 却 費）	6,400	（建物減価償却累計額）	2,400
		（備品減価償却累計額）	4,000

6．未払家賃（未払費用）の計上

当期の３月分の家賃は、当期中に支払っていないため未計上です。しかし、当期に係る費用であるため、支払家賃勘定（費用）の増加とするとともに、同額を未払家賃勘定（負債）とします。

(支　払　家　賃)	1,200*	(未　払　家　賃)	1,200

＊　１か月分の家賃：13,200円÷11か月＝1,200円

7．前払保険料（前払費用）の計上

当期の10月１日に支払った向こう１年分の保険料600円のうち、６か月分（×2年４月１日～９月30日）は次期に係る費用の前払分であるため、保険料勘定（費用）から差し引き、前払保険料勘定（資産）として次期に繰り越します。

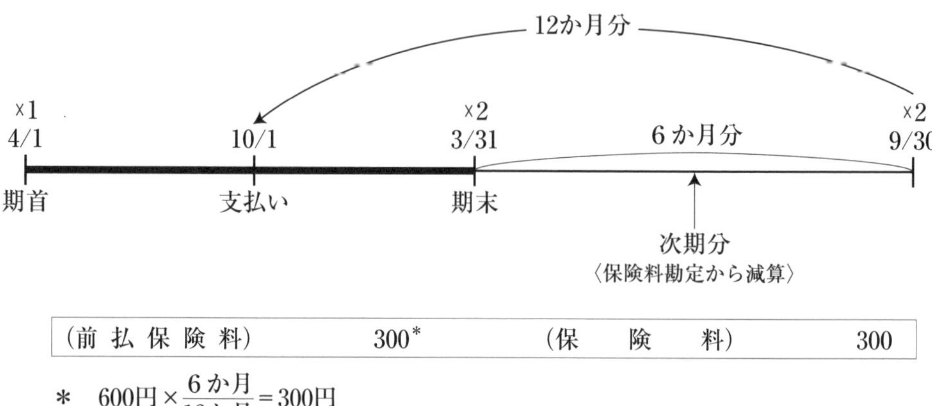

(前 払 保 険 料)	300*	(保　　険　　料)	300

＊　$600円 \times \frac{6か月}{12か月} = 300円$

8．未払利息（未払費用）の計上

借入金のうち20,000円に対する利息は、返済時に元本（＝借りたお金）とともに１年分を支払うことになっているため、当期の２月１日から３月31日までの２か月分の支払利息が未計上です。しかし、当期に係る費用であるため、支払利息勘定（費用）の増加とするとともに、同額を未払利息勘定（負債）とします。

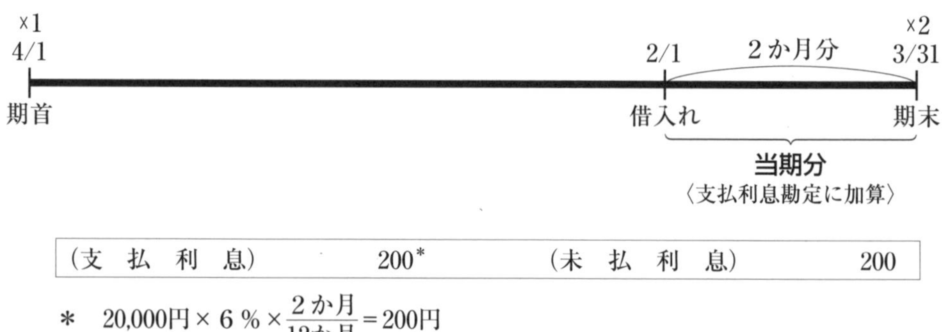

(支　払　利　息)	200*	(未　払　利　息)	200

＊　$20,000円 \times 6\% \times \frac{2か月}{12か月} = 200円$

9．当期純利益の計算

損益計算書欄の貸方合計（収益）と借方合計（費用）の差額により、当期純利益を計算します。当期純利益の金額は、損益計算書欄の借方へ記入し、同額を貸借対照表欄の貸方へ移記して、貸借合計が一致することを確認します。

137,400円 − 132,400円 ＝ 5,000円
収益合計　**費用合計**　**当期純利益**

MEMO

問題 2　精算表の作成（全体推定問題）

精算表の残高試算表欄、修正記入欄、損益計算書欄および貸借対照表欄の未記入欄に適当な金額を記入して精算表を完成しなさい。なお、売上原価は「仕入」の行で計算すること。

精　算　表

（単位：円）

勘定科目	残高試算表		修正記入		損益計算書		貸借対照表	
	借方	貸方	借方	貸方	借方	貸方	借方	貸方
現金	17,000						16,800	
当座預金	52,100							
受取手形	35,000							
売掛金	42,000			2,000				
繰越商品	(　　)						19,000	
建物	80,000							
備品	21,000							
支払手形		17,400						
買掛金		30,500						
仮受金		2,000	2,000					
借入金		40,000						
貸倒引当金		700						
建物減価償却累計額		36,000						
備品減価償却累計額		(　　)		4,000				
資本金		100,000						
繰越利益剰余金		20,000						
売上		136,200						
受取手数料		1,200						
仕入	(　　)		18,500		78,000			
給料	27,400				27,400			
支払家賃	13,200							
保険料	1,400							
消耗品費	1,600							
支払利息	2,300							
	390,000	390,000						
雑損			200					
貸倒引当金繰入			800					
減価償却費			6,400					
未払家賃								1,200
前払保険料							300	
未払利息								200
当期純利益								
			48,600	48,600				

解　答

(注) 問題1の解答と同じになります。

精　算　表

(単位：円)

勘定科目	残高試算表		修正記入		損益計算書		貸借対照表	
	借方	貸方	借方	貸方	借方	貸方	借方	貸方
現金	17,000			200			16,800	
当座預金	52,100						52,100	
受取手形	35,000						35,000	
売掛金	42,000			2,000			40,000	
繰越商品	(18,500)		19,000	18,500			19,000	
建物	80,000						80,000	
備品	21,000						21,000	
支払手形		17,400						17,400
買掛金		30,500						30,500
仮受金		2,000	2,000					
借入金		40,000						40,000
貸倒引当金		700		800				1,500
建物減価償却累計額		36,000		2,400				38,400
備品減価償却累計額		(6,000)		4,000				10,000
資本金		100,000						100,000
繰越利益剰余金		20,000						20,000
売上		136,200				136,200		
受取手数料		1,200				1,200		
仕入	(78,500)		18,500	19,000	78,000			
給料	27,400				27,400			
支払家賃	13,200		1,200		14,400			
保険料	1,400			300	1,100			
消耗品費	1,600				1,600			
支払利息	2,300		200		2,500			
	390,000	390,000						
雑損			200		200			
貸倒引当金繰入			800		800			
減価償却費			6,400		6,400			
未払家賃				1,200				1,200
前払保険料			300				300	
未払利息				200				200
*当期純利益					5,000			5,000
			48,600	48,600	137,400	137,400	264,200	264,200

*　当期純利益の金額は、損益計算書欄の借方へ記入し、貸借対照表欄の貸方へ同額を移記して、貸借合計が一致することを確認します。

解答への道

解き方の手順は次のとおりです。

1．現金の過不足

「現金」の行、残高試算表欄借方17,000円と貸借対照表欄借方16,800円との差額200円は、「雑損」の行、修正記入欄借方に同額が印刷されていることから、全額を雑損として処理したことになります。

(雑　　　損)	200	(現　　　金)	200

2．売掛金の回収〈未処理事項〉

「売掛金」の行、修正記入欄貸方と「仮受金」の行、修正記入欄借方に2,000円が印刷されていることから、仮受金2,000円は売掛金の回収であったと判明します。

(仮　受　金)	2,000	(売　掛　金)	2,000

3．貸倒引当金の設定

当期の繰入額は「貸倒引当金繰入」の行、修正記入欄借方に印刷された800円により判明します。

(貸倒引当金繰入)	800	(貸 倒 引 当 金)	800

4．売上原価の計算

「仕入」の行（仕入勘定）で売上原価を算定します。

以下（ア）の仕訳は、期首商品棚卸高の金額で行います。（ア）の仕訳を修正記入欄へ記入すると考えると、「仕入」の行、修正記入欄借方に印刷された18,500円が期首商品棚卸高であったと推定できます。

以下（イ）の仕訳は、期末商品棚卸高の金額で行います。「繰越商品」の行、貸借対照表欄借方に印刷された19,000円が期末商品棚卸高です。

（ア）…	(仕　　　入)	（ ? ）	(繰 越 商 品)	（ ? ）
（イ）…	(繰 越 商 品)	19,000	(仕　　　入)	19,000

精　算　表（一部）

勘定科目	残高試算表		修正記入		損益計算書		貸借対照表	
	借方	貸方	借方	貸方	借方	貸方	借方	貸方
：								
繰越商品	(18,500) 期首商品		19,000	18,500			19,000 期末商品	
：								
：								
仕入	(78,500) 当期仕入高		18,500	19,000	78,000 売上原価			
：								

逆算します！

5．有形固定資産の減価償却

「減価償却費」の行、修正記入欄借方に印刷された6,400円と、「建物減価償却累計額」および「備品減価償却累計額」の行、修正記入欄貸方より以下の仕訳が推定できます。

(減価償却費)	6,400	(建物減価償却累計額)	(　?　)
		(備品減価償却累計額)	4,000

上記仕訳の貸方、「建物減価償却累計額」の金額は、仕訳の貸借差額により2,400円と判明します。

残高試算表欄貸方、「備品減価償却累計額」の金額は、残高試算表欄に印刷された貸方科目の合計金額390,000円との差額で求めます。

390,000円〈貸方科目の合計金額〉－384,000円〈「備品減価償却累計額」以外の貸方科目の合計金額〉
＝6,000円

6．未払家賃の計上

「未払家賃」の行、貸借対照表欄貸方に印刷された1,200円により判明します。

(支払家賃)	1,200	(未払家賃)	1,200

7．前払保険料の計上

「前払保険料」の行、貸借対照表欄借方に印刷された300円により判明します。

(前払保険料)	300	(保険料)	300

8．未払利息の計上

「未払利息」の行、貸借対照表欄貸方に印刷された200円により判明します。

(支払利息)	200	(未払利息)	200

9．当期純利益の計算

損益計算書欄（または貸借対照表欄）の貸借差額により、当期純利益5,000円を算定します。

・損益計算書欄　借方合計：132,400円
　　　　　　　　貸方合計：137,400円　→ 差額：当期純利益5,000円
　　　　　　　　　　　　　　　　　　　　　↕ 一致
・貸借対照表欄　借方合計：264,200円
　　　　　　　　貸方合計：259,200円　→ 差額：当期純利益5,000円

出題パターン その2 財務諸表の作成

ここでは、比較的容易な決算整理後残高試算表からの作成問題と、出題頻度の高い決算整理前残高試算表からの作成問題の２つを、同一の資料を使用して見ていきます。

問題 3 財務諸表の作成（決算整理後残高試算表より）

次の決算整理後の残高試算表にもとづいて、答案用紙の損益計算書と貸借対照表を完成しなさい。なお、税金の計算は考慮外とする。

決算整理後ということは？ → 決算整理後残高試算表

×2年３月31日

借　方	勘定科目	貸　方
16,800	現金	
52,100	当座預金	
35,000	受取手形	
40,000	売掛金	
19,000	繰越商品	
80,000	建物	
21,000	備品	
	支払手形	17,400
	買掛金	30,500
	借入金	40,000
	貸倒引当金	1,500
	建物減価償却累計額	38,400
	備品減価償却累計額	10,000
	資本金	100,000
	繰越利益剰余金	20,000
	売上	136,200
	受取手数料	1,200
78,000	仕入	
27,400	給料	
14,400	支払家賃	
1,100	保険料	
1,600	消耗品費	
800	貸倒引当金繰入	
6,400	減価償却費	
2,500	支払利息	
200	雑損	
300	前払保険料	
	未払家賃	1,200
	未払利息	200
396,600		396,600

貸借対照表

×2年3月31日　(単位：円)

現金		(　)	支払手形	(　)
当座預金		(　)	買掛金	(　)
受取手形	(　)		借入金	(　)
貸倒引当金	△ 700	(　)	未払費用	(　)
売掛金	(　)		資本金	(　)
貸倒引当金	(△　)	(　)	繰越利益剰余金	(　)
商品		(　)		
前払費用		(　)		
建物	(　)			
減価償却累計額	(△　)	(　)		
備品	(　)			
減価償却累計額	(△　)	(　)		
		(　)		(　)

損益計算書

×1年4月1日から×2年3月31日まで　(単位：円)

売上原価	(　)	売上高	(　)
給料	(　)	受取手数料	(　)
支払家賃	(　)		
保険料	(　)		
消耗品費	(　)		
貸倒引当金繰入	(　)		
減価償却費	(　)		
支払利息	(　)		
雑損	(　)		
当期純(　)	(　)		
	(　)		(　)

第3問対策

解　答

貸　借　対　照　表

×2年3月31日　　　　(単位：円)

資産			負債・純資産	
現　　　金		(16,800)	支払手形	(17,400)
当座預金		(52,100)	買　掛　金	(30,500)
受取手形	(35,000)		借　入　金	(40,000)
貸倒引当金	△ 700	(34,300)	未払費用*1	(1,400)
売　掛　金	(40,000)		資　本　金	(100,000)
貸倒引当金	(△ 800)	(39,200)	繰越利益剰余金*2	(25,000)
商　　　品		(19,000)		
前払費用		(300)		
建　　　物	(80,000)			
減価償却累計額	(△ 38,400)	(41,600)		
備　　　品	(21,000)			
減価償却累計額	(△ 10,000)	(11,000)		
		(214,300)		(214,300)

＊1　1,200円〈未払家賃〉＋200円〈未払利息〉＝1,400円

＊2　当期純利益は、決算振替仕訳により繰越利益剰余金（資本）の増加とすることから、繰越利益剰余金の決算整理後残高に当期純利益を加えた金額を、貸借対照表の貸方へ記入し、貸借対照表の貸借合計が一致することを確認します。

繰越利益剰余金：20,000円〈決算整理後残高〉＋5,000円〈当期純利益〉＝25,000円

損　益　計　算　書

×1年4月1日から×2年3月31日まで　　　　(単位：円)

費用		収益	
売上原価	(78,000)	売　上　高	(136,200)
給　　　料	(27,400)	受取手数料	(1,200)
支払家賃	(14,400)		
保　険　料	(1,100)		
消耗品費	(1,600)		
貸倒引当金繰入	(800)		
減価償却費	(6,400)		
支払利息	(2,500)		
雑　　　損	(200)		
当期純(利　益)	(5,000)		
	(137,400)		(137,400)

解答への道

「決算整理後」というのは文字どおり、「決算整理が終わった後」ということですから、基本的には、問題資料となっている残高試算表の金額をそのまま利用して、財務諸表を作成することができます。

決算整理後残高試算表の勘定科目を資産・負債・資本（純資産）、さらに収益・費用に分類します。そして、収益・費用の項目は損益計算書へ、資産・負債・資本（純資産）の項目は貸借対照表へ記入します。なお、**表示方法については、問題４の 解答への道「Ⅱ表示方法（見せ方）のルール」を参照してください。**

決算整理後残高試算表

×2年３月31日

（注）B/S…貸借対照表
P/L…損益計算書

分類	借　方	勘定科目	貸　方	分類
資産（B/S借方へ）	16,800	現金		
資産（B/S借方へ）	52,100	当座預金		
資産（B/S借方へ）	35,000	受取手形		
資産（B/S借方へ）	40,000	売掛金		
資産（B/S借方へ）	19,000	繰越商品		
資産（B/S借方へ）	80,000	建物		
資産（B/S借方へ）	21,000	備品		
		支払手形	17,400	負債（B/S貸方へ）
		買掛金	30,500	負債（B/S貸方へ）
		借入金	40,000	負債（B/S貸方へ）
		貸倒引当金	1,500	資産のマイナス項目（B/S借方へ）
		建物減価償却累計額	38,400	資産のマイナス項目（B/S借方へ）
		備品減価償却累計額	10,000	資産のマイナス項目（B/S借方へ）
		資本金	100,000	資本（B/S貸方へ）
		繰越利益剰余金	20,000	資本（B/S貸方へ）
		売上	136,200	収益（P/L貸方へ）
		受取手数料	1,200	収益（P/L貸方へ）
費用（P/L借方へ）	78,000	仕入		
費用（P/L借方へ）	27,400	給料		
費用（P/L借方へ）	14,400	支払家賃		
費用（P/L借方へ）	1,100	保険料		
費用（P/L借方へ）	1,600	消耗品費		
費用（P/L借方へ）	800	貸倒引当金繰入		
費用（P/L借方へ）	6,400	減価償却費		
費用（P/L借方へ）	2,500	支払利息		
費用（P/L借方へ）	200	雑損		
資産（B/S借方へ）	300	前払保険料		
		未払家賃	1,200	負債（B/S貸方へ）
		未払利息	200	負債（B/S貸方へ）
	396,600		396,600	

決算整理**後**の「繰越商品」の金額は、期末商品の金額を示します。

この金額に当期純利益を加えてB/Sに載せます。（繰越利益剰余金）

決算整理**後**の「仕入」の金額は、売上原価の金額を示します。

第3問対策

問題 4　財務諸表の作成（決算整理前残高試算表より）

決算整理前の残高試算表から損益計算書と貸借対照表を作成する問題です。決算整理後の金額が解答要求であることに変わりないので、解法手順は精算表を作成するときと同じです。

次の⑴決算整理前残高試算表と⑵決算整理事項等にもとづいて、答案用紙の貸借対照表と損益計算書を完成しなさい。ただし、会計期間は×1年4月1日から×2年3月31日までの1年である。なお、税金の計算は考慮外とする。

⑴ 決算整理前残高試算表

×2年3月31日

借　方	勘定科目	貸　方
17,000	現金	
52,100	当座預金	
35,000	受取手形	
42,000	売掛金	
18,500	繰越商品	
80,000	建物	
21,000	備品	
	支払手形	17,400
	買掛金	30,500
	仮受金	2,000
	借入金	40,000
	貸倒引当金	700
	建物減価償却累計額	36,000
	備品減価償却累計額	6,000
	資本金	100,000
	繰越利益剰余金	20,000
	売上	136,200
	受取手数料	1,200
78,500	仕入	
27,400	給料	
13,200	支払家賃	
1,400	保険料	
1,600	消耗品費	
2,300	支払利息	
390,000		390,000

⑵ 決算整理事項等

1．現金の実際有高は¥16,800であった。帳簿残高との差額は原因不明のため、雑損または雑益で処理する。

2．仮受金は、全額得意先に対する売掛金の回収額であることが判明した。

3．受取手形と売掛金の期末残高に対し、2％の貸倒引当金を差額補充法により設定する。

4．期末商品棚卸高は¥19,000であった。

5．建物および備品について、定額法で減価償却を行う。

　建物の残存価額は取得原価の10%、備品の残存価額はゼロである。なお、備品Bは×1年10月1日に取得したもので、減価償却は月割計算による。

⑴ 建　物：耐用年数30年

⑵ 備品A：取得原価¥15,000、耐用年数5年

　 備品B：取得原価¥ 6,000、耐用年数3年

6．支払家賃¥13,200は11か月分であるため、3月分を未払費用として計上する。

7．保険料のうち¥600は、×1年10月1日に向こう1年分を支払ったものである。そこで、前払分を月割により計上する。

8．借入金のうち¥20,000は、×2年2月1日に期間1年、利率年6％で借り入れたもので、利息は返済時に元本とともに1年分を支払う約束である。利息の計算は月割による。

貸借対照表

×2年3月31日　（単位：円）

現金		(　)	支払手形	(　)
当座預金		(　)	買掛金	(　)
受取手形	(　)		借入金	(　)
貸倒引当金	(△　)	(　)	未払費用	(　)
売掛金	(　)		資本金	(　)
貸倒引当金	(△　)	(　)	繰越利益剰余金	(　)
商品		(　)		
前払費用		(　)		
建物	(　)			
減価償却累計額	(△　)	(　)		
備品	(　)			
減価償却累計額	(△　)	(　)		
		(　)		(　)

損益計算書

×1年4月1日から×2年3月31日まで　（単位：円）

売上原価	(　)	売上高	(　)
給料	(　)	受取手数料	(　)
支払家賃	(　)		
保険料	(　)		
消耗品費	(　)		
貸倒引当金繰入	(　)		
減価償却費	(　)		
支払利息	(　)		
雑（　）	(　)		
当期純（　）	(　)		
	(　)		(　)

第3問対策

解　答

（注）問題3の解答と同じになります。

貸借対照表

×2年3月31日　（単位：円）

現金		（16,800）	支払手形		（17,400）
当座預金		（52,100）	買掛金		（30,500）
受取手形	（35,000）		借入金		（40,000）
貸倒引当金	（△700）	（34,300）	未払費用[*1]		（1,400）
売掛金	（40,000）		資本金		（100,000）
貸倒引当金	（△800）	（39,200）	繰越利益剰余金[*2]		（25,000）
商品		（19,000）			
前払費用		（300）			
建物	（80,000）				
減価償却累計額	（△38,400）	（41,600）			
備品	（21,000）				
減価償却累計額	（△10,000）	（11,000）			
		（214,300）			（214,300）

＊1　1,200円〈未払家賃〉＋200円〈未払利息〉＝1,400円

＊2　当期純利益は、決算振替仕訳により繰越利益剰余金（資本）の増加とすることから、繰越利益剰余金の決算整理前残高に当期純利益を加えた金額を、貸借対照表の貸方へ記入し、貸借対照表の貸借合計が一致することを確認します。

繰越利益剰余金：20,000円〈決算整理前残高〉＋5,000円〈当期純利益〉＝25,000円

損益計算書

×1年4月1日から×2年3月31日まで　（単位：円）

売上原価	（78,000）	売上高	（136,200）
給料	（27,400）	受取手数料	（1,200）
支払家賃	（14,400）		
保険料	（1,100）		
消耗品費	（1,600）		
貸倒引当金繰入	（800）		
減価償却費	（6,400）		
支払利息	（2,500）		
雑（損）	（200）		
当期純（利益）	（5,000）		
	（137,400）		（137,400）

解答への道

Ⅰ　問題の流れ

この問題の資料と解答要求事項の関係を精算表の形式で示すと、次のようになります。

精　算　表

勘定科目	残高試算表		修正記入		損益計算書		貸借対照表	
	借方	貸方	借方	貸方	借方	貸方	借方	貸方
	資料(1) ⋮ 残高試算表		資料(2) ⋮ 決算整理事項等		損益計算書		貸借対照表	
					答案用紙			

本問では、精算表の損益計算書欄に記入する要領で損益計算書を作成し、貸借対照表欄に記入する要領で貸借対照表を作成すればよいだけです。しかし、精算表のように決算整理仕訳等を記入する場所（修正記入欄）が財務諸表にはないので、集計にひと工夫が必要です。

さらに、財務諸表は外部への報告書ですので、表示方法（見せ方）はルールとして覚えなくてはなりません。

Ⅱ　表示方法（見せ方）のルール

〈貸借対照表記入上の注意〉

・貸倒引当金勘定の残高は、原則として、資産の部において受取手形や売掛金それぞれから控除する形式で表示します（科目別間接控除法という）。また、受取手形と売掛金の合計額から一括した貸倒引当金を控除する形式もあります（一括間接控除法という）。

科目別間接控除法		
受取手形	35,000	
貸倒引当金	△　700	34,300
売掛金	40,000	
貸倒引当金	△　800	39,200

一括間接控除法		
受取手形	35,000	
売掛金	40,000	
貸倒引当金	△　1,500	73,500

・繰越商品勘定の決算整理後残高は、「**商品**」と表示します。

・経過勘定項目である「未払○○」は「**未払費用**」、「前払○○」は「**前払費用**」、「未収○○」は「**未収収益**」、「前受○○」は「**前受収益**」と表示します。

・建物減価償却累計額勘定、備品減価償却累計額勘定の決算整理後残高は、原則として、資産の部に建物や備品それぞれから控除する形式で表示します。このとき、具体的な固定資産の科目名は付けずに「**減価償却累計額**」と表示します。

・社会保険料預り金勘定や所得税預り金勘定の残高は、「**預り金**」と表示します。

〈損益計算書記入上の注意〉

・仕入勘定の決算整理後残高は、「**売上原価**」と表示します。
　売上原価は、「期首商品棚卸高＋当期商品仕入高－期末商品棚卸高」の式で求めることもできます。
　期首商品棚卸高18,500円＋当期商品仕入高78,500円－期末商品棚卸高19,000円＝78,000円

・売上勘定の決算整理後残高は、「**売上高**」と表示します。

Ⅲ　決算整理事項等

本問の決算整理事項等は問題１と共通なので、具体的な計算や仕訳については、問題１の 解答への道 を参照してください。

なお、集計にひと工夫については、以下の方法がおすすめです。決算で行った仕訳の金額を決算整理前残高試算表の各勘定科目の金額に＋（←プラス）または△（←マイナス）で書き込みすると良いです。＋、△で書き込みした金額を加減した後の金額が、決算整理後の金額になります。

ネット試験 …問題資料への書き込みができないため、金額が増減する科目だけを計算用紙に書き出し、T字勘定等を使って集計するとよいでしょう。

決算整理前残高試算表

×2年３月31日

（注）B/S…貸借対照表
P/L…損益計算書

区分	修正	借方	勘定科目	貸方	修正	区分
資産（B/S借方へ）	△200	17,000	現金			
資産（B/S借方へ）		52,100	当座預金			
資産（B/S借方へ）		35,000	受取手形			
資産（B/S借方へ）	△2,000	42,000	売掛金			
資産（B/S借方へ）	△18,500 +19,000	18,500	繰越商品			
資産（B/S借方へ）		80,000	建物			
資産（B/S借方へ）		21,000	備品			
			支払手形	17,400		負債（B/S貸方へ）
			買掛金	30,500		負債（B/S貸方へ）
			仮受金	2,000	△2,000	負債（B/S貸方へ）
			借入金	40,000		負債（B/S貸方へ）
			貸倒引当金	700	+800	資産のマイナス項目（B/S借方へ）
			建物減価償却累計額	36,000	+2,400	資産のマイナス項目（B/S借方へ）
			備品減価償却累計額	6,000	+4,000	資産のマイナス項目（B/S借方へ）
			資本金	100,000		資本（B/S貸方へ）
			繰越利益剰余金	20,000		資本（B/S貸方へ）
			売上	136,200		収益（P/L貸方へ）
			受取手数料	1,200		収益（P/L貸方へ）
費用（P/L借方へ）	+18,500 △19,000	78,500	仕入			
費用（P/L借方へ）		27,400	給料			
費用（P/L借方へ）	+1,200	13,200	支払家賃			
費用（P/L借方へ）	△300	1,400	保険料			
費用（P/L借方へ）		1,600	消耗品費			
費用（P/L借方へ）	+200	2,300	支払利息			
		390,000		390,000		
費用（P/L借方へ）		200	雑損			
費用（P/L借方へ）		800	貸倒引当金繰入			
費用（P/L借方へ）		6,400	減価償却費			
			未払家賃	1,200		負債（B/S貸方へ）
資産（B/S借方へ）		300	前払保険料			
			未払利息	200		負債（B/S貸方へ）

この金額に当期純利益を加えてB/Sに載せます。（繰越利益剰余金20,000について）

残高試算表上にない科目（決算で初めて使った科目）は下へ書き足すのも良いです。

Ⅱ 実践問題編

出題区分の改定により、精算表や財務諸表の作成問題に加えて、決算整理後残高試算表の作成問題も出題されることになり、その出題頻度も高まっています。しかし、答案用紙の形式が異なるだけで、解答手順は精算表や財務諸表の作成問題と変わらないので、問題5で対策をしておけば十分でしょう。ただし、新たな決算整理事項が出題範囲に追加されたため、まずは、その内容を以下で確認しておきましょう。

1．当座借越の整理

期末において、当座預金勘定が貸方残高（当座借越の状態）となった場合には、その全額を当座借越勘定または借入金勘定（負債）に振り替えます。

(1)　当座借越勘定に振り替える場合

(当座預金)	××	(当座借越)	××

(2)　借入金勘定に振り替える場合

(当座預金)	××	(借入金)	××

2．貯蔵品への振り替え

(1)　租税公課勘定から振り替える場合

購入時に費用処理している収入印紙について、期末に未使用分がある場合には、その金額を租税公課勘定から貯蔵品勘定（資産）へ振り替えます。

(貯蔵品)	××	(租税公課)	××

(2)　通信費勘定から振り替える場合

購入時に費用処理している郵便切手について、期末に未使用分がある場合には、その金額を通信費勘定から貯蔵品勘定（資産）へ振り替えます。

(貯蔵品)	××	(通信費)	××

3．未払消費税の計上

決算にあたり、仮受消費税（預かった消費税）から仮払消費税（支払った消費税）を差し引いた残額（確定申告時の納税額）を「未払消費税（負債）」として計上します。

(仮受消費税)	××	(仮払消費税)	××
		(未払消費税)	××

4．法人税、住民税及び事業税の計上

決算にあたり、法人税、住民税及び事業税（＝法人税等）を計上し、仮払法人税等を差し引いた残額（確定申告時の納税額）を「未払法人税等（負債）」として計上します。

(法人税、住民税及び事業税)	××	(仮払法人税等)	××
		(未払法人税等)	××

問題 5 決算整理後残高試算表と財務諸表の作成

次の［資料1］と［資料2］にもとづいて、下記の問に答えなさい。なお、会計期間は×2年4月1日から×3年3月31日までの1年間であり、消費税の仮受け・仮払いは売上取引・仕入取引のみで行うものとする。

［資料1］決算整理前残高試算表

借　方	勘定科目	貸　方
440,000	現金	
	当座預金	362,000
914,000	普通預金	
1,750,000	売掛金	
75,000	仮払法人税等	
286,000	仮払消費税	
226,000	繰越商品	
640,000	備品	
2,600,000	土地	
	買掛金	410,000
	社会保険料預り金	20,000
	仮受消費税	560,000
	貸倒引当金	8,000
	備品減価償却累計額	384,000
	資本金	3,000,000
	繰越利益剰余金	1,506,000
	売上	5,600,000
	受取手数料	150,000
2,860,000	仕入	
768,000	給料	
520,000	支払家賃	
124,000	水道光熱費	
224,000	法定福利費	
40,000	租税公課	
533,000	その他の費用	
12,000,000		12,000,000

［資料2］決算整理事項等

1. 現金の実際有高は¥422,000であった。帳簿残高との差額のうち¥16,000については、水道光熱費の記入漏れであることが判明したが、残額については原因不明なので、雑損または雑益として処理する。
2. 当座預金勘定の貸方残高全額を当座借越勘定に振り替える。なお、取引銀行とは借越限度額を¥1,000,000とする当座借越契約を結んでいる。
3. 売掛金¥50,000が普通預金口座に振り込まれていたが、この取引が未記帳であることが判明した。
4. 売掛金の期末残高に対して2％の貸倒引当金を差額補充法により設定する。
5. 期末商品棚卸高は¥174,000である。
6. 備品について、定額法（耐用年数5年、残存価額ゼロ）により減価償却を行う。
7. 購入時に費用処理した収入印紙の未使用高が¥5,000あるため、貯蔵品へ振り替える。
8. 消費税（税抜方式）の処理を行う。
9. 決算整理前残高試算表の支払家賃は13か月分であるため、1か月分を前払い計上する。
10. 手数料の未収分が¥19,000ある。
11. 法定福利費について¥21,000を未払い計上する。
12. 法人税、住民税及び事業税が¥150,000と計算されたので、仮払法人税等との差額を未払法人税等として計上する。

問1　答案用紙の決算整理後残高試算表を作成しなさい。
問2　答案用紙の貸借対照表および損益計算書を完成しなさい。

問1　決算整理後残高試算表

借　　方	勘 定 科 目	貸　　方
	現　　　金	
	普 通 預 金	
	売　掛　金	
	繰 越 商 品	
	貯　蔵　品	
	(　　)家　賃	
	(　　)手数料	
640,000	備　　　品	
2,600,000	土　　　地	
	買　掛　金	410,000
	社会保険料預り金	
	当 座 借 越	
	未払法定福利費	
	未払法人税等	
	(　　)消費税	
	貸倒引当金	
	備品減価償却累計額	
	資　本　金	3,000,000
	繰越利益剰余金	
	売　　　上	5,600,000
	受取手数料	
	仕　　　入	
768,000	給　　　料	
	支 払 家 賃	
	水道光熱費	
	法定福利費	
	租 税 公 課	
	貸倒引当金繰入	
	減価償却費	
	雑　(　　　)	
533,000	その他の費用	
	法人税、住民税及び事業税	

問2　貸借対照表と損益計算書

貸　借　対　照　表

×3年3月31日　　　　(単位：円)

現　　　金		(　　　)	買　掛　金	410,000
普 通 預 金		(　　　)	当 座 借 越	(　　　)
売　掛　金	(　　　)		未払法人税等	(　　　)
(　　　)	△(　　　)	(　　　)	(　　)消費税	(　　　)
商　　　品		(　　　)	預　り　金	(　　　)
貯　蔵　品		(　　　)	未 払 費 用	(　　　)
(　　)費用		(　　　)	資　本　金	3,000,000
(　　)収益		(　　　)	繰越利益剰余金	(　　　)
備　　　品	640,000			
減価償却累計額	△(　　　)	(　　　)		
土　　　地		2,600,000		
		(　　　)		(　　　)

損　益　計　算　書

×2年4月1日から×3年3月31日まで　　　　(単位：円)

売 上 原 価	(　　　)	売　上　高	5,600,000
給　　　料	768,000	受取手数料	(　　　)
支 払 家 賃	(　　　)		
水道光熱費	(　　　)		
法定福利費	(　　　)		
租 税 公 課	(　　　)		
貸倒引当金繰入	(　　　)		
減価償却費	(　　　)		
雑　(　　　)	(　　　)		
その他の費用	533,000		
法人税、住民税及び事業税	(　　　)		
当期純(　　　)	(　　　)		
	(　　　)		(　　　)

解　答

問1　決算整理後残高試算表

借　　方	勘定科目	貸　　方
422,000	現　　　　金	
964,000	普 通 預 金	
1,700,000	売　掛　金	
174,000	繰 越 商 品	
5,000	貯　蔵　品	
40,000	(前　払) 家　賃	
19,000	(未　収) 手数料	
640,000	備　　　　品	
2,600,000	土　　　　地	
	買　掛　金	410,000
	社会保険料預り金	20,000
	当 座 借 越	362,000
	未払法定福利費	21,000
	未払法人税等	75,000
	(未　払) 消費税	274,000
	貸倒引当金	34,000
	備品減価償却累計額	512,000
	資　本　金	3,000,000
	繰越利益剰余金	1,506,000
	売　　　　上	5,600,000
	受取手数料	169,000
2,912,000	仕　　　　入	
768,000	給　　　　料	
480,000	支 払 家 賃	
140,000	水道光熱費	
245,000	法定福利費	
35,000	租 税 公 課	
26,000	貸倒引当金繰入	
128,000	減価償却費	
2,000	雑　(　損　)	
533,000	その他の費用	
150,000	法人税、住民税及び事業税	
11,983,000		11,983,000

第3問対策

問2　貸借対照表と損益計算書

貸借対照表

×3年3月31日　（単位：円）

借方科目		金額	貸方科目	金額
現金		（422,000）	買掛金	410,000
普通預金		（964,000）	当座借越	（362,000）
売掛金	（1,700,000）		未払法人税等	（75,000）
（貸倒引当金）	△（34,000）	（1,666,000）	（未払）消費税	（274,000）
商品		（174,000）	預り金	（20,000）
貯蔵品		（5,000）	未払費用	（21,000）
（前払）費用		（40,000）	資本金	3,000,000
（未収）収益		（19,000）	繰越利益剰余金	（1,856,000）
備品	640,000			
減価償却累計額	△（512,000）	（128,000）		
土地		2,600,000		
		（6,018,000）		（6,018,000）

損益計算書

×2年4月1日から×3年3月31日まで　（単位：円）

借方科目	金額	貸方科目	金額
売上原価	（2,912,000）	売上高	5,600,000
給料	768,000	受取手数料	（169,000）
支払家賃	（480,000）		
水道光熱費	（140,000）		
法定福利費	（245,000）		
租税公課	（35,000）		
貸倒引当金繰入	（26,000）		
減価償却費	（128,000）		
雑（損）	（2,000）		
その他の費用	533,000		
法人税、住民税及び事業税	（150,000）		
当期純（利益）	（350,000）		
	（5,769,000）		（5,769,000）

解答への道

I　決算整理仕訳

1．現金の過不足

貸借対照表には、実際有高の422,000円を「現金」として計上します。なお、実際有高と帳簿残高との差額のうち、原因が判明した「水道光熱費の記入漏れ」は水道光熱費勘定の借方に振り替え、原因不明の借方差額は雑損勘定（費用）で処理します。

借方	金額	貸方	金額
（水道光熱費）	16,000	（現　　金）	18,000 *1
（雑　　損）	2,000 *2		

＊1　440,000円〈帳簿残高〉－422,000円〈実際有高〉＝18,000円〈不足額〉

＊2　18,000円－16,000円＝2,000円〈借方差額〉

2．当座借越の整理

期末において、当座預金勘定が貸方残高（当座借越の状態）となった場合には、その全額を当座借越勘定に振り替えます。なお、借入金勘定に振り替える可能性もあるので、問題文の指示をしっかり確認してください。

借方	金額	貸方	金額
（当座預金）	362,000	（当座借越）	362,000

3．売掛金の回収（未処理事項）

借方	金額	貸方	金額
（普通預金）	50,000	（売掛金）	50,000

4．貸倒引当金の設定

「3．売掛金の回収」により、売掛金の残高が50,000円減少していることに注意して、貸倒引当金を設定します。

借方	金額	貸方	金額
（貸倒引当金繰入）	26,000 *	（貸倒引当金）	26,000

＊ 設定額：(1,750,000円－50,000円)×２％＝　34,000円

売掛金

決算整理前残高：　△ 8,000円

繰入額：　26,000円

5．売上原価の計算

借方	金額	貸方	金額
（仕　　入）	226,000	（繰越商品）	226,000 *1
（繰越商品）	174,000 *2	（仕　　入）	174,000

＊1　期首商品（繰越商品の決算整理前残高）

＊2　期末商品棚卸高

6．有形固定資産の減価償却

借方	金額	貸方	金額
（減価償却費）	128,000 *	（備品減価償却累計額）	128,000

＊　640,000円〈備品の取得原価〉÷５年＝128,000円

7．貯蔵品への振り替え

収入印紙について、購入時に費用処理した旨の指示があるため、期末未使用高を租税公課勘定（費用）から貯蔵品勘定（資産）へ振り替えます。

借方	金額	貸方	金額
（貯蔵品）	5,000	（租税公課）	5,000

8．未払消費税の計上

決算にあたり、仮受消費税（預かった消費税）から仮払消費税（支払った消費税）を差し引いた残額（確定申告時の納税額）を「未払消費税（負債）」として計上します。

（仮受消費税）	560,000	（仮払消費税）	286,000
		（未払消費税）	274,000 *

＊　560,000円－286,000円＝274,000円〈納税額〉

9．前払家賃（前払費用）の計上

決算整理前残高試算表の「支払家賃」の残高は13か月分であることから、そのうち1か月分は次期に係る費用の前払分（4月分の家賃）であることがわかります。よって、支払家賃勘定（費用）から差し引き、前払家賃（資産）として次期に繰り越します。

（前払家賃）	40,000 *	（支払家賃）	40,000

＊　$520{,}000\text{円} \times \dfrac{1\text{か月}}{13\text{か月}} = 40{,}000\text{円}$

10．未収手数料（未収収益）の計上

（未収手数料）	19,000	（受取手数料）	19,000

11．未払法定福利費（未払費用）の計上

（法定福利費）	21,000	（未払法定福利費）	21,000

12．法人税、住民税及び事業税の計上

決算にあたり、法人税、住民税及び事業税（＝法人税等）を計上し、仮払法人税等を差し引いた残額（確定申告時の納税額）を「未払法人税等（負債）」として計上します。

（法人税、住民税及び事業税）	150,000	（仮払法人税等）	75,000
		（未払法人税等）	75,000 *

＊　150,000円－75,000円＝75,000円〈納税額〉

Ⅱ　損益計算書に計上する当期純利益と貸借対照表に計上する繰越利益剰余金の計算

損益計算書の貸方合計（収益）と借方合計（費用〈法人税等を含む〉）の差額により、当期純利益を計算します。また、当期純利益は、決算振替仕訳により「繰越利益剰余金（資本）」の増加とすることから、繰越利益剰余金の決算整理前残高に当期純利益を加えた金額を、貸借対照表の貸方に記入し、貸借対照表の貸借合計が一致することを確認します。

当期純利益：5,769,000円〈収益合計〉－5,419,000円〈法人税等を含む費用合計〉＝350,000円
繰越利益剰余金：1,506,000円〈決算整理前残高〉＋350,000円〈当期純利益〉＝1,856,000円

参考

問題５の答案用紙が精算表であった場合は次ページのようになります。

問3

次の［決算整理事項等］にもとづいて、以下の(1)〜(2)に答えなさい。なお、消費税の仮受け・仮払いは売上取引・仕入取引のみで行うものとする。会計期間は×2年4月1日から×3年3月31日までの1年間である。

［決算整理事項等］

1．現金の実際有高は¥422,000であった。帳簿残高との差額のうち¥16,000については水道光熱費の記入漏れであることが判明したが、残額については原因不明なので、雑損または雑益として処理する。
2．当座預金勘定の貸方残高全額を当座借越勘定に振り替える。なお、取引銀行とは借越限度額を¥1,000,000とする当座借越契約を結んでいる。
3．売掛金¥50,000が普通預金口座に振り込まれていたが、この取引が未記帳であることが判明した。
4．売掛金の期末残高に対して2％の貸倒引当金を差額補充法により設定する。
5．期末商品棚卸高は¥174,000である。
6．備品について、定額法（耐用年数5年、残存価額ゼロ）により減価償却を行う。
7．購入時に費用処理した収入印紙の未使用高が¥5,000あるため、貯蔵品へ振り替える。
8．消費税（税抜方式）の処理を行う。
9．決算整理前残高試算表の支払家賃は13か月分であるため、1か月分を前払い計上する。
10．手数料の未収分が¥19,000ある。
11．法定福利費について¥21,000を未払い計上する。
12．法人税、住民税及び事業税が¥150,000と計算されたので、仮払法人税等との差額を未払法人税等として計上する。

(1) 答案用紙の精算表を完成しなさい。
(2) 決算整理後の備品の帳簿価額を答えなさい。

(1)

精　算　表

（単位：円）

勘定科目	残高試算表		修正記入		損益計算書		貸借対照表	
	借方	貸方	借方	貸方	借方	貸方	借方	貸方
現金	440,000							
当座預金		362,000						
普通預金	914,000							
売掛金	1,750,000							
仮払法人税等	75,000							
仮払消費税	286,000							
繰越商品	226,000							
備品	640,000							
土地	2,600,000							
買掛金		410,000						
社会保険料預り金		20,000						
仮受消費税		560,000						
貸倒引当金		8,000						
備品減価償却累計額		384,000						
資本金		3,000,000						
繰越利益剰余金		1,506,000						
売上		5,600,000						
受取手数料		150,000						
仕入	2,860,000							
給料	768,000							
支払家賃	520,000							
水道光熱費	124,000							
法定福利費	224,000							
租税公課	40,000							
その他の費用	533,000							
	12,000,000	12,000,000						
雑(　　)								
当座借越								
貸倒引当金繰入								
減価償却費								
貯蔵品								
(　　)消費税								
(　　)家賃								
(　　)手数料								
未払法定福利費								
法人税、住民税及び事業税								
未払法人税等								
当期純(　　)								

(2)　¥（　　　　　　　　　）

第3問対策

(1)

精　算　表

（単位：円）

勘定科目	残高試算表		修正記入		損益計算書		貸借対照表	
	借方	貸方	借方	貸方	借方	貸方	借方	貸方
現金	440,000			18,000			422,000	
当座預金		362,000	362,000					
普通預金	914,000		50,000				964,000	
売掛金	1,750,000			50,000			1,700,000	
仮払法人税等	75,000			75,000				
仮払消費税	286,000			286,000				
繰越商品	226,000		174,000	226,000			174,000	
備品	640,000						640,000	
土地	2,600,000						2,600,000	
買掛金		410,000						410,000
社会保険料預り金		20,000						20,000
仮受消費税		560,000	560,000					
貸倒引当金		8,000		26,000				34,000
備品減価償却累計額		384,000		128,000				512,000
資本金		3,000,000						3,000,000
繰越利益剰余金		1,506,000						1,506,000
売上		5,600,000				5,600,000		
受取手数料		150,000		19,000		169,000		
仕入	2,860,000		226,000	174,000	2,912,000			
給料	768,000				768,000			
支払家賃	520,000			40,000	480,000			
水道光熱費	124,000		16,000		140,000			
法定福利費	224,000		21,000		245,000			
租税公課	40,000			5,000	35,000			
その他の費用	533,000				533,000			
	12,000,000	12,000,000						
雑（損）			2,000		2,000			
当座借越				362,000				362,000
貸倒引当金繰入			26,000		26,000			
減価償却費			128,000		128,000			
貯蔵品			5,000				5,000	
（未払）消費税				274,000				274,000
（前払）家賃			40,000				40,000	
（未収）手数料			19,000				19,000	
未払法定福利費				21,000				21,000
法人税、住民税及び事業税			150,000		150,000			
未払法人税等				75,000				75,000
当期純（利益）					350,000			350,000
			1,779,000	1,779,000	5,769,000	5,769,000	6,564,000	6,564,000

(2)　¥（　　128,000　　）

解答への道

⑴　精算表の作成

決算整理仕訳は、問題５の「解答への道」にあるものと同じです。

⑵　決算整理後の備品の帳簿価額

精算表の作成とともに問われることがあります。計算方法をマスターしておきましょう。

間接法で記帳している場合の有形固定資産の帳簿価額は、取得原価から減価償却累計額を差し引いて計算します。本問は、決算整理**後**の帳簿価額が問われているので、当期末に行った決算整理**後**の減価償却累計額勘定の残高を差し引くことになります。

決算整理**後**の備品減価償却累計額勘定の残高：384,000円（決算整理前残高）＋128,000円（当期減価償却費）＝512,000円

決算整理**後**の備品の帳簿価額：640,000円〈備品の取得原価〉－512,000円＝**128,000円**

本試験演習編

第2部 問題

第1回 問題

解　答 ▶ 55
答案用紙 ▶ 2

第1問
45点

下記の各取引について仕訳しなさい。ただし、勘定科目は、設問ごとに最も適当と思われるものを選び、答案用紙の（　　）の中に記号で解答すること。なお、消費税は指示された問題のみ考慮すること。

1．得意先に販売した商品のうち60個（@￥1,200）が品違いのため返品され、掛け代金から差し引くこととした。
　ア．売掛金　イ．買掛金　ウ．貸倒引当金　エ．資本金　オ．売上　カ．仕入

2．当座預金口座を開設し、普通預金口座から￥100,000を預け入れた。また、口座開設と同時に当座借越契約（限度額￥1,800,000）を締結し、その担保として普通預金口座から￥2,000,000を定期預金口座へ預け入れた。
　ア．現金　イ．普通預金　ウ．当座預金　エ．定期預金　オ．受取利息　カ．支払利息

3．消耗品￥30,000を購入し、代金は後日支払うこととした。
　ア．現金　イ．備品　ウ．買掛金　エ．未収入金　オ．未払金　カ．消耗品費

4．得意先が倒産し、売掛金￥800,000のうち￥200,000は、かねて注文を受けた際に受け取っていた手付金と相殺し、残額は貸倒れとして処理した。
　ア．売掛金　イ．前払金　ウ．前受金　エ．売上　オ．未払金　カ．貸倒損失

5．買掛金の支払いとして￥250,000の約束手形を振り出し、仕入先に対して郵送した。なお、郵送代金￥500は現金で支払った。
　ア．買掛金　イ．支払手形　ウ．当座預金　エ．現金　オ．通信費　カ．消耗品費

6．商品￥500,000をクレジット払いの条件で販売するとともに、信販会社への手数料（販売代金の３％）を計上した。
　ア．未収入金　イ．クレジット売掛金　ウ．受取手数料　エ．売上　オ．仕入　カ．支払手数料

7．従業員への給料の支払いにあたり、給料総額￥350,000のうち、本人負担の社会保険料￥20,000と、所得税の源泉徴収分￥14,000を差し引き、残額を当座預金口座より振り込んだ。
　ア．当座預金　イ．普通預金　ウ．社会保険料預り金　エ．所得税預り金　オ．給料
　カ．従業員立替金

8．会社の設立にあたり株式50株を発行し、１株当たり￥60,000の払込みを受け、払込金はすべて当座預金口座に預け入れられた。
　ア．普通預金　イ．当座預金　ウ．利益準備金　エ．借入金　オ．貸付金　カ．資本金

9．期首に、不要になった備品（取得原価￥360,000、減価償却累計額￥300,000、間接法で記帳）を￥10,000で売却し、売却代金は現金で受け取った。

ア．現金　イ．未収入金　ウ．備品　エ．備品減価償却累計額　オ．固定資産売却損
カ．固定資産売却益

10．月末に現金の実査を行ったところ、帳簿残高は￥299,600であったが、実際有高は￥301,600であることが判明したため、帳簿残高と実際有高を一致させる処理を行うとともに、引き続き原因を調査することとした。

ア．売掛金　イ．前払金　ウ．現金過不足　エ．前受金　オ．現金　カ．受取手数料

11．かねて振り出していた約束手形￥150,000の支払期日が到来し、当座預金口座から支払われた。
口座引き落とし直前の当座預金残高は￥130,000であったが、当社は銀行と借越限度額￥800,000の当座借越契約を締結している。

ア．普通預金　イ．当座預金　ウ．受取手形　エ．支払手形　オ．仕入　カ．旅費交通費

12．商品￥35,000を仕入れ、消費税￥3,500を含めた合計額のうち￥18,500は現金で支払い、残額は月末に支払うこととした。なお、消費税は税抜方式で記帳する。

ア．仮払消費税　イ．未払金　ウ．仕入　エ．買掛金　オ．仮受消費税　カ．現金

13．普通預金口座から現金￥200,000を引き出した。

ア．定期預金　イ．普通預金　ウ．当座預金　エ．資本金　オ．現金　カ．売上

14．決算日において、売上および受取地代の勘定残高を損益勘定に振り替えた。なお、当期中の総売上高は￥6,700,000、戻り高は￥250,000であった。また、当期中の地代の受取高は￥160,000、決算日における未収高は￥12,000であった。

ア．受取地代　イ．支払地代　ウ．受取手形　エ．売上　オ．仕入　カ．損益

15．事務用の物品をネット通販で購入し、代金の支払額を仮払金勘定で処理していたが、本日、品物とともに、以下の領収書を受け取ったため、適切な勘定に振り替える。

領　収　書

日商株式会社　御中

東京電機株式会社

品　名	数　量	単　価	金　額
H社製ノートパソコン	4	200,000	￥800,000
配送料	—	—	￥　5,000
初期設定費用	4	8,000	￥　32,000
	合　計		￥837,000

上記の合計額を領収いたしました。　　印　収入印紙 200円

ア．備品　イ．消耗品費　ウ．当座預金　エ．仮払金　オ．仕入　カ．租税公課

第2問 20点

(1) 下記の固定資産台帳（？は各自で計算すること）にもとづいて、当期（×7年４月１日から×8年３月31日まで）における答案用紙の各勘定の空欄にあてはまる適切な語句または金額を答えなさい。減価償却は残存価額をゼロとする定額法で行っており、期中取得の備品の減価償却は月割計算している。なお、入出金はすべて普通預金とする。

解答にあたり、摘要欄の勘定科目等は以下から選択して、ア～クの記号で記入しなさい。また、勘定科目等はこの設問の中で複数回使用してよい。

ア．備品　イ．減価償却費　ウ．備品減価償却累計額　エ．普通預金
オ．前期繰越　カ．次期繰越　キ．損益　ク．繰越利益剰余金

固定資産台帳（備品）　（単位：円）

取得年月日	名称等	数量	耐用年数	取得原価	期首減価償却累計額	期首帳簿価額	当期減価償却費
×2年４月１日	備品A	1	10年	6,840,000	3,420,000	3,420,000	?
×4年８月１日	備品B	1	6年	3,960,000	?	?	660,000
×7年７月１日	備品C	1	4年	5,400,000	—	—	?
小　計				16,200,000	?	?	?

（サンプル問題２）

(2) 下記の表の（ア）～（エ）に当てはまる適切な金額を答案用紙に記入しなさい。？の箇所は各自計算すること。

（単位：千円）

	期首貸借対照表			期末貸借対照表			損益計算書		当期純利益
	資産	負債	純資産	資産	負債	純資産	収益	費用	
1.	8,500	?	6,000	15,000	（ア）	（イ）	8,200	7,500	?
2.	（ウ）	1,500	?	?	3,600	8,000	（エ）	9,200	300

第3問
35点

次の(1)決算整理前残高試算表と(2)決算整理事項等にもとづいて、答案用紙の貸借対照表および損益計算書を完成しなさい。なお、消費税の仮受け・仮払いは売上取引・仕入取引のみで行うものとする。会計期間は×7年4月1日から×8年3月31日までの1年間である。

(1)

決算整理前残高試算表

借方	勘定科目	貸方
564,000	現金	
668,000	当座預金	
867,000	売掛金	
380,000	仮払消費税	
273,000	繰越商品	
3,000,000	建物	
400,000	備品	
360,000	土地	
	買掛金	800,000
	仮受金	67,000
	仮受消費税	700,000
	借入金	600,000
	貸倒引当金	10,000
	建物減価償却累計額	500,000
	備品減価償却累計額	160,000
	資本金	1,700,000
	繰越利益剰余金	380,000
	売上	7,000,000
	受取手数料	83,000
3,800,000	仕入	
960,000	給料	
560,000	支払家賃	
130,000	水道光熱費	
29,000	通信費	
9,000	支払利息	
12,000,000		12,000,000

(2)　決算整理事項等

1. 決算日における現金の実際有高は¥560,000であった。帳簿残高との差額のうち¥3,600については通信費の記入漏れであることが判明したが、残額については原因不明なので、雑損または雑益として処理する。
2. 仮受金は、その全額が売掛金の回収であることが判明した。
3. 3月1日に、土地¥360,000を購入し、代金は2か月後に支払うこととした。購入時に以下の仕訳をしていたので、適正に修正する。
   (借方)土　地 360,000　(貸方)買掛金 360,000
4. 売掛金の期末残高に対して3％の貸倒引当金を差額補充法により設定する。
5. 期末商品棚卸高は¥189,000である。
6. 有形固定資産について、次の要領で定額法により減価償却を行う。
   建物：耐用年数30年　残存価額ゼロ
   備品：耐用年数5年　残存価額ゼロ
7. 消費税の処理（税抜方式）を行う。
8. 12月1日に、12月から翌年5月分までの6か月分の家賃¥240,000を支払い、その全額を支払家賃として処理した。したがって、未経過分を月割で計上する。
9. 借入金（利率は年2％）について、3か月分の未払利息を計上する。
10. 手数料の未収分が¥30,000ある。
11. 未払法人税等¥426,000を計上する。なお、中間納付は行っていない。

（第144回第5問改）

第2回 問題

解　答 ▶ 70
答案用紙 ▶ 6

第1問
45点

下記の各取引について仕訳しなさい。ただし、勘定科目は、設問ごとに最も適当と思われるものを選び、答案用紙の（　　）の中に記号で解答すること。なお、消費税は指示された問題のみ考慮すること。

1．6月に開催された株主総会において、繰越利益剰余金残高￥250,000から次のように配当および処分することが決議された。
株主配当金　￥200,000　　配当に伴う利益準備金の積立て　￥20,000
ア．現金　イ．未払配当金　ウ．借入金　エ．利益準備金　オ．資本金　カ．繰越利益剰余金

2．建物の改良と修繕を行い、工事代金￥15,000,000は小切手を振り出して支払った。なお、工事代金のうち￥12,000,000は改良（資本的支出）、残額は定期的な修繕（収益的支出）である。
ア．当座預金　イ．建物　ウ．支払手数料　エ．差入保証金　オ．資本金　カ．修繕費

3．得意先大阪商店に期間9か月、年利率4.5％で￥400,000を借用証書にて貸し付けていたが、本日、満期日のため利息とともに同店振り出しの小切手で返済を受けたので、ただちに当座預金に預け入れた。
ア．当座預金　イ．受取利息　ウ．現金　エ．支払利息　オ．借入金　カ．貸付金

4．営業用の土地550㎡を1㎡あたり￥35,000で購入した。この土地の購入手数料￥400,000は現金で仲介業者に支払い、土地の代金は後日支払うこととした。
ア．現金　イ．未収入金　ウ．土地　エ．備品　オ．未払金　カ．買掛金

5．従業員の給料から源泉徴収していた所得税合計額￥2,000,000を、銀行において納付書とともに現金で納付した。
ア．当座預金　イ．現金　ウ．借入金　エ．所得税預り金　オ．給料　カ．租税公課

6．得意先へ商品￥162,000に発送費用￥5,000を加えた合計額で売り上げ、代金のうち￥30,000は注文時に受け取った手付金と相殺し、残額を掛けとした。また、同時に運送会社へ商品を引き渡し、発送費用￥5,000は現金で支払った。
ア．前払金　イ．売掛金　ウ．買掛金　エ．前受金　オ．仮受金　カ．現金　キ．売上
ク．発送費

7．取引銀行より、得意先に対する売掛金￥900,000について、電子記録債権の発生記録の通知を受けた。
ア．現金　イ．売掛金　ウ．電子記録債権　エ．買掛金　オ．電子記録債務　カ．通信費

8．前期の決算において、当座預金勘定の貸方残高¥50,000を当座借越勘定に振り替えていたので、本日（当期首）に振り戻した。

ア．当座預金　イ．貸付金　ウ．現金　エ．買掛金　オ．当座借越　カ．支払利息

9．決算日における、期首商品棚卸高は¥120,000、当期商品仕入高は¥1,230,000、期末商品棚卸高は¥180,000であり、仕入勘定で算定された売上原価を損益勘定に振り替えた。

ア．売上原価　イ．立替金　ウ．売上　エ．仕入　オ．支払利息　カ．損益

10．従業員が出張から戻り、さきの当座預金口座への¥230,000の入金は、得意先山梨商店からの売掛金¥200,000の回収および得意先甲府商店から受け取った手付金¥30,000であることが判明した。なお、入金時には内容不明の入金として処理してある。

ア．前払金　イ．売掛金　ウ．前受金　エ．仮払金　オ．仮受金　カ．当座預金

11．領収証の発行や約束手形の振り出しに用いる収入印紙¥7,000と郵便切手¥1,500をともに日商郵便局で購入し、代金は現金で支払った。なお、これらはすぐに使用した。

ア．現金　イ．消耗品費　ウ．支払手形　エ．租税公課　オ．支払手数料　カ．通信費

12．従業員が出張から戻り、旅費の残額として¥17,000を現金で受け取った。なお、出張にあたって、従業員には旅費の概算額¥80,000を手渡していた。

ア．前払金　イ．現金　ウ．仮受金　エ．仮払金　オ．旅費交通費　カ．普通預金

13．仕入先静岡商店に注文していた商品¥200,000が到着した。商品代金のうち20％は手付金としてあらかじめ支払済みであるため相殺し、残額は掛けとした。なお、商品の引取運賃¥3,000は着払いとなっているため運送業者に現金で支払った。

ア．前払金　イ．現金　ウ．買掛金　エ．仮払金　オ．前受金　カ．仕入

14．不動産の賃貸借契約を解約し、契約時に支払った敷金¥500,000については修繕費¥150,000が差し引かれ、残額が普通預金口座に振り込まれた。

ア．普通預金　イ．当座預金　ウ．修繕費　エ．差入保証金　オ．支払利息　カ．建物

15．東京商事株式会社は、事務用の物品を購入し、代金は後日支払うこととした。なお、品物とともに、以下の請求書を受け取っている。

請　求　書

東京商事株式会社　御中

大崎商会株式会社

品　名	数　量	単　価	金　額
コピー用紙（500枚入）	10	350	¥　3,500
プリンター用インクカートリッジ（4色パック）	3	6,600	¥19,800
油性ボールペン・黒（5本入り）	10	400	¥　4,000
	合　計		¥27,300

×1年10月31日までに合計額を下記口座へお振込みください。

関東銀行飯田橋支店　普通　9876543　オオサキショウカイ（カ

ア．消耗品費　イ．現金　ウ．未収入金　エ．買掛金　オ．未払金　カ．水道光熱費

第2問 20点

(1) 函館商事株式会社（決算年１回、３月31日）における次の取引にもとづいて、答案用紙の支払利息勘定と未払利息勘定に必要な記入を行い、締め切るとともに、未払利息勘定については開始記入もあわせて行いなさい。なお、摘要欄に記入する語句は、下記の[語群]から最も適当と思われるものを選び、ア～カの記号で答えること。

[語群]

ア．支払利息　イ．未払利息　ウ．次期繰越　エ．前期繰越　オ．損益　カ．普通預金

４月１日　取引先から¥1,200,000（利率年1.5%、期間１年、利払日は９月と３月の各末日）を借り入れ、同額が普通預金口座に振り込まれた。

９月30日　取引先からの借入金について、利息を普通預金口座から支払った。

12月１日　銀行から¥2,000,000（利率年1.2%、期間１年）を借り入れ、同額が普通預金口座に振り込まれた。なお、利息は元本返済時に一括で支払う契約である。

３月31日　取引先からの借入金について、利息を普通預金口座から支払った。
銀行からの借入金について、未払分の利息を計上した。

（第145回第２問改）

(2) 次の文の（ ① ）から（ ④ ）に当てはまる適切な語句を下記の[語群]から選び、ア～シの記号で答えなさい。

1．前期以前に貸倒れとして処理した売掛金について、当期にその一部を回収したときは、その回収金額を収益勘定である（ ① ）勘定で処理する。
2．貸借平均の原理にもとづき、総勘定元帳への転記が正しく行われたかどうかを確認したり、期末の決算手続きを円滑に行うために作成する表を（ ② ）という。
3．建物の機能の回復や維持のために修繕を行った場合の仕訳の借方は修繕費勘定を用いるが、修繕により機能が向上して価値が増加した場合は（ ③ ）勘定を用いる。
4．取得した土地を利用できるようにするために支払った費用は（ ④ ）勘定で処理する。

[語群]

ア．建物　イ．租税公課　ウ．減価償却累計額　エ．償却債権取立益　オ．損益　カ．損益計算書
キ．修繕費　ク．土地　ケ．試算表　コ．仕訳帳　サ．整地費　シ．補助元帳

（第145回第４問改）

第3問 35点

次の［決算整理事項等］にもとづいて、答案用紙の精算表を作成しなさい。なお、消費税の仮受け・仮払いは、売上取引・仕入取引についてのみ行うものとする。会計期間は×7年4月1日から×8年3月31日までの1年間である。

［決算整理事項等］

1．売掛金￥2,500が普通預金口座に振り込まれていたが、この取引の記帳がまだ行われていない。

2．仮払金は、従業員の出張に際して渡した旅費交通費概算額である。×8年3月31日に出張から帰った従業員から旅費交通費￥12,000の報告を受け、残額は現金で返納を受けた。

3．現金過不足の原因を調べたところ、郵便切手代（郵送に使用済み）￥6,000の記入漏れが判明したが、これ以外は不明のため、雑損または雑益で処理する。

4．当座預金勘定の貸方残高全額を当座借越勘定に振り替える。なお、当社は取引銀行との間で￥100,000を借越限度額とする当座借越契約を締結している。

5．受取手形と売掛金の期末残高に対して2％の貸倒引当金を差額補充法で設定する。

6．期末商品棚卸高は￥187,000である。なお、売上原価の計算には仕入勘定を用いる。

7．建物および備品について、定額法による減価償却を行う。なお、建物および備品の期中取得はない。

　　建物：残存価額ゼロ　耐用年数25年

　　備品：残存価額ゼロ　耐用年数6年

8．借入金は、期間1年、年利率2％、利息は借入時に支払う条件で、×7年11月1日に借り入れたものである。そこで、利息の前払分を月割で適切に処理する。

9　消費税の処理（税抜方式）を行う。

10．税引前の利益に対して30％の法人税、住民税及び事業税を計上する。なお、中間納付は行っていない。

（サンプル問題2）

第3回 問題

解答▶ 81
答案用紙▶ 10

第1問
45点

下記の各取引について仕訳しなさい。ただし、勘定科目は、設問ごとに最も適当と思われるものを選び、答案用紙の（　　）の中に記号で解答すること。なお、消費税は指示された問題のみ考慮すること。

1．得意先東北商店から売掛金¥120,000を現金で回収したさい、誤って売上に計上していたことが判明したので、これを訂正する。なお、訂正にあたっては、記録の誤りのみを部分的に修正する方法によること。
　ア．売上　イ．現金　ウ．貸倒引当金　エ．資本金　オ．仕入　カ．売掛金

2．不用になった車両（取得原価¥1,500,000、減価償却累計額¥1,050,000、間接法で記帳）を期首に¥370,000で売却し、代金は２週間後に当社指定の普通預金口座に振り込んでもらうこととした。
　ア．普通預金　イ．固定資産売却損　ウ．車両運搬具　エ．車両運搬具減価償却累計額
　オ．未収入金　カ．固定資産売却益

3．収入印紙¥7,000を購入し、代金は現金で支払った。なお、この収入印紙はただちに使用した。
　ア．現金　イ．売掛金　ウ．買掛金　エ．消耗品費　オ．通信費　カ．租税公課

4．徳島商店に対する売掛金¥200,000（前期販売分）について、本日、¥70,000を現金で回収し、残額については貸倒れとして処理した。なお、貸倒引当金の残高は¥300,000である。
　ア．普通預金　イ．売掛金　ウ．現金　エ．貸倒引当金　オ．雑損　カ．貸倒損失

5．従業員が出張から戻り、旅費の残額¥8,000と、得意先で契約した商品販売にかかる手付金¥15,000を現金で受け取った。なお、出張にあたって、従業員には旅費の概算額¥25,000を渡していた。
　ア．現金　イ．前払金　ウ．前受金　エ．仮払金　オ．旅費交通費　カ．売上

6．仕入先に対する買掛金¥700,000について、電子記録債務の発生記録の請求を行った。
　ア．現金　イ．買掛金　ウ．電子記録債権　エ．売掛金　オ．電子記録債務　カ．仕入

7．取引銀行から短期資金として¥2,000,000を借り入れていたが、支払期日が到来したため、元利合計を普通預金口座から返済した。なお、借入れにともなう利率は年1.5%、借入期間は当期中の９か月であった。
　ア．普通預金　イ．貸付金　ウ．借入金　エ．資本金　オ．受取利息　カ．支払利息

8．商品￥300,000を販売し、消費税￥30,000を含めた合計額のうち￥130,000は現金で受け取り、残額は先方振り出しの約束手形で受け取った。なお、消費税は税抜方式で記帳する。

ア．当座預金　イ．現金　ウ．仮払消費税　エ．受取手形　オ．売上　カ．仮受消費税

9．従業員の給料総額￥3,600,000から従業員負担の社会保険料￥216,000、および所得税の源泉徴収分￥144,000を控除した残額を普通預金口座より振り込んだ。

ア．当座預金　イ．普通預金　ウ．従業員立替金　エ．所得税預り金　オ．給料
カ．社会保険料預り金

10．商品￥40,000の注文を受け、手付金として現金を受け取った。

ア．貸付金　イ．前払金　ウ．借入金　エ．前受金　オ．売上　カ．現金

11．商品￥50,000をクレジット払いの条件で売り上げるとともに、信販会社への手数料（売上代金の２％）を計上した。

ア．クレジット売掛金　イ．当座預金　ウ．売上　エ．支払手数料　オ．支払利息
カ．受取利息

12．営業事務所の家賃￥150,000および電話料金￥20,000が普通預金口座から引き落とされた。

ア．現金　イ．普通預金　ウ．消耗品費　エ．支払地代　オ．通信費　カ．支払家賃

13．小口現金係から、次のような支払いの報告を受けたため、ただちに同額の小切手を振り出して資金を補給した。当社は、定額資金前渡制を採用している。

電車代￥3,000　　文房具代￥4,000　　郵便切手代￥5,600

ア．当座預金　イ．旅費交通費　ウ．通信費　エ．消耗品費　オ．現金　カ．売上

14．従業員にかかる健康保険料￥120,000を現金で納付した。このうち従業員負担分￥60,000は、従業員給料から差し引いた社会保険料の預り分であり、残額は会社負担分である。

ア．普通預金　イ．現金　ウ．保険料　エ．所得税預り金　オ．社会保険料預り金
カ．法定福利費

15．渋谷商事株式会社は、埼玉物産株式会社より商品を仕入れ、品物とともに以下の納品書を受け取り、代金は後日支払うこととした。消費税については、税抜方式で記帳している。

納　品　書

渋谷商事株式会社　御中

埼玉物産株式会社

品　名	数　量	単　価	金　額
A品	30	6,500	￥195,000
B品	40	11,000	￥440,000
C品	15	4,000	￥ 60,000
	消費税（10%）		￥ 69,500
	合　計		￥764,500

ア．仕入　イ．現金　ウ．仮払消費税　エ．買掛金　オ．仮受消費税　カ．売上

第2問
20点

(1) 日商株式会社の×7年10月の取引（一部）は次のとおりである。それぞれの日付の取引が、答案用紙に示されたどの補助簿に記入されるかを答えなさい。解答にあたっては、該当するすべての補助簿の欄に○印を記入し、該当する補助簿が１つもない取引は、「該当なし」の欄に○印を記入しなさい。なお、会計期間は×7年４月１日から×8年３月31日までの１年間である。

〔×7年10月中の取引（一部）〕

1日　営業用車両の買換えを行い、旧車両（取得原価￥400,000、減価償却累計額￥280,000）を下取りに出して新車両￥300,000を購入した。なお、下取り価額は￥100,000であり、新車両の購入価額と旧車両の下取り価額との差額は現金で支払った。

11日　商品￥550,000を売り上げ、代金のうち￥250,000については得意先振出しの約束手形を受け取り、残額は掛けとした。

16日　仕入れていた商品￥150,000について品違いが見つかったため仕入先へ返品し、掛け代金から差し引くこととした。

20日　営業用の自動車（帳簿価額￥800,000）を￥200,000で売却し、代金は月末に受け取ることとした。

27日　商品￥380,000を仕入れ、代金のうち￥80,000は現金で支払い、残額は掛けとした。

31日　借方に計上していた現金過不足￥10,000のうち、￥8,000は旅費交通費の記入漏れであることが判明したが、残額についてはいまだ不明である。

(2) 下記の【資料】にもとづいて、当期（×7年４月１日から×8年３月31日まで）における答案用紙の３つの勘定の空欄にあてはまる適切な語句または金額を答えなさい。

【解答上の留意事項】

- 各勘定の空欄は（日付）［摘要］〈金額〉の順である。（日付）は採点対象としないため、空欄のままでもよい。
- 解答にあたり、摘要欄の勘定科目等は以下から最も適当なものを選択して、答案用紙の［　　］の中にア～クの記号で答えなさい。なお、勘定科目等はこの設問の中で複数回使用してよい。

ア．未払法人税等	イ．未払配当金	ウ．繰越利益剰余金	エ．法人税、住民税及び事業税
オ．利益準備金	カ．前期繰越	キ．次期繰越	ク．損　　益

【資料】

1．×7年６月28日の株主総会において、繰越利益剰余金を財源とした株主への配当￥350,000、配当に伴う利益準備金の積立て￥35,000が決議された（×7年７月１日に、配当金は支払われた）。

2．×8年３月31日の決算にあたり、決算整理後の収益と費用の各勘定残高（法人税、住民税及び事業税を除く）は、答案用紙の損益勘定のとおりであった。当期の法人税、住民税及び事業税として、税引前の利益の30％を計上する。なお、出題の便宜上、仕入と法人税、住民税及び事業税以外の費用をまとめて「その他費用」と表示している。

（サンプル問題１　第２問(1)）

第3問
35点

次の(1)決算整理前残高試算表と(2)決算整理事項等にもとづいて、下記の問に答えなさい。なお、消費税の仮受け・仮払いは売上取引・仕入取引のみで行うものとする。会計期間は×8年4月1日から×9年3月31日までの1年間である。

(1)　決算整理前残高試算表

残　高　試　算　表
×9年3月31日

借　方	勘定科目	貸　方
528,000	現金	
	当座預金	180,000
470,000	受取手形	
386,000	売掛金	
308,000	仮払消費税	
80,000	仮払法人税等	
262,000	繰越商品	
300,000	貸付金	
480,000	備品	
1,100,000	土地	
	支払手形	360,000
	買掛金	344,400
	仮受金	56,000
	仮受消費税	436,000
	貸倒引当金	8,000
	備品減価償却累計額	180,000
	資本金	1,500,000
	繰越利益剰余金	410,000
	売上	4,360,000
	受取手数料	11,000
3,080,000	仕入	
304,000	給料	
450,000	支払家賃	
43,400	消耗品費	
54,000	水道光熱費	
7,845,400		7,845,400

(2)　決算整理事項等

1．現金の手許有高は¥526,000である。なお、過不足の原因は不明であるため、適切な処理を行う。
2．仮受金は、全額得意先に対する売掛金の回収額であることが判明した。
3．当座預金勘定の貸方残高の全額を当座借越勘定に振り替える。なお、銀行とは¥500,000を限度額とする当座借越契約を結んでいる。
4．受取手形および売掛金の期末残高に対して、3％の貸倒れを見積もる。貸倒引当金の設定は差額補充法による。
5．期末商品棚卸高は¥285,000である。
6．備品について、残存価額をゼロ、耐用年数を6年とする定額法により減価償却を行う。
　なお、備品のうち×9年1月1日に取得した¥120,000については、同様の条件で減価償却費を月割により計算する。
7．家賃の前払額が¥90,000ある。
8．貸付金は×8年12月1日に貸付期間1年、年利率2.4％で貸し付けたもので、利息は元金とともに返済時に受け取ることになっている。なお、利息の計算は月割による。
9．手数料の前受額が¥2,000ある。
10．消費税の処理（税抜方式）を行う。
11．法人税等¥141,000を計上する。なお、中間納付額を仮払法人税等勘定に計上している。

問1　答案用紙の決算整理後残高試算表を完成しなさい。

問2　当期純利益または当期純損失のどちらか適切な方を○で囲むとともに、その金額を答えなさい。なお、金額欄は金額のみを記入し、当期純損失の場合でも「－」や「△」はつけないこと。

（第146回第5問改）

第4回 問題

解答 ▶ 94
答案用紙 ▶ 14

第1問 45点

下記の各取引について仕訳しなさい。ただし、勘定科目は、設問ごとに最も適当と思われるものを選び、答案用紙の（　　）の中に記号で解答すること。なお、消費税は指示された問題のみ考慮すること。

1．決算日において、過日借方に計上していた現金過不足¥20,000の原因を改めて調査した結果、旅費交通費¥30,000、受取手数料¥18,000の記入漏れが判明した。残額は原因が不明であったので、雑益または雑損として処理する。
　ア．現金　イ．現金過不足　ウ．旅費交通費　エ．受取手数料　オ．雑益　カ．雑損

2．昨年度に得意先が倒産し、その際に売掛金¥1,000,000の貸倒れ処理を行っていたが、本日、得意先の清算にともない¥50,000の分配を受け、同額が普通預金口座へ振り込まれた。
　ア．普通預金　イ．売掛金　ウ．貸倒引当金　エ．現金　オ．貸倒損失　カ．償却債権取立益

3．オフィス拡張につき、ビルの４階部分を１か月当たり¥160,000で賃借する契約を不動産業者と締結し、保証金（敷金）¥320,000と不動産業者に対する仲介手数料¥160,000を当座預金口座から支払った。
　ア．当座預金　イ．建物　ウ．備品　エ．差入保証金　オ．支払家賃　カ．支払手数料

4．前期の決算において未収利息¥36,000を計上していたので、本日（当期首）、再振替仕訳を行った。
　ア．未収利息　イ．売掛金　ウ．買掛金　エ．受取手数料　オ．支払利息　カ．受取利息

5．店舗の駐車場として使用している土地の本月分賃借料¥50,000が普通預金口座から引き落とされた。
　ア．現金　イ．資本金　ウ．普通預金　エ．土地　オ．支払地代　カ．支払家賃

6．決算にあたって、法人税等の金額¥1,600,000を計上した。なお、このうち¥600,000についてはすでに中間納付している。
　ア．普通預金　イ．法人税等　ウ．借入金　エ．仮払法人税等　オ．未払消費税
　カ．未払法人税等

7．北海道商店より商品¥450,000を仕入れ、発注時に支払った手付金¥70,000を差し引いた残額を掛けとした。なお、商品の引取運賃¥1,000は現金で支払った。
　ア．前払金　イ．現金　ウ．売掛金　エ．買掛金　オ．仕入　カ．前受金

8．得意先から先月締めの掛代金￥300,000の回収として、振込手数料￥400（当社負担）を差し引かれた残額が当社の当座預金口座に振り込まれた。

ア．当座預金　イ．買掛金　ウ．売掛金　エ．受取手数料　オ．発送費　カ．支払手数料

9．令和銀行の当座預金口座から￥200,000、平成銀行の当座預金口座から￥300,000を令和銀行の普通預金口座へ振り込んだ。その際に手数料￥300が平成銀行の当座預金口座から差し引かれた。

ア．令和銀行当座預金　イ．令和銀行普通預金　ウ．平成銀行当座預金　エ．平成銀行普通預金
オ．受取手数料　カ．支払手数料

10．出張中の従業員から当座預金口座へ￥65,000の振り込みがあったが、その詳細は不明である。

ア．仮払金　イ．普通預金　ウ．当座預金　エ．立替金　オ．借入金　カ．仮受金

11．先週掛けで仕入れた商品60個（@￥20,000）のうち、本日、仕入先へ３分の１を戻し、代金は掛代金から控除した。

ア．仕入　イ．売上　ウ．売掛金　エ．建物　オ．買掛金　カ．支払手数料

12．商品￥100,000を売り上げ、代金のうち￥30,000は現金で受け取り、残額は掛けとした取引について、入金伝票を次のように作成したとき、振替伝票に記入される仕訳を答えなさい。なお、３伝票制を採用しており、商品売買取引の処理は３分法により行っている。

入 金 伝 票
×6年５月21日
（売掛金）　30,000

ア．売上　イ．現金　ウ．売掛金　エ．仕入　オ．買掛金　カ．普通預金

13．法人税、住民税及び事業税について中間申告を行い、前期の業績にもとづいて税額￥500,000を小切手を振り出して納付した。

ア．現金　イ．当座預金　ウ．前払金　エ．未払法人税等　オ．仮払消費税　カ．仮払法人税等

14．当期中に郵便切手￥4,500、収入印紙￥25,600を購入し、いずれも費用として処理していたが、決算日に郵便切手￥1,230、収入印紙￥8,600が未使用であることが判明したため、これらを貯蔵品勘定に振り替えることとした。

ア．貯蔵品　イ．定期預金　ウ．消耗品費　エ．通信費　オ．租税公課　カ．法人税等

15．従業員が出張から戻り、下記の報告書および領収書を提出したので、本日、全額を費用として処理した。旅費交通費等報告書記載の金額は、その全額を従業員が立て替えて支払っており、月末に従業員に支払うこととした。なお、電車運賃は領収書なしでも費用計上することにしている。

旅費交通費等報告書
埼玉太郎

移 動 先	手 段 等	領収書	金　額
群 馬 商 店	電車	無	6,020
ホテル葛西	宿泊	有	8,500
帰　社	電車	無	6,020
	合　計		20,540

領　収　書
埼玉商事㈱
埼玉太郎 様
金　8,500円
但し、宿泊料として
ホテル葛西

ア．通信費　イ．旅費交通費　ウ．当座預金　エ．買掛金　オ．未払金　カ．給料

第2問 20点

(1) 当社（当期は×8年４月１日から×9年３月31日まで）における手数料の支払いが生じた取引および決算整理事項にもとづいて、答案用紙の支払手数料勘定と前払手数料勘定に必要な記入をして締め切りなさい。なお、勘定記入にあたっては、日付、摘要および金額を取引日順に記入すること。ただし、摘要欄に記入する語句は下記の［語群］から最も適当と思われるものを選び、ア〜コの記号で答えること。

７月11日　未払金￥70,000を普通預金口座から支払った。そのさいに、振込手数料￥300が同口座から差し引かれた。

10月26日　倉庫の建設に供するための土地￥1,200,000を購入し、代金は小切手を振り出して支払った。なお、仲介手数料￥15,000は不動産会社に現金で支払った。

３月１日　向こう３か月分の調査手数料￥60,000（１か月当たり￥20,000）を現金で支払い、その全額を支払手数料勘定で処理した。

３月31日　３月１日に支払った手数料のうち前払分を月割で計上した。

［語群］

ア．現金　イ．普通預金　ウ．当座預金　エ．前払手数料　オ．土地
カ．未払金　キ．支払手数料　ク．諸口　ケ．次期繰越　コ．損益

（第147回第４問改）

(2) 次の×7年10月中のＡ商品に関する仕入帳と売上帳の記録にもとづいて、移動平均法によって答案用紙の商品有高帳に記入するとともに、×7年10月中のＡ商品の売上高および売上総利益の金額を答案用紙の解答欄に記入しなさい。なお、消費税は考慮しないものとする。また、帳簿の締切と次月への繰越記入は不要である。

仕　入　帳

×7年		摘要	金額
10	5	兵庫商店　掛	
		Ａ商品　175個　@ ￥380	66,500
	21	秋田商店　掛	
		Ａ商品　140個　@ ￥379	53,060

売　上　帳

×7年		摘要	金額
10	12	浜芝商店　掛	
		Ａ商品　215個　@ ￥520	111,800
	26	日商商店　掛	
		Ａ商品　150個　@ ￥530	79,500

（サンプル問題１）

第3問
35点

次の［決算整理事項等］にもとづいて、下記の問に答えなさい。なお、消費税の仮受け・仮払いは売上取引・仕入取引のみで行うものとする。会計期間は４月１日から３月31日までの１年間である。

［決算整理事項等］

1．普通預金口座から買掛金￥38,000を支払ったが、この取引の記帳がまだ行われていない。
2．仮払金は、従業員の出張にともなう旅費交通費の概算額を支払ったものである。従業員はすでに出張から戻り、実際の旅費交通費￥17,000を差し引いた残額は普通預金口座に預け入れたが、この取引の記帳がまだ行われていない。
3．売掛金の代金￥20,000を現金で受け取ったさいに以下の仕訳を行っていたことが判明したので、適切に修正する。
　（借方）現　金　20,000　　（貸方）前受金　20,000
4．売掛金の期末残高に対して２％の貸倒引当金を差額補充法により設定する。
5．期末商品棚卸高は￥189,000である。売上原価は「売上原価」の行で計算する。
6．建物および備品について定額法で減価償却を行う。
　建物：残存価額ゼロ　耐用年数30年
　備品：残存価額ゼロ　耐用年数４年
7．消費税の処理（税抜方式）を行う。
8．保険料のうち￥60,000は12月１日に向こう１年分を支払ったものであり、未経過分を月割で計上する。
9．２月１日に、２月から４月までの３か月分の家賃￥45,000を受け取り、その全額を受取家賃として処理した。したがって、前受分を月割で計上する。
10．給料の未払分が￥37,000ある。
11．法人税等￥216,000を計上する。なお、中間納付額を仮払法人税等勘定に計上している。

問１　答案用紙の精算表を完成しなさい。

問２　決算整理後の備品の帳簿価額を答えなさい。

（第147回第５問改）

第5回 問題

148回改題　制限時間60分

解答▶106
答案用紙▶18

第1問 45点

下記の各取引について仕訳しなさい。ただし、勘定科目は、設問ごとに最も適当と思われるものを選び、答案用紙の（　）の中に記号で解答すること。なお、消費税は指示された問題のみ考慮すること。

1．商品¥180,000を仕入れ、代金のうち¥36,000は注文時に支払った手付金と相殺するとともに、¥94,000は小切手を振り出し、残額は約束手形を振り出して支払った。なお、仕入れにともなう運送保険料¥1,000は現金で支払った。
ア．売掛金　イ．前払金　ウ．現金　エ．当座預金　オ．仮払金　カ．売上　キ．支払手形
ク．仕入

2．本日、仙台商店に対する買掛金¥500,000および売掛金¥100,000の決済日につき、仙台商店の承諾を得て両者を相殺処理するとともに、買掛金の超過分¥400,000は小切手を振り出して支払った。
ア．売掛金　イ．当座預金　ウ．現金　エ．支払手形　オ．買掛金　カ．受取手形

3．先月末に¥500,000の土地を¥600,000で横浜商店に売却していたが、本日、代金の全額が横浜商店より当社の普通預金口座に振り込まれた。
ア．土地　イ．売掛金　ウ．未収入金　エ．普通預金　オ．現金　カ．固定資産売却益

4．店舗を建てる目的で購入した土地について建設会社に依頼していた整地作業が完了し、その代金¥150,000を現金で支払った。
ア．建物　イ．土地　ウ．修繕費　エ．当座預金　オ．現金　カ．支払手数料

5．銀行から¥3,000,000を借り入れ、同額の約束手形を振り出すとともに、利息を差し引かれた手取金を当座預金とした。なお、借入期間は８か月間、年利率は２％であり、利息は月割計算する。
ア．手形借入金　イ．支払手形　ウ．当座預金　エ．普通預金　オ．受取利息　カ．支払利息

6．確定申告を行い、未払消費税¥250,000を小切手を振り出して納付した。
ア．現金　イ．当座預金　ウ．電子記録債権　エ．支払手形　オ．未払消費税
カ．未払法人税等

7．土地と建物に対する固定資産税¥400,000の納税通知書を受け取り、第２期分¥100,000を当座預金の口座振替により納付した。なお、未払計上は行っていない。
ア．普通預金　イ．買掛金　ウ．租税公課　エ．法人税等　オ．建物　カ．当座預金

8．商品￥65,000を掛けで売り渡した取引を、借方、貸方とも誤って￥56,000で計上していたことが判明したので、本日これを訂正する。なお、訂正にあたっては、記録の誤りのみを部分的に修正する方法によること。

ア．現金　イ．備品　ウ．売上　エ．貸付金　オ．仕入　カ．売掛金

9．電子記録債権￥200,000が決済され、同額が関東銀行の当座預金口座に振り込まれた。

ア．電子記録債務　イ．現金　ウ．当座預金近畿銀行　エ．当座預金関東銀行
オ．電子記録債権　カ．売掛金

10．商品￥150,000を売り上げ、代金はクレジットカード決済とした。なお、信販会社への手数料は販売代金の1.2％であり、販売時に計上した。

ア．クレジット売掛金　イ．当座預金　ウ．支払手数料　エ．受取手数料　オ．支払利息
カ．売上

11．神奈川商事株式会社は、増資にあたり未発行株式のうち200株を１株の払込金額￥60,000で発行し、払込金額を当座預金とした。

ア．現金　イ．普通預金　ウ．土地　エ．資本金　オ．当座預金　カ．借入金

12．営業活動で利用する電車およびバスの料金支払用ＩＣカードに現金￥50,000を入金し、領収証の発行を受けた。なお、入金時に全額費用に計上する方法を用いている。

ア．当座預金　イ．旅費交通費　ウ．通信費　エ．消耗品費　オ．租税公課　カ．現金

13．出張中の従業員から当座預金口座に￥60,000の振り込みがあり、詳細は不明であったが、本日、得意先鎌倉商店からの商品代金の手付金であることが判明した。

ア．仮受金　イ．前払金　ウ．売掛金　エ．買掛金　オ．前受金　カ．当座預金

14．備品（コピー複合機）が故障したため修理を行った。その修理費用￥30,000のうち￥10,000は現金で支払い、残額は月末に支払うこととした。

ア．買掛金　イ．未払金　ウ．修繕費　エ．現金　オ．通信費　カ．備品

15．関東商事株式会社は、以下の納付書にもとづき、法人税を普通預金口座から振り込んだ。

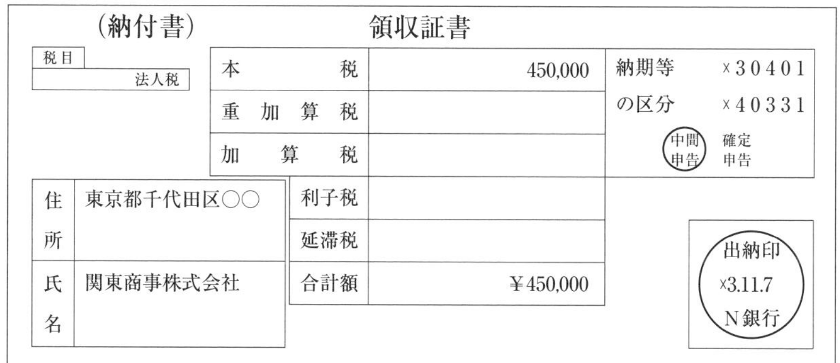

（納付書）　領収証書

税目：法人税

本税	450,000
重加算税	
加算税	
利子税	
延滞税	
合計額	￥450,000

納期等の区分　×30401　×40331

（中間申告）　確定申告

住所　東京都千代田区○○
氏名　関東商事株式会社

出納印　×3.11.7　N銀行

ア．普通預金　イ．仮払法人税等　ウ．法人税等　エ．租税公課　オ．未払法人税等
カ．未払消費税

第2問
20点

(1) 次の［資料］にもとづいて、下記の問に答えなさい。なお、商品売買に関する記帳は3分法により行い、取引銀行とは¥500,000を限度額とする当座借越契約を締結している。

［資料］ 4月中の取引

4月1日 前期末に計上した当座借越¥150,000を当座預金勘定に振り戻した。
　7日 商品¥500,000を仕入れ、代金のうち半額は小切手を振り出して支払い、残額は掛けとした。
　13日 売掛金¥450,000の回収として、当座預金口座への入金があった。
　18日 取引銀行に小切手¥100,000を振り出し、現金を引き出した。
　25日 先月末に売却した備品の代金¥351,000が当座預金口座へ振り込まれた。
　27日 短期資金として借り入れていた¥300,000の支払期限が到来したため、10か月分の利息とともに当座預金口座から返済した。なお、借入れの年利率は1.2%であり、利息は月割計算する。

問1 当座預金勘定の空欄にあてはまる適切な語句または金額を答えなさい。ただし、空欄がすべて埋まるとは限らない。摘要欄に記入する語句は下記の［語群］から最も適当と思われるものを選び、ア～サの記号で答えること。

［語群］
ア．現金　イ．売掛金　ウ．未収入金　エ．貸付金　オ．買掛金　カ．諸口
キ．借入金　ク．当座借越　ケ．受取利息　コ．仕入　サ．支払利息

問2 4月30日時点の当座預金勘定の残高の金額を答え、借方残高か貸方残高か正しいものを○で囲みなさい。

(2) 次の文の①～⑧にあてはまる最も適切な語句を下記の［語群］から選び、ア～トの記号で答えなさい。

1．給料から差し引かれる所得税の源泉徴収額は、租税公課などの（ ① ）ではなく、会社にとっては預り金として貸借対照表上（ ② ）に計上される。
2．当座預金の引出しには、一般に（ ③ ）が使われる。他社が振り出した（ ③ ）を受け取った場合、（ ④ ）として処理する。
3．前期に生じた売掛金が当期中に回収不能となった場合、前期決算日に設定された（ ⑤ ）を取り崩す。
4．決算は、決算予備手続、決算本手続の順に行われる。決算予備手続では（ ⑥ ）が作成され、決算本手続では帳簿が締め切られる。そして最終的に（ ⑦ ）が作成される。
5．売掛金勘定や買掛金勘定は、主要簿である（ ⑧ ）に収められる。主要簿には（ ⑧ ）のほか、仕訳帳がある。

［語群］

ア	試算表	イ	売掛金元帳	ウ	負債	エ	前期	オ	仕訳日計表
カ	約束手形	キ	総勘定元帳	ク	純資産	ケ	損益勘定	コ	貸倒引当金
サ	収益	シ	現金	ス	仕訳帳	セ	財務諸表	ソ	小切手
タ	受取手形	チ	貸倒引当金繰入	ツ	貸倒損失	テ	次期	ト	費用

第3問
35点

次の⑴決算整理前残高試算表および⑵決算整理事項等にもとづいて、答案用紙の貸借対照表および損益計算書を完成しなさい。なお、消費税の仮受け・仮払いは売上取引・仕入取引のみで行うものとする。会計期間は×9年1月1日から12月31日までの1年間である。

⑴　決算整理前残高試算表

借　方	勘定科目	貸　方
315,000	現金	
285,400	普通預金	
410,000	受取手形	
350,000	売掛金	
668,000	仮払消費税	
300,000	繰越商品	
1,000,000	建物	
450,000	備品	
480,000	車両運搬具	
4,300,000	土地	
	買掛金	640,000
	仮受金	180,000
	仮受消費税	956,000
	手形借入金	300,000
	貸倒引当金	5,200
	建物減価償却累計額	200,000
	備品減価償却累計額	449,999
	車両運搬具減価償却累計額	80,000
	資本金	3,600,000
	繰越利益剰余金	851,801
	売上	9,560,000
	受取地代	520,000
6,680,000	仕入	
1,800,000	給料	
104,000	支払手数料	
75,000	水道光熱費	
85,600	通信費	
30,000	旅費交通費	
10,000	支払利息	
17,343,000		17,343,000

⑵　決算整理事項等

1．12月中に従業員が立替払いした旅費交通費は¥3,000であったが未処理である。なお、当社では従業員が立替払いした旅費交通費を毎月末に未払金として計上したうえで、従業員には翌月に支払っている。
2．12月末にすべての車両運搬具を¥180,000で売却したが、受け取った代金を仮受金として処理しただけである。そこで、決算にあたり適切に修正する。なお、車両運搬具は定額法（耐用年数6年、残存価額ゼロ）により減価償却を行う。
3．期末商品の棚卸高は¥315,000であった。
4．建物については、定額法（耐用年数50年、残存価額ゼロ）により減価償却を行う。
5．備品については、すでに昨年度において当初予定していた耐用年数をむかえたが、来年度も使用し続ける予定である。そこで、今年度の減価償却は不要であり、決算整理前残高試算表の金額をそのまま貸借対照表へ記載する。
6．受取手形および売掛金に対して1％の貸倒れを見積もり、差額補充法により貸倒引当金を設定する。
7．消費税の処理（税抜方式）を行う。
8．水道光熱費について、未払費用¥7,000を計上する。
9．支払利息のうち、当期未経過高は¥2,000である。
10．決算整理前残高試算表の受取地代は来期1月分を含む13か月分である。
11．未払法人税等¥306,000を計上する。なお、中間納付は行っていない。

第6回 問題 149回改題

制限時間 60分

解答 ▶ 120
答案用紙 ▶ 22

第1問 45点

下記の各取引について仕訳しなさい。ただし、勘定科目は、設問ごとに最も適当と思われるものを選び、答案用紙の（　　）の中に記号で解答すること。なお、消費税は指示された問題のみ考慮すること。

1．新田商店に¥600,000を貸し付け、同額の約束手形を受け取り、利息¥6,000を差し引いた残額を当社の普通預金口座から新田商店の普通預金口座に振り込んだ。
　ア．普通預金　イ．受取手形　ウ．手形貸付金　エ．手形借入金　オ．支払利息　カ．受取利息

2．商品¥428,000に発送費用¥5,000を加えた合計額で販売し、代金のうち¥40,000は注文時に受け取った手付金と相殺し、残額を掛けとした。また、同時に配送業者へ商品を引き渡し、発送費用¥5,000は現金で支払った。
　ア．前払金　イ．売掛金　ウ．前受金　エ．仮受金　オ．売上　カ．買掛金　キ．発送費
　ク．現金

3．得意先大阪商店の倒産により、同店に対する売掛金（前期販売分）¥130,000が貸倒れとなった。なお、貸倒引当金の残高は¥50,000である。
　ア．貸倒損失　イ．貸倒引当金繰入　ウ．買掛金　エ．貸倒引当金　オ．現金　カ．売掛金

4．広告宣伝費¥35,000を普通預金口座から支払った。また、振込手数料として¥300が同口座から引き落とされた。
　ア．保険料　イ．広告宣伝費　ウ．支払手数料　エ．通信費　オ．普通預金　カ．受取手数料

5．不用になった備品（取得原価¥700,000、帳簿価額¥140,000、間接法で記帳）を期首に¥20,000で売却し、代金は月末に受け取ることとした。
　ア．売掛金　イ．固定資産売却損　ウ．固定資産売却益　エ．備品減価償却累計額
　オ．未収入金　カ．備品

6．当月の給料の支払いにあたり、所得税の源泉徴収額¥3,000を差し引いた残額¥150,000を普通預金口座から振り込んだ。
　ア．普通預金　イ．立替金　ウ．給料　エ．法人税等　オ．所得税預り金　カ．租税公課

7．所轄税務署より納期の特例承認を受けている源泉徴収所得税の納付として1月から6月までの合計税額¥94,000を、納付書とともに銀行において現金で納付した。
　ア．受取手形　イ．所得税預り金　ウ．買掛金　エ．現金　オ．支払手形　カ．当座預金

8．商品￥140,000を仕入れ、代金のうち￥90,000は約束手形を振り出し、残額は掛けとした。
　ア．買掛金　イ．売掛金　ウ．売上　エ．当座預金　オ．仕入　カ．支払手形

9．当期の決算を行った結果、当期純利益￥1,500,000を計上した。
　ア．雑益　イ．未収利息　ウ．繰越利益剰余金　エ．利益準備金　オ．資本金　カ．損益

10．甲銀行の当座預金口座から乙銀行の当座預金口座に￥50,000を送金した。
　ア．電子記録債務　イ．当座預金甲銀行　ウ．現金　エ．当座預金乙銀行　オ．電子記録債権
　カ．売掛金

11．電子記録債務￥100,000が決済され、同額が当座預金口座から引き落とされた。
　ア．普通預金　イ．現金　ウ．電子記録債務　エ．当座預金　オ．電子記録債権　カ．売掛金

12．商品をクレジット払いの条件で販売し、信販会社に請求していた掛代金￥50,000（手数料控除後の金額）が、当座預金口座に振り込まれた。
　ア．貸付金　イ．クレジット売掛金　ウ．売上　エ．給料　オ．支払利息　カ．当座預金

13．東京商店に振り出していた約束手形￥200,000の支払期日が到来し、当座預金口座から引き落しが行われた旨、取引銀行から連絡を受けた。
　ア．支払手形　イ．受取手形　ウ．手形借入金　エ．資本金　オ．雑損　カ．当座預金

14．前期の決算において、収入印紙￥8,000、郵便切手￥1,640を貯蔵品勘定に振り替えていたので、本日（当期首）、適切な科目に振り戻した。
　ア．現金　イ．租税公課　ウ．貯蔵品　エ．通信費　オ．消耗品費　カ．水道光熱費

15．関東商事株式会社は、以下の納付書にもとづき、法人税を普通預金口座から振り込んだ。

（納付書）　　領収証書

税目：法人税

本税	550,000
重加算税	
加算税	
利子税	
延滞税	
合計額	￥550,000

納期等の区分　×30401　×40331
中間申告　（確定申告）

住所	東京都千代田区○○
氏名	関東商事株式会社

出納印　×4.5.20　N銀行

　ア．普通預金　イ．仮払法人税等　ウ．法人税等　エ．租税公課　オ．未払法人税等
　カ．未払消費税

第2問
20点

(1) 当社では毎年11月1日に向こう1年分の保険料¥24,000を支払っていたが、今年の支払額は10%アップして¥26,400となった。そこで、この保険料に関連する下記の勘定の空欄のうち、(①)～(④)には次に示した[語群]の中から適切な語句を選択し、ア～キの記号で答えるとともに、(a)～(b)には適切な金額を記入しなさい。なお、会計期間は4月1日から3月31日までであり、前払保険料は月割計算している。

[語群] ア．前期繰越　イ．次期繰越　ウ．損益　エ．現金　オ．未払金
カ．保険料　キ．前払保険料

保　険　料

4/1 (①)	( )	3/31 ( )	( )
11/1 現　金	26,400	〃 (②)	( )
	( )		( )
4/1 ( )	(b)		

( ) 保 険 料

4/1 ( )	(a)	4/1 ( )	( )
3/31 ( )	( )	3/31 (③)	( )
	29,400		29,400
4/1 ( )	( )	4/1 (④)	( )

(2) 次の文の①から④にあてはまる最も適切な語句を下記の[語群]から選び、ア～シの記号で答えなさい。

1．貸倒引当金は受取手形や売掛金などに対する(①)勘定である。
2．買掛金元帳は、仕入先ごとの買掛金の増減を記録する(②)である。
3．株式会社が繰越利益剰余金を財源として配当を行ったときは、会社法で定められた上限額に達するまでは一定額を(③)として積み立てなければならない。
4．3伝票制を採用している場合、入金伝票と出金伝票の他に、通常(④)伝票が用いられる。

[語群]
ア．仕入　イ．売上　ウ．主要簿　エ．補助簿　オ．資産　カ．負債
キ．評価　ク．残高　ケ．振替　コ．起票　サ．利益準備金　シ．資本金

第3問 35点

次の［資料1］と［資料2］にもとづいて、下記の問に答えなさい。なお、消費税の仮受け・仮払いは売上取引・仕入取引のみで行うものとする。会計期間は×8年4月1日から×9年3月31日までの1年間である。

［資料1］

決算整理前残高試算表

借　方	勘定科目	貸　方
97,000	現金	
	当座預金	197,000
911,000	普通預金	
558,000	売掛金	
340,000	仮払消費税	
150,000	仮払法人税等	
290,000	繰越商品	
2,000,000	建物	
800,000	備品	
3,300,000	土地	
	買掛金	539,000
	仮受消費税	660,000
	貸倒引当金	5,000
	建物減価償却累計額	500,000
	備品減価償却累計額	200,000
	資本金	3,150,000
	繰越利益剰余金	1,470,000
	売上	6,600,000
	受取手数料	140,000
3,400,000	仕入	
1,500,000	給料	
55,000	旅費交通費	
60,000	保険料	
13,461,000		13,461,000

［資料2］決算整理事項等

1．現金の手許有高は¥96,000であり、帳簿残高との差額は雑損または雑益とする。
2．当座預金勘定の貸方残高の全額を借入金勘定に振り替える。なお、取引銀行とは借越限度額¥1,000,000の当座借越契約を締結している。
3．売掛金¥158,000が普通預金口座に振り込まれていたが、この取引が未記帳であった。
4．売掛金の期末残高に対して2％の貸倒引当金を差額補充法により設定する。
5．期末商品棚卸高は¥350,000である。
6．有形固定資産について、次の要領で定額法により減価償却を行う。
　建物：残存価額ゼロ、耐用年数40年
　備品：残存価額ゼロ、耐用年数5年
　なお、残高試算表の備品の金額のうち¥300,000は×8年10月1日に取得したものである。新規取得分についても同様の条件で減価償却をするが、減価償却費は月割計算する。
7．受取手数料の前受分が¥20,000ある。
8．消費税の処理（税抜方式）を行う。
9．保険料のうち¥48,000は×8年7月1日に向こう1年分を支払ったものである。したがって、前払分を月割で計上する。
10．法人税、住民税及び事業税が¥490,000と算定されたので、仮払法人税等との差額を未払法人税等として計上する。

問1　答案用紙の決算整理後残高試算表を完成しなさい。

問2　当期純利益または当期純損失のどちらか適切な方を○で囲むとともに、その金額を答えなさい。なお、金額欄は金額のみを記入し、当期純損失の場合でも「－」や「△」はつけないこと。

第7回 問題

150回改題

制限時間 60分

解答 ▶ 132
答案用紙 ▶ 26

第1問 45点

下記の各取引について仕訳しなさい。ただし、勘定科目は、設問ごとに最も適当と思われるものを選び、答案用紙の（　　）の中に記号で解答すること。なお、消費税は指示された問題のみ考慮すること。

1．新店舗を開設する目的で、土地750㎡を、1㎡当たり¥55,000で購入し、土地代金は月末に支払うことにした。なお、不動産会社への手数料¥500,000、および売買契約書の印紙代¥20,000（この印紙代は費用処理すること）は、普通預金口座から支払った。
　ア．土地　イ．現金　ウ．買掛金　エ．未払金　オ．租税公課　カ．普通預金

2．仕入勘定において算定された売上原価¥2,800,000を損益勘定に振り替えた。
　ア．現金　イ．損益　ウ．保険料　エ．売上　オ．仕入　カ．繰越商品

3．現金の帳簿残高が実際有高より¥10,000少なかったので現金過不足として処理していたが、決算日において、受取手数料¥15,000と旅費交通費¥7,000の記入漏れが判明した。残額は原因が不明であったので、雑益または雑損として処理する。
　ア．受取手数料　イ．雑益　ウ．現金過不足　エ．雑損　オ．現金　カ．旅費交通費

4．保有する建物について¥16,000,000の改良（資本的支出）と、¥4,000,000の修繕（収益的支出）を行い、代金は普通預金口座から支払った。
　ア．現金　イ．修繕費　ウ．土地　エ．建物　オ．売上　カ．普通預金

5．収入印紙¥8,000を購入し、代金は現金で支払った。なお、この収入印紙はただちに使用した。
　ア．通信費　イ．消耗品費　ウ．現金　エ．仮払金　オ．租税公課　カ．売上

6．千葉商店から商品¥280,000を仕入れ、代金のうち¥80,000は小切手、残額は約束手形をそれぞれ振り出して支払った。
　ア．支払手形　イ．受取手形　ウ．当座預金　エ．買掛金　オ．現金　カ．仕入

7．業務で使用する目的でコピー複合機¥540,000を購入し、搬入設置費用¥20,000を含めた¥560,000のうち¥260,000は小切手を振り出して支払い、残額は翌月以降の分割払いとした。
　ア．買掛金　イ．備品　ウ．仕入　エ．当座預金　オ．借入金　カ．未払金

8．商品¥15,000を売り上げ、代金は信販会社が発行した商品券¥10,000および現金で受け取った。
　ア．現金　イ．前受金　ウ．売掛金　エ．受取商品券　オ．売上　カ．受取手数料

9．前月の仕入れにかかる掛け代金¥700,000を普通預金口座から振り込んだ。また、振込手数料として¥1,000が同口座から引き落とされた。
　ア．現金　イ．普通預金　ウ．買掛金　エ．仕入　オ．支払手数料　カ．支払手形

10. 決算の結果、確定した税引前当期純利益について法人税、住民税及び事業税が￥350,000と計算された。本年度は中間納付を行っていない。
　ア．未払法人税等　イ．未払消費税　ウ．繰越利益剰余金　エ．資本金　オ．仮払法人税等
　カ．法人税、住民税及び事業税

11. 岐阜商店より、商品売上げの対価として受け取っていた同店振り出しの約束手形￥190,000につき、手形期日である本日、当座預金口座に入金済みの連絡を受けた。
　ア．現金　イ．当座預金　ウ．売上　エ．受取手形　オ．受取利息　カ．支払手形

12. 栃木（株）に対する貸付金￥500,000を、１年の利息とともに同社振り出しの小切手で回収した。なお、利息は年利２％である。
　ア．現金　イ．当座預金　ウ．貸付金　エ．支払利息　オ．受取手数料　カ．受取利息

13. 出張中の従業員から当座預金口座に￥85,000の入金があった。このうち、￥60,000については、得意先京都商店から注文を受けた際に受領した手付金であることが判明しているが、残額￥25,000の詳細は不明であった。
　ア．売上　イ．前受金　ウ．仮払金　エ．当座預金　オ．仮受金　カ．通信費

14. 商品￥50,000を仕入れ、代金のうち￥15,000は現金で支払い、残額は掛けとした取引について、出金伝票を次のように作成したとき、振替伝票に記入される仕訳を答えなさい。なお、３伝票制を採用しており、商品売買取引の処理は３分法により行っている。

出 金 伝 票
×2年５月28日
（買掛金）　15,000

　ア．買掛金　イ．現金　ウ．仕入　エ．売上　オ．売掛金　カ．普通預金

15. かねて横浜株式会社に商品を売り上げ、適正に処理（消費税については税抜方式で記帳）するとともに以下の納品書兼請求書を送付していたが、本日、請求した合計金額が振り込まれた。

納品書　兼　請求書

横浜株式会社　御中

×3年５月10日

ご請求金額　￥180,400

神奈川物産株式会社

品　名	数　量	単　価	金　額
A品	25	2,000	￥ 50,000
B品	30	3,800	￥114,000
	消費税（10%）		￥ 16,400
	合　計		￥180,400

×3年６月30日までに合計代金を下記口座にお振込みください。
振込手数料はご負担ください。
○○銀行　元町支店　普通　0101825　カナガワブツサン（カ

　ア．未収入金　イ．当座預金　ウ．仮払消費税　エ．普通預金　オ．仮受消費税　カ．売掛金

第2問
20点

(1) 以下の［資料1］と［資料2］にもとづいて、下記の問に答えなさい。

［資料1］ ×3年6月1日現在の売掛金に関する状況

1．総勘定元帳における売掛金勘定の残高は¥387,000である。
2．売掛金元帳（得意先元帳）における東京商店に対する売掛金の残高は¥230,000、箱根商店に対する売掛金の残高は¥（各自計算）である。なお、当社の得意先は東京商店と箱根商店だけである。

［資料2］ ×3年6月中の取引

7日　岐阜商店から商品¥240,000を仕入れ、代金は掛けとした。なお、引取運賃¥2,500は現金で支払った。

12日　東京商店に商品¥78,000を売り渡し、代金は掛けとした。

15日　箱根商店に対する売掛金¥50,000が当座預金口座に振り込まれた。

19日　箱根商店に商品¥63,000を売り渡し、代金は掛けとした。

22日　19日に箱根商店に売り渡した商品のうち¥5,000が返品され、掛代金から差し引くこととした。

29日　東京商店に対する売掛金¥49,000が当座預金口座に振り込まれた。

問1　下記の補助簿のうち、6月7日、12日、15日および22日の取引で記入される補助簿の数を算用数字で答えなさい。

現金出納帳	当座預金出納帳	商品有高帳	売掛金元帳
買掛金元帳	仕入帳	売上帳	支払手形記入帳
受取手形記入帳	固定資産台帳	小口現金出納帳	

問2　6月中の純売上高を答えなさい。

問3　6月末における箱根商店に対する売掛金の残高を答えなさい。

(2) 答案用紙の固定資産台帳について、下記の問に答えなさい。

有形固定資産の減価償却は定額法、残存価額ゼロで計算し、期中に取得または売却したときは月割りで償却を行う。会計期間は4月1日～3月31日までの1年間である。

問1　答案用紙は、×7年3月31日における決算整理後の固定資産台帳である。（　　）に金額を記入しなさい。

問2　×7年6月30日に備品Aを¥750,000で売却した場合、固定資産売却損益はいくらになるか答えなさい。なお、（　　）には「損」または「益」を記入しなさい。

第3問
35点

次の決算整理事項等にもとづいて、下記の問に答えなさい。なお、消費税の仮受け・仮払いは売上取引・仕入取引のみで行い、税抜方式による。会計期間は４月１日から３月31日までの１年間である。

決算整理事項等

1．当期に仕入れていた商品を決算日前に返品し、￥77,000（消費税10％込み）を掛代金から差し引くこととしたが、この取引が未記帳であった。

2．小口現金係から次のとおり小口現金を使用したことが報告されたが、未記帳であった。なお、この報告にもとづく補給は翌期に行うこととした。

　　文房具　￥3,000（使用済み）　　電車賃　￥5,100

3．残高試算表欄の土地の半額分は売却済みであったが、代金￥1,300,000を仮受金としたのみであるため、適切に修正する。

4．残高試算表欄の保険料のうち￥180,000は当期の８月１日に向こう１年分として支払ったものであるが、２月中に解約した。保険会社から３月１日以降の保険料が月割で返金される旨の連絡があったため、この分を未収入金へ振り替える。

5．受取手形および売掛金の期末残高合計に対して２％の貸倒引当金を差額補充法により設定する。

6．期末商品棚卸高は￥330,000（1．の返品控除後）である。売上原価は「仕入」の行で計算するが、期末商品棚卸高については返品控除後の金額を用いる。

7．消費税の処理を行う。

8．建物および備品について次のとおり定額法で減価償却を行う。

　　建物：残存価額は取得原価の10％、耐用年数24年

　　備品：残存価額ゼロ、耐用年数５年

9．給料の未払分が￥45,000ある。

10．手形借入金は当期の２月１日に借入期間１年、利率年4.5％で借り入れたものであり、借入時に１年分の利息が差し引かれた金額を受け取っている。そこで、利息の前払分を月割により計上する。

11．法人税、住民税及び事業税を￥264,000計上する。なお、中間納付は行っていない。

問1　答案用紙の精算表を完成しなさい。

問2　決算整理後の土地の帳簿価額を答えなさい。

第8回 問題 151回改題 制限時間60分

解答▶145
答案用紙▶30

第1問 45点

下記の各取引について仕訳しなさい。ただし、勘定科目は、設問ごとに最も適当と思われるものを選び、答案用紙の（　）の中に記号で解答すること。なお、消費税は指示された問題のみ考慮すること。

1．かねて販売した商品￥350,000の返品を受けたため、掛代金から差し引くこととした。
ア．仕入　イ．現金　ウ．売掛金　エ．未収入金　オ．売上　カ．買掛金

2．販売用の中古車を￥850,000で購入し、代金は掛けとした。なお、当社は中古車販売業を営んでいる。
ア．車両運搬具　イ．仕入　ウ．保険料　エ．買掛金　オ．備品　カ．未払金

3．土地付き建物￥4,000,000（うち建物￥1,000,000、土地￥3,000,000）を購入し、売買手数料（それぞれの代金の３％）を加えた総額を普通預金口座から振り込むとともに引渡しを受けた。
ア．建物　イ．当座預金　ウ．備品　エ．土地　オ．現金　カ．普通預金

4．従業員が業務のために立て替えた１か月分の諸経費は次のとおりであった。そこで、来月の給料に含めて従業員へ支払うこととし、未払金として計上した。
電車代　￥6,750　　タクシー代　￥4,500　　書籍代（消耗品費）　￥5,000
ア．小口現金　イ．未払金　ウ．旅費交通費　エ．建物　オ．給料　カ．消耗品費

5．借入金（元金均等返済）の今月返済分の元本￥200,000および利息（各自計算）が普通預金口座から引き落とされた。利息の引落額は未返済の元本￥1,000,000に利率年3.65％を適用し、30日分の日割計算（１年を365日とする）した額である。
ア．普通預金　イ．支払手数料　ウ．現金　エ．借入金　オ．支払利息　カ．貸付金

6．臨時で株主総会を開催し、繰越利益剰余金残高￥500,000から次のとおり処分することが承認された。なお、株主配当金はただちに普通預金口座から振り込んだ。
株主配当金　￥400,000　　利益準備金の積立て　￥40,000
ア．繰越利益剰余金　イ．現金　ウ．借入金　エ．利益準備金　オ．普通預金　カ．支払手数料

7．従業員の健康保険料￥240,000を普通預金口座より納付した。このうち従業員負担分￥120,000は、給料支給時に控除した社会保険料の預り分であり、残額は会社負担分である。
ア．通信費　イ．社会保険料預り金　ウ．普通預金　エ．所得税預り金　オ．租税公課
カ．法定福利費

8．得意先が倒産し、売掛金￥230,000（内訳：前期販売分￥180,000、当期販売分￥50,000）について、貸倒れの処理を行う。なお、貸倒引当金の残高は￥150,000である。
ア．売掛金　イ．現金　ウ．貸倒引当金　エ．雑損　オ．貸倒損失　カ．未収入金

9．従業員の給料¥300,000から所得税の源泉徴収額¥35,000および従業員貸付金の元本返済額¥50,000を差し引いた残額を当座預金口座から振り込んだ。

ア．現金　イ．従業員貸付金　ウ．売掛金　エ．給料　オ．当座預金　カ．所得税預り金

10．埼玉株式会社に商品¥400,000（仕入原価¥250,000）を売り渡し、代金のうち¥100,000は同社振り出しの小切手で、残額は同社振り出しの約束手形でそれぞれ受け取った。

ア．当座預金　イ．現金　ウ．売上　エ．仕入　オ．受取手形　カ．支払手数料

11．店舗の賃貸借契約を解約し、契約時に支払っていた保証金（敷金）について、修繕費¥200,000が差し引かれた残額分の¥600,000が当座預金口座へ振り込まれた。

ア．差入保証金　イ．建物　ウ．支払手数料　エ．当座預金　オ．支払手形　カ．修繕費

12．備品（取得原価¥800,000、残存価額ゼロ、耐用年数8年）を4年間使用してきたが、5年目の期首に¥350,000で売却し、代金は翌月末に受け取ることとした。減価償却費は定額法で計算し、記帳は間接法を用いている。

ア．固定資産売却損　イ．備品減価償却累計額　ウ．売掛金　エ．備品　オ．未収入金
カ．固定資産売却益

13．商品¥100,000をクレジット払いの条件で販売した。なお、販売代金の2％にあたる金額を信販会社へのクレジット手数料として計上し、信販会社に対する債権から控除する。

ア．当座預金　イ．支払手数料　ウ．売上　エ．借入金　オ．支払利息　カ．クレジット売掛金

14．売掛金¥660,000のうち¥560,000を得意先振り出しの小切手で回収し、残額の¥100,000は得意先振り出しの約束手形で回収した。

ア．受取手形　イ．仮受金　ウ．現金　エ．受取商品券　オ．売掛金　カ．定期預金

15．株式会社宮城商事に商品を売り上げ、品物とともに次の納品書兼請求書を発送し、代金は掛けとした。なお、消費税については、税抜方式で記帳する。

納品書　兼　請求書

株式会社宮城商事　御中　　　×9年10月20日

岩手商事株式会社

（登録番号 T1234567890123）

品　名	数　量	単　価	金　額
S商品	150	200	¥　30,000
T商品	100	350	¥　35,000
	消費税		¥　6,500
	合　計		¥　71,500

×9年11月20日までに合計額を下記口座にお振り込みください。

日商銀行××支店　普通　1234567　イワテシヨウジ（カ

ア．買掛金　イ．売上　ウ．仮払消費税　エ．売掛金　オ．未収入金　カ．仮受消費税

⑴ 日商商事株式会社の10月中の買掛金に関する取引の勘定記録は以下のとおりである。下記勘定の空欄のうち、（A）～（E）には次に示した［語群］の中から適切な語句を選択し、ア～カの記号で答えるとともに、（①）～（⑦）には適切な金額を記入しなさい。なお、仕入先は下記２店のみとし、各勘定は毎月末に締め切っている。

［語群］ ア 前月繰越　イ 次月繰越　ウ 現金　エ 普通預金
オ 仕入　カ 買掛金

総勘定元帳

買掛金

10/9	仕入	（　　）	10/1	前月繰越	330,000
15	（ A ）	331,000	8	（ D ）	（ ③ ）
（　）	仕入	（ ① ）	（　）	（　　）	821,000
25	（ B ）	（ ② ）			
31	（ C ）	293,000			
		（　　）			（　　）

買掛金元帳

北海道商店

10/22	（　　）	（　　）	10/1	（　　）	210,000
25	普通預金払い	925,000	21	仕入れ	（　　）
31	（　　）	（ ④ ）			
		1,031,000			1,031,000

沖縄商店

10/9	返品	（ ⑤ ）	10/1	（ E ）	（ ⑥ ）
15	現金払い	（ ⑦ ）	8	仕入れ	418,000
31	（　　）	198,000			
		（　　）			（　　）

⑵ 次の10月におけるA商品に関する［資料］にもとづいて、（①）～（④）に入る適切な数値を答案用紙に記入しなさい。なお、A商品の払出単価の決定方法として先入先出法を用いている。

［資料］

商品有高帳

（先入先出法）　　A 商品

×8年		摘要	受入			払出			残高		
			数量	単価	金額	数量	単価	金額	数量	単価	金額
10	1	前月繰越	（　）	（　）	5,200				（　）	（　）	5,200
	10	仕入	（　）	（　）	（　）				（　）	（ ① ）	（　）
	20	売上				（ ② ）	（ ③ ）	（　）			
						90	（　）	（ ④ ）	（　）	（　）	（　）
	25	仕入	50	125	6,250				（　）	（　）	（　）

仕　入　帳

×8年		摘　　要		金　額
10	10	東京商店	掛	
		A商品　100個　@ ¥ 120		12,000
	25	山口販売㈱	掛	
		A商品　(?)個　@ ¥(?)		(　?　)

売　上　帳

×8年		摘　　要		金　額
10	20	㈱秋田商店	掛	
		A商品　130個　@ ¥ 220		28,600

第3問
35点

次の［資料1］および［資料2］にもとづいて、答案用紙の貸借対照表と損益計算書を完成しなさい。なお、消費税の仮受け・仮払いは売上取引・仕入取引のみで行うものとする。会計期間は×3年1月1日から12月31日までの1年間である。

［資料1］

決算整理前残高試算表

借　方	勘定科目	貸　方
185,000	現金	
3,000	現金過不足	
928,000	普通預金	
568,000	売掛金	
550,000	仮払消費税	
120,000	仮払法人税等	
198,000	繰越商品	
3,000,000	建物	
600,000	備品	
2,500,000	土地	
	買掛金	861,000
	仮受金	68,000
	仮受消費税	880,000
	貸倒引当金	4,000
	建物減価償却累計額	1,200,000
	車両運搬具減価償却累計額	700,000
	資本金	3,000,000
	繰越利益剰余金	1,396,000
	売上	8,800,000
	受取手数料	36,000
5,500,000	仕入	
1,760,000	給料	
165,000	水道光熱費	
48,000	保険料	
30,000	通信費	
790,000	固定資産売却損	
16,945,000		16,945,000

［資料2］　決算整理事項等

1．現金¥50,000を普通預金口座に預け入れたが、この取引が未処理である。
2．過日発生した現金過不足について調査をしたところ、¥2,000については通信費の記帳漏れであることが判明したが、残額については不明のため雑損または雑益で処理する。
3．仮受金は、全額が売掛金の回収であることが判明した。
4．期首に車両運搬具（取得原価¥800,000、減価償却累計額¥700,000）を¥10,000で売却し、代金は現金で受け取った際に、以下の仕訳を行っただけなので、適切に修正する。

　（借方）現　　　金　10,000
　　　　固定資産売却損　790,000
　　　　　（貸方）車両運搬具　800,000

5．売掛金の期末残高に対して2％の貸倒引当金を差額補充法により設定する。
6．期末商品棚卸高は¥235,000である。
7．建物および備品について、以下の要領でそれぞれ定額法により減価償却を行う。
　建物：残存価額ゼロ　耐用年数30年
　備品：残存価額ゼロ　耐用年数5年
　なお、備品は全額当期の8月1日に購入したものであり、減価償却費は月割計算する。
8．消費税の処理（税抜方式）を行う。
9．保険料の前払額が¥12,000ある。
10．受取手数料は全額当期の12月1日に向こう1年分の手数料を受け取ったものであるため、前受額を月割で計上する。
11．法人税、住民税及び事業税を¥330,000計上する。なお、中間納付額を仮払法人税等勘定に計上している。

第9回 問題

解　答 ▶ 159
答案用紙 ▶ 34

第1問
45点

下記の各取引について仕訳しなさい。ただし、勘定科目は、設問ごとに最も適当と思われるものを選び、答案用紙の（　　）の中に記号で解答すること。なお、消費税は指示された問題のみ考慮すること。

1．建物および土地の固定資産税￥400,000の納付書を受け取り、未払金に計上することなく、ただちに普通預金口座から振り込んで納付した。
　ア．現金　イ．租税公課　ウ．通信費　エ．普通預金　オ．仕入　カ．土地

2．かねて手形を振り出して借り入れていた￥800,000の返済期日をむかえ、同額が当座預金口座から引き落とされるとともに、手形の返却を受けた。
　ア．手形借入金　イ．支払手形　ウ．未払金　エ．手形貸付金　オ．支払利息　カ．当座預金

3．従業員が出張から帰社し、旅費の精算を行ったところ、あらかじめ概算額で仮払いしていた￥40,000では足りず、不足額￥20,000を従業員が立替払いしていた。なお、この不足額は次の給料支払時に従業員へ支払うため、未払金として計上した。
　ア．未払金　イ．貸付金　ウ．旅費交通費　エ．借入金　オ．仮払金　カ．通信費

4．1株当たり￥100,000で20株の株式を発行し、合計￥2,000,000の払込みを受けて株式会社を設立した。払込金はすべて当座預金口座に預け入れられた。
　ア．繰越利益剰余金　イ．資本金　ウ．現金　エ．受取家賃　オ．雑損　カ．当座預金

5．事務用のオフィス機器￥440,000とコピー用紙￥6,000を購入し、代金の合計を普通預金口座から振り込んだ。
　ア．消耗品費　イ．給料　ウ．普通預金　エ．仮払金　オ．備品　カ．建物

6．決算にあたり、当座預金勘定の貸方残高￥360,000を借入金勘定に振り替える。なお、当社は取引銀行との間に￥1,000,000を借越限度額とする当座借越契約を締結している。
　ア．未収入金　イ．買掛金　ウ．当座預金　エ．未払金　オ．貸付金　カ．借入金

7．得意先金沢商店に対して期間7か月、年利率2.4％で￥500,000を貸し付けていたが、本日満期日のため利息とともに現金で返済を受けた。
　ア．受取利息　イ．現金　ウ．借入金　エ．資本金　オ．貸付金　カ．支払利息

8．商品売上げの対価として受け取っていた共通商品券￥80,000を金融機関で換金し、現金を受け取った。
　ア．当座預金　イ．受取商品券　ウ．未払金　エ．受取手形　オ．通信費　カ．現金

9．商品を￥67,000で仕入れ、代金は掛けとしていたが、誤って貸借逆に記帳していたことが判明したので、これを訂正する。なお、訂正にあたっては、記録の誤りのみを部分的に修正する方法によること。
　ア．普通預金　イ．消耗品費　ウ．買掛金　エ．資本金　オ．仕入　カ．建物

10．以前に取引先に注文していた商品￥120,000が手許に届いた。なお、同商品の注文に際しては代金の3割に相当する額を内金として小切手を振り出して支払っており、代金の残額は次月末に支払うことになっている。なお、商品の引取運賃￥4,000は着払いとなっているため配送業者に現金で支払った。
　ア．仕入　イ．当座預金　ウ．未払金　エ．前払金　オ．現金　カ．買掛金

11．得意先に対する売掛金￥420,000につき、取引銀行より電子記録債権の発生記録の通知を受けた。
　ア．現金　イ．売掛金　ウ．支払手数料　エ．買掛金　オ．電子記録債務　カ．電子記録債権

12．買掛金の支払いとして￥100,000の約束手形を振り出し、仕入先に対して郵送した。なお、郵便代金￥850は現金で支払った。
　ア．支払手数料　イ．買掛金　ウ．現金　エ．支払手形　オ．通信費　カ．当座預金

13．仕入先に商品￥150,000を注文し、手付金として代金の40％を小切手を振り出して支払った。
　ア．前払金　イ．仕入　ウ．立替金　エ．現金　オ．当座預金　カ．前受金

14．先月秋田商店に掛売りした商品￥6,400が品違いのため返品され、掛代金から差し引くこととした。
　ア．普通預金　イ．売掛金　ウ．仮払金　エ．支払手形　オ．受取利息　カ．売上

15．千代田物産株式会社は商品を仕入れ、品物とともに以下の納品書兼請求書を受け取り、代金は掛けとした。

納品書　兼　請求書

千代田物産株式会社　御中

目黒商事株式会社

品　名	数　量	単　価	金　額
A商品	12	6,000	￥ 72,000
B商品	18	4,200	￥ 75,600
	配送料		￥ 1,800
	合　計		￥149,400

×3年9月30日までに合計額を下記口座へお振込みください。
原宿銀行青山支店　当座　1234567　メグロシヨウジ（カ

　ア．買掛金　イ．売掛金　ウ．仕入　エ．当座預金　オ．発送費　カ．現金

第2問 20点

(1) 次の［資料］にもとづいて、下記の問に答えなさい。なお、商品売買取引の処理は3分法により行っている。

［資料］ ×1年6月中の取引

5日 先月に京都商会株式会社から現金で仕入れた商品のうち¥150,000を品違いのため返品し、同社振出しの小切手で返金を受けた。

19日 土地80㎡を1㎡当たり¥24,000で取得し、代金は小切手を振り出して支払った。なお、整地費用¥76,000は現金で支払った。

21日 四国商事株式会社に商品¥675,000を売り上げ、代金のうち¥80,000は注文時に同社から受け取った手付金と相殺し、残額は当座預金とした。

28日 大阪商会株式会社に対する売掛金¥444,000（前期販売分）について、本日、¥300,000が当座預金口座に振り込まれ、残額については貸倒れとして処理した。なお、貸倒引当金の残高は¥140,000である。

問1 ×1年6月中の取引が、答案用紙に示されたどの補助簿に記入されるか答えなさい。なお、解答にあたっては、各取引が記入されるすべての補助簿の欄に○印をつけること。

問2 ×1年11月30日に、×1年6月19日に取得した土地すべてを1㎡当たり¥27,000で売却した。この売却取引から生じた固定資産売却損益の金額を答えるとともに、損か益かのいずれかを○で囲みなさい。

問3 6月末の当座預金勘定の残高について、金額を答えるとともに借方残高か貸方残高か正しいものを○で囲みなさい。6月1日現在の当座預金勘定は¥1,151,000の借方残高である。

(2) 下記の【取引内容】にもとづいて、当期（×6年4月1日から×7年3月31日）における答案用紙の受取利息勘定と未収利息勘定の空欄にあてはまる適切な語句または金額（次期の開始記入も含む）を答えなさい。入出金はすべて普通預金とし、利息計算は受け払いも含めて月割計算とする。

解答にあたり、［摘要欄］の語句は以下から選択してア～コの記号で記入しなさい。この設問の中で複数回使用してよい。

ア．支払利息	イ．受取利息	ウ．損　　益	エ．前期繰越	オ．次期繰越
カ．普通預金	キ．未収利息	ク．前払利息	ケ．未払利息	コ．前受利息

【取引内容】

前期の×5年12月1日に取引先に対して¥3,800,000（期間1年、利息は利率年2.4％で満期に受け取り）を貸し付けた。この貸し付けについては、予定どおり利息とともに元本を回収している。

また、当期の×6年12月1日に取引先に対して¥3,400,000（期間1年、利息は利率年2.1％で満期に受け取り）を貸し付けた。

第3問
35点

次の(1)決算整理前残高試算表と(2)決算整理事項等にもとづいて、答案用紙の貸借対照表と損益計算書を完成しなさい。消費税の仮受け・仮払いは、売上取引・仕入取引のみで行うものとする。なお、取引銀行との間で￥700,000を借越限度額とする当座借越契約を結んでいる。会計期間は×2年４月１日から×3年３月31日までの１年間である。

(1)

決算整理前残高試算表

借　方	勘定科目	貸　方
199,100	現金	
240,000	普通預金	
	当座預金	163,000
500,000	受取手形	
488,000	売掛金	
595,600	仮払消費税	
150,000	仮払法人税等	
180,000	繰越商品	
1,080,000	備品	
4,900,000	土地	
	買掛金	650,000
	借入金	600,000
	仮受消費税	960,000
	貸倒引当金	2,000
	備品減価償却累計額	525,000
	資本金	3,000,000
	繰越利益剰余金	1,500,000
	売上	9,600,000
5,956,000	仕入	
2,160,000	給料	
265,000	支払家賃	
33,400	水道光熱費	
55,000	通信費	
20,900	保険料	
165,000	減価償却費	
12,000	支払利息	
17,000,000		17,000,000

(2)　決算整理事項等

1．現金の実際有高は￥196,100であった。帳簿残高との差額のうち￥2,500は通信費の記入漏れであることが判明したが、残額は不明のため雑損または雑益として記載する。
2．受取手形￥280,000が決済され、当座預金口座に入金されたとの通知を受けたが、未処理であった。
3．売掛代金の当座預金口座への入金￥81,000の取引が、誤って借方・貸方ともに￥18,000と記帳されていたので、その修正を行った。
4．当月の水道光熱費￥3,800が普通預金口座から引き落とされていたが、未処理であった。
5．受取手形と売掛金の期末残高に対して２％の貸倒引当金を差額補充法により設定する。
6．期末商品棚卸高は￥156,000である。
7．備品について、残存価額をゼロ、耐用年数を６年とする定額法により減価償却を行う。なお、当社では減価償却費を毎月末に１か月分計上している。
8．消費税の処理（税抜方式）を行う。
9．借入金は×2年７月１日に借入期間１年、利率年４％で借り入れたもので、利息は12月末日と返済日に６か月分をそれぞれ支払うことになっている。利息の計算は月割による。
10．支払家賃のうち￥135,000は×3年２月１日に向こう６か月分を支払ったものである。そこで、前払分を月割により計上する。
11．法人税、住民税及び事業税を￥288,000計上する。なお、中間納付額を仮払法人税等勘定に計上している。

第10回 問題

解　答 ▶ 173
答案用紙 ▶ 38

第1問
45点

下記の各取引について仕訳しなさい。ただし、勘定科目は、設問ごとに最も適当と思われるものを選び、答案用紙の（　　）の中に記号で解答すること。なお、消費税は指示された問題のみ考慮すること。

1．収入印紙￥36,000、郵便切手￥5,880を購入し、いずれも費用として処理していたが、決算日に収入印紙￥9,000、郵便切手￥1,680が未使用であることが判明したため、これらを貯蔵品勘定に振り替えることとした。
　ア．現金　イ．租税公課　ウ．繰越商品　エ．通信費　オ．消耗品費　カ．貯蔵品

2．従業員にかかる健康保険料￥120,000を普通預金口座から納付した。このうち￥60,000は、かねて源泉徴収した従業員負担分であり、残額は会社負担分である。
　ア．社会保険料預り金　イ．保険料　ウ．普通預金　エ．支払手数料　オ．法定福利費
　カ．当座預金

3．営業の用に供している建物の修繕を行い、代金￥276,000は来月末に支払うこととした。
　ア．普通預金　イ．修繕費　ウ．建物　エ．買掛金　オ．消耗品費　カ．未払金

4．取引銀行から借り入れていた￥1,500,000の支払期日が到来したため、元利合計を当座預金口座から返済した。なお、借入れにともなう利率は年2.19%であり、借入期間は80日であった。利息は1年を365日として日割計算する。
　ア．支払利息　イ．資本金　ウ．借入金　エ．発送費　オ．当座預金　カ．仕入

5．月末に金庫を実査したところ、紙幣￥120,000、硬貨￥6,900、得意先振り出しの小切手￥20,000、約束手形￥100,000、郵便切手￥1,400が保管されていたが、現金出納帳の残高は￥147,000であった。不一致の原因を調べたがすぐに判明しなかったので、現金過不足勘定で処理することにした。
　ア．通信費　イ．現金過不足　ウ．受取手形　エ．未払金　オ．現金　カ．当座預金

6．出店用の土地150㎡を1㎡あたり￥30,000で購入し、購入手数料￥195,000を含む代金の全額を後日支払うこととした。また、この土地の整地費用￥150,000を現金で支払った。
　ア．現金　イ．発送費　ウ．未払金　エ．仕入　オ．買掛金　カ．土地

7．従業員の給料￥250,000の支給に際し、所得税の源泉徴収額￥25,000と従業員への立替額￥15,000を差し引き、残額を当座預金口座から従業員の預金口座へ振り替えて支給した。
　ア．給料　イ．貸付金　ウ．法定福利費　エ．所得税預り金　オ．当座預金　カ．従業員立替金

8．銀行で当座預金口座を開設し、￥1,000,000を普通預金口座からの振り替えにより当座預金口座に入金した。また、小切手帳の交付を受け、手数料として￥2,000を現金で支払った。

ア．仮払金　イ．普通預金　ウ．支払手数料　エ．現金　オ．当座預金　カ．支払利息

9．京都商店より商品￥180,000を仕入れ、代金のうち￥84,000は注文時に支払っていた手付金を充当し、残額については約束手形を振り出して支払った。なお、商品の引取運賃￥2,500は現金で支払った。

ア．前払金　イ．当座預金　ウ．支払手形　エ．仕入　オ．受取手形　カ．現金

10. 仕入先に対する買掛金￥320,000について、電子記録債務の発生記録の請求を行った。

ア．当座預金　イ．買掛金　ウ．支払手形　エ．売掛金　オ．電子記録債務　カ．電子記録債権

11. 決算にあたり消費税の納付額を計算し、これを確定した。なお、消費税の仮払分は￥215,000、仮受分は￥460,000であり、消費税の記帳方法として税抜方式を採用している。

ア．仮受消費税　イ．法人税等　ウ．租税公課　エ．仮払消費税　オ．支払家賃
カ．未払消費税

12. 前期からの電子記録債権￥50,000が貸倒れとなった。貸倒引当金の残高はゼロである。

ア．支払手数料　イ．電子記録債権　ウ．売掛金　エ．貸倒引当金　オ．前払金　カ．貸倒損失

13. 過日、土地（帳簿価額￥1,800,000）を売却済みであったが、代金￥2,000,000を仮受金としたのみであるため、適切な処理を行う。

ア．固定資産売却益　イ．仕入　ウ．土地　エ．固定資産売却損　オ．仮受金　カ．減価償却費

14. 得意先奈良商店に対する売掛金￥336,000の回収として、￥210,000は奈良商店振り出しの約束手形で受け取り、残額は普通預金口座に振り込まれた。

ア．売掛金　イ．普通預金　ウ．受取手形　エ．資本金　オ．立替金　カ．当座預金

15. オフィスのデスクセットを購入し、据付作業ののち、次の請求書を受け取り、代金は後日支払うこととした。

請　求　書

埼玉株式会社　御中

大黒商事株式会社

品　　名	数量	単　　価	金　　額
オフィスデスクセット	3	￥　600,000	￥ 1,800,000
配送料			￥　15,000
据付費			￥　25,000
	合　　計		￥ 1,840,000

×8年10月31日までに合計額を下記口座へお振り込み下さい。
丸ノ内銀行大塚支店　普通　7654321　ダイコクシヨウジ（カ

ア．消耗品費　イ．未払金　ウ．仕入　エ．買掛金　オ．備品　カ．支払手数料

(1) 日本橋株式会社（決算年１回、３月31日）における次の取引にもとづいて、受取家賃勘定と前受家賃勘定の空欄①〜⑥にあてはまる適切な語句または金額を答案用紙に記入しなさい。なお、語句については下記の［語群］から選び、ア〜オの記号で答えること。

［語群］

ア．受取　イ．前期繰越　ウ．次期繰越　エ．損益　オ．前受

×2年４月１日　前期決算日に物件Ａに対する今年度４月から６月までの前受家賃を計上していたので、再振替仕訳を行った。１か月分の家賃は¥120,000である。

×2年７月１日　物件Ａに対する向こう半年分の家賃（７月から12月まで）が当座預金口座に振り込まれた。１か月分の家賃に変更はない。

×2年８月１日　物件Ｂに対する向こう１年分の家賃が当座預金口座に振り込まれた。この取引は新規で、１か月分の家賃は¥156,000である。

×3年１月１日　物件Ａに対する向こう半年分の家賃（１月から６月まで）が当座預金口座に振り込まれた。今回から１か月分の家賃は¥132,000に値上げしている。

×3年３月31日　決算日を迎え、前受家賃を計上した。

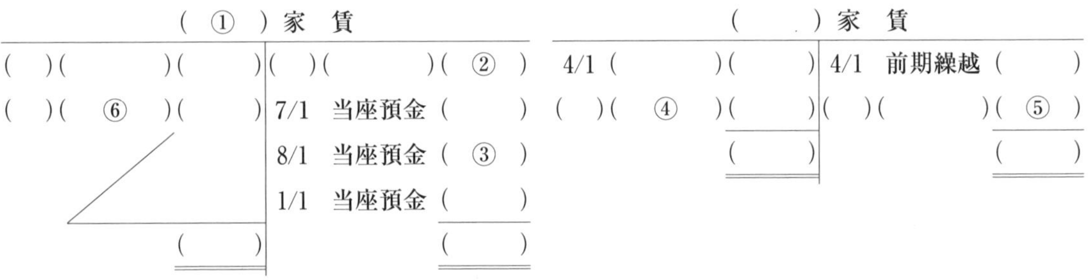

(2) 次の11月におけるＡ商品に関する［資料］にもとづいて、下記の問に答えなさい。なお、払出単価の決定方法として、移動平均法を用いるものとする。また、仕入戻しがあった場合は払出欄、売上戻りがあった場合は受入欄にそれぞれ記録すること。

［資料］

11月１日	前月繰越	100個	@¥ 3,000
8日	仕　入	150個	@¥ 3,100
11日	売　上	80個	@¥ 5,600
18日	仕　入	130個	@¥ 3,120
25日	売　上	100個	@¥ 5,700
28日	売上戻り	25日に販売した商品のうち、20個は品違いであったため返品を受けた。	

問１　答案用紙の商品有高帳の空欄に適切な数字を記入しなさい。

問２　11月のＡ商品の純売上高、売上原価および売上総利益を答えなさい。

第3問　35点

次の［決算整理事項等］にもとづいて、問に答えなさい。なお、消費税の仮受け・仮払いは売上取引・仕入取引のみで行うものとする。当期は×4年4月1日から×5年3月31日までの1年間である。

［決算整理事項等］

① 売掛金￥76,000が普通預金口座に振り込まれていたが、この記帳がまだ行われていない。

② 仮払金は全額、1月29日に支払った備品購入に係るものである。この備品は2月1日に納品され、同日から使用しているが、この記帳がまだ行われていない。

③ 現金過不足の原因を調査したところ、旅費交通費￥2,200の記帳漏れが判明したが、残額は原因不明のため雑損または雑益で処理する。

④ 当座預金勘定の貸方残高全額を当座借越勘定に振り替える。なお、当社は取引銀行との間に￥1,000,000を借越限度額とする当座借越契約を締結している。

⑤ 受取手形と売掛金の期末残高に対して2％の貸倒引当金を差額補充法で設定する。

⑥ 期末商品棚卸高は￥750,000である。売上原価は「仕入」の行で計算する。

⑦ 建物および備品について、以下の要領で定額法による減価償却を行う。2月1日から使用している備品（上記②参照）についても同様に減価償却を行うが、減価償却費は月割計算する。

　建物：残存価額ゼロ　耐用年数30年

　備品：残存価額ゼロ　耐用年数5年

⑧ 消費税の処理（税抜方式）を行う。

⑨ 借入金のうち￥1,500,000は、期間1年間、利率年2.5％、利息は元本返済時に1年分を支払う条件で、当期の12月1日に借り入れたものである。したがって、当期にすでに発生している利息を月割で計上する。

⑩ 保険料の前払分￥32,000を計上する。

⑪ 未払法人税等￥315,000を計上する。なお、中間納付は行っていない。

問1　答案用紙の精算表を完成しなさい。

問2　決算整理後の建物の帳簿価額を答えなさい。

第11回 問題

解　　答 ▶ 185
答案用紙 ▶ 42

第1問 45点

下記の各取引について仕訳しなさい。ただし、勘定科目は、設問ごとに最も適当と思われるものを選び、答案用紙の（　　）の中に記号で解答すること。なお、消費税は指示された問題のみ考慮すること。

1．愛知株式会社に対する買掛金￥400,000の決済として、同社あての約束手形を振り出した。
　ア．支払手形　イ．当座預金　ウ．仕入　エ．買掛金　オ．消耗品費　カ．貯蔵品

2．商品￥24,000を売り上げ、消費税￥2,400を含めた合計額のうち￥6,400は現金で受け取り、残額は共通商品券を受け取った。なお、消費税は税抜方式で記帳する。
　ア．仮払消費税　イ．受取商品券　ウ．売上　エ．支払手数料　オ．現金　カ．仮受消費税

3．従業員が事業用のＩＣカードから旅費交通費￥3,900および消耗品費￥1,050を支払った。なお、ＩＣカードのチャージ（入金）については、チャージ時に仮払金勘定で処理している。
　ア．旅費交通費　イ．現金　ウ．前払金　エ．仮払金　オ．仮受金　カ．消耗品費

4．不用になった車両（取得原価￥840,000、減価償却累計額￥560,000、間接法で記帳）を￥285,000で売却し、売却代金は現金で受け取った。
　ア．固定資産売却益　イ．固定資産売却損　ウ．車両運搬具減価償却累計額　エ．現金
　オ．車両運搬具　カ．通信費

5．先月の従業員給料から差し引いた所得税の源泉徴収額￥75,000を、銀行において納付書とともに現金で納付した。
　ア．所得税預り金　イ．仮受金　ウ．法定福利費　エ．現金　オ．普通預金　カ．従業員立替金

6．前期に貸倒れとして処理した売掛金￥200,000について、当期にその一部￥50,000を現金で回収した際、次のように記帳されていたので、適切に修正する。

（借）現　　金　　50,000　　（貸）貸倒引当金　　50,000

なお、訂正にあたっては記録の誤りのみを部分的に修正する方法によること。
　ア．現金　イ．売掛金　ウ．貸倒引当金　エ．未払金　オ．未収入金　カ．償却債権取立益

7．商品￥80,000を売り上げ、代金のうち￥5,000は現金で受け取り、残額は掛けとした取引について、入金伝票を次のように作成したとき、振替伝票に記入される仕訳を答えなさい。なお、3伝票制を採用しており、商品売買取引の処理は3分法により行っている。

入 金 伝 票
×2年5月28日
（売掛金）　5,000

　ア．売掛金　イ．現金　ウ．仕入　エ．売上　オ．買掛金　カ．普通預金

8．月末に現金の実査を行ったところ、現金の実際有高が帳簿残高より¥16,000過剰であることが判明したため、帳簿残高と実際有高を一致させる処理を行うとともに、引き続き原因を調査した。なお、当社では、現金過不足の雑益または雑損勘定への振り替えは決算時に行うこととしている。
ア．建物　イ．現金　ウ．法定福利費　エ．普通預金　オ．現金過不足　カ．買掛金

9．定時株主総会において、繰越利益剰余金¥4,200,000を次のとおり配当および処分することが確定した。
株主配当金：¥3,500,000　　利益準備金：¥350,000
ア．未払配当金　イ．現金　ウ．利益準備金　エ．借入金　オ．資本金　カ．繰越利益剰余金

10．長野商店に資金¥2,000,000を貸し付けるため、同店振り出しの約束手形を受け取り、利息¥24,000を差し引いた残額を、当社の当座預金口座より長野商店の銀行預金口座に振り込んだ。
ア．借入金　イ．当座預金　ウ．受取手形　エ．手形貸付金　オ．受取利息　カ．支払利息

11．増資を行うため、未発行株式500株を1株当たり¥25,000の価額で発行し、全株式の払込みを受け、払込金は当座預金とした。
ア．当座預金　イ．現金　ウ．受取手数料　エ．利益準備金　オ．租税公課　カ．資本金

12．当期の決算を行った結果、当期純損失¥640,000を計上した。
ア．雑損　イ．当座預金　ウ．損益　エ．資本金　オ．繰越利益剰余金　カ．売上

13．収入印紙¥9,500と郵便切手¥2,400を購入し、現金を支払った。なお、これらはすぐに使用した。
ア．消耗品費　イ．通信費　ウ．貯蔵品　エ．現金　オ．支払手数料　カ．租税公課

14．大船商店から掛けで仕入れていた商品のうち、¥20,000が品違いであったため返品した。なお、その際の発送代金¥1,000は着払いの先方負担とした。
ア．仕入　イ．前払金　ウ．買掛金　エ．普通預金　オ．支払利息　カ．売上

15．×3年10月5日　株式会社大宮商店は、藤沢物産株式会社より商品を仕入れ、品物とともに以下の納品書兼請求書を受け取った。なお、商品の引取運賃¥2,500は着払いとなっているため、運送業者に現金で支払った。

納品書　兼　請求書

株式会社大宮商店　御中

藤沢物産株式会社

品　名	数　量	単　価	金　額
A商品	25	1,500	¥　37,500
B商品	30	3,000	¥　90,000
C商品	20	4,000	¥　80,000
	合　計		¥207,500

×3年10月31日までに合計額を下記口座へお振込みください。
関東銀行鎌倉支店　当座　7654321　フジサワブッサン（カ

ア．買掛金　イ．借入金　ウ．現金　エ．売上　オ．仕入　カ．売掛金

第2問
20点

(1) 下記の横浜商事株式会社の資料にもとづいて、答案用紙の各勘定の空欄にあてはまる適切な語句または金額を答えなさい。なお、当期は×5年4月1日から×6年3月31日までである。

【解答上の注意事項】

- 空欄は（日付）［摘要］〈金額〉の順である。
- 入出金はすべて普通預金とする。
- 解答にあたり、［摘要］の勘定科目等は以下から選択して答案用紙の［　　］の中にア～コの記号で記入しなさい。また、勘定科目等はこの設問の中で複数回使用してよい。

ア．普通預金　イ．仮払法人税等　ウ．未払法人税等　エ．繰越利益剰余金　オ．法人税等
カ．租税公課　キ．当期純利益　ク．前期繰越　ケ．次期繰越　コ．諸口

×5年5月29日　前期（×4年4月1日から×5年3月31日）の法人税等について確定申告を行うと同時に納付を行った。なお、前期決算で計上した法人税等は¥1,152,000（うち中間納付額は¥672,000）であり、確定申告による金額と差異は生じていない。

×5年11月29日　以下の納付書にもとづき、法人税の支払いを行った。

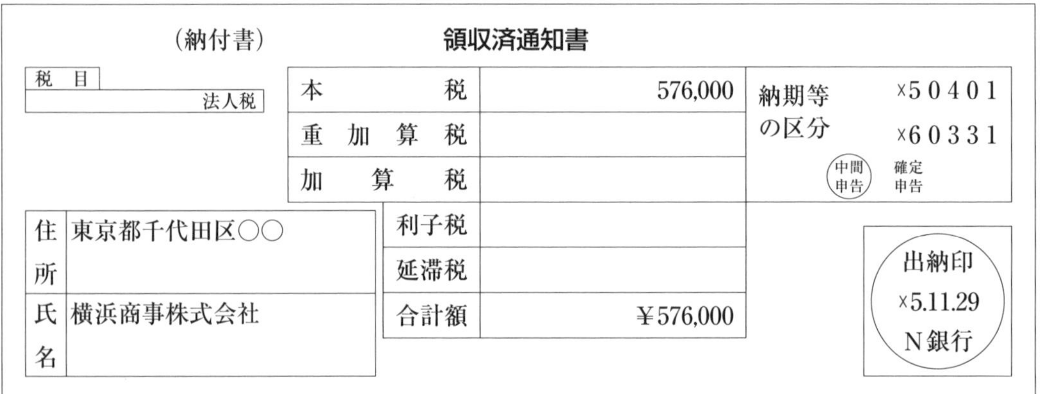

（納付書）　**領収済通知書**

税目：法人税

本税	576,000
重加算税	
加算税	
利子税	
延滞税	
合計額	¥576,000

納期等の区分　×50401　×60331
中間申告（○印）　確定申告

住所	東京都千代田区○○
氏名	横浜商事株式会社

出納印
×5.11.29
N銀行

×6年3月31日　決算をむかえ、法人税等を控除する前の利益に対して30％の税率を乗じた額を法人税等として計上するとともに、中間納付額を差し引いた額を未払い計上した。なお、「その他費用」は、出題の便宜上、仕入および法人税等の2つの勘定以外の費用をまとめたものである。

⑵　大阪株式会社の当期中の商品売買に関する勘定記録は以下のとおりである。下記勘定の空欄のうち、（a）～（d）に入る適切な語句および（①）～（④）に入る適切な金額を答えなさい。なお、損益勘定には売上勘定と仕入勘定からの振り替えのみを記入すること。会計期間は4月1日から3月31日の1年間である。

【解答上の注意事項】

適切な語句については以下から選択し、ア～カの記号で答えること。この設問の中で複数回使用してよい。

ア．前期繰越　　イ．売上　　ウ．損益　　エ．次期繰越　　オ．繰越商品　　カ．仕入

繰越商品

4/1	前期繰越	（　①　）	3/31	仕入	（　　）
3/31	（　　）	（　　）	〃	次期繰越	450,000
		（　　）			（　　）

仕入

（　）	現金	800,000	（　）	買掛金	300,000
（　）	買掛金	3,000,000	3/31	繰越商品	（　②　）
（　）	当座預金	1,000,000	〃	（　d　）	（　③　）
3/31	（　a　）	（　　）			
		（　　）			（　　）

売上

（　）	売掛金	380,000	（　）	受取手形	（　　）
3/31	（　b　）	（　　）	（　）	売掛金	4,500,000
			（　）	普通預金	1,580,000
		（　　）			7,880,000

損益

3/31	（　c　）	4,200,000	3/31	（　　）	（　④　）

第3問
35点

次の(1)決算整理前残高試算表および(2)決算整理事項等にもとづいて、答案用紙の貸借対照表および損益計算書を完成しなさい。なお、消費税の仮受け・仮払いは売上取引・仕入取引のみで行うものとし、税抜方式で処理する。会計期間は４月１日から翌３月31日までの１年間である。

(1)

決算整理前残高試算表

借　　方	勘　定　科　目	貸　　方
290,600	現　　　金	
576,000	当　座　預　金	
126,000	受　取　手　形	
926,400	売　　掛　　金	
550,800	仮　払　消　費　税	
484,000	繰　越　商　品	
3,000,000	建　　　物	
750,000	備　　　品	
2,000,000	土　　　地	
	買　　掛　　金	756,000
	借　　入　　金	2,000,000
	仮　　受　　金	85,800
	仮　受　消　費　税	985,800
	所　得　税　預　り　金	21,000
	貸　倒　引　当　金	3,900
	建物減価償却累計額	240,000
	備品減価償却累計額	349,999
	資　　本　　金	3,000,000
	繰越利益剰余金	257,501
	売　　　上	11,000,000
6,120,000	仕　　　入	
2,600,000	給　　　料	
220,000	法　定　福　利　費	
72,000	支　払　手　数　料	
135,000	租　税　公　課	
60,000	支　払　利　息	
789,200	そ　の　他　費　用	
18,700,000		18,700,000

(2)　決算整理事項等

1．商品￥300,000を販売し、代金は８％の消費税（軽減税率適用）も含めた合計額を、先方振出の約束手形で受け取っていたが未処理である。

2．仮受金は、得意先からの売掛金￥86,400の振込みであることが判明した。なお、振込額と売掛金の差額は当社負担の振込手数料（問題の便宜上、この振込手数料には消費税が課されないものとする）であり、入金時に振込額を仮受金として処理したのみである。

3．受取手形と売掛金の期末残高に対して貸倒引当金を差額補充法により１％設定する。

4．期末商品棚卸高は￥385,000である。

5．収入印紙の未使用分￥19,800を貯蔵品勘定に振り替える。

6．有形固定資産について、次の要領で定額法により減価償却を行う。

　建物：耐用年数25年　残存価額ゼロ

　備品：耐用年数５年　残存価額ゼロ

　なお、決算整理前残高試算表の備品￥750,000のうち￥250,000は昨年度にすでに耐用年数をむかえて減価償却を終了している。そこで、今年度は備品に関して残りの￥500,000についてのみ減価償却を行う。

7．消費税の処理を行う。

8．社会保険料の当社負担分￥20,000を未払い計上する。

9．借入金は当期の９月１日に期間１年、利率年３％で借り入れたものであり、借入時にすべての利息が差し引かれた金額を受け取っている。そこで、利息について月割により適切に処理する。

10．未払法人税等￥300,000を計上する。なお、当期に中間納付はしていない。

MEMO

第12回 問題

解　答 ▶ 201
答案用紙 ▶ 46

第1問
45点

下記の各取引について仕訳しなさい。ただし、勘定科目は、設問ごとに最も適当と思われるものを選び、答案用紙の（　　）の中に記号で解答すること。なお、消費税は指示された問題のみ考慮すること。

1．営業に用いている建物の改良・修繕を行い、代金¥6,400,000を、小切手を振り出して支払った。支払額のうち¥2,000,000は資本的支出に、残額は収益的支出に該当する。
　ア．当座預金　イ．貯蔵品　ウ．建物　エ．資本金　オ．消耗品費　カ．修繕費

2．決算日に売上勘定の貸方残高¥40,000,000を損益勘定に振り替えた。
　ア．現金　イ．売上　ウ．普通預金　エ．支払手数料　オ．損益　カ．仕入

3．船橋銀行から¥5,500,000を借り入れ、同額の約束手形を振り出し、利息¥88,000を差し引かれた残額が当座預金口座に振り込まれた。
　ア．当座預金　イ．現金　ウ．手形借入金　エ．貸付金　オ．支払手形　カ．支払利息

4．オフィスとしてビルの１部屋を賃借する契約を結び、初月の家賃¥240,000、敷金¥480,000、および不動産業者への手数料¥240,000を現金で支払った。
　ア．支払手数料　イ．建物　ウ．差入保証金　エ．現金　オ．支払家賃　カ．発送費

5．普通預金口座からの振り替えにより¥1,500,000を定期預金口座へ預け入れた。
　ア．当座預金　イ．現金　ウ．受取利息　エ．定期預金　オ．貸付金　カ．普通預金

6．家具卸売業を営む大森家具店は、販売用の棚10台を@¥80,000で購入し、代金は翌月払いとした。その際の引取運賃¥30,000は現金で支払った。
　ア．備品　イ．発送費　ウ．買掛金　エ．消耗品費　オ．現金　カ．仕入

7．決算において、本年度の法人税、住民税及び事業税が¥420,000と確定した。なお、¥180,000についてはすでに中間納付をしている。
　ア．法人税等　イ．未払法人税等　ウ．租税公課　エ．仮払法人税等　オ．損益　カ．現金

8．小口現金係から、今月の支払明細について次のような報告を受けたため、ただちに同額の小切手を振り出して小口現金係に渡した。当社は、定額資金前渡制を採用している。
　旅費交通費¥16,200　　消耗品費¥4,800
　ア．通信費　イ．立替金　ウ．旅費交通費　エ．現金　オ．消耗品費　カ．当座預金

9．以前に購入していた土地（購入価格￥1,500,000、購入手数料￥75,000）を￥1,600,000で売却し、代金は後日受け取ることにした。

ア．土地　イ．固定資産売却益　ウ．固定資産売却損　エ．未収入金　オ．建物　カ．売掛金

10. 商品￥301,500（送料込み）で売り上げ、代金は掛けとした。また、同時に運送業者へ商品を引き渡し、送料￥1,500（費用処理する）は現金で支払った。

ア．売上　イ．買掛金　ウ．未収入金　エ．現金　オ．売掛金　カ．発送費

11. 今月の従業員に対する給料総額は￥3,500,000であり、所得税の源泉徴収額￥262,000および社会保険料（健康保険・厚生年金・雇用保険の保険料）￥350,000を控除した残額を、普通預金口座から振り込んだ。

ア．社会保険料預り金　イ．法定福利費　ウ．給料　エ．所得税預り金　オ．当座預金
カ．普通預金

12. 借入金の利払いとして￥15,000が当座預金口座から引き落とされた。

ア．現金　イ．支払利息　ウ．受取利息　エ．通信費　オ．当座預金　カ．支払手数料

13. 期首に建物（取得原価￥12,000,000、残存価額はゼロ、耐用年数15年、期首までの償却年数は7年、減価償却費は定額法により計算し、記帳方法は間接法による）を￥6,300,000で売却し、代金として相手先振り出しの小切手で受け取った際、次のように記帳されていたので適切に修正する。

（借）現　　金	6,300,000	（貸）建　　物	12,000,000
固定資産売却損	5,700,000		

なお、訂正にあたっては記録の誤りのみを部分的に修正する方法によること。

ア．建物減価償却累計額　イ．現金　ウ．固定資産売却損　エ．建物　オ．減価償却費
カ．固定資産売却益

14. 現金過不足勘定で処理していた（不足額）￥18,300につき、決算日において原因をあらためて調査した結果、通信費￥29,800の支払い、および手数料の受取額￥12,000の記入漏れが判明した。残りの金額は原因が不明であったので、適切な処理を行う。

ア．現金　イ．受取手数料　ウ．雑損　エ．現金過不足　オ．雑益　カ．通信費

15. 本日の売上の内訳は、下記の売上集計表のとおりである。合計額のうち￥25,900は現金決済、残額はクレジット決済である。なお、クレジット会社への手数料（クレジット決済額の2.5％）も計上する。

売　上　集　計　表

×4年5月28日

品　名	数　量	単　価	金　額
商品X	38	1,200	￥ 45,600
商品Y	45	1,180	￥ 53,100
商品Z	24	1,550	￥ 37,200
	合　計		￥135,900

ア．受取手数料　イ．クレジット売掛金　ウ．当座預金　エ．支払手数料　オ．売上　カ．現金

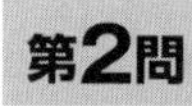

第2問 20点

(1) ×3年4月1日に設立された東海株式会社の次の［資料］にもとづいて、下記の問に答えなさい。なお、発行済み株式総数は5,000株である。

［資料］

第1期（×3年4月1日から×4年3月31日まで）

・決算において、当期純利益￥2,400,000を計上した。

第2期（×4年4月1日から×5年3月31日まで）

・6月27日に開催された株主総会において、配当は行っていない。
・決算において、当期純損失￥250,000を計上した。

第3期（×5年4月1日から×6年3月31日まで）

・6月25日に開催された株主総会において、繰越利益剰余金残高から次のように配当及び処分することが決議された。

　株主への配当額　1株当たり￥300

　配当に伴う（　?　）の積立て　￥150,000

・6月28日に、株主配当金￥（　?　）を普通預金口座から支払った。
・決算において、当期純利益￥1,920,000を計上した。

問1　第2期の決算において、損益勘定で算定された当期純損失￥250,000を繰越利益剰余金勘定に振り替える仕訳を答えなさい。勘定科目については下記の［語群］の中から選択し、ア～カの記号で答えること。

問2　答案用紙の第3期における繰越利益剰余金勘定に必要な記入をして締め切りなさい。ただし、［摘要欄］に記入する語句については下記の［語群］の中から選択し、ア～カの記号で答えること。

［語群］

ア．損益　イ．次期繰越　ウ．普通預金　エ．利益準備金　オ．資本金　カ．繰越利益剰余金

⑵　次の［資料1］～［資料2］にもとづいて、下記の問に答えなさい。

［資料1］

減価償却はすべて残存価額ゼロの定額法により月割計算で行っている。

固定資産台帳　　×7年3月31日（単位：円）

取得年月日	名称等	数量	耐用年数	取得原価	期首減価償却累計額	当期減価償却費
×2年4月1日	備品A	1	5年	1,500,000	1,200,000	?
×3年2月1日	備品B	1	6年	3,600,000	?	?
×6年7月1日	備品C	1	3年	4,320,000	0	?
小　計				9,420,000	?	?

［資料2］

- 当期は×6年4月1日～×7年3月31日までの1年間である。
- 減価償却は間接法で記帳している。
- 備品Aは、当期末に当初予定していた耐用年数を迎えるが、来年度以降も使用し続ける予定である。そこで、当期は帳簿価額が¥1となるよう減価償却を行う。
- 備品Bは、当期の1月31日に¥1,150,000で売却し、代金は普通預金口座に預け入れたが未処理であった。
- 備品Cは、当期に取得と同時に使用を開始したものである。
- 減価償却費の月次計上は行っていない（下記問1③を除く）。

問1　各取引等の仕訳を答えなさい。ただし、勘定科目は下記に指定したものから最も適当と思われるものを選び、ア～カの記号で答えること。また、勘定科目はこの設問の中で複数回使用してよい。

①　当期末の備品Aにかかる減価償却の仕訳

②　備品Bの売却にかかる仕訳

③　仮に毎月末に月次決算を行っていた場合、×7年1月末の備品Cにかかる減価償却の仕訳

【勘定科目】

ア．普通預金　イ．備品　ウ．備品減価償却累計額　エ．減価償却費　オ．固定資産売却益

カ．固定資産売却損

問2　決算整理後の備品Cの帳簿価額を答えなさい。

第3問 35点

次の(1)決算整理前残高試算表および(2)決算整理事項等にもとづいて、**問**に答えなさい。なお、消費税の仮受け・仮払いは、売上取引・仕入取引についてのみ行うものとする。当期は、×7年4月1日から×8年3月31日までの1年間である。

(1)

決算整理前残高試算表

×8年3月31日　(単位：円)

借　方	勘定科目	貸　方
85,400	現金	
1,308,000	普通預金	
1,700,000	定期預金	
990,000	売掛金	
470,000	仮払消費税	
160,000	仮払法人税等	
340,000	繰越商品	
1,400,000	備品	
260,000	差入保証金	
	買掛金	516,000
	仮受金	120,000
	仮受消費税	930,000
	借入金	1,200,000
	貸倒引当金	3,000
	備品減価償却累計額	480,000
	資本金	1,500,000
	繰越利益剰余金	834,000
	売上	9,300,000
4,700,000	仕入	
1,625,000	給料	
1,690,000	支払家賃	
86,000	通信費	
47,600	旅費交通費	
21,000	支払利息	
14,883,000		14,883,000

(2) 決算整理事項等

1. 定期預金のうち¥1,000,000が満期になったため、利息¥2,000を含めた合計額が普通預金口座に振り替えられたが、この取引が未処理である。
2. 仮受金は全額、商品の注文を受けたさいの手付金の受取額であることが判明した。
3. 現金の実際有高は¥81,700であった。帳簿残高との差額のうち¥3,200は通信費の記帳漏れであることが判明したが、残額は不明のため雑損または雑益で処理する。
4. 売掛金の期末残高に対して2％の貸倒引当金を差額補充法で設定する。
5. 期末商品棚卸高は¥395,000である。
6. 備品について、残存価額をゼロ、耐用年数を5年とした定額法で減価償却を行う。なお、備品のうち¥600,000は×8年2月1日から使用しているものであり、同様の条件で減価償却を行うが、減価償却費は月割計算する。
7. 借入金は全額、期間1年間、年利率1.5％、利息は元本返済時に1年分を支払う条件で、×7年11月1日に借り入れたものである。当期にすでに発生している利息を月割で計上する。なお、その他の支払利息は適切に処理されている。
8. 家賃の前払分が¥130,000ある。
9. 消費税の処理を税抜方式で行う。
10. 法人税、住民税及び事業税が¥290,000と算定されたので、仮払法人税等との差額を未払計上する。

問1　答案用紙の決算整理後残高試算表を完成しなさい。

問2　当期純利益または当期純損失の金額を答えなさい。なお、当期純損失の場合は金額の頭に△を付すこと。

(サンプル問題1)

本試験演習編

第2部

解答
解答への道

この解答例は、当社編集部で作成したものです。

第1回 解答

第1問 45点

仕訳一組につき３点

	借方		貸方	
	記号	金額	記号	金額
1	（ オ ）	72,000	（ ア ）	72,000
2	（ ウ ） （ エ ）	100,000 2,000,000	（ イ ）	2,100,000
3	（ カ ）	30,000	（ オ ）	30,000
4	（ ウ ） （ カ ）	200,000 600,000	（ ア ）	800,000
5	（ ア ） （ オ ）	250,000 500	（ イ ） （ エ ）	250,000 500
6	（ イ ） （ カ ）	485,000 15,000	（ エ ）	500,000
7	（ オ ）	350,000	（ ウ ） （ エ ） （ ア ）	20,000 14,000 316,000
8	（ イ ）	3,000,000	（ カ ）	3,000,000
9	（ エ ） （ ア ） （ オ ）	300,000 10,000 50,000	（ ウ ）	360,000
10	（ オ ）	2,000	（ ウ ）	2,000
11	（ エ ）	150,000	（ イ ）	150,000
12	（ ウ ） （ ア ）	35,000 3,500	（ カ ） （ エ ）	18,500 20,000
13	（ オ ）	200,000	（ イ ）	200,000
14	（ エ ） （ ア ）	6,450,000 172,000	（ カ ）	6,622,000
15	（ ア ）	837,000	（ エ ）	837,000

第2問 20点

(1)　　　　●数字…予想配点

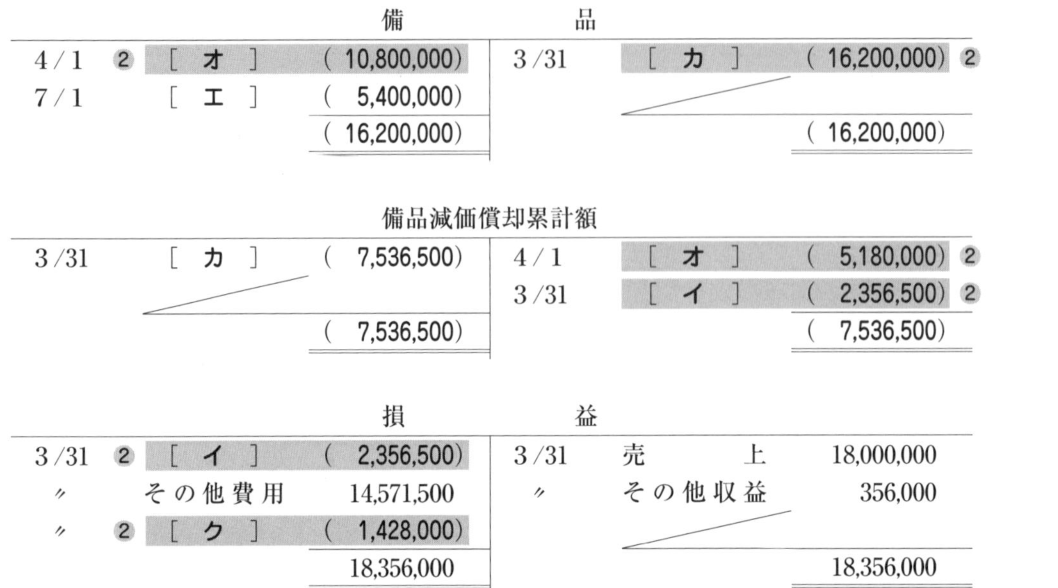

備品

日付	摘要	金額	日付	摘要	金額
4/1	② [オ]	(10,800,000)	3/31	[カ]	(16,200,000) ②
7/1	[エ]	(5,400,000)			
		(16,200,000)			(16,200,000)

備品減価償却累計額

日付	摘要	金額	日付	摘要	金額
3/31	[カ]	(7,536,500)	4/1	[オ]	(5,180,000) ②
			3/31	[イ]	(2,356,500) ②
		(7,536,500)			(7,536,500)

損益

日付	摘要	金額	日付	摘要	金額
3/31	② [イ]	(2,356,500)	3/31	売上	18,000,000
〃	その他費用	14,571,500	〃	その他収益	356,000
〃	② [ク]	(1,428,000)			
		18,356,000			18,356,000

(2)　　　　各2点

1.

(ア)	(イ)
8,300	6,700

2.

(ウ)	(エ)
9,200	9,500

第3問 35点

●数字…予想配点

貸借対照表

×8年3月31日　(単位：円)

現金		(560,000)	買掛金	(440,000)
当座預金		668,000	(未払金)	(360,000) 3
売掛金	(800,000)		(未払)消費税	(320,000) 3
3 (貸倒引当金)	(△24,000)	(776,000)	未払法人税等	(426,000)
商品		(3 189,000)	未払費用	(3,000)
(前払)費用		(80,000)	借入金	600,000
(未収)収益		(30,000)	資本金	1,700,000
建物	(3,000,000)		繰越利益剰余金	(1,374,000)
減価償却累計額	(△600,000)	(2,400,000)		
備品	(400,000)			
減価償却累計額	(△240,000)	(3 160,000)		
土地		(360,000)		
		(5,223,000)		(5,223,000)

損益計算書

×7年4月1日から×8年3月31日まで　(単位：円)

売上原価	(3 3,884,000)	売上高	7,000,000
給料	960,000	受取手数料	(3 113,000)
貸倒引当金繰入	(14,000)		
減価償却費	(3 180,000)		
支払家賃	(3 480,000)		
水道光熱費	130,000		
通信費	(32,600)		
3 雑(損)	(400)		
支払利息	(3 12,000)		
法人税、住民税及び事業税	(426,000)		
2 当期純(利益)	(994,000)		
	(7,113,000)		(7,113,000)

第1回 解答への道

問　題 ▶ 2

第２問の⑴は固定資産台帳に関連する問題ですが、クセはなく比較的に解きやすい問題です。全体的な難易度・問題量のバランスは、合格点がとれるレベルのものです。

難易度は、Ａ：普、Ｂ：やや難、Ｃ：難となっています。

第1問

統一試験では、指定された勘定科目は記号で解答しなければ正解にならないので注意してください。Ａレベルは正解できるようにしましょう。
解答時間は１題につき30秒～１分以内を目標に！

１．売上取引（返品）　難易度 A

解答

借方科目	金額	貸方科目	金額
（売　　上）	72,000 *	（売　掛　金）	72,000

＊　60個×@1,200円＝72,000円

販売した商品が返品されたときは、販売したときの仕訳の逆仕訳を行い、販売記録を取り消します。

２．当座預金の預け入れ　難易度 A

解答

借方科目	金額	貸方科目	金額
（当　座　預　金）	100,000	（普　通　預　金）	2,100,000
（定　期　預　金）	2,000,000		

普通預金口座の金額を他の預金口座へ預け入れる取引です。したがって、引き出される普通預金勘定（資産）の減少と、入金先である当座預金勘定（資産）と定期預金勘定（資産）の増加となります。

なお、問題資料の「口座開設と同時に当座借越契約（限度額￥1,800,000）を締結し」という文章は、本問を解くうえで考慮する必要のない資料です。

３．消耗品の購入　難易度 A

解答

借方科目	金額	貸方科目	金額
（消　耗　品　費）	30,000	（未　払　金）	30,000

消耗品を購入したときは、消耗品費勘定（費用）の増加とします。なお、商品売買以外の取引から生じた代金の未払分は、未払金勘定（負債）の増加とします。

４．売掛金の貸倒れ　難易度 B

解答

借方科目	金額	貸方科目	金額
（前　受　金）	200,000	（売　掛　金）	800,000
（貸　倒　損　失）	600,000		

得意先が倒産してしまったため、売掛金の未回収高800,000円を清算する仕訳です。

⑴　売掛金の回収

200,000円分については貸倒れではなく、売掛金の回収にあたります。

注文時に受け取っていた手付金（前受金勘定で処理）が、商品代金に充当されることなく残っていたため、売掛金の回収に充てることにしたとして仕訳します。

手付金受取時：（現　金　な　ど）　××　　（前　受　金）　200,000

本問の解答①：（前　受　金）　200,000　　（売　掛　金）　200,000

参考

4．(1)の仕訳における前受金勘定は、本来の使い方と異なるため訂正仕訳と考えることもできます。

訂正仕訳は、①誤った仕訳の逆仕訳と②正しい仕訳から導くとよいでしょう。

誤った仕訳：	(現金など)	200,000	(前受金)	200,000
①誤った仕訳の逆仕訳：	(前受金)	200,000	(現金など)	200,000
②正しい仕訳：	(現金など)	200,000	(売掛金)	200,000

①と②の仕訳の「(現金など)」を相殺して以下のような1つの仕訳を作ります。

(前受金)	200,000	(売掛金)	200,000

(2)　**貸倒れ**

残額600,000円分については貸倒れとして処理します。

問題文には貸倒引当金に関する指示がない（＝引当金の設定がないと考える）ので、全額を貸倒損失勘定（費用）で処理します。

本問の解答②：	(貸倒損失)	600,000	(売掛金)	600,000

本問の解答①と**本問の解答**②をあわせて解答とします。

5．買掛金の支払い　難易度 A

解答

(買掛金)	250,000	(支払手形)	250,000
(通信費)	500	(現金)	500

買掛金の支払いとして約束手形を振り出したときは、買掛金勘定（負債）の減少に対して手形代金の支払義務が生じるため、支払手形勘定（負債）の増加とします。なお、当社が支払った郵送代金は通信費勘定（費用）の増加とします。

6．売上取引（クレジット払い）　難易度 A

解答

(クレジット売掛金)	485,000	(売上)	500,000
(支払手数料)	15,000 *		

＊　500,000円×3％＝15,000円

商品をクレジット払いの条件で販売した場合は、クレジット売掛金勘定（資産）の増加とし、「売掛金」とは区別して処理します。また、信販会社に対する手数料の支払額は支払手数料勘定（費用）の増加としますが、販売時に計上する場合は、売上高から手数料を差し引いた残額が「クレジット売掛金」となります。

7．給料の支払い　難易度 A

解答

(給料)	350,000	(社会保険料預り金)	20,000
		(所得税預り金)	14,000
		(当座預金)	316,000

給料総額350,000円から、従業員が負担する社会保険料20,000円と所得税の源泉徴収分14,000円を差し引いて預かるため、社会保険料は社会保険料預り金勘定（負債）、所得税の源泉徴収分は所得税預り金勘定（負債）の増加とします。

従業員の手取額については、当座預金口座より振り込んでいるので当座預金勘定（資産）の減少とします。

8．株式の発行（設立時）　難易度 **A**

解答

（当座預金）	3,000,000	（資本金）	3,000,000*

＊　@60,000円×50株＝3,000,000円

株式を発行した場合は、原則、払込金額の全額を資本金勘定（資本）の増加とします。なお、払込金は「すべて当座預金口座に預け入れられた」とあるため、当座預金勘定（資産）の増加とします。

9．有形固定資産の売却（期首売却）　難易度 **A**

解答

（備品減価償却累計額）	300,000	（備品）	360,000
（現金）	10,000		
（固定資産売却損）	50,000*		

＊　10,000円（売却価額）－（360,000円－300,000円）（帳簿価額）＝△50,000円〈売却損〉

間接法で記帳している場合、備品を売却したときは、備品勘定（資産）の取得原価とその備品に対する減価償却累計額勘定の減少とします。さらに、売却価額から帳簿価額（備品の取得原価と減価償却累計額の差額）を差し引き、固定資産売却損（益）を計算します。なお、期首に売却していることから、帳簿価額の計算において当期分の減価償却費を考慮する必要はありません。

10．現金の過不足　難易度 **A**

解答

（現金）	2,000	（現金過不足）	2,000*

＊　301,600円（実際有高）－299,600円（帳簿残高）＝2,000円

現金の帳簿残高と実際有高（金庫の中身）が一致していないときは、その不一致額を現金過不足勘定で処理し、原因を調査します。このとき、帳簿残高が実際有高となるように修正するので、帳簿残高を増減させることに意識しましょう。

11．支払手形の決済　難易度 **A**

解答

（支払手形）	150,000	（当座預金）	150,000

約束手形は振出時に支払手形勘定（負債）の増加で処理しているので、当座預金口座から支払いが完了した時点で、当座預金勘定（資産）とともに減らす処理を行います。

また、手形金額に対して当座預金残高は足りていない状況ですが、当座借越契約（限度額800,000円）を結んでいるため決済は無事に完了します。なお、当座預金残高を超えた額の引き出しを「当座借越」といい、一時的な資金の借り入れになりますが借越分については仕訳不要です。

12．仕入取引　難易度 **B**

解答

（仕入）	35,000	（現金）	18,500
（仮払消費税）	3,500	（買掛金）	20,000*

＊　（35,000円＋3,500円）（消費税を含めた合計額）－18,500円＝20,000円

消費税を税抜方式で記帳する場合、仕入勘定（費用）で処理する金額は税抜価額で行い、支払った消費税分は仮払消費税勘定（資産）の増加とします。なお、代金の支払額が税込価額になる点に

注意しましょう。

消費税を含めた合計額（38,500円）のうち、18,500円については現金勘定（資産）の減少とし、残額は商品代金の支払義務を表す買掛金勘定（負債）の増加とします。

13. 預金口座より引き出し　難易度 **A**

解答

（現　　　　金）	200,000	（普　通　預　金）	200,000

普通預金口座から引き出した額の預金残高が減り、その分手許に現金が増える取引なので、普通預金勘定（資産）の減少となります。

14. 決算振替仕訳　難易度 **B**

解答

（売　　　　上）	6,450,000 *1	（損　　　　益）	6,622,000
（受　取　地　代）	172,000 *2		

＊1　6,700,000円〈総売上高〉－250,000円〈戻り高〉＝6,450,000円〈純売上高〉

＊2　160,000円〈当期受取高〉＋12,000円〈未収地代〉＝172,000円

決算振替仕訳とは、当期純損益を計算するために、決算整理**後**の費用と収益の各勘定残高を損益勘定へ振り替えるための仕訳です。本問は、ともに収益の勘定（貸方残高）であることから、損益勘定の貸方に振り替えます。

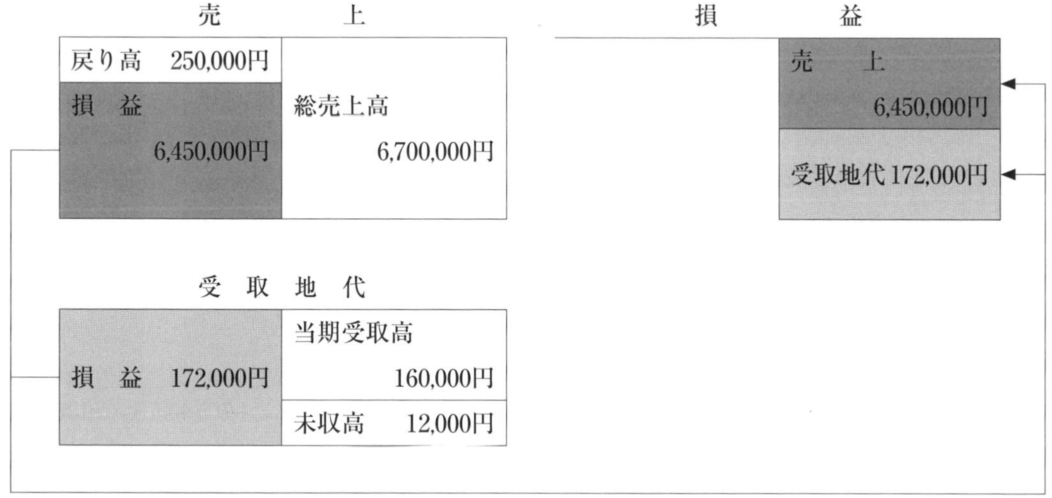

15. 有形固定資産の購入　難易度 **A**

解答

（備　　　　品）	837,000	（仮　払　金）	837,000

事務用に購入したパソコンは備品勘定（資産）の増加とし、備品の購入にともなう配送料や初期設定費用は、付随費用として取得原価に含めます。なお、支払額はすでに仮払金勘定で処理していたため、仮払金勘定から備品勘定に振り替える処理になります。

また、本問の領収書には、200円分の収入印紙が貼り付けられていますが、領収書の作成者が負担するものなので、仕訳は必要ありません。

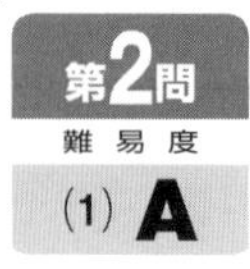

(1) 有形固定資産に関する勘定記入の問題です。
当会計期間は×7年4月1日から×8年3月31日までの1年であることに意識しながら固定資産台帳を完成させましょう。勘定記入に関しては、備品取得後、決算手続きに関する記帳の流れまで理解しているか、減価償却額の計算は正確に行えるかが問われています。

1．×7年4月1日　備品勘定と備品減価償却累計額勘定の前期繰越

当期は×7年4月1日から始まる会計期間であることに意識しましょう。

これにより、×7年3月31日までに取得した備品が、×7年4月1日における備品勘定の開始記入、前期繰越額であることがわかります。

備品勘定の借方、4／1［**オ　前期繰越**］：備品A 6,840,000円＋備品B 3,960,000円＝**10,800,000円**

固定資産台帳（備品）　（単位：円）

取得年月日	名称等	数量	耐用年数	取得原価	期首減価償却累計額	期首帳簿価額	当期減価償却費
×2年4月1日	備品A	1	10年	6,840,000	3,420,000	3,420,000	?
×4年8月1日	備品B	1	6年	3,960,000	?	?	660,000
×7年7月1日	備品C	1	4年	5,400,000	—	—	?

前期以前に取得していた備品Aと備品Bについては、経過した会計期間の決算において減価償却をしています。したがって、備品減価償却累計額勘定の貸方、4／1の日付は、開始記入［**オ　前期繰越**］となります。

〈固定資産台帳の期首減価償却累計額〉

備品B〈×4.8.1～×5.3.31〉：3,960,000円 ÷ 6年 × $\frac{8か月}{12か月}$ ＝ 440,000円

〈×5.4.1～×7.3.31〉：3,960,000円 ÷ 6年 × 2年分 ＝1,320,000円

合計 ＝1,760,000円

備品減価償却累計額勘定貸方、4／1［**オ　前期繰越**］：

期首減価償却累計額、備品A3,420,000円＋備品B1,760,000円＝**5,180,000円**

2．×7年7月1日　備品Cの購入

(備品)	**5,400,000**	(普通預金) **エ**	5,400,000

3．×8年3月31日　決算整理：備品の減価償却

〈決算整理仕訳〉

(減価償却費) **イ**	2,356,500*	(備品減価償却累計額)	**2,356,500**

* 備品A〈×7.4.1～×8.3.31〉：6,840,000円 ÷ 10年 ＝ 684,000円
備品B〈×7.4.1～×8.3.31〉：3,960,000円 ÷ 6年 ＝ 660,000円
備品C〈×7.7.1～×8.3.31〉：5,400,000円 ÷ 4年 × $\frac{9か月}{12か月}$ ＝1,012,500円
合計2,356,500円

4．×8年3月31日　帳簿の締め切り

(a) 減価償却費勘定の締め切り

決算整理後の減価償却費勘定の借方残高2,356,500円を損益勘定に振り替えます。この振り替えにより、減価償却費勘定の残高はゼロとなるため締め切ります。

〈決算振替仕訳〉

(損　　　益)	2,356,500	(減価償却費) イ	2,356,500

これまでを勘定記入で示すと以下のようになります。

備　　　品

4/1	オ 前期繰越	10,800,000				
7/1	エ 普通預金	5,400,000				

備品減価償却累計額

				4/1	オ 前期繰越	5,180,000
				3/31	イ 減価償却費	2,356,500

損　　　益

3/31	イ 減価償却費	2,356,500		3/31	売　　上	18,000,000
〃	その他費用	14,571,500		〃	その他収益	356,000

(b)　当期純利益の計上

本問には、法人税等の資料がないため計算上考慮する必要はありません。

18,356,000円〈収益合計〉－16,928,000円〈費用合計〉＝1,428,000円〈当期純利益〉

〈決算振替仕訳〉

(損　　　益)	1,428,000	(繰越利益剰余金) ク	1,428,000

(c)　備品勘定の締め切り

決算整理後の借方残高16,200,000円を、貸方に3/31［**カ　次期繰越**］と記入し、借方と貸方の合計金額を一致させて締め切ります。

(d)　備品減価償却累計額勘定の締め切り

決算整理後の貸方残高7,536,500円を、借方に3/31［**カ　次期繰越**］と記入し、借方と貸方の合計金額を一致させて締め切ります。

これまでを勘定記入で示すと以下のようになります。

備　　　品

4/1	前期繰越	10,800,000		3/31	カ 次期繰越	16,200,000
7/1	普通預金	5,400,000				
		16,200,000				16,200,000

備品減価償却累計額

3/31	カ 次期繰越	7,536,500		4/1	前期繰越	5,180,000
				3/31	減価償却費	2,356,500
		7,536,500				7,536,500

損　　　益

3/31	減価償却費	2,356,500		3/31	売　　上	18,000,000
〃	その他費用	14,571,500		〃	その他収益	356,000
〃	ク 繰越利益剰余金	1,428,000				
		18,356,000				18,356,000

(2) **複式簿記による純資産の増減と当期純損益の関係を問われています。両者の関係を覚えておくと、推定は難しいものではありません。**

参考

純損益の計算方法は２つあります。

損益法：収益総額－費用総額＝当期純利益（マイナスになったときは当期純損失）
財産法：期末の純資産－期首の純資産＝当期純利益（マイナスになったときは当期純損失）

P/L項目とB/S項目の金額は連携しているため、どちらの方法によっても計算結果は同じになります。

P/L項目の収益が増加するときは、同時にB/S項目の資産が増加する、または負債が減少します。

P/L項目の費用が増加するときは、同時にB/S項目の資産が減少する、または負債が増加します。

したがって、資本取引（資本金が増減する等）がなければ計算結果は同じになるのです。

（注）P/L…損益計算書、B/S…貸借対照表

～解き方について～

期首貸借対照表、期末貸借対照表、損益計算書の資料が与えられているので、ボックス図を描いてあてはめていくと推定がスムーズに行えます。

1.

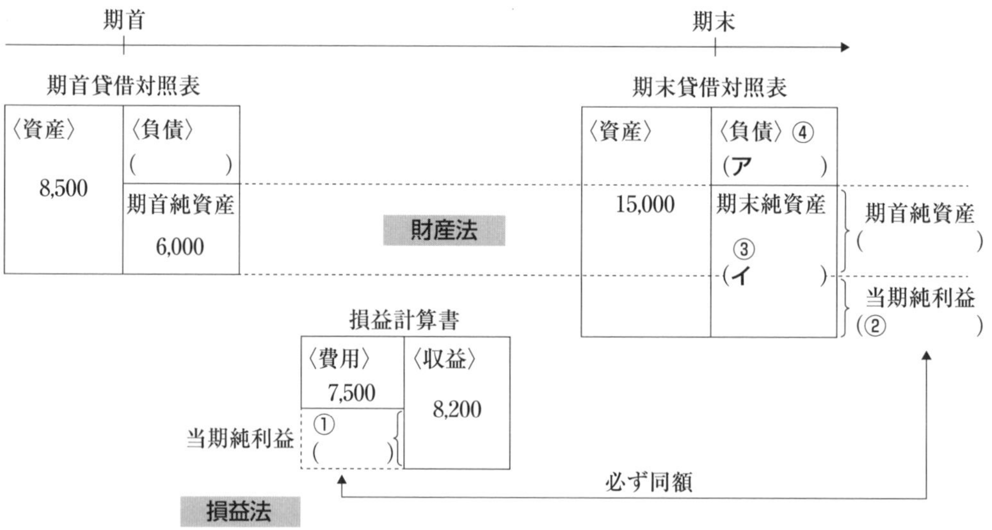

（注）①～④は推定の順番です。

・①は損益法により、当期純利益700千円と判明します（8,200千円－7,500千円＝700千円）。
・①の結果を受けて、財産法により計算した純資産の増加額（＝当期純利益②）も700千円ということになります。
・期首純資産は「期首貸借対照表」の資料より6,000千円と判明しているので、当期純利益②と合算した金額が期末純資産になります（6,000千円＋700千円＝**6,700千円…イ**）。

・③の結果を受けて、期末貸借対照表の負債④が8,300千円と判明します（15,000千円－6,700千円＝**8,300千円…ア**）。

2．

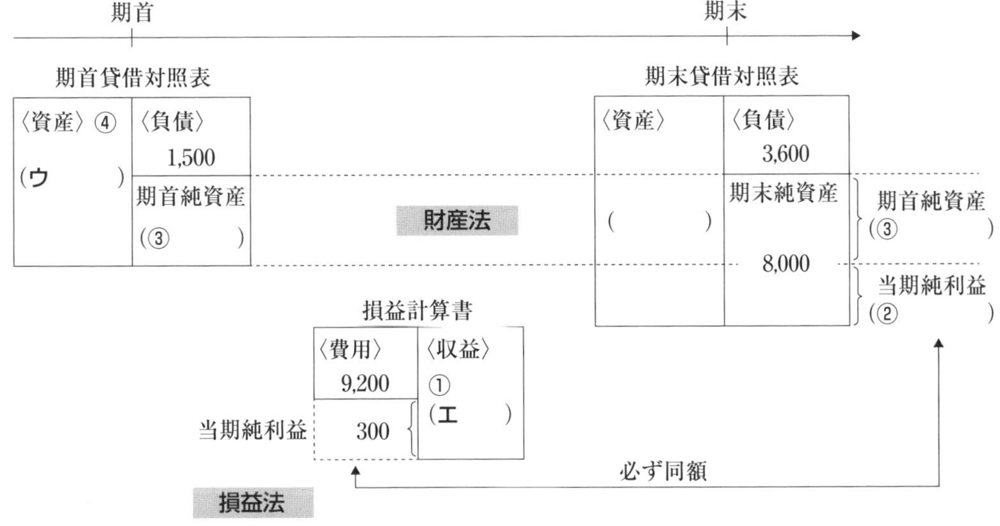

（注）①～④は推定の順番です。

・①は損益法により当期純利益が300千円だったと資料にあるので、費用より収益が300千円大きいということです。収益は9,500千円と判明します（9,200千円＋300千円＝**9,500千円…エ**）。
・損益法により計算した結果が当期純利益300千円ということは、財産法により計算した純資産の増加額（＝当期純利益②）も300千円ということになります。
・期末純資産8,000千円は、期首純資産③と純資産の増加額（＝当期純利益②）を合算したものです。したがって、期首純資産は7,700千円であったと判明します（8,000千円－300千円＝7,700千円③）。
・③の結果を受けて、期首貸借対照表の資産④は9,200千円と判明します（1,500千円＋7,700千円③＝**9,200千円…ウ**）。

財務諸表（貸借対照表と損益計算書）を作成する問題です。
訂正仕訳は正確に処理できましたか。訂正仕訳は、正しい仕訳がわかっていれば必ず導けます。解説の流れを参考にしてみてください。他の決算整理事項等は平易なものばかりです。高得点を目指しましょう！

Ⅰ　問題の流れ

決算整理前残高試算表に集められた各勘定の金額に決算整理仕訳等を加減算して、貸借対照表と損益計算書を作成する問題なので、基本的に解法手順は精算表の作成と同じです。しかし、精算表のように決算整理仕訳等を記入できる修正記入欄はないので、必要な決算整理仕訳等は、問題資料(1)の残高試算表に書き込みして集計する等の工夫をしましょう。

ネット試験…問題資料への書き込みができないため、金額が増減する科目だけを計算用紙に書き出し、T字勘定等を使って集計するとよいでしょう。

この問題の資料と解答要求事項の関係を精算表の形式で示すと、次のようになります。参考2として「解答への道」の最後に精算表を載せてあります。

精　算　表

勘定科目	残高試算表		修正記入		損益計算書		貸借対照表	
	借方	貸方	借方	貸方	借方	貸方	借方	貸方

資料(1)→残高試算表　資料(2)→決算整理事項等　損益計算書・貸借対照表→答案用紙

精算表の損益計算書欄と貸借対照表欄に記入する金額と、財務諸表に載せる金額は同じですが、財務諸表は表示方法（＝見せ方）についてルールがあるので、別途暗記する必要があります。「解答への道」の最後の参考1を参照してください。

Ⅱ　決算整理事項等

本問における決算整理事項等の仕訳は次のとおりです。

1．現金の過不足

現金の帳簿残高564,000円（(1)残高試算表より）を実際有高560,000円に合わせるため、帳簿残高より4,000円減らします。なお、原因の判明した「通信費の記入漏れ」は通信費勘定の借方に振り替え、判明しなかった借方差額400円を雑損とします。

（通信費）	3,600	（現金）	4,000
（雑損）	400		

2．売掛金の回収〈未処理事項〉

（仮受金）	67,000	（売掛金）	67,000

3．訂正仕訳

商品売買以外の取引から生じた代金の未払分は、未払金勘定の増加としなくてはならないため、正しい記録になるように修正します。

訂正仕訳は、①誤った仕訳の逆仕訳と②正しい仕訳から導くとよいでしょう。

誤った仕訳：	（土地）	360,000	（買掛金）	360,000
①誤った仕訳の逆仕訳：	（買掛金）	360,000	（土地）	360,000
②正しい仕訳：	（土地）	360,000	（未払金）	360,000

①と②、2つの仕訳で訂正仕訳となります。

なお、①と②の仕訳の同一科目を相殺して以下のような1つの仕訳にするのが望ましいです。

（買掛金）	360,000	（未払金）	360,000

4．貸倒引当金の設定

「2．売掛金の回収」により、売掛金の残高が67,000円減少していることに注意して貸倒引当金を設定します。

（貸倒引当金繰入）	14,000＊	（貸倒引当金）	14,000

＊　設定額　(867,000円－67,000円)×３％＝24,000円
（867,000円－67,000円：売掛金）

決算整理前残高　10,000円

差引：繰入額　14,000円

5．売上原価の計算（注）仕入勘定で売上原価を算定する場合

（仕　　　　入）	273,000	（繰　越　商　品）	273,000*
（繰　越　商　品）	189,000	（仕　　　　入）	189,000

＊　問題資料(1)の残高試算表上の「繰越商品」が期首商品の金額です。

6．有形固定資産の減価償却

（減 価 償 却 費）	180,000	（建物減価償却累計額）	100,000*1
		（備品減価償却累計額）	80,000*2

＊1　建物：3,000,000円〈取得原価〉÷30年＝100,000円

＊2　備品：400,000円〈取得原価〉÷５年＝80,000円

7．未払消費税の計上

決算にあたり、仮受消費税勘定の残高（期中に預かった消費税の金額）と、仮払消費税勘定の残高（期中に支払った消費税の金額）を相殺した残額（確定申告時の納税額）を、未払消費税勘定（負債）として計上します。

（仮 受 消 費 税）	700,000	（仮 払 消 費 税）	380,000
		（未 払 消 費 税）	320,000*

＊　700,000円〈仮受消費税〉－380,000円〈仮払消費税〉＝320,000円

8．前払家賃（前払費用）の計上

当期の12月１日に支払った向こう６か月分の家賃のうち、２か月分は次期に係る費用の前払分であるため、支払家賃勘定（費用）から差し引き、前払家賃勘定（資産）として次期に繰り越します。

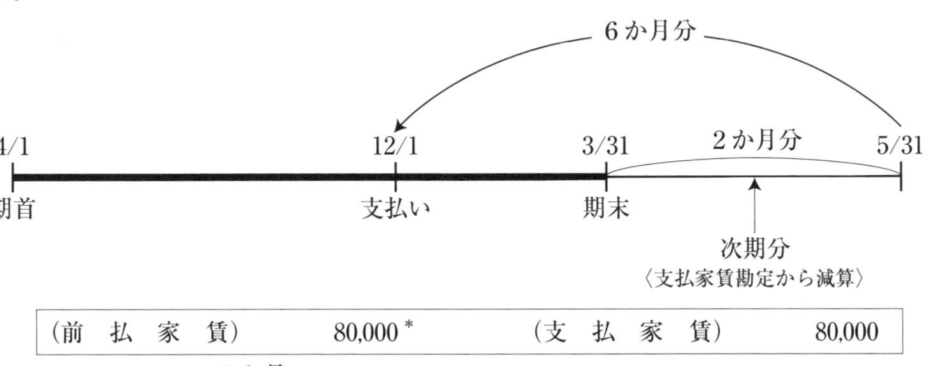

（前　払　家　賃）	80,000*	（支　払　家　賃）	80,000

＊　$240{,}000\text{円}\times\frac{2\text{か月}}{6\text{か月}}=80{,}000\text{円}$

9．未払利息（未払費用）の計上

問題文の指示に従い、支払利息勘定（費用）の増加とするとともに、同額を未払利息勘定（負債）とします。

（支　払　利　息）	3,000	（未　払　利　息）	3,000*

＊　$600{,}000\text{円}\times\text{利率年}2\%\times\frac{3\text{か月}}{12\text{か月}}=3{,}000\text{円}$

10．未収手数料（未収収益）の計上

（未 収 手 数 料）	30,000	（受 取 手 数 料）	30,000

11. 未払法人税等の計上

期中に法人税等の中間納付をしていない場合は、未払法人税等勘定（負債）の増加として処理する金額の全額が「法人税、住民税及び事業税」の金額（年税額）になります。

（法人税、住民税及び事業税）	426,000	（未払法人税等）	426,000

参考

仮に仕訳で表すと以下のようになります。

（法人税、住民税及び事業税）	426,000	（仮払法人税等）	0
		（未払法人税等）	426,000

12. 当期純利益の計算

損益計算書の貸方（収益合計）と借方（法人税、住民税及び事業税を含む費用合計）との差額により計算します。

7,113,000円（収益合計）－6,119,000円（費用合計）＝994,000円（当期純利益）

当期純利益は繰越利益剰余金（資本）の増加とすることから、繰越利益剰余金の決算整理前残高に当期純利益を加えた金額を、貸借対照表の貸方へ記入し、貸借対照表の貸借合計が一致することを確認します。

繰越利益剰余金：380,000円〈決算整理前残高〉＋994,000円〈当期純利益〉＝1,374,000円

参考1

〈貸借対照表記入上の注意〉

・貸倒引当金勘定の残高は、原則として、資産の部において受取手形や売掛金それぞれから控除する形式で表示します。

・繰越商品勘定の残高は、「**商品**」と表示します。

・経過勘定項目である「未払○○」は「**未払費用**」、「前払○○」は「**前払費用**」、「未収○○」は「**未収収益**」、「前受○○」は「**前受収益**」と表示します。

・建物減価償却累計額勘定および備品減価償却累計額勘定の残高は、原則として、資産の部において建物や備品それぞれから控除する形式で表示します。このとき、具体的な固定資産の科目名は付けずに「**減価償却累計額**」と表示します。

〈損益計算書記入上の注意〉

・仕入勘定の残高は、「**売上原価**」と表示します。
売上原価は、「期首商品棚卸高＋当期商品仕入高－期末商品棚卸高」の式で求めることもできます。
期首商品棚卸高273,000円＋当期商品仕入高3,800,000円－期末商品棚卸高189,000円
＝3,884,000円

・売上勘定の残高は、「**売上高**」と表示します。

参考2

精算表に記入すると次のようになります。

精　　算　　表

勘定科目	残高試算表		修正記入		損益計算書		貸借対照表	
	借方	貸方	借方	貸方	借方	貸方	借方	貸方
現金	564,000			4,000			560,000	
当座預金	668,000						668,000	
売掛金	867,000			67,000			800,000	
仮払消費税	380,000			380,000				
繰越商品	273,000		189,000	273,000			189,000	
建物	3,000,000						3,000,000	
備品	400,000						400,000	
土地	360,000						360,000	
買掛金		800,000	360,000					440,000
仮受金		67,000	67,000					
仮受消費税		700,000	700,000					
借入金		600,000						600,000
貸倒引当金		10,000		14,000				24,000
建物減価償却累計額		500,000		100,000				600,000
備品減価償却累計額		160,000		80,000				240,000
資本金		1,700,000						1,700,000
繰越利益剰余金		380,000						380,000
売上		7,000,000				7,000,000		
受取手数料		83,000		30,000		113,000		
仕入	3,800,000		273,000	189,000	3,884,000			
給料	960,000				960,000			
支払家賃	560,000			80,000	480,000			
水道光熱費	130,000				130,000			
通信費	29,000		3,600		32,600			
支払利息	9,000		3,000		12,000			
	12,000,000	12,000,000						
雑損			400		400			
未払金				360,000				360,000
貸倒引当金繰入			14,000		14,000			
減価償却費			180,000		180,000			
未払消費税				320,000				320,000
前払家賃			80,000				80,000	
未払利息				3,000				3,000
未収手数料			30,000				30,000	
法人税、住民税及び事業税			426,000		426,000			
未払法人税等				426,000				426,000
当期純利益					994,000			994,000
			2,326,000	2,326,000	7,113,000	7,113,000	6,087,000	6,087,000

第2回 解答

問題▶ 6

第1問 45点

仕訳一組につき３点

	借方		貸方	
	記号	金額	記号	金額
1	（カ）	220,000	（イ） （エ）	200,000 20,000
2	（イ） （カ）	12,000,000 3,000,000	（ア）	15,000,000
3	（ア）	413,500	（カ） （イ）	400,000 13,500
4	（ウ）	19,650,000	（ア） （オ）	400,000 19,250,000
5	（エ）	2,000,000	（イ）	2,000,000
6	（エ） （イ） （ク）	30,000 137,000 5,000	（キ） （カ）	167,000 5,000
7	（ウ）	900,000	（イ）	900,000
8	（オ）	50,000	（ア）	50,000
9	（カ）	1,170,000	（エ）	1,170,000
10	（オ）	230,000	（イ） （ウ）	200,000 30,000
11	（エ） （カ）	7,000 1,500	（ア）	8,500
12	（イ） （オ）	17,000 63,000	（エ）	80,000
13	（カ）	203,000	（ア） （ウ） （イ）	40,000 160,000 3,000
14	（ウ） （ア）	150,000 350,000	（エ）	500,000
15	（ア）	27,300	（オ）	27,300

第2問　20点

(1)

●数字…予想配点

支払利息

日付	配点	摘要	金額	日付	摘要	金額	配点
9/30	2	[カ]	(9,000)	3/31	[オ]	(26,000)	2
3/31		普通預金	(9,000)				
〃		[イ]	(8,000)				
			(2 26,000)			(26,000)	

未払利息

日付	配点	摘要	金額	日付	摘要	金額	配点
3/31	2	[ウ]	(8,000)	3/31	[ア]	(8,000)	2
				4/1	[エ]	(8,000)	2

(2)

各２点

①	②	③	④
エ	ケ	ア	ク

第3問 35点

●数字…予想配点

精　算　表

（単位：円）

勘定科目	残高試算表		修正記入		損益計算書		貸借対照表	
	借方	貸方	借方	貸方	借方	貸方	借方	貸方
現金	141,200		1,000				142,200 ③	
現金過不足	6,300			6,300				
普通預金	110,000		2,500				112,500	
当座預金		27,000	27,000					
受取手形	165,500						165,500	
売掛金	222,000			2,500			219,500 ③	
仮払金	13,000			13,000				
仮払消費税	213,600			213,600				
繰越商品	228,000		187,000	228,000			187,000	
建物	1,320,000						1,320,000	
備品	630,000						630,000	
土地	600,000						600,000	
買掛金		162,000						162,000
借入金		300,000						300,000
仮受消費税		326,300	326,300					
貸倒引当金		9,500	1,800					7,700
建物減価償却累計額		209,400		52,800				262,200
備品減価償却累計額		371,400		105,000				476,400
資本金		800,000						800,000
繰越利益剰余金		717,700						717,700
売上		3,263,000				3,263,000		
仕入	2,136,000		228,000	187,000	2,177,000 ③			
給料	370,000				370,000			
通信費	7,500		6,000		13,500 ③			
旅費交通費	17,200		12,000		29,200			
支払利息	6,000			3,500	2,500			
	6,186,300	6,186,300						
雑（損）			300		300 ③			
当座借越				27,000				27,000 ③
貸倒引当金（戻）入				1,800		1,800 ③		
減価償却費			157,800		157,800 ③			
（前払）利息			3,500				3,500 ③	
（未払）消費税				112,700				112,700 ③
法人税、住民税及び事業税			154,350		154,350 ③			
（未払）法人税等				154,350				154,350
当期純（利益）					360,150			360,150 ②
			1,107,550	1,107,550	3,264,800	3,264,800	3,380,200	3,380,200

全体的に、難易度・問題量ともに高得点がねらえる問題です。
難易度は、A：普、B：やや難、C：難となっています。

第1問 統一試験では、指定された勘定科目は記号で解答しなければ正解にならないので注意してください。Aレベルは正解できるようにしましょう。
解答時間は1題につき30秒～1分以内を目標に！

1．剰余金の配当と処分　難易度 A

解答

借方科目	金額	貸方科目	金額
(繰越利益剰余金)	220,000	(未払配当金)	200,000
		(利益準備金)	20,000

繰越利益剰余金の配当と処分を行ったときは、繰越利益剰余金勘定（資本）の減少とし、配当金については「ただちに支払った」などの文言がなければ「後で支払われるもの」と読み取り、未払配当金勘定（負債）で処理します。また、利益準備金の積立ては、利益準備金勘定（資本）の増加とします。

2．建物の修繕と改良　難易度 A

解答

借方科目	金額	貸方科目	金額
(建物)	12,000,000	(当座預金)	15,000,000
(修繕費)	3,000,000		

建物にかかる支出は、その名目に関係なく、建物の資産価値を高めるためのもの（＝資本的支出という）であれば、建物勘定（資産）の増加とし、建物の現状を維持するためのもの（＝収益的支出という）であれば、修繕費勘定（費用）の増加とします。なお、代金は小切手を振り出して支払ったため、当座預金勘定（資産）の減少とします。

3．資金の貸付け（返済）　難易度 A

解答

借方科目	金額	貸方科目	金額
(当座預金)	413,500	(貸付金)	400,000
		(受取利息)	13,500*

＊　$400{,}000円 \times 年利率4.5\% \times \frac{9か月}{12か月} = 13{,}500円$

貸付金を回収した（貸したお金を返してもらった）ときは、貸付金勘定（資産）の減少とします。なお、9か月分の利息とともに受け取った同店（大阪商店）振り出しの小切手は「他人振り出しの小切手」となるため、本来であれば現金勘定で処理しますが、問題文に「ただちに当座預金に預け入れた」とあるため、当座預金勘定（資産）の増加とします。

4．有形固定資産の購入　難易度 A

解答

借方科目	金額	貸方科目	金額
(土地)	19,650,000*	(現金)	400,000
		(未払金)	19,250,000

＊　550㎡×@35,000円（購入代価）＋400,000円（付随費用）＝19,650,000円

土地の購入にともなって生じた付随費用（本問では購入手数料400,000円）は、土地の取得原価に含めます。なお、商品売買以外の取引から生じた代金の未払分は、未払金勘定（負債）の増加とします。

5．所得税の納付　難易度 **A**

解答

借方科目	金額	貸方科目	金額
（所得税預り金）	2,000,000	（現　　　金）	2,000,000

給料を支払った際に預かった所得税は、後日、税務署に納める義務として、所得税預り金勘定（負債）の増加としています。したがって、納付したときは所得税預り金勘定の減少となります。

6．売上取引　難易度 **A**

解答

借方科目	金額	貸方科目	金額
（前　受　金）	30,000	（売　　　上）	167,000 *1
（売　掛　金）	137,000 *2		
（発　送　費）	5,000	（現　　　金）	5,000

＊1　162,000円＋5,000円＝167,000円

＊2　167,000円－30,000円＝137,000円

売上取引において諸掛り（発送費用）が生じる場合、その処理方法について特別な指示がなければ、商品の配送に関わる金額分を含めて売上勘定（収益）で処理するため、相手先に対する代金にも含まれることとなります。売上取引における手付金30,000円は商品代金の一部を前受けしたもの（前受金勘定で処理）なので、売り渡したときにその代金に充当（相殺）し、残額は売掛金勘定（資産）の増加とします。なお、発送費用の支払いについて、その支出額は発送費勘定（費用）で処理します。

【参考】問題文に、「発送費は当社負担とする」旨の指示があった場合、本問の仕訳は次のようになります。

（問題文例）

得意先へ商品￥162,000を売り上げ、代金のうち￥30,000は注文時に受け取った手付金と相殺し、残額を掛けとした。なお、発送費用（当社負担）￥5,000は現金で支払った。

借方科目	金額	貸方科目	金額
（前　受　金）	30,000	（売　　　上）	162,000
（売　掛　金）	132,000		
（発　送　費）	5,000	（現　　　金）	5,000

7．電子記録債権　難易度 **A**

解答

借方科目	金額	貸方科目	金額
（電子記録債権）	900,000	（売　掛　金）	900,000

売掛金について、電子記録債権の発生記録の通知を受けたときは、その金額を電子記録債権勘定に振り替えます。具体的には、売掛金勘定（資産）の減少とするとともに、電子記録債権勘定（資産）の増加とします。

8．再振替仕訳　難易度 **A**

解答

借方科目	金額	貸方科目	金額
（当　座　借　越）	50,000	（当　座　預　金）	50,000

当座預金勘定が貸方残高のときは、当座借越契約上の一時的な借入れがあることを示しています。これを前期の決算整理にともない当座借越勘定に振り替えたときは、翌期首に再振替仕訳（前期に行った決算整理仕訳の逆仕訳）を行って、もとの勘定に戻します。

9．決算振替仕訳　難易度 A

解答

（損　　益）	1,170,000	（仕　　入）	1,170,000*

＊　120,000円＋1,230,000円－180,000円＝1,170,000円

決算振替仕訳とは、当期純損益を計算するために、決算整理**後**の費用と収益の各勘定残高を損益勘定へ振り替えるための仕訳です。本問では、問題文の指示により、仕入勘定において算定された売上原価を損益勘定の借方へ振り替えます。

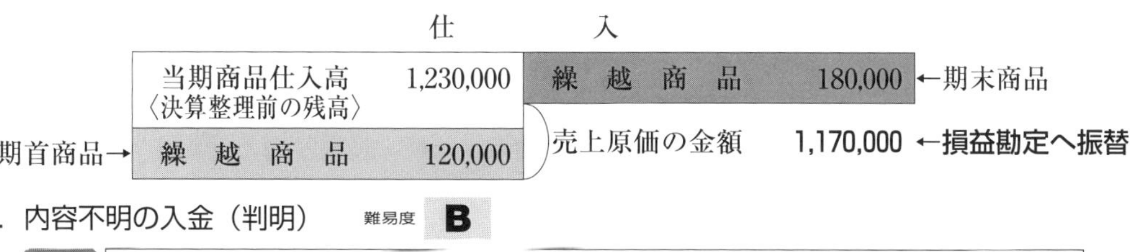

10．内容不明の入金（判明）　難易度 B

解答

（仮　受　金）	230,000	（売　掛　金）	200,000
		（前　受　金）	30,000

「内容不明」の入金分は仮受金勘定で処理しています。

従業員から入金時：（当座預金）　230,000　（仮　受　金）　230,000

内容が判明したときには、仮受金勘定の借方に記入します。200,000円については売掛金の回収分であったため売掛金勘定（資産）の減少とし、30,000円については得意先から受け取った手付金であることが判明したため、これは商品の引渡義務を表す前受金勘定（負債）へ振り替えます。

11．費用の支払い　難易度 A

解答

（租税公課）	7,000	（現　　金）	8,500
（通　信　費）	1,500		

事業で使用するこれらは、ただちに使用するものとして、収入印紙は租税公課勘定、郵便切手は通信費勘定を用いて費用の増加とします。

12．旅費交通費の概算払い（精算）　難易度 A

解答

（現　　金）	17,000	（仮　払　金）	80,000
（旅費交通費）	63,000		

出張にあたり支払った旅費の概算額80,000円は、一時的に仮払金勘定で処理しておき、金額確定時に旅費交通費勘定へ振り替えます。

概算払い時：（仮　払　金）　80,000　（現　金　な　ど）　80,000

従業員が出張から戻り旅費を精算した結果、残額として17,000円を受け取ったということは、この時点で旅費交通費の支出額は63,000円であったと確定します。

13．仕入取引　難易度 B

解答

（仕　　入）	203,000	（前　払　金）	40,000*
		（買　掛　金）	160,000
		（現　　金）	3,000

＊　商品代金200,000円×20％＝40,000円

商品の仕入取引における手付金は、商品代金の一部を前払いしたものです。

手付金の支払時：

（前　払　金）	40,000	（現　金　な　ど）	40,000

したがって、商品が到着したとき（引き渡しを受けたとき）に商品代金と相殺し、残額は、商品代金の支払義務を表す買掛金勘定（負債）の増加とします。また、商品を引き取る際に支払った運賃は、その金額を含めて仕入原価とします。

14. 建物の賃借（解約）　難易度 A

解答

（修　繕　費）	150,000	（差 入 保 証 金）	500,000
（普　通　預　金）	350,000		

賃貸借契約を結んだ際に支払った敷金は、賃借した建物に特に問題がなければ解約時に返還されるため、差入保証金勘定（資産）として処理しています。退去にともない差し引かれた修繕費150,000円は原状回復（借りたときの状態に戻すこと）のための支出額であり、「差し引かれた」ということは「当社が負担した」ということです。よって、当社の費用として処理し、差入保証金勘定は全額を減少とするとともに、返還された金額分だけ普通預金勘定（資産）の増加とします。

15. 消耗品の購入　難易度 A

解答

（消　耗　品　費）	27,300	（未　払　金）	27,300

事務作業などで使用する少額の物品で、すぐに使って無くなってしまうようなものを消耗品といいます。消耗品の購入時に請求書を受け取ったときは、その記載内容にもとづいて消耗品費勘定（費用）の増加で処理します。また、商品以外のものを購入したときの代金の未払額は、未払金勘定（負債）の増加とします。

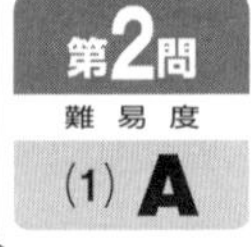

(1) 記録のルールである「仕訳と転記」が問われた基本問題です。素早く正確に解答できるようにしておきましょう。

Ⅰ　期中処理

4/1　取引先からの借入れ（利率年1.5%、期間1年、利払日は9月と3月の各末日）

（普　通　預　金）	1,200,000	（借　入　金）	1,200,000

9/30　取引先からの借入れに対する利払い（4月1日～9月末日までの6か月分）

利息の計算：1,200,000円×利率年1.5%×$\frac{6か月}{12か月}$=9,000円

（支　払　利　息）	**9,000**	**力（普　通　預　金）**	9,000

12/1　銀行からの借入れ（利率年1.2%、期間1年、利息は元本返済時に一括で支払う）

（普　通　預　金）	2,000,000	（借　入　金）	2,000,000

3/31　取引先からの借入れに対する利払い（10月1日～3月末日までの6か月分）

利息の計算：9/30と同じです。

（支　払　利　息）	**9,000**	（普　通　預　金）	9,000

Ⅱ　決算処理

1．決算整理仕訳

3/31　銀行からの借入れに対する未払利息の計上

当期の12月1日から3月31日までの4か月分の利息は、当期中に支払っていないので未計上です。しかし、当期に係る費用であるため、支払利息勘定（費用）の増加とするとともに、同額を未払利息勘定（負債）とします。

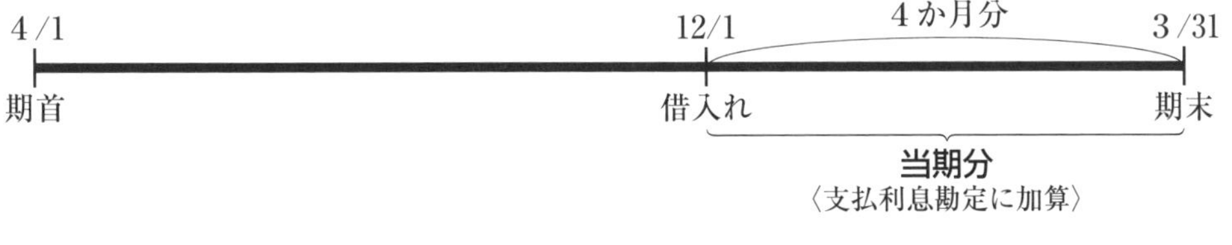

借方	金額	貸方	金額
ア（支　払　利　息）	8,000*	イ（未　払　利　息）	8,000

＊　2,000,000円×利率年1.2％×$\frac{4か月}{12か月}$＝8,000円

これまでの仕訳を転記すると、次のようになります。

支　払　利　息

日付	摘要	金額	日付	摘要	金額
9/30	普通預金（カ）	9,000			
3/31	普通預金	9,000			
〃	未払利息（イ）	8,000			

未　払　利　息

日付	摘要	金額	日付	摘要	金額
			3/31	支払利息（ア）	8,000

転記の結果により、支払利息勘定の借方合計は**26,000円**になります。

2．決算振替仕訳

3/31　決算整理後の支払利息勘定の借方残高26,000円を損益勘定の借方へ振り替えます。

借方	金額	貸方	金額
オ（損　　　　益）	26,000	（支　払　利　息）	26,000

この振り替えにより、支払利息勘定の残高はゼロとなるため締め切ります。

3．負債の勘定の締め切りと開始記入

3/31　決算整理後の未払利息勘定の貸方残高8,000円を、借方に「**ウ　次期繰越**」と記入し、借方と貸方の合計金額を一致させて締め切ります（繰越記入という）。繰越額は、翌期首の日付（4/1）で貸方に「**エ　前期繰越**」と記入します（開始記入という）。

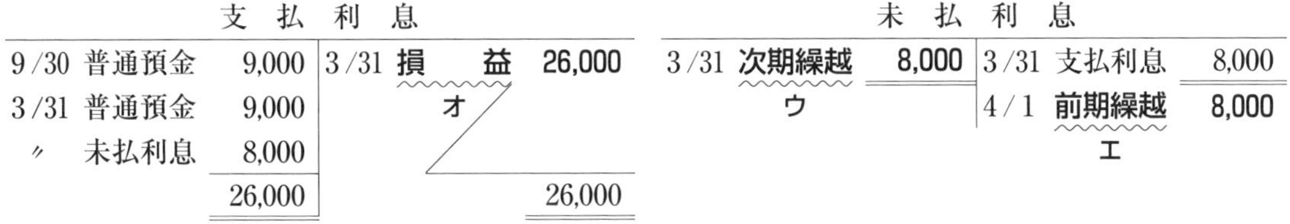

支　払　利　息

日付	摘要	金額	日付	摘要	金額
9/30	普通預金	9,000	3/31	損　　益（オ）	26,000
3/31	普通預金	9,000			
〃	未払利息	8,000			
		26,000			26,000

未　払　利　息

日付	摘要	金額	日付	摘要	金額
3/31	次期繰越（ウ）	8,000	3/31	支払利息	8,000
			4/1	前期繰越（エ）	8,000

(2) 文章の空所補充問題です。
日商簿記3級で出題されるものは、「文章のマル暗記」ということではなく、日商簿記3級で学習する帳簿組織や基本的な会計処理をマスターしていれば解答できます。できなかったところはテキスト等で確認するようにしましょう。

1．償却債権取立益

前期以前に貸倒れとして処理した売掛金は、当期の帳簿上には存在していません。したがって回収したときは、その金額を収益勘定「**(①) エ　償却債権取立益**」で処理します。

2．試算表

総勘定元帳への転記が正しく行われたかどうかの確認や期末の決算手続きを円滑に行うために作成する表を「**(②) ケ　試算表**」といいます。仕訳の借方と貸方の金額は必ず一致しているので、転記先である総勘定元帳上においても、ある勘定の借方とその相手勘定となる貸方に、必ず同じ金額が記入されることになります。これにより、総勘定元帳上の勘定の借方総合計と貸方総合計は必ず一致する関係になります。これを「貸借平均の原理」といいます。

試算表に集める金額は総勘定元帳上の金額なので、貸借が一致するか否かにより、転記ミスの有無を検証することができます。

3．有形固定資産の修繕と改良

建物にかかる支出は、その名目に関係なく、建物の資産価値を高めるためのものであれば、建物勘定（資産）の増加とします。（建物それ自体の金額を増やすことになります。）

したがって、「機能が向上して価値が増加した場合」の仕訳の借方は「**(③) ア　建物**」となります。

4．有形固定資産の取得にともなう付随費用について

有形固定資産の取得原価に含める付随費用には、購入する時点で生じたものだけでなく、利用できるようにするための支出分も含まれます。

したがって、本問では、土地の取得原価に含めるための処理として、「**(④) ク　土地**」勘定になります。

精算表作成の問題です。
貸倒引当金の設定にあたり、戻し入れのケースで出題されています。また、借入金の利息は借入時に支払う条件のため、決算時点は前払利息が生じることになります。本問をとおしてできるようにしておきましょう。

本問における決算整理事項等の仕訳は次のとおりです。

1．売掛金の回収〈未処理事項〉

(普通預金)	2,500	(売掛金)	2,500

2．仮払金の精算〈未処理事項〉

(旅費交通費)	12,000	(仮払金)	13,000
(現金)	1,000		

3．現金過不足勘定の整理

現金過不足勘定の借方残高6,300円のうち、原因の判明した「郵便切手代」は通信費勘定の借方に振り替え、判明しなかった借方差額300円は雑損勘定（費用）で処理します。

借方科目	金額	貸方科目	金額
（通　信　費）	6,000	（現金過不足）	6,300
（雑　　　損）	300		

4．借越残高の振り替え

決算において、当座預金勘定が貸方残高（借り越しの状態）となった場合は、その金額を負債の勘定（問題文の指示により当座借越勘定）に振り替えます。

借方科目	金額	貸方科目	金額
（当座預金）	27,000	（当座借越）	27,000

5．貸倒引当金の設定

「1．売掛金の回収」により、売掛金の残高が2,500円減少していることに注意して貸倒引当金を設定します。

借方科目	金額	貸方科目	金額
（貸倒引当金）	1,800	（貸倒引当金戻入）	1,800*

＊　設　定　額　（165,500円〈受取手形〉＋222,000円－2,500円〈売掛金〉）×２％＝7,700円

決算整理前残高　9,500円

差引：**戻入額**　△1,800円

当期末の設定額より決算整理前の帳簿残高が多い場合は、当期末の設定額になるように貸倒引当金勘定の残高を減らし、貸倒引当金戻入勘定（収益）で処理します。

6．売上原価の計算

仕入の行（仕入勘定）で売上原価を算定します。

借方科目	金額	貸方科目	金額
（仕　　　入）	228,000	（繰越商品）	228,000
（繰越商品）	187,000	（仕　　　入）	187,000

7．有形固定資産の減価償却

借方科目	金額	貸方科目	金額
（減価償却費）	157,800	（建物減価償却累計額）	52,800*1
		（備品減価償却累計額）	105,000*2

＊1　建物：1,320,000円〈取得原価〉÷25年＝52,800円

＊2　備品：630,000円〈取得原価〉÷６年＝105,000円

8．前払利息（前払費用）の計上

問題文に「利息は借入時に支払う条件」とあるので、利息はすでに全額を支払済みということです。

借入時：

借方科目	金額	貸方科目	金額
（現金など）	294,000	（借　入　金）	300,000
（支払利息）	6,000*		

＊　300,000円×年利率２％＝6,000円〈１年分の利息〉

当期の11月1日に支払った向こう1年分の利息のうち、7か月分は次期に係る費用の前払分なので、支払利息勘定（費用）から差し引き、前払利息勘定（資産）として次期に繰り越します。

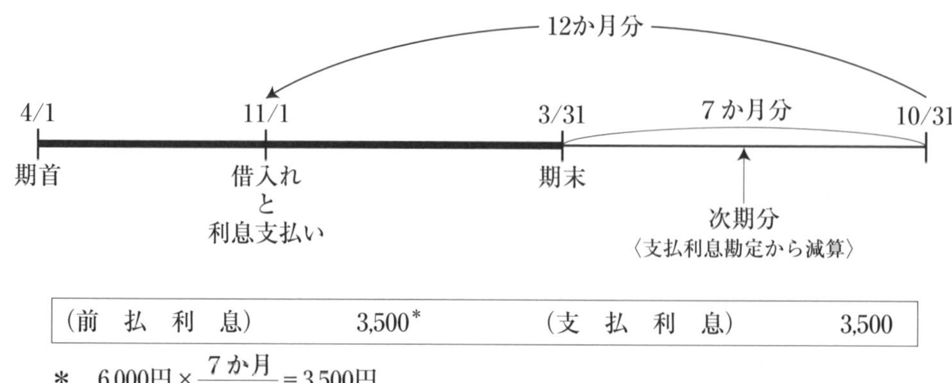

（前　払　利　息）	3,500*	（支　払　利　息）	3,500

* $6{,}000\text{円} \times \dfrac{7\text{か月}}{12\text{か月}} = 3{,}500\text{円}$

9．未払消費税の計上

決算にあたり、仮受消費税勘定の残高（期中に預かった消費税の金額）と、仮払消費税勘定の残高（期中に支払った消費税の金額）を相殺した残額（確定申告時の納税額）を、未払消費税勘定（負債）の増加とします。

（仮 受 消 費 税）	326,300	（仮 払 消 費 税）	213,600
		（未 払 消 費 税）	112,700*

* 326,300円〈仮受消費税〉－213,600円〈仮払消費税〉＝112,700円

10．未払法人税等の計上

損益計算書欄の貸方合計（収益）と借方合計（費用）の差額により税引き前の利益を計算し、その金額の30％を法人税、住民税及び事業税とします。なお、中間納付は行っていないので、全額を未払法人税等勘定（負債）の増加とします。

（法人税、住民税及び事業税）	154,350*	（未 払 法 人 税 等）	154,350

* 3,264,800円〈収益合計〉－2,750,300円〈費用合計〉＝514,500円〈税引き前の利益〉

514,500円〈税引前の利益〉×30％＝154,350円

11．当期純利益の計算

514,500円〈税引前の利益〉－154,350円〈法人税等〉＝360,150円〈当期純利益〉

当期純利益の金額は、損益計算書欄の借方へ記入し、同額を貸借対照表欄の貸方へ移記して、貸借合計が一致することを確認します。

第3回 解答

問題 ▶ 10

第1問 45点

仕訳一組につき３点

	借方		貸方	
	記号	金額	記号	金額
1	（ア）	120,000	（カ）	120,000
2	（エ） （オ） （イ）	1,050,000 370,000 80,000	（ウ）	1,500,000
3	（カ）	7,000	（ア）	7,000
4	（ウ） （エ）	70,000 130,000	（イ）	200,000
5	（ア） （オ）	23,000 17,000	（エ） （ウ）	25,000 15,000
6	（イ）	700,000	（オ）	700,000
7	（ウ） （カ）	2,000,000 22,500	（ア）	2,022,500
8	（イ） （エ）	130,000 200,000	（オ） （カ）	300,000 30,000
9	（オ）	3,600,000	（カ） （エ） （イ）	216,000 144,000 3,240,000
10	（カ）	40,000	（エ）	40,000
11	（ア） （エ）	49,000 1,000	（ウ）	50,000
12	（カ） （オ）	150,000 20,000	（イ）	170,000
13	（イ） （エ） （ウ）	3,000 4,000 5,600	（ア）	12,600
14	（オ） （カ）	60,000 60,000	（イ）	120,000
15	（ア） （ウ）	695,000 69,500	（エ）	764,500

第2問　20点

(1)

各日付の○印がすべて正解につき２点

日付＼補助簿	現金出納帳	当座預金出納帳	商品有高帳	売掛金元帳	買掛金元帳	受取手形記入帳	支払手形記入帳	売上帳	仕入帳	固定資産台帳	該当なし
10月１日	○									○	
11日			○	○		○		○			
16日			○		○				○		
20日										○	
27日	○		○		○				○		
31日											○

(2)

●数字…予想配点

損　　益

日付	摘要	金額	日付	摘要	金額
3/31	仕入	4,500,000	3/31	売上	6,800,000
〃	その他費用	1,200,000			
〃	［ エ ］	〈330,000〉			
〃	②［ ウ ］	〈770,000〉			
		6,800,000			6,800,000

利益準備金

日付	摘要	金額	日付	摘要	金額
②（3/31）	［ キ ］	〈213,000〉	4/1	前期繰越	178,000
			（6/28）	［ ウ ］	〈35,000〉
		〈213,000〉			〈213,000〉

繰越利益剰余金

日付	摘要	金額	日付	摘要	金額
6/28	未払配当金	〈350,000〉	4/1	前期繰越	1,430,000
〃	［ オ ］	〈35,000〉	（3/31）	［ ク ］	〈770,000〉②
②（3/31）	［ キ ］	〈1,815,000〉			
		〈2,200,000〉			〈2,200,000〉

第3問 35点

●数字…予想配点

問1

決算整理後残高試算表

借方	勘定科目	貸方
526,000	現金	
470,000	受取手形	
③ 330,000	売掛金	
285,000	繰越商品	
③ 90,000	(前払)家賃	
③ 2,400	(未収)利息	
300,000	貸付金	
480,000	備品	
1,100,000	土地	
	支払手形	360,000
	買掛金	344,400
	当座借越	180,000
	(未払)消費税	128,000 ③
	未払法人税等	61,000 ③
	(前受)手数料	2,000
	貸倒引当金	24,000 ③
	備品減価償却累計額	245,000 ③
	資本金	1,500,000
	繰越利益剰余金	410,000
	売上	4,360,000
	受取手数料	9,000 ③
	受取利息	2,400
③ 3,057,000	仕入	
304,000	給料	
③ 16,000	貸倒引当金繰入	
65,000	減価償却費	
360,000	支払家賃	
43,400	消耗品費	
54,000	水道光熱費	
③ 2,000	雑(損)	
141,000	法人税等	
7,625,800		7,625,800

別解 「雑（損）」は「雑（損失）」としてもよい。

問2	(当期純利益)・当期純損失	¥ 329,000

○の囲いと金額が両方正解で2点

第3回 解答への道

問　題 ▶ 10

部分的には読み取りづらい問題文はあるものの、全体的には、難易度・問題量ともに高得点がねらえる問題です。

難易度は、A：普、B：やや難、C：難となっています。

第1問
統一試験では、指定された勘定科目は記号で解答しなければ正解にならないので注意してください。Aレベルは正解できるようにしましょう。
解答時間は1題につき30秒～1分以内を目標に！

1．訂正仕訳　難易度 **A**

解答

借方科目	金額	貸方科目	金額
(売　上)	120,000	(売　掛　金)	120,000

訂正仕訳は、①誤った仕訳の逆仕訳と②正しい仕訳から導くとよいでしょう。

	借方科目	金額	貸方科目	金額
誤った仕訳：	(現　金)	120,000	(売　上)	120,000
①誤った仕訳の逆仕訳：	(売　上)	120,000	(現　金)	120,000
②正しい仕訳：	(現　金)	120,000	(売　掛　金)	120,000

①と②、2つの仕訳で訂正仕訳となります。

なお、①と②の仕訳の同一科目を相殺して以下のような1つの仕訳にすると、記録の誤りのみを部分的に修正する仕訳になります。

借方科目	金額	貸方科目	金額
(売　上)	120,000	(売　掛　金)	120,000

2．有形固定資産の売却（期首売却）　難易度 **A**

解答

借方科目	金額	貸方科目	金額
(車両運搬具減価償却累計額)	1,050,000	(車　両　運　搬　具)	1,500,000
(未　収　入　金)	370,000		
(固定資産売却損)	80,000 *		

*　370,000円（売却価額）－(1,500,000円－1,050,000円)（帳簿価額）＝△80,000円〈売却損〉

間接法で記帳している場合、車両を売却したときは、車両運搬具勘定（資産）の取得原価とその車両に対する減価償却累計額勘定の減少とします。さらに、売却価額から帳簿価額を差し引き、固定資産売却損（益）を計算します。なお、期首に売却していることから、帳簿価額の計算において当期分の減価償却費を考慮する必要はありません。

代金については、「2週間後に当社指定の普通預金口座に振り込んでもらうこと」にしただけなので、売却時点では支払われていません。「普通預金」としないように気をつけましょう。

商品売買以外の取引から生じた代金の未収分は、未収入金勘定（資産）の増加とします。

3．租税公課の支払い　難易度 **A**

解答

借方科目	金額	貸方科目	金額
(租　税　公　課)	7,000	(現　金)	7,000

事業で使用する収入印紙は、租税公課勘定（費用）の増加とします。

4．売掛金の貸倒れ（一部回収）　難易度 **A**

解答

（現　　　　金）	70,000	（売　掛　金）	200,000
（貸倒引当金）	130,000		

前期以前に生じた売掛金が貸し倒れた（回収不能となった）場合、売掛金勘定（資産）の減少とするとともに、貸倒引当金の残高があれば取り崩して充当します。本問では、売掛金200,000円のうち、70,000円は回収できたため現金勘定（資産）の増加とし、残額の130,000円に対して貸倒引当金を取り崩す処理を行います。

5．旅費交通費の概算払い（精算）と手付金の受け取り　難易度 **B**

解答

（現　　　　金）	23,000	（仮　払　金）	25,000
（旅費交通費）	17,000	（前　受　金）	15,000

本問には２つの取引が含まれています。

(1)　仮払金の精算

旅費の概算払い：	（仮　払　金）	25,000	（現 金 な ど）	25,000

出張にあたり前渡しした旅費の概算額は、渡したときに仮払金勘定で処理し、旅費の金額が確定した時点で旅費交通費勘定（費用）などに振り替えます。

本問の解答①：〈旅費の精算〉	（旅費交通費）	17,000*	（仮　払　金）	25,000
	（現　　　　金）	8,000		

＊　概算払いしていた25,000円に対し、残金として現金8,000円を受け取ったということは、結果として旅費交通費は17,000円であったと判明します。

(2)　手付金の受け取り

本問の解答②：	（現　　　　金）	15,000	（前　受　金）	15,000

商品販売にかかる手付金は、商品の引渡義務を表す前受金勘定（負債）の増加とします。**本問の解答①**と**本問の解答②**をあわせて解答とします。

6．電子記録債務（発生）　難易度 **A**

解答

（買　掛　金）	700,000	（電子記録債務）	700,000

買掛金の支払いについて、電子記録債務の発生記録の請求を行ったときは、その金額を電子記録債務勘定に振り替えます。具体的には、買掛金勘定（負債）の減少とするとともに、電子記録債務勘定（負債）の増加とします。

7．資金の借入れ（返済）　難易度 **A**

解答

（借　入　金）	2,000,000	（普 通 預 金）	2,022,500
（支 払 利 息）	22,500*		

＊　$2,000,000円 \times 利率年1.5\% \times \frac{9か月}{12か月} = 22,500円$

「元利（がんり）」とは「元金（本問では当初の借入額2,000,000円）」と「利息」のことです。本問は借入金の返済と利息の支払いを普通預金口座から返済（普通預金のお金を使って支払い）した取引です。借入金の返済は借入金勘定（負債）の減少とし、利息の支払いについては支払利息勘定（費用）の増加とします。

8．売上取引　難易度 B

解答

(現　　　金)	130,000	(売　　　上)	300,000
(受 取 手 形)	200,000 *	(仮受消費税)	30,000

＊　(300,000円＋30,000円)－130,000円＝200,000円
　　消費税を含めた合計額

消費税を税抜方式で記帳する場合、売上勘定（収益）で処理する金額は税抜価額で行い、受け取った消費税分は仮受消費税勘定（負債）の増加とします。なお、代金の受取額が税込価額になる点に注意しましょう。

消費税を含めた合計額（330,000円）のうち、130,000円は現金勘定（資産）の増加とし、先方振り出しの約束手形で受け取った分については、受取手形勘定（資産）の増加とします。

9．給料の支払い　難易度 A

解答

(給　　　料)	3,600,000	(社会保険料預り金)	216,000
		(所得税預り金)	144,000
		(普 通 預 金)	3,240,000

給料総額3,600,000円から、従業員が負担する社会保険料216,000円と所得税の源泉徴収分144,000円は差し引いて預かるため、社会保険料は社会保険料預り金勘定、所得税の源泉徴収分は所得税預り金勘定を用いて負債の増加とします。従業員の手取額については、普通預金口座より振り込んでいるので普通預金勘定（資産）の減少とします。

10. 手付金の受け取り　難易度 A

解答

(現　　　金)	40,000	(前　受　金)	40,000

商品を引き渡す前（注文時）に商品の代金として手付金を受け取ったときは、注文品を引き渡す義務として、前受金勘定（負債）の増加とします。本問では、商品代金の全額（40,000円）を前受金勘定で処理することになります。「代金の一部だから手付金」と考えるわけではありません。

11. 売上取引（クレジット払い）　難易度 A

解答

(クレジット売掛金)	49,000	(売　　　上)	50,000
(支 払 手 数 料)	1,000 *		

＊　50,000円×２％＝1,000円

商品をクレジット払いの条件で販売した場合は、クレジット売掛金勘定（資産）の増加とし、「売掛金」とは区別して処理します。また、信販会社に対する手数料の支払額は支払手数料勘定（費用）の増加としますが、販売時に計上する場合は、売上高から手数料を差し引いた残額がクレジット売掛金となります。

12. 費用の支払い　難易度 A

解答

(支 払 家 賃)	150,000	(普 通 預 金)	170,000
(通　信　費)	20,000		

事業用として使用している建物の家賃の支払いは支払家賃勘定、電話料金の支払いは通信費勘定を用いて費用の増加とします。

13. 小口現金　難易度 **A**

解答

(旅費交通費)	3,000	(当座預金)	12,600
(消耗品費)	4,000		
(通信費)	5,600		

電車代は旅費交通費勘定、文房具代は消耗品費勘定、郵便切手代は通信費勘定を用いて費用の増加とします。

小口現金係から支払いの報告を受け、ただちに資金の補給を行った場合は、補給された小切手により支払いが行われたものと考えて、小口現金勘定の増減記録を省略することができます。したがって、貸方は「当座預金」となります。

14. 社会保険料の納付　難易度 **A**

解答

(社会保険料預り金)	60,000	(現金)	120,000
(法定福利費)	60,000		

従業員にかかる健康保険料を納付したときは、その金額のうち会社負担分は法定福利費勘定（費用）の増加とします。これに対し、従業員負担分は給料を支給したときに、社会保険料預り金勘定（負債）の増加として処理しているため、納付したときは借方に記入して負債の減少とします。

15. 仕入取引　難易度 **A**

解答

(仕入)	695,000	(買掛金)	764,500
(仮払消費税)	69,500		

消費税を税抜方式で記帳する場合、仕入勘定（費用）で処理する金額は税抜価額で行い、支払った消費税分は仮払消費税勘定（資産）の増加とします。なお、代金の支払額が税込価額になる点に注意しましょう。

第2問　難易度 (1) **B**

(1)　各取引に必要な補助簿を選択する問題です。各取引の仕訳を行い、仕訳から記入する補助簿をイメージすると上手に選択できます。

各取引の仕訳をもとにして、記入される補助簿を判断します。

なお、**商品**有高帳には、**商品**に関わる取引を記入しますので注意しましょう。

×7年10月の取引の仕訳および記入される補助簿は次のようになります。

1日　車両の買換え

	(減価償却累計額)	280,000	(車両運搬具)	400,000	→**固定資産**台帳
	(減価償却費)	?	(現金)	200,000	→**現金**出納帳
	(固定資産売却損)	? または	(固定資産売却益)	?	
固定資産台帳←	(車両運搬具)	300,000			

取引の仕訳を「旧車両の売却」と「新車両の購入」とに分けず、「買換え」という１つの取引として扱うのは下取り価額があるためです。

たとえば、車販売店をＡ社とします。

ここでいう車両の買換えとは、**A社で新たに車両を購入することを前提に今まで使用してきた車両をA社に引き取ってもらうこと**をいいます。今まで使用してきた車両に対してA社が測る価値の評価額を「**下取り価額**」といい、これは新しい車両の購入資金に充てられます。

しかしながら、仕訳の考え方としては「①旧車両の売却」と「②新車両の購入」が同時に行われたとすればいいので、それぞれの仕訳を考えれば必要な補助簿は選択できるでしょう。

① 旧車両の売却

下取り価額は、新車両の購入代金に充てること以外に使うことはできないため、実際には、車販売店と下取り価額に対する金銭のやり取りはありません。しかし、正確に固定資産売却損(益)を計算するためには、未収入金勘定などを使って「下取り価額で売却したと**仮定する**」のがポイントです。

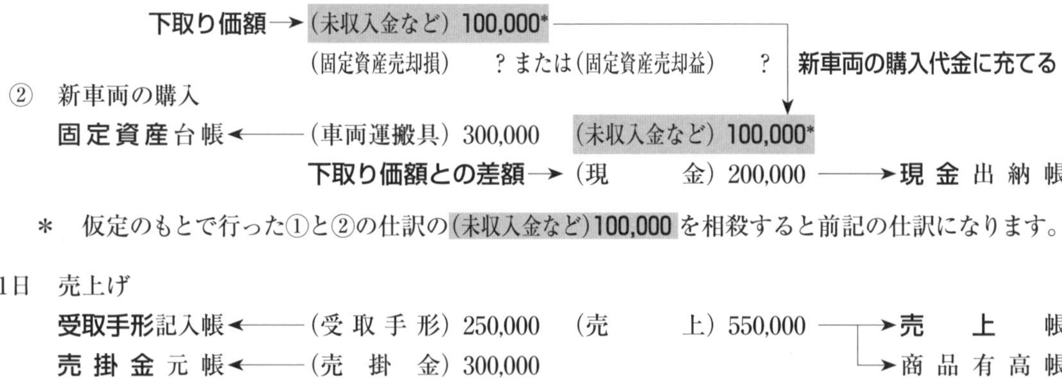

* 仮定のもとで行った①と②の仕訳の(未収入金など)**100,000**を相殺すると前記の仕訳になります。

11日 売上げ

受取手形記入帳 ← (受取手形) 250,000 (売 上) 550,000 → **売上**帳 / **商品**有高帳〈商品の減少〉

売掛金元帳 ← (売 掛 金) 300,000

16日 仕入戻し

買掛金元帳 ← (買 掛 金) 150,000 (仕 入) 150,000 → **仕入**帳 / **商品**有高帳〈商品の減少〉

20日 車両の期中売却

車両の帳簿価額とは、会計上で記録された車両の価値を示すもので、次のように計算します。

車両の取得原価－減価償却額＝帳簿価額

これを売却の仕訳で表す場合、借方の金額が減価償却額、貸方の金額が取得原価になるので、**両者を相殺した金額が売却時点の帳簿価額**になります。

問題資料に詳細が与えられていないので正確な金額で仕訳はできませんが、補助簿を選択する問題は、金額がわからなくても答えを導くことは可能です。「金額無し」で仕訳することもテクニックとして覚えておきましょう。

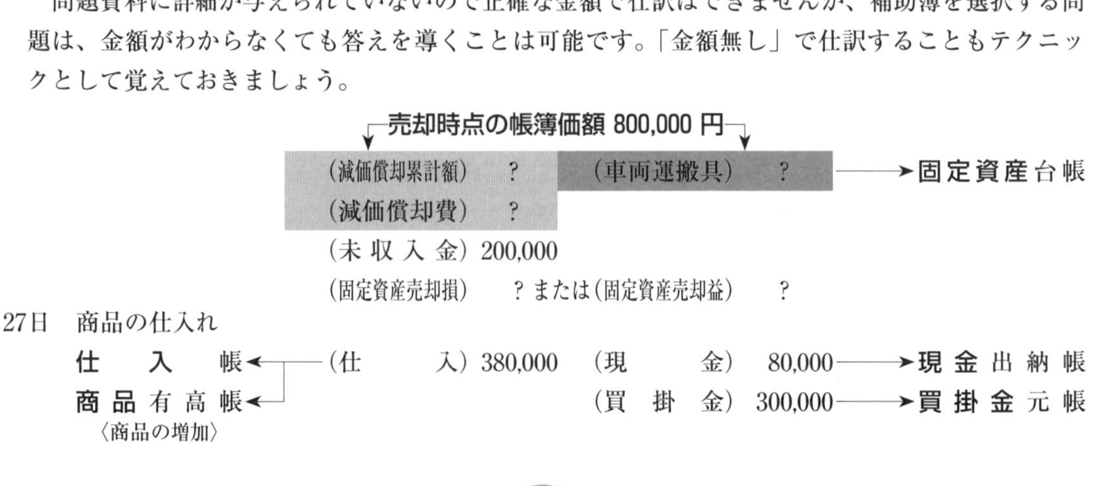

27日 商品の仕入れ

仕入帳 / **商品**有高帳〈商品の増加〉 ← (仕 入) 380,000 (現 金) 80,000 → **現金**出納帳

(買 掛 金) 300,000 → **買掛金**元帳

31日　現金過不足（一部原因判明）

（旅費交通費）　8,000　（現金過不足）　8,000

「該当なし」が解答になります。

「現金」の仕訳は行いません。現金の過不足が生じた時点（現金過不足勘定の借方に計上した時点）に記入済みです。また、現時点は「期中」であるため、残額の不明分については引き続き調査を行います。これを雑損とするのは決算時です。

(2)　繰越利益剰余金に関する勘定記入の問題です。
繰越利益剰余金に関わる仕訳は、当期純損益の計上や剰余金の配当と処分のときです。仕訳を考えるときは、会計期間の流れに沿って利益の増減を意識していくとよいでしょう。

問題資料にもとづいて仕訳と勘定記入を示すと次のようになります。

1．株主総会における**剰余金の配当と処分**〈＝利益の減少〉

6/28	**（繰越利益剰余金）** ウ	**385,000**	（未払配当金）	**350,000**
			（利益準備金） オ	**35,000**

利益準備金

			4/1	前期繰越	178,000
			6/28	**ウ　繰越利益剰余金**	**35,000**

繰越利益剰余金

6/28	未払配当金	**350,000**	4/1	前期繰越	1,430,000
〃	**オ　利益準備金**	**35,000**			

2．当期純損益の計上（決算）

①　法人税、住民税及び事業税の計上

答案用紙の損益勘定により、収益総額と費用総額の差額から法人税、住民税及び事業税を**引く前の**利益（**税引前**当期純利益という）を計算します。

6,800,000円〈収益総額＝売上〉－5,700,000円〈費用総額＝仕入＋その他費用〉＝1,100,000円

税引前当期純利益の30％を法人税、住民税及び事業税として計上します。中間納付はなかったと仮定すると以下のような仕訳になります。

3/31	（法人税、住民税及び事業税）	330,000 *	（未払法人税等）	330,000

＊　1,100,000円〈税引前当期純利益〉×30％＝330,000円〈法人税、住民税及び事業税の年税額〉

②　損益勘定への振り替え

帳簿上、損益勘定で当期純損益を算定するため、法人税、住民税及び事業税の勘定残高は損益勘定へ振り替える必要があります。

3/31	（損　　益）	**330,000**	**（法人税、住民税及び事業税）** エ	330,000

損　益

3/31	仕　入	4,500,000	3/31	売　上	6,800,000
〃	その他費用	1,200,000			
〃	**エ　法人税、住民税及び事業税**	**330,000**			

③　**当期純利益の計上〈＝利益の増加〉**

3/31	(**損　　益**) ク	**770,000**	(**繰越利益剰余金**) ウ	**770,000**＊

＊　1,100,000円〈税引前当期純利益〉－330,000円〈法人税、住民税及び事業税〉＝**770,000円〈当期純利益〉**

損　　益

3/31	仕　　入	4,500,000	3/31		売　　上	6,800,000
〃	その他費用	1,200,000				
〃	法人税、住民税及び事業税	330,000				
〃	**ウ　繰越利益剰余金**	**770,000**				
		6,800,000				6,800,000

繰越利益剰余金

6/28	未払配当金	350,000	4/1		前期繰越	1,430,000
〃	利益準備金	35,000	**3/31**	**ク**	**損　　益**	**770,000**

3．資本の勘定の締め切り

①　利益準備金勘定の締め切り

貸方残高213,000円を、借方に期末の日付で「次期繰越」と記入し、借方と貸方の合計金額を一致させて締め切ります。

利益準備金

3/31	**キ　次期繰越**	**213,000**	4/1	前期繰越	178,000
			6/28	繰越利益剰余金	35,000
		213,000			213,000

②　繰越利益剰余金勘定の締め切り

決算振替後の貸方残高1,815,000円を、期末の日付で借方に「次期繰越」と記入し、借方と貸方の合計金額を一致させて締め切ります。

繰越利益剰余金

6/28	未払配当金	350,000	4/1	前期繰越	1,430,000
〃	利益準備金	35,000	3/31	損　　益	770,000
3/31	**キ　次期繰越**	**1,815,000**			
		2,200,000			2,200,000

第3問
難易度
A

問１　決算整理後残高試算表を作成する問題です。
本問の決算整理事項等に関する処理は基本的なレベルです。高得点を目指しましょう。
問２　当期純利益または当期純損失の計算については、決算整理後残高試算表に集計した金額を使って計算します。問2の解説にある「参考」を確認しておきましょう。

問１　決算整理後残高試算表の作成

「**決算整理後**残高」とは、「**決算整理仕訳を転記した後**の残高」ということです。

したがって、決算整理前残高試算表に集められた各勘定の金額に、**決算整理事項等にもとづいて行った仕訳を加減算した後**の金額を、答案用紙に記入します。

本問における決算整理事項等の仕訳は次のとおりです。

1．現金の過不足

現金の帳簿残高528,000円（問題資料(1)残高試算表より判明）を実際有高526,000円に合わせるため、帳簿残高より2,000円減らします。なお、原因不明の借方差額は雑損とします。

借方科目	金額	貸方科目	金額
(雑　　　損)	2,000 *	(現　　　金)	2,000

＊　526,000円〈実際有高〉－528,000円〈帳簿残高〉＝△2,000円〈雑損〉

2．売掛金の回収〈未処理事項〉

借方科目	金額	貸方科目	金額
(仮　受　金)	56,000	(売　掛　金)	56,000

3．借越残高の振り替え

決算において、当座預金勘定が貸方残高（借越しの状態）となった場合は、その金額を負債の勘定（問題文の指示により当座借越勘定）に振り替えます。

借方科目	金額	貸方科目	金額
(当　座　預　金)	180,000	(当　座　借　越)	180,000

4．貸倒引当金の設定

「2．売掛金の回収」により、売掛金の残高が56,000円減少していることに注意して貸倒引当金を設定します。

借方科目	金額	貸方科目	金額
(貸倒引当金繰入)	16,000 *	(貸　倒　引　当　金)	16,000

＊　設　定　額　(470,000円〈受取手形〉＋386,000円－56,000円〈売掛金〉)×３％＝24,000円
　　決算整理前残高　8,000円
　　差引：繰入額　16,000円

5．売上原価の計算

仕入勘定で売上原価を算定します。

借方科目	金額	貸方科目	金額
(仕　　　入)	262,000	(繰　越　商　品)	262,000
(繰　越　商　品)	285,000	(仕　　　入)	285,000

6．有形固定資産の減価償却

減価償却費は既存の備品360,000円（＝480,000円－120,000円）分と、期中に取得した備品120,000円分とを分けて計算します。

（減 価 償 却 費）	65,000＊	（備品減価償却累計額）	65,000

＊　既　存　分：360,000円〈取得原価〉÷６年　＝60,000円

期中取得分：120,000円〈取得原価〉÷６年×$\frac{3か月}{12か月}$＝ 5,000円〈1/1～3/31までの3か月分〉

減価償却費：　65,000円

7．前払家賃（前払費用）の計上

（前　払　家　賃）	90,000	（支　払　家　賃）	90,000

8．未収利息（未収収益）の計上

当期の12月１日から３月31日までの４か月分の利息は、当期中に受け取っていないので未計上です。しかし、当期に係る収益であるため、受取利息勘定（収益）の増加とするとともに、同額を未収利息勘定（資産）とします。

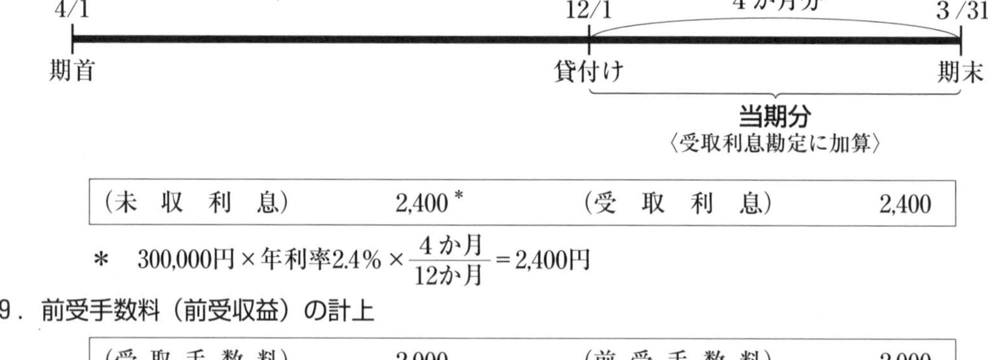

（未　収　利　息）	2,400＊	（受　取　利　息）	2,400

＊　300,000円×年利率2.4％×$\frac{4か月}{12か月}$＝2,400円

9．前受手数料（前受収益）の計上

（受 取 手 数 料）	2,000	（前 受 手 数 料）	2,000

10．未払消費税の計上

決算にあたり、仮受消費税勘定の残高（期中に預かった消費税の金額）と、仮払消費税勘定の残高（期中に支払った消費税の金額）を相殺した残額（確定申告時の納税額）を、未払消費税勘定（負債）として計上します。

（仮 受 消 費 税）	436,000	（仮 払 消 費 税）	308,000
		（未 払 消 費 税）	128,000＊

＊　436,000円〈仮受消費税〉－308,000円〈仮払消費税〉＝128,000円

11．未払法人税等の計上

決算で計算された法人税等を計上し、期中に仮払法人税等勘定で処理されている中間納付額を控除した残額を、未払法人税等勘定（負債）とします。

（法　人　税　等）	141,000	（仮払法人税等）	80,000
		（未払法人税等）	61,000＊

＊　141,000円〈法人税等〉－80,000円〈仮払法人税等〉＝61,000円

問２　当期純利益または当期純損失の計算

当期純利益または当期純損失は、決算整理後の収益と費用（法人税等を含む）の差額により計算するので、決算整理後残高試算表（答案用紙）に記入した金額の中から、収益と費用の金額だけを抜き出して差額を計算します。

4,371,400円〈収益合計〉－4,042,400円〈法人税等を含む費用合計〉＝**329,000円〈当期純利益〉**

参考

決算整理後残高試算表（答案用紙）に記入した金額をもとに損益計算書を作成すると次のようになります。

損益計算書

○○株式会社　　自×8年4月1日　至×9年3月31日　　(単位：円)

費用	金額	収益	金額
売上原価	3,057,000	売上高	4,360,000
給料	304,000	受取手数料	9,000
貸倒引当金繰入	16,000	受取利息	2,400
減価償却費	65,000		
支払家賃	360,000		
消耗品費	43,400		
水道光熱費	54,000		
雑損	2,000		
法人税等	141,000		
当期純利益	**329,000**		
	4,371,400		4,371,400

上記のように、決算整理後残高試算表（答案用紙）に記入した金額をもとに損益計算書を作れることが理解できると、決算整理後残高試算表（答案用紙）上で簡便的に計算することにも気づけますね。

決算整理後残高試算表

借方	勘定科目	貸方
526,000	現金	
～～～	～～～	～～～
	繰越利益剰余金	410,000
	売上	4,360,000
	受取手数料	9,000
	受取利息	2,400
3,057,000	仕入	
304,000	給料	
16,000	貸倒引当金繰入	
65,000	減価償却費	
360,000	支払家賃	
43,400	消耗品費	
54,000	水道光熱費	
2,000	雑損	
141,000	法人税等	

損益計算書項目
貸方の合計
4,371,400円

損益計算書項目
借方の合計
4,042,400円

4,371,400円－4,042,400円＝329,000円〈当期純利益〉

第4回 解答

問　題 ▶ 14

第1問 45点

仕訳一組につき３点

	借方		貸方	
	記号	金額	記号	金額
1	（ウ） （カ）	30,000 8,000	（イ） （エ）	20,000 18,000
2	（ア）	50,000	（カ）	50,000
3	（エ） （カ）	320,000 160,000	（ア）	480,000
4	（カ）	36,000	（ア）	36,000
5	（オ）	50,000	（ウ）	50,000
6	（イ）	1,600,000	（エ） （カ）	600,000 1,000,000
7	（オ）	451,000	（ア） （エ） （イ）	70,000 380,000 1,000
8	（ア） （カ）	299,600 400	（ウ）	300,000
9	（イ） （カ）	500,000 300	（ア） （ウ）	200,000 300,300
10	（ウ）	65,000	（カ）	65,000
11	（オ）	400,000	（ア）	400,000
12	（ウ）	100,000	（ア）	100,000
13	（カ）	500,000	（イ）	500,000
14	（ア）	9,830	（エ） （オ）	1,230 8,600
15	（イ）	20,540	（オ）	20,540

第2問　20点

(1)

●数字…予想配点

支　払　手　数　料

(7/11)	② [イ]	(300)	3/31	[エ]	(40,000) ②	
(3/1)	② [ア]	(60,000)	〃	[コ]	(20,300) ②	
		(60,300)			(60,300)	

前　払　手　数　料

3/31	② [キ]	(40,000)	3/31	[ケ]	(40,000) ②

(2)

●数字…予想配点

商　品　有　高　帳（A　商　品）

×7年		摘要	受入			払出			残高			
			数量	単価	金額	数量	単価	金額	数量	単価	金額	
10	1	前月繰越	200	350	70,000				200	350	70,000	
	5	仕入	175	380	66,500				375	364	136,500	②
	12	売上				215	364	78,260	160	364	58,240	②
	21	仕入	140	379	53,060				300	371	111,300	
	26	売上				150	371	55,650	150	371	55,650	②

×7年10月中のA商品の

売上高　¥　191,300　　売上総利益　¥　② 57,390

第3問　35点

●数字…予想配点

問1

精　算　表

勘定科目	残高試算表		修正記入		損益計算書		貸借対照表	
	借方	貸方	借方	貸方	借方	貸方	借方	貸方
現金	172,000						172,000	
普通預金	369,000		13,000	38,000			344,000 ③	
売掛金	270,000			20,000			250,000	
仮払金	30,000			30,000				
繰越商品	226,000		189,000	226,000			189,000	
仮払消費税	256,000			256,000				
仮払法人税等	150,000			150,000				
建物	870,000						870,000	
備品	360,000						360,000	
土地	2,900,000						2,900,000	
買掛金		198,000	38,000					160,000
前受金		68,000	20,000					48,000 ③
仮受消費税		489,000	489,000					
貸倒引当金		3,000		2,000				5,000 ③
建物減価償却累計額		522,000		29,000				551,000 ③
備品減価償却累計額		180,000		90,000				270,000
資本金		2,800,000						2,800,000
繰越利益剰余金		436,000						436,000
売上		4,890,000				4,890,000		
受取家賃		45,000	15,000			30,000 ③		
仕入	2,560,000			2,560,000				
給料	1,300,000		37,000		1,337,000			
通信費	41,000				41,000			
旅費交通費	27,000		17,000		44,000 ③			
保険料	100,000			40,000	60,000			
	9,631,000	9,631,000						
貸倒引当金繰入			2,000		2,000			
売上原価			226,000	189,000	2,597,000 ③			
			2,560,000					
減価償却費			119,000		119,000 ③			
(未　払)消費税				233,000				233,000 ③
(前　払)保険料			40,000				40,000 ③	
前受家賃				15,000				15,000
未払給料				37,000				37,000
法人税等			216,000		216,000			
未払法人税等				66,000				66,000 ③
当期純(利　益)					504,000			504,000
			3,981,000	3,981,000	4,920,000	4,920,000	5,125,000	5,125,000

問2　¥(　② 90,000　)

全体的に、難易度・問題量ともに高得点がねらえる問題です。
難易度は、A：普、B：やや難、C：難となっています。

第1問 統一試験では、指定された勘定科目は記号で解答しなければ正解にならないので注意してください。Aレベルは正解できるようにしましょう。
解答時間は1題につき30秒〜1分以内を目標に！

1．現金の過不足（一部判明）　難易度 A

解答

借方科目	金額	貸方科目	金額
（旅費交通費）	30,000	（現金過不足）	20,000
（雑　　損）	8,000	（受取手数料）	18,000

過日借方に計上した現金過不足20,000円は、以下のような仕訳をしています。

過不足発生時：

借方科目	金額	貸方科目	金額
（現金過不足）	20,000	（現　　金）	20,000

このうち、原因の判明した旅費交通費の記入漏れは旅費交通費勘定の借方へ、受取手数料の記入漏れは受取手数料勘定の貸方へ振り替え、判明しなかったものは雑損勘定（借方差額の場合）、または雑益勘定（貸方差額の場合）で処理します。

2．貸倒れ処理した売掛金の回収　難易度 A

解答

借方科目	金額	貸方科目	金額
（普通預金）	50,000	（償却債権取立益）	50,000

問題文には「昨年度に〜売掛金￥1,000,000の貸倒れ処理を行っていた」とあるため、売掛金勘定の減少は仕訳済みです。

貸倒れ発生時：（昨年度）

借方科目	金額	貸方科目	金額
（貸倒損失など）	1,000,000	（売　掛　金）	1,000,000

したがって、貸方の科目は「売掛金」にかえて償却債権取立益勘定（収益）で仕訳します。
なお、問題文の「得意先の清算にともない￥50,000の分配を受け」とは、50,000円だけは回収することができたという意味です。

3．建物の賃借　難易度 A

解答

借方科目	金額	貸方科目	金額
（差入保証金）	320,000	（当座預金）	480,000
（支払手数料）	160,000		

建物を賃借する（＝賃料を支払って借りる）契約を結んだ際に生じた不動産業者への仲介手数料は、支払手数料勘定（費用）の増加とします。また、保証金（敷金）については、賃借した建物に問題がなければ解約時に返還されるので、支払ったときは差入保証金勘定（資産）の増加とします。

4．再振替仕訳　難易度 A

解答

(受取利息)	36,000	(未収利息)	36,000

前期の決算で以下のような仕訳をしています。

前期の決算整理：(未収利息)	36,000	(受取利息)	36,000

再振替仕訳とは、前期の決算で行った経過勘定項目等に関する決算整理仕訳を、翌期首の日付で逆仕訳することで、もとの勘定に戻すための仕訳です。

5．地代の支払い　難易度 A

解答

(支払地代)	50,000	(普通預金)	50,000

土地の賃借料の支払いは、支払地代勘定（費用）の増加とします。支払方法については「普通預金口座から引き落とされた」とあるので、普通預金勘定（資産）の減少とします。

6．法人税等の計上　難易度 A

解答

(法人税等)	1,600,000	(仮払法人税等)	600,000
		(未払法人税等)	1,000,000

中間納付額は仮払法人税等勘定（資産）で処理しています。

中間納付時：(仮払法人税等)	600,000	(現金など)	600,000

決算にあたって、法人税等の金額が確定したときに充当し、残額を未払法人税等勘定（負債）の増加とします。

7．仕入取引　難易度 A

解答

(仕入)	451,000	(前払金)	70,000
		(買掛金)	380,000
		(現金)	1,000

発注時に支払った手付金70,000円（前払金勘定で処理）は、商品代金の一部を前払いしたものです。よって、商品を仕入れたとき（引き渡しを受けたとき）に商品代金と相殺し、残額は、商品代金の支払義務を表す買掛金勘定（負債）の増加とします。また、商品を引き取る際に支払った運賃は、その金額を含めて仕入原価とします。

8．売掛金の回収　難易度 A

解答

(当座預金)	299,600	(売掛金)	300,000
(支払手数料)	400		

売掛金の減少額は回収した300,000円ですが、問題文に「振込手数料￥400（当社負担）を差し引かれた残額が当社の当座預金口座に振り込まれた」とありますので、当座預金の増加額は299,600円になることに気をつけてください。なお、当社負担の振込手数料は、支払手数料勘定（費用）の増加とします。

9．銀行口座間による振り込み　難易度 A

解答

(令和銀行普通預金)	500,000	(令和銀行当座預金)	200,000
(支 払 手 数 料)	300	(平成銀行当座預金)	300,300

同じ銀行口座間と、他銀行口座間の振り込み処理について同時に問われています。

本問の指定勘定科目のように、普通預金勘定も当座預金勘定も銀行ごとに設定されていると「○○銀行の××預金」がわかりにくいので、同じ銀行口座間と、他銀行口座間の振り込みとは分けて考えるとよいでしょう。⑴と⑵を合わせたものが解答になります。

⑴　同じ銀行口座間

(令和銀行普通預金)	200,000	(令和銀行当座預金)	200,000

引き出される令和銀行当座預金勘定（資産）の減少と、振込先の令和銀行普通預金勘定（資産）の増加となります。

⑵　他銀行口座間

(令和銀行普通預金)	300,000	(平成銀行当座預金)	300,300*
(支 払 手 数 料)	300		

＊　300,000円＋300円〈手数料〉＝300,300円

引き出される平成銀行当座預金勘定（資産）の減少と、振込先の令和銀行普通預金勘定（資産）の増加となります。「手数料300円が平成銀行の当座預金口座から差し引かれた。」とは、「平成銀行の当座預金口座から手数料として300円が引き出された（引き落としになった）」と読み取るため支払手数料勘定（費用）の増加とし、平成銀行当座預金勘定は全部で300,300円の減少となります。

10．内容不明の入金　難易度 A

解答

(当　座　預　金)	65,000	(仮　　受　　金)	65,000

当座預金口座へ振り込まれた65,000円は当座預金勘定（資産）の増加としますが、「その詳細は不明」のため、仕訳の貸方は一時的に仮受金勘定で処理します。

11．仕入取引（返品）　難易度 A

解答

(買　　掛　　金)	400,000	(仕　　　　　入)	400,000*

＊　$@20{,}000円 \times 60個 \times \frac{1}{3} = 400{,}000円$

仕入れた商品を戻した（返品した）ときは、仕入れたときの仕訳の逆仕訳を行い、仕入れた記録を取り消します。

12．伝票の推定（売上取引）　難易度 A

解答

(売　　掛　　金)	100,000	(売　　　　　上)	100,000

一部現金取引の起票には、「いったん全額を掛取引として起票する方法」と「取引を分解して起票する方法」の２つがあります。取引を仕訳すると次のようになります。

(売　　掛　　金)	70,000	(売　　　　　上)	100,000
(現　　　　　金)	30,000		

売上代金の一部は現金で受け取っているのにもかかわらず、入金伝票の相手科目を「売掛金」と記入していることから、「いったん全額を掛取引として起票する方法」であると判断します。

１つの取引を２つの伝票に分けて記入すると次のようになります。

(売掛金)	100,000	(売上)	100,000	… 振替伝票（解答）
(現金)	30,000	(売掛金)	30,000	… 入金伝票

参考

「取引を分解して起票する方法」では、振替伝票の金額は「70,000」となり、入金伝票に記入する相手科目は「売上」となります。取引を2つの伝票に分けて記入すると次のようになります。

(売掛金)	70,000	(売上)	70,000 … 振替伝票
(現金)	30,000	(売上)	30,000 … 入金伝票

13. 法人税等の中間納付　難易度 A

解答

(仮払法人税等)	500,000	(当座預金)	500,000

中間申告時に納付した法人税、住民税及び事業税は、決算において年税額が確定するまで、仮払法人税等勘定（資産）で処理します。

14. 貯蔵品勘定への振り替え　難易度 A

解答

(貯蔵品)	9,830	(通信費)	1,230
		(租税公課)	8,600

購入時に費用処理している郵便切手（通信費勘定で処理）や収入印紙（租税公課勘定で処理）について、決算日時点に未使用分があるときは、その金額をそれぞれの費用勘定から貯蔵品勘定（資産）へ振り替えます。

15. 旅費交通費の支払い　難易度 A

解答

(旅費交通費)	20,540	(未払金)	20,540

出張から帰社した従業員より報告書や領収書の提出を受け、報告書記載の内容にもとづき全額を旅費交通費勘定（費用）の増加とします。また、その支払いについては「全額を従業員が立て替えて支払っており、月末に従業員に支払うこととした」とあるため、会社側では負債の増加として処理します。最も適当な勘定科目については、商品売買以外の取引から生じた代金の未払分であることと、取引ごとに与えられた勘定科目により「未払金」となります。

第2問　難易度 (1) A

(1)　費用の前払いに関する一連の手続きを問う問題です。
当期より支払いが始まったケースなので、期首の再振替仕訳を考慮する必要もなく解きやすい問題です。

日付順に取引の仕訳を示すと次のとおりです。

7月11日　預金口座からの振り込みと振込手数料の支払い

(未払金)	70,000	(普通預金)	70,300
(支払手数料)	300	イ	

10月26日　土地の取得

(土　　　地)	1,215,000*	(当　座　預　金)	1,200,000
		(現　　　金)	15,000

＊　1,200,000円＋15,000円＝1,215,000円

不動産会社に支払った仲介手数料は、土地を購入するための付随費用なので土地の取得原価に含めます。

3月1日　調査手数料の支払い

(支 払 手 数 料)	60,000	(現　　　金) ア	60,000

3月31日　前払手数料の計上（決算整理仕訳）

当期の3月1日に支払った向こう3か月分の手数料のうち、2か月分は次期に係る費用の前払分であるため、支払手数料勘定（費用）から差し引き、前払手数料勘定（資産）として次期に繰り越します。

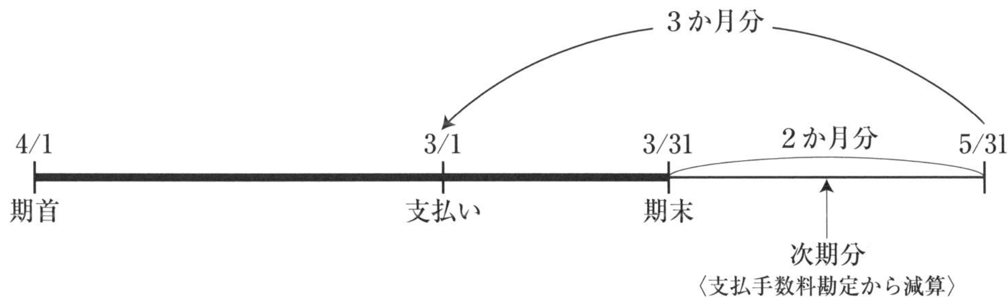

(前 払 手 数 料) エ	40,000*	(支 払 手 数 料) キ	40,000

＊　$60,000円 \times \frac{2か月}{3か月} = 40,000円$

これまでの仕訳を答案用紙の各勘定へ転記すると次のようになります。

支　払　手　数　料

(7/11)	(普 通 預 金)	(300)	3/31	(前 払 手 数 料)	(40,000)
(3/1)	(現　　　金)	(60,000)	〃	(　　　)	(　　　)

転記すると、損益勘定への振替高は20,300円と判明しますね。

前　払　手　数　料

3/31	(支 払 手 数 料)	(40,000)	3/31	(　　　)	(　　　)

3月31日　損益勘定へ振り替え（決算振替仕訳）

支払手数料勘定の決算整理後の借方残高20,300円を損益勘定に振り替えます。この振り替えにより、支払手数料勘定の残高はゼロとなるため締め切ります。

(損　　　益) コ	20,300	(支 払 手 数 料)	20,300

〃　資産の勘定の締め切り

前払手数料勘定の決算整理後の借方残高40,000円を、貸方に「次期繰越」（ケ）と記入し、借方と貸方の合計金額を一致させて締め切ります。これを「繰越記入」といい、仕訳はありません。

(2) **払出単価の決定方法が移動平均法による場合の商品有高帳の記入と、売上高および売上総利益を計算する問題です。商品有高帳を正しく書く力があれば容易に解ける問題です。**

Ⅰ　払出単価の決定方法が移動平均法による場合の商品有高帳の記入

商品を仕入れたときは受入欄に、売り上げたときには払出欄に、在庫は残高欄に記入しますが、いずれも**原価を記入すること**に注意が必要です。なお、「移動平均法」の場合は異なる単価の商品を受け入れるごとに平均単価を計算し、それを次の払出単価とします。また、補助簿の摘要欄の書き方には明確なルールはありません。取引内容を端的に示せばいいだけなので、問題文中に指示がなければ仕入取引は「仕入」、売上取引は「売上」と記入すれば良いでしょう。

10月1日：前月繰越

受入欄と残高欄へ記入します。本問は印刷済みです。

5日：仕入帳より

仕入分を受入欄へ記入します。175個×@380円(**原価**)＝66,500円

残高欄に記入する単価は、直前の残高（1日時点）と合算して算定した平均単価になります。

$$\frac{70{,}000\text{円}\langle\text{前月繰越}\rangle + 66{,}500\text{円}\langle\text{5日仕入分}\rangle}{200\text{個}\langle\text{前月繰越}\rangle + 175\text{個}\langle\text{5日仕入分}\rangle} = \textbf{@364円}\langle\text{5日時点の平均単価}\rangle$$

12日：売上帳より

売上分の215個を払出欄に**原価で記入**します。

（注）問題資料の@520円は売価なので使用しません。

払出額および在庫となる160個分の計算は、5日時点の平均単価364円を用います。

払出欄：215個×@364円＝78,260円

残高欄：160個×@364円＝58,240円

21日：仕入帳より

仕入分を受入欄へ記入します。140個×@379円(**原価**)＝53,060円

残高欄に記入する単価は、直前の残高（12日時点）と合算して算定した平均単価になります。

$$\frac{58{,}240\text{円}\langle\text{12日残高}\rangle + 53{,}060\text{円}\langle\text{21日仕入分}\rangle}{160\text{個}\langle\text{12日残高}\rangle + 140\text{個}\langle\text{21日仕入分}\rangle} = \textbf{@371円}\langle\text{21日時点の平均単価}\rangle$$

26日：売上帳より

売上分の150個を払出欄に**原価で記入**します。

（注）問題資料の@530円は売価なので使用しません。

払出額および在庫となる150個分の計算は、21日時点の平均単価371円を用います。

払出欄：150個×@371円＝55,650円

残高欄：150個×@371円＝55,650円

Ⅱ　売上高および売上総利益の計算

売上高（売上帳より）：111,800円〈10/12分〉＋79,500円〈10/26分〉＝**191,300円**

売上原価：12日に215個、26日に150個の商品を販売しているので、各日付の払出欄に記入した金額が、販売した数量に対する**売り上げた**商品の**原価**になります。

78,260円〈12日の払出215個〉＋55,650円〈26日の払出150個〉＝133,910円

売上総利益：191,300円〈売上高〉－133,910円〈売上原価〉＝**57,390円**

問１　精算表作成の問題です。
売上原価を「売上原価」の行で計算する方法での出題実績は低いため、経験不足により得点しづらいところです。しかし、その他の決算整理事項は基本的な処理になりますので、未処理事項に注意してすべてを正解にできるようにしましょう。
問２　決算整理後の備品の帳簿価額については、決算手続きの流れをマスターしていれば容易に解答できるので、得点してほしいところです。

問１　精算表の作成

本問における決算整理事項等の仕訳は次のとおりです。

１．買掛金の支払い〈未処理事項〉

(買掛金)	38,000	(普通預金)	38,000

２．仮払金の精算〈未処理事項〉

(旅費交通費)	17,000	(仮払金)	30,000
(普通預金)	13,000		

３．訂正仕訳

訂正仕訳は、①誤った仕訳の逆仕訳と②正しい仕訳から導くとよいでしょう。

誤った仕訳：	(現金)	20,000	(前受金)	20,000
①誤った仕訳の逆仕訳：	(前受金)	20,000	(現金)	20,000
②正しい仕訳：	(現金)	20,000	(売掛金)	20,000

①と②、２つの仕訳で訂正仕訳となります。

なお、①と②の仕訳の同一科目を相殺して以下のような１つの仕訳にするのが望ましいです。

(前受金)	20,000	(売掛金)	20,000

４．貸倒引当金の設定

「３．訂正仕訳」により、売掛金の残高が20,000円減少していることに注意して貸倒引当金を設定します。

(貸倒引当金繰入)	2,000＊	(貸倒引当金)	2,000

＊　設定額　(270,000円－20,000円)×２％＝5,000円
（270,000円－20,000円：売掛金）

決算整理前残高　3,000円

差引：繰入額　2,000円

５．売上原価の計算

「売上原価」の行（売上原価勘定）で計算します。

売上原価の算式は次のとおりです。

売上原価＝①期首商品棚卸高＋②当期商品仕入高－③期末商品棚卸高

（売上原価：売り上げた商品の原価、期首商品棚卸高：前期末売れ残り商品の原価、当期商品仕入高：仕入れた商品の原価、期末商品棚卸高：当期末売れ残り商品の原価）

この方法によると、売上原価の金額を計算するために必要な計算要素を「売上原価」という科目に集めることになります。

① 期首商品棚卸高の振り替え

(売　上　原　価)	226,000	(繰　越　商　品)	226,000

② 当期商品仕入高の振り替え

(売　上　原　価)	2,560,000	(仕　　　　入)	2,560,000

③ 期末商品棚卸高の振り替え

(繰　越　商　品)	189,000	(売　上　原　価)	189,000

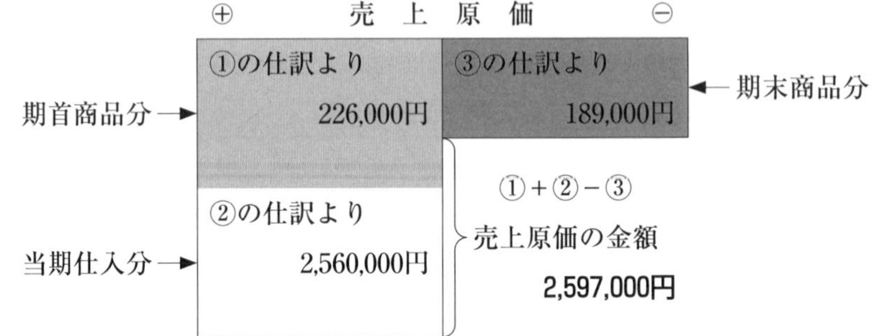

6．有形固定資産の減価償却

(減　価　償　却　費)	119,000	(建物減価償却累計額)	29,000＊1
		(備品減価償却累計額)	90,000＊2

＊1　870,000円〈建物の取得原価〉÷30年＝29,000円

＊2　360,000円〈備品の取得原価〉÷４年＝90,000円

7．未払消費税の計上

決算にあたり、仮受消費税勘定の残高（期中に預かった消費税の金額）と、仮払消費税勘定の残高（期中に支払った消費税の金額）を相殺した残額（確定申告時の納税額）を、未払消費税勘定（負債）として計上します。

(仮　受　消　費　税)	489,000	(仮　払　消　費　税)	256,000
		(未　払　消　費　税)	233,000＊

＊　489,000円〈仮受消費税〉－256,000円〈仮払消費税〉＝233,000円

8．前払保険料（前払費用）の計上

当期の12月１日に支払った向こう１年分の保険料のうち、８か月分は次期に係る費用の前払分であるため、保険料勘定（費用）から差し引き、前払保険料勘定（資産）として次期に繰り越します。

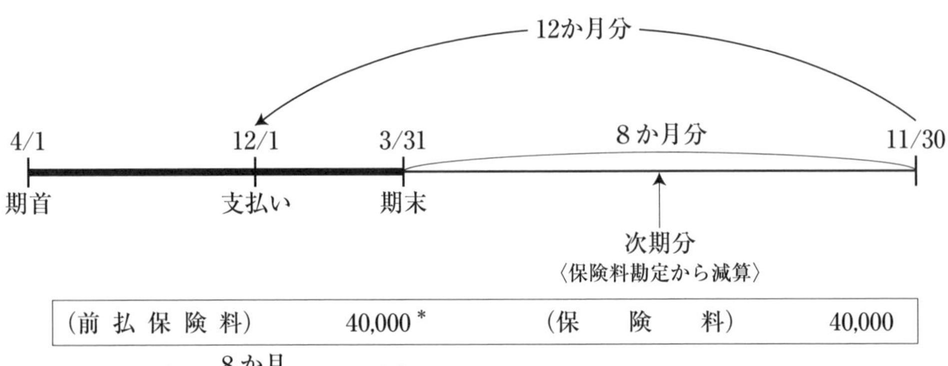

(前　払　保　険　料)	40,000＊	(保　　険　　料)	40,000

＊　$60,000円 \times \frac{8か月}{12か月} = 40,000円$

9．前受家賃（前受収益）の計上

当期の２月１日に受け取った向こう３か月分の家賃のうち、１か月分は次期に係る収益の前受分であるため、受取家賃勘定（収益）から差し引き、前受家賃勘定（負債）として次期に繰り越します。

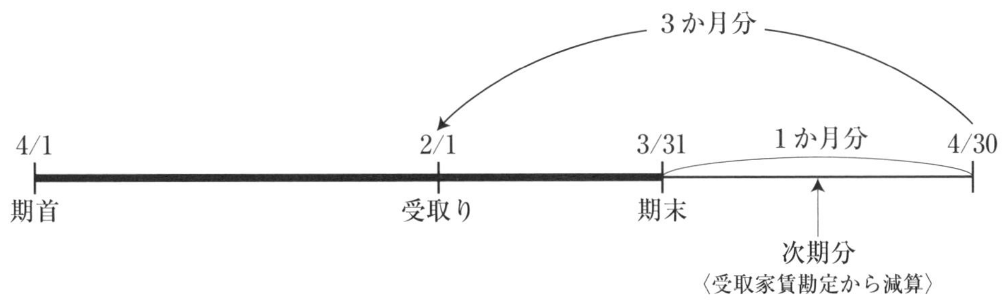

(受　取　家　賃)	15,000	(前　受　家　賃)	15,000*

＊　45,000円 × $\frac{1か月}{3か月}$ = 15,000円

10．未払給料（未払費用）の計上

(給　　　　料)	37,000	(未　払　給　料)	37,000

11．未払法人税等の計上

決算で計算された法人税等を計上し、期中に仮払法人税等勘定で処理されている中間納付額を控除した残額を、未払法人税等勘定（負債）とします。

(法　人　税　等)	216,000	(仮払法人税等)	150,000
		(未払法人税等)	66,000*

＊　216,000円〈法人税等〉－150,000円〈仮払法人税等〉＝66,000円

12．当期純利益の計算

損益計算書欄の貸方（収益合計）と借方（法人税等を含む費用合計）との差額により計算します。当期純利益の金額は損益計算書欄の借方に記入し、同額を貸借対照表欄の貸方へ移記して、貸借合計が一致することを確認します。

4,920,000円（収益合計）－4,416,000円（費用合計）＝504,000円（当期純利益）

問２　決算整理後の備品の帳簿価額

間接法で記帳している場合の有形固定資産の帳簿価額は、取得原価から減価償却累計額を差し引いて計算します。本問は、決算整理**後**の帳簿価額が問われているので、当期末に行った決算整理**後**の減価償却累計額勘定の残高を差し引くことになります。

決算整理**後**の備品減価償却累計額勘定の残高：180,000円（決算整理前残高）＋90,000円（当期減価償却費）＝270,000円

決算整理**後**の備品の帳簿価額：360,000円〈備品の取得原価〉－270,000円＝**90,000円**

第5回 解答

問題▶ 18

第1問 45点

仕訳一組につき３点

	借方		貸方	
	記号	金額	記号	金額
1	（ ク ）	181,000	（ イ ） （ エ ） （ キ ） （ ウ ）	36,000 94,000 50,000 1,000
2	（ オ ）	500,000	（ ア ） （ イ ）	100,000 400,000
3	（ エ ）	600,000	（ ウ ）	600,000
4	（ イ ）	150,000	（ オ ）	150,000
5	（ ウ ） （ カ ）	2,960,000 40,000	（ ア ）	3,000,000
6	（ オ ）	250,000	（ イ ）	250,000
7	（ ウ ）	100,000	（ カ ）	100,000
8	（ カ ）	9,000	（ ウ ）	9,000
9	（ エ ）	200,000	（ オ ）	200,000
10	（ ア ） （ ウ ）	148,200 1,800	（ カ ）	150,000
11	（ オ ）	12,000,000	（ エ ）	12,000,000
12	（ イ ）	50,000	（ カ ）	50,000
13	（ ア ）	60,000	（ オ ）	60,000
14	（ ウ ）	30,000	（ エ ） （ イ ）	10,000 20,000
15	（ イ ）	450,000	（ ア ）	450,000

第2問　20点

(1)

問1

●数字…予想配点

当　座　預　金

4/(13)	(イ)	(450,000)	4/(1)	(ク)	(150,000) 2
(25)	(2 ウ)	(351,000)	(7)	(コ)	(250,000) 2
(　)	(　)	(　)	(18)	(ア)	(100,000) 2
(　)	(　)	(　)	(27)	(カ)	(303,000) 2

問2

4月30日時点の当座預金勘定の残高　¥（　2,000　）　借方残高　・　（貸方残高）

金額と○の囲いが両方正解で2点

(2)

各1点

①	②	③	④	⑤
ト	ウ	ソ	シ	コ

⑥	⑦	⑧
ア	セ	キ

第3問 35点

●数字…予想配点

貸借対照表

×9年12月31日 (単位：円)

現金		315,000	買掛金		640,000
普通預金		285,400	未払金		(3,000)
受取手形	(410,000)		(未払)消費税		(288,000) 3
売掛金	(350,000)		未払法人税等		(306,000)
3 (貸倒引当金)	(△ 7,600)	(752,400)	借入金		300,000
商品		(315,000)	(未払)費用		(7,000)
3 (前払)費用		(2,000)	(前受)収益		(40,000) 3
建物	(1,000,000)		資本金		3,600,000
減価償却累計額	(△ 220,000)	(3 780,000)	繰越利益剰余金		(1,565,801)
備品	(450,000)				
減価償却累計額	(△ 449,999)	(3 1)			
土地		4,300,000			
		(6,749,801)			(6,749,801)

損益計算書

×9年1月1日から×9年12月31日まで (単位：円)

売上原価	(3 6,665,000)	売上高	9,560,000
給料	(1,800,000)	受取地代	(480,000)
支払手数料	104,000		
水道光熱費	(3 82,000)		
通信費	85,600		
旅費交通費	(33,000)		
減価償却費	(3 100,000)		
貸倒引当金繰入	(2,400)		
支払利息	(8,000)		
3 固定資産(売却損)	(140,000)		
法人税、住民税及び事業税	(3 306,000)		
2 当期純(利益)	(714,000)		
	(10,040,000)		(10,040,000)

第5回 解答への道 問題 ▶ 18

第3問の決算問題には少々難しい処理が含まれていますが、全体的には基本的な処理を習得していれば、合格点は十分に取れる問題です。

難易度は、A：普、B：やや難、C：難となっています。

第1問 統一試験では、指定された勘定科目は記号で解答しなければ正解にならないので注意してください。Aレベルは正解できるようにしましょう。
解答時間は1題につき30秒～1分以内を目標に！

1．仕入取引　難易度 **A**

解答

借方科目	金額	貸方科目	金額
(仕　入)	181,000	(前　払　金)	36,000
		(当　座　預　金)	94,000
		(支　払　手　形)	50,000
		(現　金)	1,000

商品代金180,000円のうち、注文時に支払った手付金36,000円（前払金勘定で処理）は、商品を仕入れた（引き渡しを受けた）ときに代金へ充当します。また、94,000円については小切手を振り出しているので当座預金勘定（資産）の減少とし、残額の50,000円は約束手形を振り出しているので支払手形勘定（負債）の増加となります。なお、仕入れにともなう運送保険料は仕入諸掛りとなるので、仕入原価に含めて処理します。

2．買掛金と売掛金の同時決済　難易度 **B**

解答

借方科目	金額	貸方科目	金額
(買　掛　金)	500,000	(売　掛　金)	100,000
		(当　座　預　金)	400,000

同一の相手先に対して債務と債権とが同時に存在する場合には、両者を相殺処理することがあります。本問では、問題文の指示に従って、仙台商店に対する買掛金500,000円と売掛金100,000円とを相殺処理します。また、買掛金の超過分400,000円（売掛金で相殺しきれなかった分）については、小切手を振り出して支払っているため、当座預金勘定（資産）の減少とします。

3．未収入金の回収　難易度 **B**

解答

借方科目	金額	貸方科目	金額
(普　通　預　金)	600,000	(未　収　入　金)	600,000

先月末（＝過去）、土地を売却した時点で次のような仕訳をしています。代金は、商品売買以外の取引から生じた未収分なので、未収入金勘定（資産）の増加としています。

	借方科目	金額	貸方科目	金額
土地売却時：	(未　収　入　金)	600,000	(土　地)	500,000
			(固定資産売却益)	100,000

「本日」の時点が解答要求です。

問題文に「普通預金口座に振り込まれた。」とありますので、未収入金勘定の減少とするとともに普通預金勘定（資産）の増加とします。

4．有形固定資産の購入　難易度 **B**

解答

借方科目	金額	貸方科目	金額
（土　　　　地）	150,000	（現　　　　金）	150,000

土地の購入にともなって生じた付随費用（本問では整地作業代金150,000円）は、土地の取得原価に含めます。取得原価とは「その資産を手に入れて、利用できるまでにかかった金額」を表すものです。したがって、土地の金額に含めるために土地勘定（資産）の増加とします。

5．資金の借入れ　難易度 **A**

解答

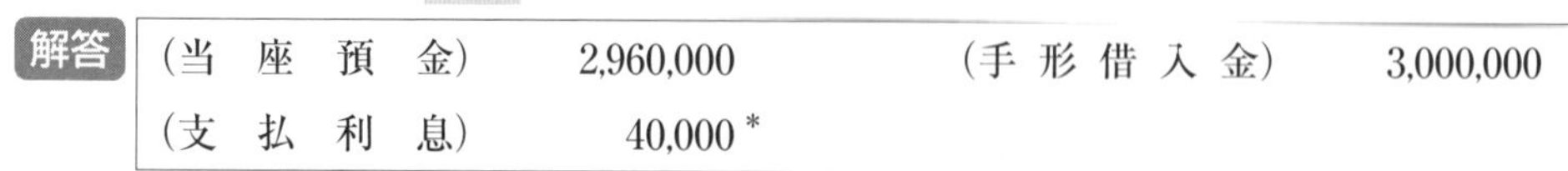

借方科目	金額	貸方科目	金額
（当　座　預　金）	2,960,000	（手　形　借　入　金）	3,000,000
（支　払　利　息）	40,000 *		

＊　3,000,000円×年利率２％×$\frac{8\text{か月}}{12\text{か月}}$＝40,000円

金銭の借入れにおいて、借用証書に代えて約束手形を振り出す場合があります。この場合、借用証書による借入れと区別するため手形借入金勘定（負債）の増加とします。なお、当座預金の増加額は、借入額3,000,000円から８か月分の利息40,000円を差し引いた（利息の先払いをしたということ）残額2,960,000円になりますが、借入額は3,000,000円のままであることに気をつけましょう。

6．消費税の納付　難易度 **A**

解答

借方科目	金額	貸方科目	金額
（未　払　消　費　税　）	250,000	（当　座　預　金）	250,000

決算において、仮払消費税勘定と仮受消費税勘定を相殺し、差額を確定申告時の納税額として未払消費税勘定（負債）の増加としています。確定申告により納付が完了したため、未払消費税勘定（負債）の減少とするとともに、小切手の振り出しにより行ったので、当座預金勘定（資産）の減少とします。

7．固定資産税の納付　難易度 **A**

解答

借方科目	金額	貸方科目	金額
（租　税　公　課）	100,000	（当　座　預　金）	100,000

事業で使用する土地や建物に対する固定資産税は、租税公課勘定（費用）で処理します。ただし、「第２期分」の納付であるため、納税通知書の受け取り時点で全額を租税公課として未払計上済みであると考えた場合、借方は「未払金」となる解答も考えられます。しかし、本問は「未払計上は行っていない」とあるため、借方は租税公課勘定（費用）の増加とするとともに、当座預金の口座振替により納付したため、当座預金勘定（資産）の減少とします。

8．訂正仕訳　難易度 **A**

解答

借方科目	金額	貸方科目	金額
（売　　掛　　金）	9,000	（売　　　　上）	9,000

訂正仕訳は、①誤った仕訳の逆仕訳と②正しい仕訳から導くとよいでしょう。

	借方科目	金額	貸方科目	金額
誤　っ　た　仕　訳：	（売　掛　金）	56,000	（売　　　上）	56,000
①誤った仕訳の逆仕訳：	（売　　　上）	56,000	（売　掛　金）	56,000
②正　し　い　仕　訳：	（売　掛　金）	65,000	（売　　　上）	65,000

①と②、２つの仕訳で訂正仕訳となります。

なお、①と②の仕訳の同一科目を相殺して以下のような１つの仕訳にすると、記録の誤りのみを部分的に修正する仕訳になります。

借方科目	金額	貸方科目	金額
（売　掛　金）	9,000	（売　　　上）	9,000

9．電子記録債権（決済）　難易度 **A**

解答

（当座預金関東銀行）	200,000	（電 子 記 録 債 権）	200,000

取引銀行から電子記録債権の発生記録の通知を受けたときは、その金額を電子記録債権勘定（資産）の増加としているので、決済されたときは減少の仕訳を行います。また、振込先の当座預金口座は、指定勘定科目により銀行ごとに設定していることがわかります。よって、当座預金関東銀行勘定（資産）の増加とします。

10．売上取引（クレジット払い）　難易度 **A**

解答

（クレジット売掛金）	148,200	（売　　　　上）	150,000
（支 払 手 数 料）	1,800 *		

＊　150,000円×1.2％＝1,800円

商品をクレジット払いの条件で販売した場合は、クレジット売掛金勘定（資産）の増加とし、「売掛金」とは区別して処理します。また、信販会社に対する手数料の支払額は支払手数料勘定（費用）の増加としますが、販売時に計上する場合は、売上高から手数料を差し引いた残額が「クレジット売掛金」となります。

11．株式の発行（増資時）　難易度 **A**

解答

（当　座　預　金）	12,000,000	（資　　本　　金）	12,000,000

＊　200株×@60,000円＝12,000,000円

株式を発行したときは、原則として払込金額の全額を資本金勘定（資本）の増加とし、払込金額については問題文の指示に従い、当座預金勘定（資産）の増加とします。

12．旅費交通費の支払い　難易度 **A**

解答

（旅 費 交 通 費）	50,000	（現　　　　金）	50,000

電車やバス等、交通手段のための支出額は旅費交通費勘定（費用）で処理します。本問は、「入金時に全額費用に計上する」とありますので、入金額の全額を旅費交通費勘定（費用）の増加とします。

13．内容不明の入金（判明）　難易度 **B**

解答

（仮　　受　　金）	60,000	（前　　受　　金）	60,000

出張中の従業員から振り込みがあった時点で以下のような仕訳をしています。

（当　座　預　金）	60,000	（仮　　受　　金）	60,000

「**本日**」から始まる文章が解答要求となることに注意してください。

仮受金として処理していた60,000円は商品代金の手付金であることが判明したため、商品の引渡義務を表す前受金勘定（負債）へ振り替えます。

14．修繕費の支払い　難易度 **A**

解答

（修　　繕　　費）	30,000	（現　　　　金）	10,000
		（未　　払　　金）	20,000

固定資産の修理費用は、修繕費勘定（費用）の増加とします。なお、修理費用のうち、月末に支払うこととなった20,000円については、商品売買以外の取引から生じた未払分であるため、未払金勘定（負債）の増加とします。

15. 法人税の中間納付　難易度 A

解答

借方科目	金額	貸方科目	金額
(仮払法人税等)	450,000	(普　通　預　金)	450,000

納付書に記載された「納期等の区分」の「中間申告」に○印があることから、法人税の中間納付であることがわかります。よって、借方は仮払法人税等勘定（資産）の増加とするとともに、普通預金口座から振り込んで納付したため、普通預金勘定（資産）の減少とします。

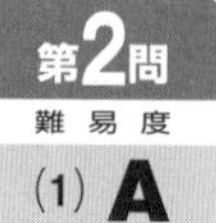

(1)　**当座預金に関する勘定記入の問題です。**
基本的な問題です。満点を取れるようにしましょう。

当座預金の預け入れ（増加）や引き出し（減少）の取引は、当座預金勘定を用いて記帳します。なお、当座預金勘定が借方残高であるときには預金であることを示し、反対に貸方残高であるときには借越し（当座借越契約にもとづく銀行からの一時的な資金の借入れ）であることを示します。

1．4月中の取引の仕訳と当座預金勘定残高の推移

4/1　当座借越勘定からの再振替仕訳

前期の決算整理にともない当座借越勘定に振り替えたときは、翌期首に再振替仕訳（前期に行った決算整理仕訳の逆仕訳）を行って、もとの勘定に戻します。

借方科目	金額	貸方科目	金額
ク(当　座　借　越)	150,000	**(当　座　預　金)**	150,000

当　座　預　金

借方	貸方
貸方残高　150,000円	4/1　当座借越　150,000

4/7　商品500,000円の仕入れ（小切手振出し250,000円分）

借越しが生じている場合でも仕訳の貸方は「当座預金」とします。

借方科目	金額	貸方科目	金額
コ(仕　　　入)	500,000	**(当　座　預　金)**	250,000
		(買　掛　金)	250,000

当　座　預　金

借方	貸方
貸方残高　400,000円	4/1　当座借越　150,000
	7　仕　　入　250,000

4/13　売掛金450,000円の回収

借方科目	金額	貸方科目	金額
(当　座　預　金)	450,000	イ(売　掛　金)	450,000

当　座　預　金

借方	貸方
4/13　売　掛　金　450,000	4/1　当座借越　150,000
	7　仕　　入　250,000
	借方残高　50,000円

4/18　小切手振り出しによる現金100,000円の引き出し

当座預金口座からの現金の引き出しは、小切手の振り出しにより行います。

ア（現　　金）	100,000	（**当座預金**）	100,000

当　座　預　金

借方			貸方		
4/13	売掛金	450,000	4/1	当座借越	150,000
			7	仕入	250,000
			18	現金	100,000

貸方残高　50,000円

4/25　備品の売却代金の受け取り

商品売買以外の取引から生じた代金の未収分は、未収入金勘定（資産）の増加とします。本問は、先月末に未収入金勘定で処理した備品の売却代金を回収した取引です。

（**当座預金**）	351,000	**ウ**（未収入金）	351,000

当　座　預　金

借方			貸方		
4/13	売掛金	450,000	4/1	当座借越	150,000
			7	仕入	250,000
			18	現金	100,000
25	未収入金	351,000			

借方残高　301,000円

4/27　借入金の返済と利息の支払い

仕訳を転記する際、相手勘定科目が2つ以上あるときは、相手勘定科目に代えて「諸口」と記入します。

カ	（借入金）	300,000	（**当座預金**）	303,000
	（支払利息）	3,000 *		

$$* \quad 300{,}000\text{円} \times 1.2\% \times \frac{10\text{か月}}{12\text{か月}} = 3{,}000\text{円}$$

2．4月30日時点の当座預金勘定の残高

当　座　預　金

借方			貸方		
4/13	売掛金	450,000	4/1	当座借越	150,000
			7	仕入	250,000
			18	現金	100,000
25	未収入金	351,000			
			27	諸口	303,000

貸方残高　2,000円

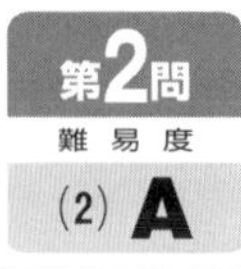

(2) **文章の空所補充問題です。**
日商簿記3級で出題されるものは、「文章のマル暗記」ということではなく、日商簿記3級で学習する帳簿組織や基本的な会計処理をマスターしていれば解答できます。できなかったところはテキスト等で確認するようにしましょう。

文章の空所に語句を入れると次のようになります。

1．所得税の源泉徴収額

給料から差し引かれる所得税の源泉徴収額は、租税公課などの（①**ト　費用**）ではなく、会社にとっては預り金として貸借対照表上（②**ウ　負債**）に計上される。

給料から差し引かれる所得税（給料を得た人に課せられる税金）の源泉徴収額は、会社側で給料支払時に預かり、従業員に代わって税務署に納付します。よって、納付するまでは、後日、税務署に納める義務として貸借対照表上、負債に計上されます。

なお、租税公課勘定は、税金の支払いを費用として処理するときに用いる科目で、企業活動のための必要な税金として認められるものです。事業のために使用する建物などの固定資産税や、多額の金銭の授受を証する領収書等に貼り付けるための収入印紙（＝印紙税の支払い）などがあります。

2．当座預金の引き出し

当座預金の引出しには、一般に（③**ソ　小切手**）が使われる。他社が振り出した（③**ソ　小切手**）を受け取った場合、（④**シ　現金**）として処理する。

当座預金口座からの引き出しは、小切手の振り出しにより行います。

他社が振り出した小切手は、通貨代用証券（すぐに現金化できる証券）であるため、現金勘定で処理します。

3．貸倒れの処理

前期に生じた売掛金が当期中に回収不能となった場合、前期決算日に設定された（⑤**コ　貸倒引当金**）を取り崩す。

前期に生じた売掛金が当期中に貸し倒れたときは、前期決算日に設定しておいた貸倒引当金を取り崩します。これに対し、当期中に生じた売掛金が当期中に貸し倒れたときは、決算を経ていないため貸倒引当金の設定は行えていないので、全額を貸倒損失とします。

4．決算の手続き

決算は、決算予備手続、決算本手続の順に行われる。決算予備手続では（⑥**ア　試算表**）が作成され、決算本手続では帳簿が締め切られる。そして最終的に（⑦**セ　財務諸表**）が作成される。

決算の手続きの流れは、次のとおりです。

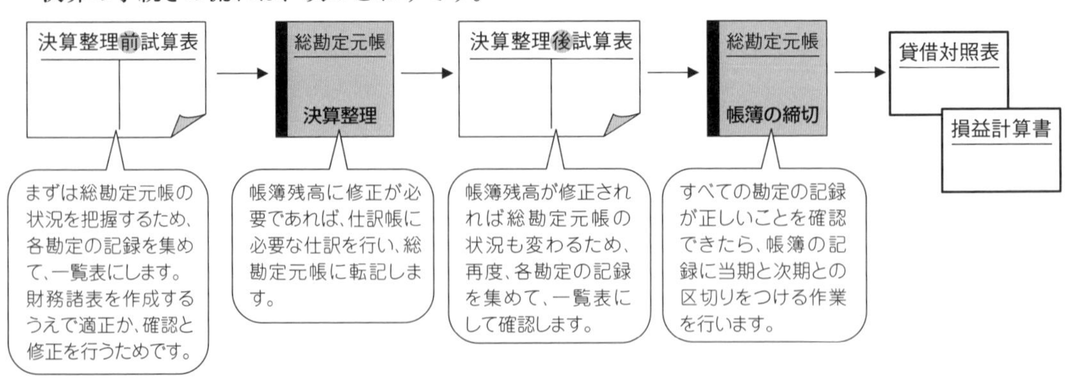

5．主要簿の種類

> 売掛金勘定や買掛金勘定は、主要簿である（⑧**キ　総勘定元帳**）に収められる。主要簿には（⑧**キ　総勘定元帳**）のほか、仕訳帳がある。

日々の取引を仕訳帳に仕訳し、総勘定元帳の各勘定口座に転記して５要素の増減を記録します。したがって、仕訳が記録される仕訳帳とその勘定記入が行われる総勘定元帳のことを、主要簿といいます。

財務諸表（貸借対照表と損益計算書）を作成する問題です。
旅費交通費や有形固定資産について、問題文の指示どおりに処理することはできましたか。問題文章が長いと難しいように感じますが、問題指示が丁寧に書かれているということです。嫌わずに落ち着いて読んでみましょう。

Ⅰ　問題の流れ

決算整理前残高試算表に集められた各勘定の金額に決算整理仕訳等を加減算して、貸借対照表と損益計算書を作成する問題なので、基本的に解法手順は精算表の作成と同じです。しかし、精算表のように決算整理仕訳等を記入できる修正記入欄はないので、必要な決算整理仕訳等は、問題資料(1)の残高試算表に書き込みして集計する等の工夫をしましょう。

ネット試験…問題資料への書き込みができないため、金額が増減する科目だけを計算用紙に書き出し、T字勘定等を使って集計するとよいでしょう。

この問題の資料と解答要求事項の関係を精算表の形式で示すと、次のようになります。参考2として「解答への道」の最後に精算表を載せてあります。

精算表の損益計算書欄と貸借対照表欄に記入する金額と、財務諸表に載せる金額は同じですが、財務諸表は表示方法（＝見せ方）についてルールがあるので、別途暗記する必要があります。「解答への道」の最後の参考1を参照してください。

Ⅱ　決算整理事項等

本問における決算整理事項等の仕訳は次のとおりです。

1．旅費交通費の計上〈未処理事項〉

本問における旅費交通費の精算の流れは以下のようになります。

まず、従業員が立て替えて支払う：　帳簿上「仕訳なし」

↓

毎月末は使った分の報告を受けるだけ：（旅費交通費）　3,000　（未払金）　3,000

> 12月31日時点では、まだ従業員に支払っていないため、帳簿上「未払金」としておきます。

なお、本問では問われていませんが、翌月に精算したときの仕訳は次のとおりです。

精算は翌月に行う：（未払金）　3,000　（現金など）　3,000

2．有形固定資産の売却〈未処理事項〉

間接法で記帳していた場合、固定資産を売却したときは、固定資産の勘定とその固定資産に対する減価償却累計額勘定の減少とします。さらに、売却価額から帳簿価額を差し引き、固定資産売却損（益）を計算します。

① 前期末までの減価償却額**80,000円**〈問題資料(1)車両運搬具減価償却累計額勘定より〉

② 当期の減価償却費

480,000円〈取得原価〉÷ 6 年＝**80,000円**〈×9.1.1～×9.12.31〉

③ 固定資産売却損(益)：

180,000円－(480,000円－80,000円－80,000円)＝△**140,000円**〈固定資産売却損〉

売却価額　　　売却時点の帳簿価額

受け取った売却代金は、仮受金勘定で処理されています。

よって、売却の仕訳を行う際には仮受金勘定を借方に仕訳し、帳簿価額との差額により固定資産売却損（益）を計算します。

代金受取時：

借方	金額	貸方	金額
(現 金 な ど)	180,000	(仮 受 金)	180,000

本問の解答：

借方	金額	貸方	金額
(車両運搬具減価償却累計額)	80,000	(車 両 運 搬 具)	480,000
(減 価 償 却 費)	80,000		
(仮 受 金)	180,000		
(固定資産売却損)	140,000		

3．売上原価の計算（注）仕入勘定で売上原価を算定する場合

借方	金額	貸方	金額
(仕 入)	300,000	(繰 越 商 品)	300,000*
(繰 越 商 品)	315,000	(仕 入)	315,000

＊ 問題資料(1)の残高試算表上「繰越商品」が期首商品の金額です。

4．有形固定資産の減価償却

借方	金額	貸方	金額
(減 価 償 却 費)	20,000*	(建物減価償却累計額)	20,000

＊ 建　　物：1,000,000円〈取得原価〉÷50年＝20,000円

備　　品：決算整理事項等5．の指示により、減価償却は不要です。

車両運搬具：決算整理事項等2．の処理後は、車両運搬具勘定の残高はゼロです。

（注）損益計算書上「減価償却費」は、「2．有形固定資産の売却」で計上した80,000円と「4．有形固定資産の減価償却」で計上した20,000円とを合わせて**100,000円**になります。

5．耐用年数到来後の有形固定資産について

耐用年数到来後も固定資産を使用し続ける場合、減価償却済みの固定資産があることを帳簿に記録しておくため、帳簿価額をゼロとせずに、「備忘価額」として金額が1円だけ残るように、最後の減価償却を行います。なお、減価償却は昨年度で満了しているため、当期においては「仕訳なし」となります。

6．貸倒引当金の設定

借方	金額	貸方	金額
(貸倒引当金繰入)	2,400*	(貸 倒 引 当 金)	2,400

＊ 設　定　額 (410,000円＋350,000円)×1％＝7,600円

受取手形　　売掛金

決算整理前残高　　5,200円

差引：繰入額　　2,400円

7．未払消費税の計上

決算にあたり、仮受消費税勘定の残高（期中に預かった消費税の金額）と、仮払消費税勘定の残高（期中に支払った消費税の金額）を相殺した残額（確定申告時の納税額）を、未払消費税勘定（負債）として計上します。

(仮受消費税)	956,000	(仮払消費税)	668,000
		(未払消費税)	288,000*

＊　956,000円〈仮受消費税〉－668,000円〈仮払消費税〉＝288,000円

8．未払水道光熱費（未払費用）の計上

(水道光熱費)	7,000	(未払水道光熱費)	7,000

9．前払利息（前払費用）の計上

当期に支払った利息のうち、2,000円分は次期以降に係る費用の前払分であるため、支払利息勘定（費用）から差し引き、前払利息勘定（資産）として次期に繰り越します。

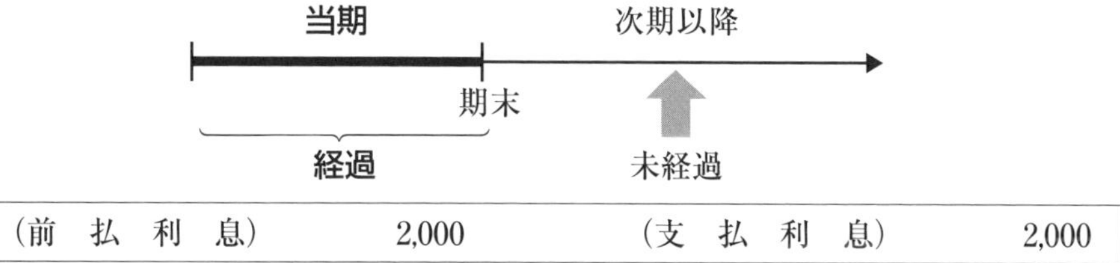

(前払利息)	2,000	(支払利息)	2,000

10．前受地代（前受収益）の計上

当期に受け取った地代のうち、1か月分（来期1月分）は次期に係る収益の前受分であるため、受取地代勘定（収益）から差し引き、前受地代勘定（負債）として次期に繰り越します。

(受取地代)	40,000	(前受地代)	40,000*

＊　$520,000円 \times \frac{1か月}{13か月} = 40,000円$

11．未払法人税等の計上

期中に法人税等の中間納付をしていない場合は、未払法人税等勘定（負債）の増加として処理する金額の全額が「法人税、住民税及び事業税」の金額（年税額）になります。

(法人税、住民税及び事業税)	306,000	(未払法人税等)	306,000

参考

仮に仕訳で表すと以下のようになります。

(法人税、住民税及び事業税)	306,000	(仮払法人税等)	0
		(未払法人税等)	306,000

12. 当期純利益の計算

損益計算書の貸方（収益合計）と借方（法人税、住民税及び事業税を含む費用合計）との差額により計算します。

10,040,000円 − 9,326,000円 = 714,000円
収益合計　費用合計　当期純利益

当期純利益は繰越利益剰余金（資本）の増加とすることから、繰越利益剰余金の決算整理前残高に当期純利益を加えた金額を、貸借対照表の貸方へ記入し、貸借対照表の貸借合計が一致することを確認します。

繰越利益剰余金：851,801円〈決算整理前残高〉＋714,000円〈当期純利益〉＝1,565,801円

参考１

〈貸借対照表記入上の注意〉

- 貸倒引当金勘定の残高は、原則として、資産の部において受取手形や売掛金それぞれから控除する形式で表示します。なお、本問のように、受取手形と売掛金の合計額から一括した貸倒引当金を控除する形式もあります。
- 繰越商品勘定の残高は、「**商品**」と表示します。
- 経過勘定項目である「未払○○」は「**未払費用**」、「前払○○」は「**前払費用**」、「未収○○」は「**未収収益**」、「前受○○」は「**前受収益**」と表示します。
- 建物減価償却累計額勘定および備品減価償却累計額勘定の残高は、原則として、資産の部において建物や備品それぞれから控除する形式で表示します。このとき、具体的な固定資産の科目名は付けずに「**減価償却累計額**」と表示します。
- 手形借入金勘定の残高は、「**借入金**」と表示します。

〈損益計算書記入上の注意〉

- 仕入勘定の残高は、「**売上原価**」と表示します。
  売上原価は、「期首商品棚卸高＋当期商品仕入高－期末商品棚卸高」の式で求めることもできます。
  期首商品棚卸高300,000円＋当期商品仕入高6,680,000円－期末商品棚卸高315,000円
  ＝6,665,000円
- 売上勘定の残高は、「**売上高**」と表示します。

参考2

精算表に記入すると次のようになります。

精　算　表

勘定科目	残高試算表		修正記入		損益計算書		貸借対照表	
	借方	貸方	借方	貸方	借方	貸方	借方	貸方
現金	315,000						315,000	
普通預金	285,400						285,400	
受取手形	410,000						410,000	
売掛金	350,000						350,000	
仮払消費税	668,000			668,000				
繰越商品	300,000		315,000	300,000			315,000	
建物	1,000,000						1,000,000	
備品	450,000						450,000	
車両運搬具	480,000			480,000				
土地	4,300,000						4,300,000	
買掛金		640,000						640,000
仮受金		180,000	180,000					
仮受消費税		956,000	956,000					
手形借入金		300,000						300,000
貸倒引当金		5,200		2,400				7,600
建物減価償却累計額		200,000		20,000				220,000
備品減価償却累計額		449,999						449,999
車両運搬具減価償却累計額		80,000	80,000					
資本金		3,600,000						3,600,000
繰越利益剰余金		851,801						851,801
売上		9,560,000				9,560,000		
受取地代		520,000	40,000			480,000		
仕入	6,680,000		300,000	315,000	6,665,000			
給料	1,800,000				1,800,000			
支払手数料	104,000				104,000			
水道光熱費	75,000		7,000		82,000			
通信費	85,600				85,600			
旅費交通費	30,000		3,000		33,000			
支払利息	10,000			2,000	8,000			
	17,343,000	17,343,000						
未払金				3,000				3,000
減価償却費			80,000		100,000			
			20,000					
固定資産売却損			140,000		140,000			
貸倒引当金繰入			2,400		2,400			
未払消費税				288,000				288,000
未払水道光熱費				7,000				7,000
前払利息			2,000				2,000	
前受地代				40,000				40,000
法人税、住民税及び事業税			306,000		306,000			
未払法人税等				306,000				306,000
当期純利益					714,000			714,000
			2,431,400	2,431,400	10,040,000	10,040,000	7,427,400	7,427,400

第6回 解答

問　題 ▶ 22

第1問 45点

仕訳一組につき3点

	借　方		貸　方	
	記　号	金　額	記　号	金　額
1	（ ウ ）	600,000	（ ア ） （ カ ）	594,000 6,000
2	（ ウ ） （ イ ） （ キ ）	40,000 393,000 5,000	（ オ ） （ ク ）	433,000 5,000
3	（ エ ） （ ア ）	50,000 80,000	（ カ ）	130,000
4	（ イ ） （ ウ ）	35,000 300	（ オ ）	35,300
5	（ エ ） （ オ ） （ イ ）	560,000 20,000 120,000	（ カ ）	700,000
6	（ ウ ）	153,000	（ オ ） （ ア ）	3,000 150,000
7	（ イ ）	94,000	（ エ ）	94,000
8	（ オ ）	140,000	（ カ ） （ ア ）	90,000 50,000
9	（ カ ）	1,500,000	（ ウ ）	1,500,000
10	（ エ ）	50,000	（ イ ）	50,000
11	（ ウ ）	100,000	（ エ ）	100,000
12	（ カ ）	50,000	（ イ ）	50,000
13	（ ア ）	200,000	（ カ ）	200,000
14	（ イ ） （ エ ）	8,000 1,640	（ ウ ）	9,640
15	（ オ ）	550,000	（ ア ）	550,000

第2問　20点

(1)　　各2点

①	②	③	④
キ	ウ	イ	カ

(a)	(b)
14,000	15,400

(2)　　各2点

①	②	③	④
キ	エ	サ	ケ

第3問 35点

●数字…予想配点

問1

決算整理後残高試算表

×9年3月31日

借方	勘定科目	貸方
96,000	現金	
③ 1,069,000	普通預金	
400,000	売掛金	
12,000	前払保険料	
③ 350,000	繰越商品	
2,000,000	建物	
800,000	備品	
3,300,000	土地	
	買掛金	539,000
	借入金	197,000 ③
	前受手数料	20,000
	（未払）消費税	320,000
	未払法人税等	340,000 ③
	貸倒引当金	8,000
	建物減価償却累計額	550,000
	備品減価償却累計額	330,000 ③
	資本金	3,150,000
	繰越利益剰余金	1,470,000
	売上	6,600,000
	受取手数料	120,000 ③
③ 3,340,000	仕入	
1,500,000	給料	
55,000	旅費交通費	
③ 48,000	保険料	
③ 3,000	貸倒引当金繰入	
③ 180,000	減価償却費	
③ 1,000	雑（損）	
490,000	法人税、住民税及び事業税	
13,644,000		13,644,000

問2

（当期純利益）・当期純損失	¥ 1,103,000

○の囲いと金額が両方正解で2点

第6回 解答への道

問題 ▶ 22

全体的に、難易度・問題量ともにバランスのとれた良問です。合格点は十分にとれる問題ですが、第2問の勘定記入に関する問題は受験生が苦手とするところです。冷静に取り組めたかどうかが点数に影響しますね。難易度は、A：普、B：やや難、C：難となっています。

第1問

統一試験では、指定された勘定科目は記号で解答しなければ正解にならないので注意してください。Aレベルは正解できるようにしましょう。
解答時間は1題につき30秒～1分以内を目標に！

1．資金の貸付け　難易度 **A**

解答

借方科目	金額	貸方科目	金額
(手形貸付金)	600,000	(普通預金)	594,000
		(受取利息)	6,000

金銭の貸付けにおいて、借用証書に代えて約束手形を受け取ることがあります。この場合は、借用証書による貸付けと区別するため手形貸付金勘定（資産）の増加とします。なお、普通預金口座から振り込んでいるため普通預金勘定（資産）の減少としますが、振込額は、貸付額600,000円から6,000円を差し引いた残額594,000円とすることに注意しましょう。差し引いた6,000円は、利息の受け取りとし、受取利息勘定（収益）の増加とします。

2．売上取引　難易度 **A**

解答

借方科目	金額	貸方科目	金額
(前受金)	40,000	(売上)	433,000 *1
(売掛金)	393,000 *2		
(発送費)	5,000	(現金)	5,000

＊1　428,000円＋5,000円＝433,000円

＊2　433,000円－40,000円＝393,000円

売上取引において諸掛り（発送費用）が生じる場合、その処理方法について特別な指示がなければ、商品の配送に関わる金額分を含めて売上勘定（収益）で処理するため、相手先に対する代金にも含まれることとなります。

売上取引における手付金40,000円は商品代金の一部を前受けしたもの（前受金勘定で処理）なので、売り渡したときにその代金に充当（相殺）し、残額は売掛金勘定（資産）の増加とします。なお、発送費用の支払いについて、その支出額は発送費勘定（費用）で処理します。

【参考】問題文に、「発送費は当社負担とする」旨の指示があった場合、本問の仕訳は次のようになります。

（問題文例）

商品￥428,000を売り上げ、代金については注文時に受け取った手付金￥40,000と相殺し、残額を掛けとした。なお、当社負担の発送費￥5,000は現金で支払った。

借方科目	金額	貸方科目	金額
(前受金)	40,000	(売上)	428,000
(売掛金)	388,000		
(発送費)	5,000	(現金)	5,000

3．売掛金の貸倒れ　難易度 **A**

解答

（貸倒引当金）	50,000	（売掛金）	130,000
（貸倒損失）	80,000		

前期以前に生じた売掛金が貸し倒れた（回収不能となった）場合、売掛金勘定（資産）の減少とするとともに、貸倒引当金を取り崩して充当します。なお、貸倒引当金の残高を超える金額については、貸倒損失勘定（費用）の増加とします。

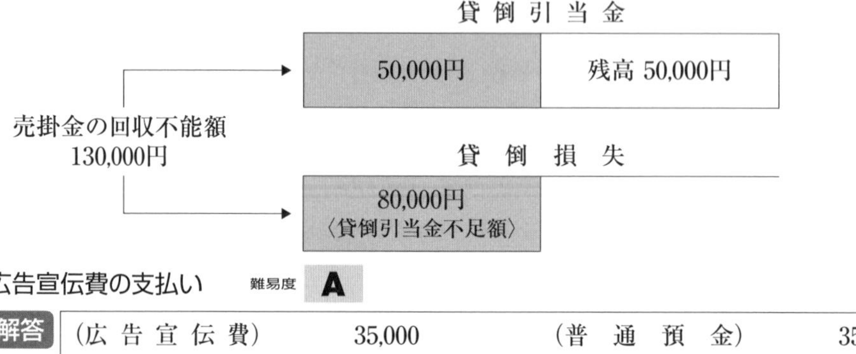

4．広告宣伝費の支払い　難易度 **A**

解答

（広告宣伝費）	35,000	（普通預金）	35,300
（支払手数料）	300		

広告宣伝費の支払いを普通預金口座から振り替えで行った取引です。

「振込手数料として¥300が同口座から引き落とされた」というのは、振込手数料を当社が負担したということです。したがって、支払手数料勘定（費用）の増加とするとともに、普通預金勘定（資産）の減少となる金額は、広告宣伝費35,000円と振込手数料300円とを合わせた35,300円となることに注意しましょう。

5．有形固定資産の売却　難易度 **B**

解答

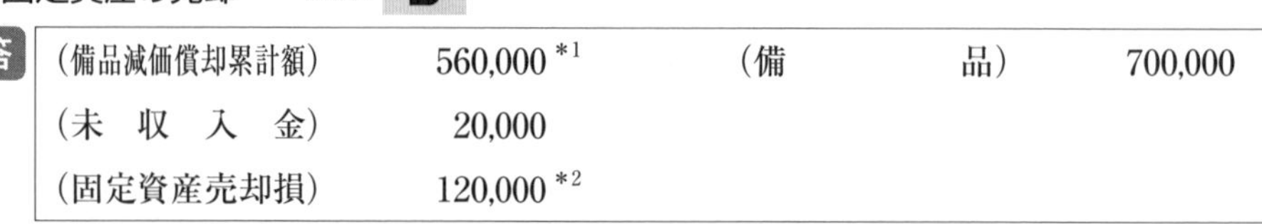

（備品減価償却累計額）	560,000 *1	（備品）	700,000
（未収入金）	20,000		
（固定資産売却損）	120,000 *2		

＊1　700,000円－　？　＝140,000円
　　取得原価　減価償却累計額　帳簿価額
　　両者の差額で計算

700,000円－140,000円＝560,000円
　　取得原価　帳簿価額　減価償却累計額

＊2　20,000円－（700,000円－560,000円）＝△120,000円〈売却損〉
　　売却価額　帳簿価額

間接法で記帳している場合、備品を売却したときは、備品勘定（資産）の取得原価とその備品に対する減価償却累計額勘定の減少としますが、**本問には「減価償却累計額」の金額が与えられていません。**その代わりに与えられた帳簿価額により導きだします。さらに、売却価額から帳簿価額（備品の取得原価と減価償却累計額の差額）を差し引き、固定資産売却損（益）を計算します。なお、期首に売却していることから、帳簿価額の計算において当期分の減価償却費を考慮する必要はありません。

商品売買以外の取引から生じた代金の未収分は、未収入金勘定（資産）の増加とします。

6．給料の支払い　難易度 **B**

解答

(給　　　料)	153,000*	(所得税預り金)	3,000
		(普　通　預　金)	150,000

＊　3,000円＋150,000円＝153,000円〈給料総額〉

給料勘定（費用）の増加とする金額は、給料総額（支給総額）で行います。しかし、本問には総額が与えられていないため、所得税として差し引いた3,000円と残額の150,000円（従業員の手取額）との合計により計算することになります。なお、所得税の源泉徴収額は、所得税預り金勘定（負債）の増加とします。

7．所得税の納付　難易度 **A**

解答

(所得税預り金)	94,000	(現　　　金)	94,000

給料を支払った際に預かった所得税を納付したときの処理です。従業員の所得税（給料を得た人に課せられる税金）は、給料支払時に預かり、従業員に代わって税務署に納付します。

したがって、納付するまでは、所得税を納める義務として所得税預り金勘定（負債）の増加で処理し、納付した時点で負債の減少とします。

(注)「所轄税務署より納期の特例承認を受けている」という文章は、解答するうえで考慮しなくてよいものです。給料から源泉徴収した所得税は、原則として毎月納付しなければなりませんが、一定の要件を満たした場合に、半年分をまとめて納付することができる特例があります。これを「納期の特例」といいます。

8．仕入取引　難易度 **A**

解答

(仕　　　入)	140,000	(支　払　手　形)	90,000
		(買　掛　金)	50,000

商品代金のうち、90,000円は約束手形を振り出したため、手形金額を支払う義務として支払手形勘定（負債）の増加とし、残額の50,000円はあとで商品代金を支払う義務として買掛金勘定（負債）の増加とします。

9．当期純利益の計上　難易度 **A**

解答

(損　　　益)	1,500,000	(繰越利益剰余金)	1,500,000

決算振替仕訳の問題です。帳簿上、当期純損益は損益勘定で算定されます。当期純利益であったときは、繰越利益剰余金勘定（資本）の増加とするため、損益勘定から繰越利益剰余金勘定の貸方に振り替える仕訳を行います。

10．預金口座間の振り替え　難易度 **A**

解答

(当座預金乙銀行)	50,000	(当座預金甲銀行)	50,000

指定勘定科目より、当座預金に銀行名を付けた勘定を設定していることがわかります。よって、引き出される当座預金甲銀行勘定（資産）の減少と、送金先である当座預金乙銀行勘定（資産）の増加とします。

11．電子記録債務（決済）　難易度 **A**

解答

(電子記録債務)	100,000	(当　座　預　金)	100,000

電子記録債務の発生記録の請求を行ったときは、その金額を電子記録債務勘定（負債）の増加としているので、決済されたときは減少の仕訳を行うとともに、引き落としとなった当座預金口座についても、当座預金勘定（資産）の減少とします。

12. クレジット売掛金の回収　難易度 A

解答

（当座預金）	50,000	（クレジット売掛金）	50,000

商品をクレジット払いの条件で販売した場合は、クレジット売掛金勘定（資産）の増加とし、「売掛金」とは区別して処理しています。よって、これを回収したときはクレジット売掛金勘定の減少とし、振り込まれた当座預金口座については、当座預金勘定（資産）の増加とします。

13. 支払手形の決済　難易度 A

解答

（支払手形）	200,000	（当座預金）	200,000

約束手形は、振り出したときに手形金額を支払う義務として、支払手形勘定（負債）の増加としています。よって、当座預金口座から支払いが完了した時点で、当座預金勘定（資産）とともに減らす処理を行います。

14 再振替仕訳　難易度 A

解答

（租税公課）	8,000	（貯蔵品）	9,640
（通信費）	1,640		

前期の決算で以下のような仕訳をしています。

決算整理仕訳：				
	（貯蔵品）	9,640	（租税公課）	8,000
			（通信費）	1,640

前期の決算で行った決算整理仕訳を、翌期首の日付で逆仕訳することで、もとの勘定に戻すための仕訳を再振替仕訳といいます。

15. 法人税等（確定申告）　難易度 A

解答

（未払法人税等）	550,000	（普通預金）	550,000

納付書に記載された「納期等の区分」の○印により、法人税の確定申告であることがわかります。前期末の決算において、確定申告による納付額は未払法人税等勘定（負債）の増加としているので、その減少とするとともに、普通預金口座から振り込んで納付したため、普通預金勘定（資産）の減少とします。

第2問
難易度
(1) B

(1) 勘定記入の問題です。
記帳のルールが問われた基礎問題ですが、3期分の会計期間につながりがあるため、期首の再振替仕訳や期末の前払保険料の計上など、時の流れを意識しながら会計処理を行う必要があります。向こう1年分の保険料の支払額に変更がありますので計算に注意しましょう。

本問では、毎年11月1日に向こう1年分の保険料を支払っていますが、そのうち7か月分は次期に係る費用の前払分であるため、保険料勘定（費用）から差し引き、前払保険料勘定（資産）として次期に繰り越す処理を毎年行う必要があります。

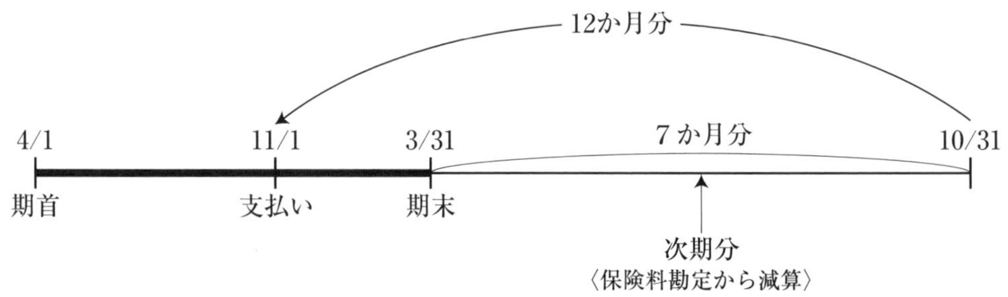

1．前期の期末

3/31　決算処理

①　決算整理仕訳：前払保険料の計上

11月１日に支払った向こう１年分の保険料は24,000円です。

（前払保険料）	14,000＊	（保険料）	14,000

＊　$24,000円 \times \frac{7か月}{12か月} = 14,000円$

②　資産の勘定の締め切り

決算整理後の前払保険料勘定の借方残高14,000円を、貸方に「次期繰越」と記入し、借方と貸方の合計金額を一致させて締め切ります。次に、翌期首の日付で借方に「前期繰越」と記入し、残高を借方に戻します。したがって、**(a) は14,000円**になります。

2．当期の会計処理

4/1　期首の再振替仕訳

前期末の前払保険料に関する決算整理仕訳を、翌期首の日付で逆仕訳することで、もとの費用勘定に戻すための仕訳です。

（保険料）	14,000	（前払保険料）	14,000

保険料

借方			貸方		
4/1	**前払保険料**（①キ）	**14,000**			

前払保険料

借方			貸方		
4/1	前期繰越	14,000（a）	**4/1**	**保険料**	**14,000**

11/1　向こう１年分の保険料の支払い

前期の支払額24,000円から10％増額した26,400円（＝24,000円×110％）で仕訳します。

（保険料）	26,400	（現金）	26,400

保険料

借方			貸方		
4/1	前払保険料	14,000			
11/1	**現金**	**26,400**			

前払保険料

借方			貸方		
4/1	前期繰越	14,000	4/1	保険料	14,000

3/31　決算処理

①　**決算整理仕訳**：前払保険料の計上

（前払保険料）	15,400＊	（保険料）	15,400

＊　$26,400円 \times \frac{7か月}{12か月} = 15,400円$

保険料

借方			貸方		
4/1	前払保険料	14,000	**3/31**	**前払保険料**	**15,400**
11/1	現金	26,400			

前払保険料

借方			貸方		
4/1	前期繰越	14,000	4/1	保険料	14,000
3/31	**保険料**	**15,400**			

②　**決算振替仕訳**：決算整理後の保険料勘定の借方残高25,000円を損益勘定へ振り替えます。

（損益）	25,000	（保険料）	25,000

この振り替えにより、保険料勘定の残高はゼロとなるため締め切ります。

保険料

借方			貸方		
4/1	前払保険料	14,000	3/31	前払保険料	15,400
11/1	現金	26,400	〃	**損益**（②ウ）	**25,000**

前払保険料

借方			貸方		
4/1	前期繰越	14,000	4/1	保険料	14,000
3/31	保険料	15,400			

③　**資産の勘定の締め切り**

決算整理後の前払保険料勘定の借方残高15,400円を、貸方に「次期繰越」と記入し、借方と貸方の合計金額を一致させて締め切ります。次に、翌期首の日付で借方に「前期繰越」と記入し、残高を借方に戻します。

保　険　料

日付	摘要	金額	日付	摘要	金額
4/1	前払保険料	14,000	3/31	前払保険料	15,400
11/1	現　　金	26,400	〃	損　　益	25,000
		40,400			40,400

前 払 保 険 料

日付	摘要	金額	日付	摘要	金額
4/1	前期繰越	14,000	4/1	保 険 料	14,000
3/31	保 険 料	15,400	**3/31**	**次期繰越**（③イ）	**15,400**
		29,400			29,400
4/1	**前期繰越**	**15,400**			

3．次期の期首

4/1　期首の再振替仕訳

前期末の前払保険料に関する決算整理仕訳を、翌期首の日付で逆仕訳することで、もとの費用勘定に戻すための仕訳です。

(保　　険　　料)	15,400	(前 払 保 険 料)	15,400

保　険　料

日付	摘要	金額	日付	摘要	金額
4/1	前払保険料	14,000	3/31	前払保険料	15,400
11/1	現　　金	26,400	〃	損　　益	25,000
		40,400			40,400
4/1	**前払保険料**	**15,400**（b）			

前 払 保 険 料

日付	摘要	金額	日付	摘要	金額
4/1	前期繰越	14,000	4/1	保 険 料	14,000
3/31	保 険 料	15,400	3/31	次期繰越	15,400
		29,400			29,400
4/1	前期繰越	15,400	**4/1**	**保 険 料**（④カ）	**15,400**

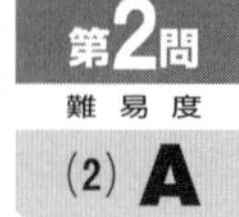

(2)　文章の空所補充問題です。
日商簿記3級で出題されるものは、「文章のマル暗記」ということではなく、日商簿記3級で学習する帳簿組織や基本的な会計処理をマスターしていれば解答できます。できなかったところはテキスト等で確認するようにしましょう。

1．貸倒引当金

貸倒引当金は、期末に設定した見積額を資産の勘定（受取手形や売掛金など）から控除することで、期末に所有する債権の回収可能な金額はいくらになるかを評価する性格を持っています。

このような性格を持った勘定を「**(①)　キ　評価**」勘定といいます。

2．買掛金元帳

買掛金元帳とは、仕入先別に買掛金の増減明細を記録する「**(②)　エ　補助簿**」です。買掛金のある相手先を「仕入先」とよぶことから、仕入先元帳ともいいます。

3．利益準備金

株式会社が繰越利益剰余金を財源として配当を行ったときは、会社法の規定にもとづき債権者を保護するため、強制的に積み立て（内部留保）をします。この積立額を「**(③)　サ　利益準備金**」といいます。

4．3伝票制

3伝票制では、次の3種類の伝票を用います。

入金伝票　…入金取引を記入します。｝現金の増減取引だけは専用の伝票があります。
出金伝票　…出金取引を記入します。｝
振替伝票　…上記以外の取引を記入します。

したがって、入金伝票と出金伝票の他に、通常「**(④)　ケ　振替**」伝票が用いられます。

問１　決算整理後残高試算表を作成する問題です。
本問の決算整理事項等に関する処理は基本的なレベルです。高得点を確保したいところです。
問２　当期純利益または当期純損失の計算については、決算整理後残高試算表に集計した金額を使って計算します。問２の解説にある「参考」を確認しておきましょう。

問１　決算整理後残高試算表の作成

「**決算整理後**残高」とは、「**決算整理仕訳を転記した後**の残高」ということです。

したがって、決算整理前残高試算表に集められた各勘定の金額に、**決算整理事項等にもとづいて行った仕訳を加減算した後**の金額を、答案用紙に記入します。

本問における決算整理事項等の仕訳は次のとおりです。

１．現金の過不足

現金の帳簿残高97,000円（問題［資料１］残高試算表より判明）を実際有高96,000円に合わせるため、帳簿残高より1,000円減らし、借方差額は雑損勘定（費用）で処理します。

（雑　　　　　損）	1,000＊	（現　　　　　金）	1,000

＊　96,000円〈手許有高＝実際有高〉－97,000円〈帳簿残高〉＝△1,000円〈雑損〉

２．借越残高の振り替え

決算において、当座預金勘定が貸方残高（借越しの状態）となった場合は、その金額を負債の勘定（問題文の指示により借入金勘定）に振り替えます。

（当　座　預　金）	197,000	（借　　入　　金）	197,000

３．売掛金の回収〈未処理事項〉

（普　通　預　金）	158,000	（売　　掛　　金）	158,000

４．貸倒引当金の設定

「３．売掛金の回収」により、売掛金の残高が158,000円減少していることに注意して貸倒引当金を設定します。

（貸倒引当金繰入）	3,000＊	（貸　倒　引　当　金）	3,000

＊　設　定　額　（558,000円－158,000円）×２％＝　8,000円
（558,000円－158,000円：売掛金）
決算整理前残高　5,000円
差引：繰入額　3,000円

５．売上原価の計算

仕入勘定で売上原価を算定します。

（仕　　　　　入）	290,000	（繰　越　商　品）	290,000
（繰　越　商　品）	350,000	（仕　　　　　入）	350,000

6．有形固定資産の減価償却

備品の減価償却費は、既存分の500,000円（＝800,000円－300,000円）と、問題文の指示による新規取得分の300,000円とに分けて計算します。なお、当期中に取得した備品については、６か月分（当期の10/１～３/31）の月割計算になります。

（減価償却費）	180,000	（建物減価償却累計額）	50,000 *1
		（備品減価償却累計額）	130,000 *2

＊１　建　　物：2,000,000円〈取得原価〉÷40年＝50,000円

＊２　備品(既　存　分)：500,000円〈取得原価〉÷５年＝100,000円

　　　備品(期中取得分)：300,000円〈取得原価〉÷５年×$\frac{6か月}{12か月}$＝30,000円　　合計130,000円

7．前受手数料（前受収益）の計上

（受取手数料）	20,000	（前受手数料）	20,000

8．未払消費税の計上

決算にあたり、仮受消費税勘定の残高（期中に預かった消費税の金額）と、仮払消費税勘定の残高（期中に支払った消費税の金額）を相殺した残額（確定申告時の納税額）を、未払消費税勘定（負債）として計上します。

（仮受消費税）	660,000	（仮払消費税）	340,000
		（未払消費税）	320,000 *

＊　660,000円〈仮受消費税〉－340,000円〈仮払消費税〉＝320,000円

9．前払保険料（前払費用）の計上

当期の７月１日に支払った向こう１年分の保険料のうち、３か月分は次期に係る費用の前払分なので、保険料勘定（費用）から差し引き、前払保険料勘定（資産）として次期に繰り越します。

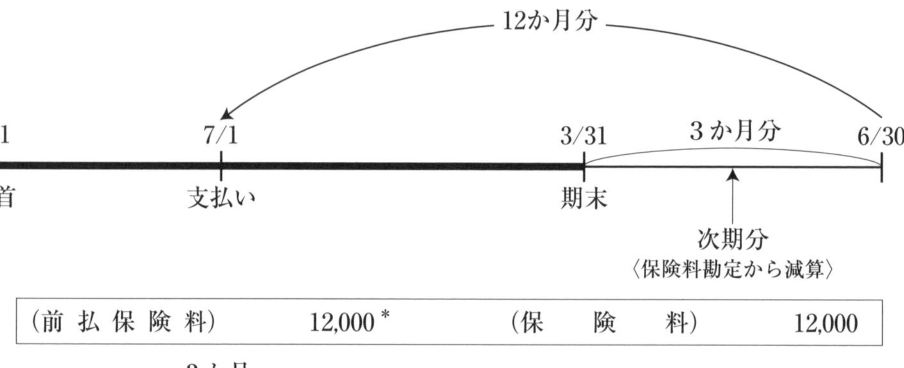

（前払保険料）	12,000 *	（保　険　料）	12,000

＊　48,000円×$\frac{3か月}{12か月}$＝12,000円

10．未払法人税等の計上

法人税、住民税及び事業税を計上し、期中に仮払法人税等勘定で処理されている中間納付額を控除した残額を、未払法人税等勘定（負債）とします。

（法人税、住民税及び事業税）	490,000	（仮払法人税等）	150,000
		（未払法人税等）	340,000 *

＊　490,000円〈法人税、住民税及び事業税〉－150,000円〈仮払法人税等〉＝340,000円

問2　当期純利益または当期純損失の計算

当期純利益または当期純損失は、決算整理後の収益と費用（法人税、住民税及び事業税を含む）の差額により計算するので、決算整理後残高試算表（答案用紙）に記入した金額の中から、収益と費用の金額だけを抜き出して差額を計算します。

6,720,000円〈収益合計〉－5,617,000円〈法人税等を含む費用合計〉＝**1,103,000円**〈当期純利益〉

参考

決算整理後残高試算表（答案用紙）に記入した金額をもとに損益計算書を作成すると次のようになります。

損　益　計　算　書

○○株式会社　　自×8年4月1日　至×9年3月31日　　（単位：円）

費　　用	金　　額	収　　益	金　　額
売　上　原　価	3,340,000	売　　上　　高	6,600,000
給　　　　　料	1,500,000	受　取　手　数　料	120,000
旅　費　交　通　費	55,000		
保　　険　　料	48,000		
貸倒引当金繰入	3,000		
減　価　償　却　費	180,000		
雑　　　　　損	1,000		
法人税、住民税及び事業税	490,000		
当　期　純　利　益	**1,103,000**		
	6,720,000		6,720,000

上記のように、決算整理後残高試算表（答案用紙）に記入した金額をもとに損益計算書を作れることが理解できると、決算整理後残高試算表（答案用紙）上で簡便的に計算することにも気づけますね。

決算整理後残高試算表

借　　方	勘定科目	貸　　方
96,000	現　　　金	
〜	〜	〜
	繰越利益剰余金	1,470,000
	売　　　上	6,600,000
	受　取　手　数　料	120,000
3,340,000	仕　　　入	
1,500,000	給　　　料	
55,000	旅　費　交　通　費	
48,000	保　険　料	
3,000	貸倒引当金繰入	
180,000	減　価　償　却　費	
1,000	雑　　　損	
490,000	法人税、住民税及び事業税	

損益計算書項目
貸方の合計
6,720,000円

損益計算書項目
借方の合計
5,617,000円

6,720,000円－5,617,000円＝1,103,000円〈当期純利益〉

第7回 解答

問　題 ▶ 26

第1問 45点

仕訳一組につき３点

	借方		貸方	
	記号	金額	記号	金額
1	（ア） （オ）	41,750,000 20,000	（エ） （カ）	41,250,000 520,000
2	（イ）	2,800,000	（オ）	2,800,000
3	（ウ） （カ）	10,000 7,000	（ア） （イ）	15,000 2,000
4	（エ） （イ）	16,000,000 4,000,000	（カ）	20,000,000
5	（オ）	8,000	（ウ）	8,000
6	（カ）	280,000	（ウ） （ア）	80,000 200,000
7	（イ）	560,000	（エ） （カ）	260,000 300,000
8	（エ） （ア）	10,000 5,000	（オ）	15,000
9	（ウ） （オ）	700,000 1,000	（イ）	701,000
10	（カ）	350,000	（ア）	350,000
11	（イ）	190,000	（エ）	190,000
12	（ア）	510,000	（ウ） （カ）	500,000 10,000
13	（エ）	85,000	（イ） （オ）	60,000 25,000
14	（ウ）	50,000	（ア）	50,000
15	（エ）	180,400	（カ）	180,400

第2問　20点

(1)　各２点

問１

7日	（ 4 ）つ
12日	（ 3 ）つ
15日	（ 2 ）つ
22日	（ 3 ）つ

問２	問３
¥ 136,000	¥ 165,000

(2)　●数字…予想配点

問１

固　定　資　産　台　帳

×7年３月31日　（単位：円）

取得年月日	種類・用途	耐用年数	取得原価	減価償却累計額			期末帳簿価額
				期首残高	当期償却額	期末残高	
×2年４月１日	備品Ａ	７年	（❷ 2,800,000）	（ 1,600,000）	400,000	2,000,000	（ 800,000）
×3年12月３日	備品Ｂ	５年	4,800,000	（ 2,240,000）	960,000	（ 3,200,000）	（ 1,600,000）❷
×6年10月１日	建　物	30年	18,000,000	（ 0）	（ 300,000）	（ 300,000）	（ 17,700,000）❷

問２

固定資産売却（ 益 ）	¥ 50,000 ❷

第3問 35点

●数字…予想配点

問1

精　算　表

勘定科目	残高試算表		修正記入		損益計算書		貸借対照表	
	借方	貸方	借方	貸方	借方	貸方	借方	貸方
現金	407,000						407,000	
小口現金	35,000			8,100			26,900 ③	
普通預金	1,320,000						1,320,000	
受取手形	420,000						420,000	
売掛金	300,000						300,000	
仮払消費税	423,000			7,000				
				416,000				
繰越商品	480,000		330,000	480,000			330,000	
建物	800,000						800,000	
備品	750,000						750,000	
土地	2,400,000			1,200,000			1,200,000	
買掛金		510,000	77,000					433,000 ③
手形借入金		1,000,000						1,000,000
仮受金		1,300,000	1,300,000					
仮受消費税		650,000	650,000					
貸倒引当金		10,000		4,400				14,400
建物減価償却累計額		390,000		30,000				420,000
備品減価償却累計額		280,000		150,000				430,000 ③
資本金		1,800,000						1,800,000
繰越利益剰余金		410,000						410,000
売上		6,500,000				6,500,000		
仕入	4,230,000		480,000	70,000	4,310,000 ③			
				330,000				
給料	600,000		45,000		645,000			
旅費交通費	80,000		5,100		85,100			
支払家賃	180,000				180,000			
保険料	300,000			75,000	225,000 ③			
消耗品費	80,000		3,000		83,000 ③			
支払利息	45,000			37,500	7,500 ③			
	12,850,000	12,850,000						
固定資産売却(益)				100,000		100,000 ③		
未収入金			75,000				75,000 ③	
貸倒引当金繰入			4,400		4,400 ③			
(未払)消費税				234,000				234,000 ③
減価償却費			180,000		180,000			
(未払)給料				45,000				45,000
(前払)利息			37,500				37,500	
法人税、住民税及び事業税			264,000		264,000			
未払法人税等				264,000				264,000
当期純(利益)					616,000			616,000
			3,451,000	3,451,000	6,600,000	6,600,000	5,666,400	5,666,400

問2　¥（ ② 1,200,000 ）

第7回 解答への道

問　題 ▶ 26

今回の第3問は、過去にどのような仕訳を行い、その結果、各時点における帳簿残高（勘定残高）が何を示しているのか等、考える力が試されます。短い時間の中で正しい修正仕訳を導くことが容易ではないため、難易度は高いです。また、第2問の固定資産台帳の記入問題では、有形固定資産に関する処理を理解しているかが試されています。合格点確保のためには、固定資産台帳をマスターすることは必須です。

難易度は、A：普、B：やや難、C：難となっています。

第1問

統一試験では、指定された勘定科目は記号で解答しなければ正解にならないので注意してください。Aレベルは正解できるようにしましょう。
解答時間は1題につき30秒〜1分以内を目標に！

1．有形固定資産の購入　難易度 A

解答

借方科目	金額	貸方科目	金額
（土　　　地）	41,750,000 *2	（未　払　金）	41,250,000 *1
（租 税 公 課）	20,000	（普 通 預 金）	520,000

＊1　750㎡×@55,000円＝41,250,000円〈土地代金〉

＊2　41,250,000円（土地代金）＋500,000円（付随費用）＝41,750,000円

月末払いの土地代金については、商品売買以外の取引から生じた代金の未払分であるため、未払金勘定（負債）の増加とします。また、土地の購入にともなって生じた付随費用（本問では不動産会社への手数料500,000円）は、土地の取得原価に含めますが、売買契約書の印紙代については租税公課勘定（費用）の増加とします。なお、両者は普通預金口座から支払っているため普通預金勘定（資産）の減少とします。

2．決算振替仕訳　難易度 A

解答

借方科目	金額	貸方科目	金額
（損　　　益）	2,800,000	（仕　　　入）	2,800,000

決算振替仕訳とは、当期純損益を計算するために、決算整理**後**の費用と収益の各勘定残高を損益勘定へ振り替えるための仕訳です。本問では、問題文の指示により、仕入勘定において算定された売上原価（費用）を損益勘定の借方へ振り替えます。

仕　入

借方		貸方	
当期商品仕入高〈決算整理前の残高〉	××	繰 越 商 品	×× ←期末商品
期首商品→繰 越 商 品	××	売上原価の金額	**2,800,000 ←損益勘定へ振替**

3．現金の過不足（一部判明）　難易度 B

解答

借方科目	金額	貸方科目	金額
（現 金 過 不 足）	10,000	（受 取 手 数 料）	15,000
（旅 費 交 通 費）	7,000	（雑　　　益）	2,000

問題文に「現金の帳簿残高が実際有高より￥10,000少なかった」とあります。これは言い換えると、帳簿残高より実際有高が10,000円多かったということです。

過不足発生時：

借方科目	金額	貸方科目	金額
（現　　　金）	10,000	（現 金 過 不 足）	10,000

したがって、現金過不足勘定で処理していた10,000円（貸方）のうち、原因の判明した「受取手数料の記入漏れ」は受取手数料勘定へ、「旅費交通費の記入漏れ」は旅費交通費勘定へ振り替え、判明しなかった金額は雑損勘定（借方差額の場合）または、雑益勘定（貸方差額の場合）で処理します。

4．改良と修繕　難易度 A

解答

（建　　　　物）	16,000,000	（普　通　預　金）	20,000,000
（修　繕　費）	4,000,000		

建物にかかる支出は、その名目に関係なく、建物の資産価値を高めるためのもの（＝資本的支出という）であれば、建物勘定（資産）の増加とし、建物の現状を維持するためのもの（＝収益的支出という）であれば、修繕費勘定（費用）の増加とします。なお、普通預金口座から代金を支払っているため、普通預金勘定（資産）の減少とします。

5．租税公課の支払い　難易度 A

解答

（租　税　公　課）	8,000	（現　　　　金）	8,000

事業で使用する収入印紙の購入代金は、租税公課勘定（費用）の増加とします。

6．仕入取引　難易度 A

解答

（仕　　　　入）	280,000	（当　座　預　金）	80,000
		（支　払　手　形）	200,000

商品代金のうち、80,000円は小切手を振り出したため当座預金勘定（資産）の減少とし、残額の200,000円については約束手形を振り出したため、手形金額を支払う義務として支払手形勘定（負債）の増加とします。

7．有形固定資産の購入　難易度 A

解答

（備　　　　品）	560,000 *	（当　座　預　金）	260,000
		（未　払　金）	300,000

＊　540,000円＋20,000円＝560,000円〈備品の取得原価〉

固定資産の購入にともなって生じた付随費用（本問では、搬入設置費用）は、固定資産の取得原価に含めます。備品の取得原価のうち260,000円は小切手を振り出して支払ったため、当座預金勘定（資産）の減少とします。残額の300,000円については「翌月以降の分割払い」とありますが、「分けて支払う」というだけで後払いであることに変わりありません。商品売買以外の取引から生じた代金の未払分は、未払金勘定（負債）の増加とします。

8．売上取引　難易度 A

解答

（受　取　商　品　券）	10,000	（売　　　　上）	15,000
（現　　　　金）	5,000		

商品を販売し、代金として商品券を受け取ったときは、後日、商品券の発行元から払い戻しを受ける権利として、受取商品券勘定（資産）の増加で処理します。

9．買掛金の支払い　難易度 A

解答

（買　掛　金）	700,000	（普　通　預　金）	701,000
（支　払　手　数　料）	1,000		

買掛金の支払いを普通預金口座から振り替えで行った取引です。

「振込手数料として￥1,000が同口座から引き落とされた」というのは、振込手数料を当社が負担したということです。したがって、支払手数料勘定（費用）の増加とするとともに、普通預金勘定

（資産）の減少となる金額は、買掛金の支払額700,000円と振込手数料1,000円とを合わせた701,000円となることに注意しましょう。

10. 法人税等の計上　難易度 A

解答

（法人税、住民税及び事業税）	350,000	（未払法人税等）	350,000

決算の結果、確定した法人税等の金額は、指定勘定科目により、「法人税、住民税及び事業税」を用いて借方に仕訳します。本問は、中間納付を行っていないため、全額が未払法人税等勘定（負債）の増加となります。

11. 受取手形の決済　難易度 A

解答

（当座預金）	190,000	（受取手形）	190,000

約束手形は、受け取ったときに手形金額を受け取る権利として、受取手形勘定（資産）の増加としています。よって、当座預金口座に入金を受けた時点で減少の仕訳を行うとともに、当座預金勘定（資産）の増加とします。

12. 資金の貸付け（回収）　難易度 A

解答

（現金）	510,000	（貸付金）	500,000
		（受取利息）	10,000*

＊　500,000円×年利率２％＝10,000円

貸付金を回収した（貸したお金を返してもらった）ときは、貸付金勘定（資産）の減少とし、受け取った利息については受取利息勘定（収益）の増加とします。なお、１年分の利息とともに受け取った同社（栃木（株））振り出しの小切手は「他人振り出しの小切手」となるので、現金勘定（資産）の増加とします。

13. 内容不明の入金（一部判明）　難易度 B

解答

（当座預金）	85,000	（前受金）	60,000
		（仮受金）	25,000

当座預金口座に振り込まれた85,000円のうち60,000円は、商品の注文時に受け取った手付金であるため、後日商品を引き渡す義務として前受金勘定（負債）の増加とします。また、残額の25,000円は詳細不明（内容不明）のため仮受金勘定で処理します。

14. 伝票の推定（仕入取引）　難易度 A

解答

（仕入）	50,000	（買掛金）	50,000

一部現金取引の起票には、「いったん全額を掛取引として起票する方法」と「取引を分解して起票する方法」の２つがあります。取引を仕訳すると次のようになります。

（仕入）	50,000	（買掛金）	35,000
		（現金）	15,000

仕入代金の一部は現金で支払っているのにもかかわらず、出金伝票の相手科目を「買掛金」と記入していることから、「いったん全額を掛取引として起票する方法」であると判断します。

１つの取引を２つの伝票に分けて記入すると次のようになります。

（仕入）	50,000	（買掛金）	50,000	… 振替伝票（解答）
（買掛金）	15,000	（現金）	15,000	… 入金伝票

参考

「取引を分解して起票する方法」では、振替伝票の金額は「35,000」となり、出金伝票に記入する相手科目は「仕入」となります。取引を2つの伝票に分けて記入すると次のようになります。

(仕　　入)	35,000	(買　掛　金)	35,000	… 振替伝票
(仕　　入)	15,000	(現　　金)	15,000	… 出金伝票

15. 売掛金の回収　難易度 **A**

解答

(普　通　預　金)	180,400	(売　　掛　　金)	180,400

本問は、かねて（＝過去に）横浜株式会社へ商品を売り上げ、納品書兼請求書を送付していた神奈川物産株式会社（以下、当社とする）の代金回収時点の処理が問われています。商品を販売して納品書兼請求書を送付した時点（×3年5月10日）より、商品代金の回収期日は後日（×3年6月30日）となるため、販売時は売掛金勘定（資産）の増加で処理しています。

販売時：

(売　　掛　　金)	180,400	(売　　　　上)	164,000
		(仮 受 消 費 税)	16,400

代金の振込先については、「○○銀行　元町支店　**普通**」と指定しています。

以上のことから、代金回収時点の処理は、売掛金勘定（資産）の減少とともに普通預金勘定（資産）の増加となります。なお、振込手数料の処理は不要です。当社が「振込手数料はご負担ください」と相手先宛に記載したのです。負担するのは横浜株式会社であり、当社ではありません。

(1)　問1は、取引ごとに必要な補助簿を選択する問題です。仕訳から記入する補助簿をイメージすると上手に選択できます。また問3は、売掛金勘定（総勘定元帳）と、売掛金元帳（補助簿）の関係を問う良問です。満点がとれるまで繰り返し練習しましょう。

問1　補助簿の選択

各取引の仕訳をもとにして、記入する補助簿を判断します。なお、**商品**有高帳には**商品**に関わる取引を記入しますので注意しましょう。

「×3年6月中の取引」の仕訳および記入する補助簿**（問1の解答）**は次のようになります。

7日　商品の仕入れ

仕　入　帳 ← / **商品**有高帳 ←〈商品の増加〉	(仕　　入)	242,500*	(買 掛 金)	240,000	→ **買掛金**元帳
			(現　　金)	2,500	→ **現金**出納帳

＊　仕入諸掛り（本問では引取運賃）は、仕入原価に含めます。

したがって、記入される補助簿は、計**4つ**です。

12日　東京商店に対する掛け売上

売掛金元帳 ←	(売掛金･東京)	78,000	(売　　上)	78,000	→ **売　上**　帳 / → **商品**有高帳〈商品の減少〉

したがって、記入される補助簿は、計**3つ**です。

15日　箱根商店に対する売掛金の回収

当座預金出納帳 ←	(当座預金)	50,000	(売掛金･箱根)	50,000	→ **売掛金**元帳

したがって、記入される補助簿は、計**2つ**です。

19日　箱根商店に対する掛け売上

売掛金元帳←(売掛金･箱根)　63,000　(売　上)　63,000→売上帳
→商品有高帳〈商品の減少〉

22日　箱根商店より売上戻り

売上帳←(売　上)　5,000　(売掛金･箱根)　5,000→売掛金元帳
商品有高帳←〈商品の増加〉

したがって、記入される補助簿は、計**3つ**です。

29日　東京商店に対する売掛金の回収

当座預金出納帳←(当座預金)　49,000　(売掛金･東京)　49,000→売掛金元帳

問2　純売上高の計算

純売上高:78,000円〈12日売上〉+63,000円〈19日売上〉−5,000円〈22日売上戻り〉=**136,000円（問2の解答）**

問3　売掛金元帳（箱根商店）に対する売掛金の残高

売掛金元帳（＝得意先元帳）とは、売掛金の増減を取引先別（得意先別）に管理する補助簿です。単純に、売掛金を２つの得意先（本問では東京商店と箱根商店）に分けて記帳しているだけなので、両者を合わせれば、売掛金勘定と一致します。

上記⑴で示したように、「売掛金」の仕訳に取引先名を付記しておくと集計しやすくなります。

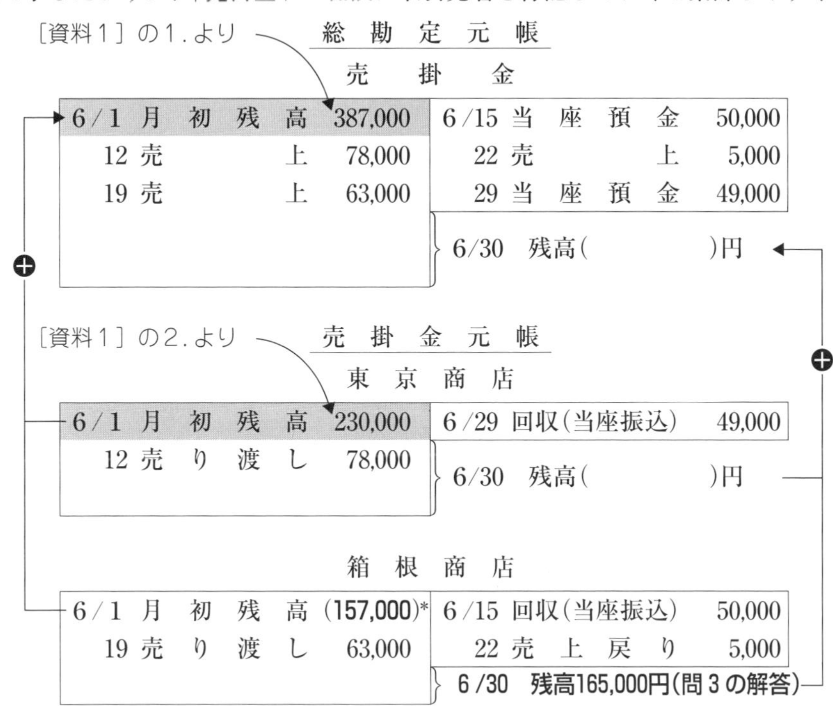

理解のために、6/30時点の東京商店勘定の残高も計算してみましょう。東京商店勘定の残高は259,000円になります。東京商店と箱根商店の残高を合算すると、売掛金勘定の残高424,000円に一致することもあわせて確認しておきましょう。

(2) 有形固定資産の詳細を管理するための補助簿である固定資産台帳の記入問題です。
固定資産台帳上の会計用語も難しいので、まずは記載内容を理解できるようになることが第一歩です。

Ⅰ　固定資産台帳の読み取り

減価償却累計額勘定の内訳を示しています

当期の減価償却費のことです

（単位：円）

取得年月日	種類・用途	耐用年数	取得原価	減価償却累計額			期末帳簿価額
				期首残高	当期償却額	期末残高	
×2年4月1日	備品A	7年	2,800,000	1,600,000	➕ 400,000	⇒ 2,000,000	800,000
×3年12月3日	備品B	5年	4,800,000	2,240,000	➕ 960,000	⇒ 3,200,000	1,600,000
×6年10月1日	建　物	30年	18,000,000	0	➕ 300,000	⇒ 300,000	17,700,000

取得原価から減価償却累計額の期末残高（決算整理後）を引いて計算します

Ⅱ　固定資産台帳の推定

問1の問題文より、当会計期間は×6年4月1日～×7年3月31日の1年であることがわかります。

1．備品A

①　取得原価

取得年月日は当期以前の日付です。これにより、当期償却額400,000円は1年分の金額であることがわかります。残存価額はゼロなので、耐用年数にかけ算すれば取得原価が計算できます。

400,000円〈1年分〉×7年分〈耐用年数〉＝**2,800,000円**

②　減価償却累計額の期首残高

×2. 4. 1～×6. 3. 31：2,800,000円〈取得原価〉÷7年×4年＝**1,600,000円**

または、期末残高から逆算して計算することもできます。

2,000,000円〈期末残高〉－400,000円〈当期分〉＝**1,600,000円**

③　期末帳簿価額

2,800,000円〈取得原価〉－2,000,000円〈減価償却累計額の期末残高〉＝**800,000円**

2．備品B

①　減価償却累計額の期首残高

取得年月日は当期以前の日付ですが、期中に取得しているので初年度は月割計算になります。なお、月の途中で取得していますが日割計算はしません。12月分を1か月分として計算します。

×3. 12. 3～×4. 3. 31：4,800,000円〈取得原価〉÷5年×$\frac{4か月}{12か月}$＝　320,000円

×4. 4. 1～×6. 3. 31：4,800,000円〈取得原価〉÷5年×2年　＝1,920,000円

計　**2,240,000円**

または、当期以前に取得していることから、当期償却額960,000円は1年分であることに気づければ、以下のように計算することもできます。

×3. 12. 3～×4. 3. 31：960,000円×$\frac{4か月}{12か月}$＝　320,000円

×4. 4. 1～×6. 3. 31：960,000円×2年　＝1,920,000円

計　**2,240,000円**

②　減価償却累計額の期末残高

2,240,000円〈期首残高〉＋960,000円〈当期分〉＝**3,200,000円**

③　期末帳簿価額

4,800,000円〈取得原価〉－3,200,000円〈減価償却累計額の期末残高〉＝**1,600,000円**

３．建物

①　減価償却累計額の期首残高

取得年月日により、当期中に取得していることがわかります。当期首時点に存在していないので**ゼロ**になります。

②　当期償却額

当期中に取得しているため、取得した月からの月割計算になります。

×6. 10. 1～×7. 3. 31：18,000,000円〈取得原価〉÷30年×$\frac{6か月}{12か月}$＝**300,000円**

③　期末帳簿価額

18,000,000円〈取得原価〉－300,000円〈減価償却累計額の期末残高〉＝**17,700,000円**

Ⅲ　備品Ａの売却

取得後、減価償却を行った流れをタイムテーブルで示すと次のようになります。

期中売却であるため、×7年度（×7年４月１日から始まる会計年度）の減価償却も必要です。

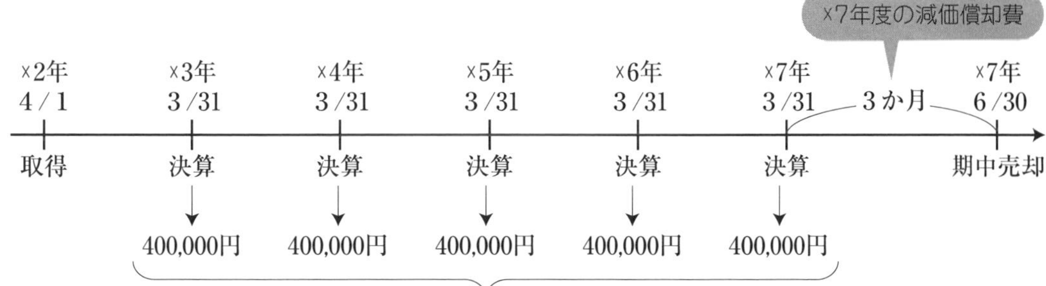

×7年度減価償却費

×7. 4. 1～×7. 6. 30：400,000円〈１年分〉×$\frac{3か月}{12か月}$＝**100,000円**

固定資産売却損益は、売却価額から売却時点の帳簿価額を差し引いて計算します。

750,000円－（2,800,000円－2,000,000円－100,000円）＝**50,000円**〈固定資産売却**益**〉

売却価額　　売却時点の帳簿価額

仕訳して考えてみるのがよいでしょう。なお、固定資産台帳の記載内容が理解できるようになると、計算の手間を減らすことができます。

（減価償却累計額）	2,000,000＊	（備　　　品）	2,800,000
（減価償却費）	100,000	（固定資産売却**益**）	**50,000**
（現金など）	750,000		

＊　固定資産台帳、減価償却累計額の「期末残高」

×7年３月31日における決算整理後の残高は、翌期首（×7年４月１日）時点の残高になります。

精算表作成の問題です。
他の実施回で出題された決算問題よりも細かな未処理事項が多いです。前提となる過去の処理を考え、そして、記帳、修正に関する問題文の指示を守るためにはどのような仕訳が必要か、読み取ることはできたでしょうか。

本問における決算整理事項等の仕訳は次のとおりです。

1．仕入返品〈未処理事項〉

仕入れたときの仕訳の逆仕訳を行い、仕入れた記録を取り消します。ただし、仕入取引には消費税の仮払いがあるため、仕入返品分にかかる消費税も取り消す必要があります。

（買掛金）	77,000	（仕入）	70,000＊1
		（仮払消費税）	7,000＊2

＊1　77,000円〈税込価格〉× $\frac{100\%}{100\%+10\%}$ ＝70,000円〈税抜価格〉

＊2　70,000円×10％＝7,000円

2．小口現金の支払い報告〈未処理事項〉

小口現金係から、一定期間における支出の報告を受けたときに、その支出内容を借方に仕訳します。文房具は「消耗品費」、電車賃は「旅費交通費」としますが、貸方は、使った分を補給するタイミングにより、2つの処理が考えられます。①報告と補給が別の日に行われる場合と、②報告と補給が同時に行われる場合です。本問は、「報告にもとづく補給は翌期に行う」とありますので、①の方法と判断し、貸方は小口現金勘定（資産）の減少とします。

（消耗品費）	3,000	（小口現金）	8,100
（旅費交通費）	5,100		

3．有形固定資産の売却〈未処理事項〉

土地を売却したときに受け取った代金は、仮受金勘定で処理しています。

よって、売却の仕訳を行う際には仮受金勘定を借方に仕訳し、帳簿価額との差額により固定資産売却損（益）を計算します。

代金受取時：	（現金など）	1,300,000	（仮受金）	1,300,000
本問の解答：	（仮受金）	1,300,000	（土地）	1,200,000＊1
			（固定資産売却益）	100,000＊2

＊1　2,400,000円〈残高試算表欄の土地の金額〉÷２＝1,200,000円〈半額分の帳簿価額〉

＊2　1,300,000円〈売却価額〉－1,200,000円〈帳簿価額〉＝100,000円〈売却益〉

4．保険の解約による未収入金勘定への振り替え〈未処理事項〉

問題文の指示に従い、8月1日に支払った向こう1年分の保険料180,000円のうち、保険の解約により月割で返金される5か月分（3月1日から7月31日まで）の保険料を未収入金勘定（資産）へ振り替えます。

保険料の支払額は、保険料勘定（費用）で処理しています。

8/1支払時：	（保険料）	180,000	（現金など）	180,000
本問の解答：	（未収入金）	75,000	（保険料）	75,000＊

＊　180,000円× $\frac{5か月}{12か月}$ ＝75,000円

5．貸倒引当金の設定

（貸倒引当金繰入）	4,400 *	（貸倒引当金）	4,400

＊ 設　定　額（420,000円＋300,000円）× 2 % = 14,400円
　　　　　　　受取手形　　売掛金

決算整理前残高　10,000円

差引：繰入額　4,400円

6．売上原価の計算

「仕入」の行（仕入勘定）で売上原価を算定します。なお、当期に仕入れていた商品70,000円（税抜価格）を決算日前に返品しているため、返品控除後の期末商品棚卸高を用いて売上原価を算定する必要がありますが、本問では、問題資料に「1．の返品控除後」の期末商品棚卸高330,000円が与えられているため、返品分の70,000円（税抜価格）を考慮する必要はありません。

（仕　　　入）	480,000	（繰越商品）	480,000
（繰越商品）	330,000	（仕　　　入）	330,000

7．未払消費税の計上

決算にあたり、仮受消費税勘定の残高（期中に預かった消費税の金額）と、仮払消費税勘定の残高（期中に支払った消費税の金額）を相殺した残額（確定申告時の納税額）を、未払消費税勘定（負債）として計上します。

（仮受消費税）	650,000	（仮払消費税）	416,000 *1
		（未払消費税）	234,000 *2

＊1　423,000円〈決算整理前残高〉－7,000円〈「1．仕入返品」より〉＝416,000円

＊2　650,000円〈仮受消費税〉－416,000円〈仮払消費税〉＝234,000円

8．有形固定資産の減価償却（注）残存価額が異なります。建物は取得原価の10%、備品はゼロです。

（減価償却費）	180,000	（建物減価償却累計額）	30,000 *1
		（備品減価償却累計額）	150,000 *2

＊1　建物：800,000円〈取得原価〉×0.9÷24年＝30,000円

＊2　備品：750,000円〈取得原価〉÷ 5 年＝150,000円

9．未払給料（未払費用）の計上

（給　　　料）	45,000	（未払給料）	45,000

10．前払利息（前払費用）の計上

問題文には「借入時に1年分の利息が差し引かれた金額を受け取っている」とあります。これは、利息は借入時に全額支払済み（＝全額、支払利息勘定（費用）の増加として記帳済み）ということです。

借入時：

（現金など）	955,000	（手形借入金）	1,000,000
（支払利息）	45,000 *		

＊　1,000,000円×利率年4.5%＝45,000円〈1年分の利息〉

当期の2月1日に支払った向こう1年分の利息のうち、10か月分は次期に係る費用の前払分であるため、支払利息勘定（費用）から差し引き、前払利息勘定（資産）として次期に繰り越します。

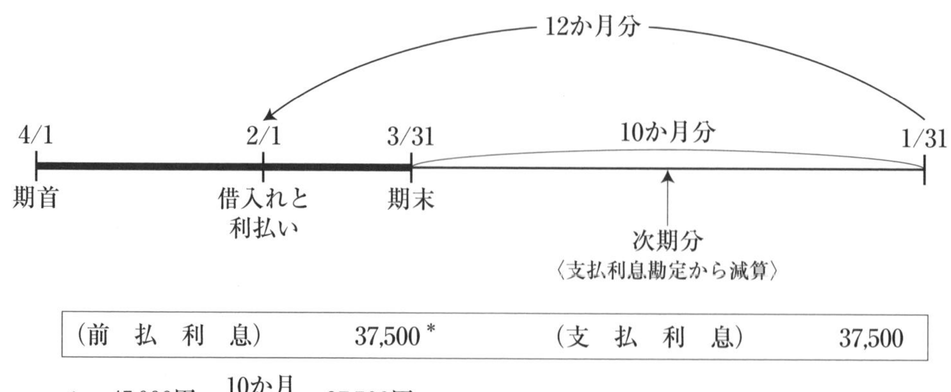

(前　払　利　息)	37,500 *	(支　払　利　息)	37,500

*　$45{,}000円 \times \dfrac{10か月}{12か月} = 37{,}500円$

11．未払法人税等の計上

期中に中間納付をしていない場合は、「法人税、住民税及び事業税」の金額（年税額）の全額が、未払法人税等勘定（負債）の増加となります。

(法人税、住民税及び事業税)	264,000	(未 払 法 人 税 等)	264,000

12．当期純利益の計算

損益計算書の貸方（収益合計）と借方（法人税、住民税及び事業税を含む費用合計）との差額により計算します。当期純利益の金額は、損益計算書欄の借方に記入し、同額を貸借対照表欄の貸方へ移記して、貸借合計が一致することを確認します。

6,600,000円（収益合計）－5,984,000円（費用合計）＝616,000円（当期純利益）

問2　決算整理後の土地の帳簿価額

土地には減価償却を行わないため、決算整理事項等３．を処理した後の金額が決算整理後の帳簿価額です。

決算整理後の土地の帳簿価額：2,400,000円（決算整理前残高）－1,200,000円（３．より）＝**1,200,000円**

第8回 解答

問 題 ▶ 30

第1問 45点

仕訳一組につき3点

	借方		貸方	
	記号	金額	記号	金額
1	（オ）	350,000	（ウ）	350,000
2	（イ）	850,000	（エ）	850,000
3	（ア） （エ）	1,030,000 3,090,000	（カ）	4,120,000
4	（ウ） （カ）	11,250 5,000	（イ）	16,250
5	（エ） （オ）	200,000 3,000	（ア）	203,000
6	（ア）	440,000	（エ） （オ）	40,000 400,000
7	（イ） （カ）	120,000 120,000	（ウ）	240,000
8	（ウ） （オ）	150,000 80,000	（ア）	230,000
9	（エ）	300,000	（カ） （イ） （オ）	35,000 50,000 215,000
10	（イ） （オ）	100,000 300,000	（ウ）	400,000
11	（カ） （エ）	200,000 600,000	（ア）	800,000
12	（イ） （オ） （ア）	400,000 350,000 50,000	（エ）	800,000
13	（カ） （イ）	98,000 2,000	（ウ）	100,000
14	（ウ） （ア）	560,000 100,000	（オ）	660,000
15	（エ）	71,500	（イ） （カ）	65,000 6,500

第2問　20点

(1)　各1点

A	B	C	D	E
ウ	エ	イ	オ	ア

①	②	③	④	⑤
11,000	925,000	418,000	95,000	9,000

⑥	⑦
120,000	331,000

(2)　各2点

①	②	③	④
120	40	130	10,800

第3問　35点

●数字…予想配点

貸借対照表

×3年12月31日　　　　(単位：円)

借方科目		金額	貸方科目	金額
現金		(③ 135,000)	買掛金	861,000
普通預金		(978,000)	(未　払)消費税	(330,000)③
売掛金	(500,000)		未払法人税等	(210,000)
貸倒引当金	(△ 10,000)	(490,000)	(前　受)収益	(33,000)③
商品		(③ 235,000)	資本金	3,000,000
③(前　払)費用		(12,000)	繰越利益剰余金	(② 2,166,000)
建物	(3,000,000)			
減価償却累計額	(△1,300,000)	(1,700,000)		
備品	(600,000)			
減価償却累計額	(△ 50,000)	(③ 550,000)		
土地		2,500,000		
		(6,600,000)		(6,600,000)

損益計算書

×3年1月1日から×3年12月31日まで　　　　(単位：円)

借方科目	金額	貸方科目	金額
売上原価	(③ 5,463,000)	売上高	8,800,000
給料	1,760,000	受取手数料	(3,000)
水道光熱費	165,000		
保険料	(36,000)		
通信費	(32,000)		
貸倒引当金繰入	(③ 6,000)		
減価償却費	(③ 150,000)		
③雑（損）	(1,000)		
固定資産売却損	(③ 90,000)		
法人税、住民税及び事業税	(330,000)		
当期純(利　益)	(770,000)		
	(8,803,000)		(8,803,000)

第8回 解答への道

問　題▶ 30

第２問(1)の推定問題はボリュームがあるため、そこで立ち止まってしまうと点数は伸びにくいです。優先順位を考えて、得意な論点から解き進めるようにしましょう。

難易度は、Ａ：普、Ｂ：やや難、Ｃ：難となっています。

第１問

統一試験では、指定された勘定科目は記号で解答しなければ正解にならないので注意してください。Ａレベルは正解できるようにしましょう。
解答時間は１題につき30秒～１分以内を目標に！

１．売上取引（返品）　難易度 **A**

解答

借方科目	金額	貸方科目	金額
（売　　上）	350,000	（売　掛　金）	350,000

販売したときの仕訳の逆仕訳を行い、販売した記録を取り消します。

２．仕入取引　難易度 **A**

解答

借方科目	金額	貸方科目	金額
（仕　　入）	850,000	（買　掛　金）	850,000

問題文に、その企業の「業種」が書いてあるときは注意してください。中古車販売業における「販売用の中古車」の購入は、商品の仕入となります。したがって、借方は仕入勘定（費用）、貸方は商品代金の支払義務を表す買掛金勘定（負債）の増加とします。

３．有形固定資産の購入　難易度 **A**

解答

借方科目	金額	貸方科目	金額
（建　　物）	1,030,000	（普 通 預 金）	4,120,000
（土　　地）	3,090,000		

固定資産の購入にともなって生じた付随費用（本問では売買手数料：各固定資産の代金の３％）は、固定資産の取得原価に含めます。なお、代金は普通預金口座から振り込みにより支払ったため、普通預金勘定（資産）の減少とします。

建物の取得原価：1,000,000円（購入代価）＋30,000円（付随費用）＊1＝1,030,000円

土地の取得原価：3,000,000円（購入代価）＋90,000円（付随費用）＊2＝3,090,000円

＊1　1,000,000円×３％＝30,000円

＊2　3,000,000円×３％＝90,000円

４．諸経費の支払い　難易度 **A**

解答

借方科目	金額	貸方科目	金額
（旅 費 交 通 費）	11,250	（未　払　金）	16,250
（消 耗 品 費）	5,000		

当社が支払うべき業務のための諸経費を、従業員に一時的に立替払いしてもらっているときは、あとで従業員に対して返済しなければなりません。本問では、問題文の指示に従い、その金額を未払金勘定（負債）の増加とします。また、当社の業務のための諸経費は当社の費用とします。電車代とタクシー代は旅費交通費勘定、書籍代は問題文の指示に従い、消耗品費勘定で処理します。

5．資金の借入れ（返済）　難易度 **B**

解答

（借　入　金）	200,000	（普　通　預　金）	203,000
（支　払　利　息）	3,000＊		

＊　1,000,000円×利率年3.65％×$\frac{30日}{365日}$＝3,000円

本問は、借入金の一部200,000円の返済と、利息を普通預金口座から支払った取引です。借入金の返済は借入金勘定（負債）の減少とし、利息の支払いについては支払利息勘定（費用）の増加とします。なお、借入れにともなう利息の計算には注意が必要です。

問題文には「利息の引落額は**未返済の元本¥1,000,000に利率年3.65%**を適用し、**30日分の日割計算**（1年を365日とする）」とあります。問題文をよく読んで、指示どおりに計算を行いましょう。

6．剰余金の配当と処分　難易度 **A**

解答

（繰越利益剰余金）	440,000	（利　益　準　備　金）	40,000
		（普　通　預　金）	400,000

繰越利益剰余金の配当と処分を行ったときは、繰越利益剰余金勘定（資本）の減少とし、配当金については「ただちに普通預金口座から振り込んだ」という問題文の指示により、普通預金勘定（資産）の減少とします。また、利益準備金の積立ては、利益準備金勘定（資本）の増加とします。

7．社会保険料の納付　難易度 **A**

解答

（社会保険料預り金）	120,000	（普　通　預　金）	240,000
（法　定　福　利　費）	120,000		

従業員にかかる健康保険料を納付したときは、その金額のうち会社負担分は法定福利費勘定（費用）の増加とします。これに対し、従業員負担分は給料を支給したときに、社会保険料預り金勘定（負債）の増加として処理しているため、借方に記入して負債の減少とします。

8．売掛金の貸倒れ　難易度 **A**

解答

（貸　倒　引　当　金）	150,000	（売　掛　金）	230,000
（貸　倒　損　失）	80,000＊		

＊　30,000円〈前期販売分の貸倒引当金不足額〉＋50,000円〈当期販売分〉＝80,000円

前期以前に生じた売掛金が貸し倒れた（回収不能となった）場合は、売掛金勘定（資産）の減少とするとともに、貸倒引当金勘定に残高があれば取り崩して充当します。なお、貸倒引当金の残高を超える金額については貸倒損失勘定（費用）の増加で処理します。

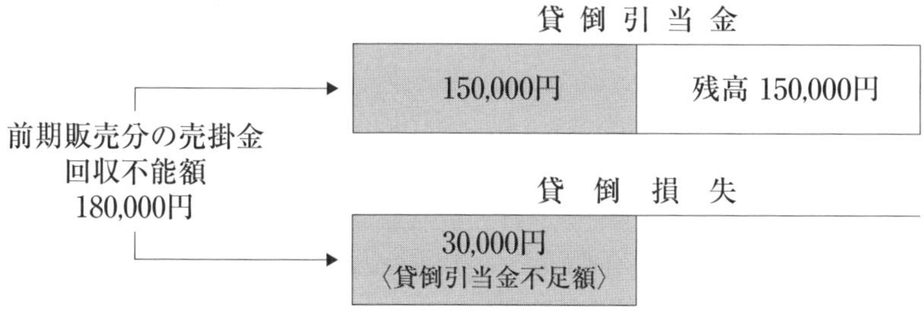

貸　倒　引　当　金

150,000円	残高 150,000円

前期販売分の売掛金
回収不能額
180,000円

貸　倒　損　失

30,000円〈貸倒引当金不足額〉

貸倒引当金は決算時に設定するので、当期販売分の売掛金が当期中に貸し倒れてしまった場合は設定する決算を経ていないことになります。よって、貸倒引当金の準備ができていないため、当期販売分の売掛金については、全額を「貸倒損失」とします。

9．給料の支払い　難易度 **A**

解答

借方科目	金額	貸方科目	金額
（給　　料）	300,000	（所得税預り金）	35,000
		（従業員貸付金）	50,000
		（当座預金）	215,000

給料総額300,000円から差し引いた所得税の源泉徴収額は、所得税を納付する義務として、所得税預り金勘定（負債）の増加とし、従業員に対する貸付金の返済額については、従業員貸付金勘定（資産）の減少とします。なお、従業員の手取額については、当座預金口座より振り込んでいるので当座預金勘定（資産）の減少とします。

10．売上取引　難易度 **A**

解答

借方科目	金額	貸方科目	金額
（現　　金）	100,000	（売　　上）	400,000
（受取手形）	300,000		

代金として受け取った同社（本問では埼玉株式会社）振り出しの小切手（＝他人振出小切手）は、通貨代用証券のため現金勘定（資産）の増加とし、同社振り出しの約束手形の受け取りは、手形金額を受け取る権利として受取手形勘定（資産）の増加とします。

11．建物の賃借（解約）　難易度 **B**

解答

借方科目	金額	貸方科目	金額
（修繕費）	200,000	（差入保証金）	800,000＊
（当座預金）	600,000		

＊　200,000円〈修繕費として差し引かれた分〉＋600,000円〈返還された分〉＝800,000円

賃貸借契約を結んだ際に支払った保証金（敷金）は、賃借した不動産に特に問題がなければ解約時に返還されるため、差入保証金勘定（資産）として処理しています。ただし、退去の際に原状回復（借りたときの状態に戻すこと）が必要で、それに対する負担額が生じたときは差し引かれた残額だけが返還されることになります。差し引かれたということは、つまり当社が負担した（＝当社が修繕した）ということです。したがって、200,000円は当社の修繕費として費用処理し、返還された金額分だけ当座預金勘定（資産）の増加とします。本問は、借方に仕訳する「修繕費」と「当座預金」の結果を受けて、差入保証金勘定で処理していた金額が800,000円であったと判明します。

12．有形固定資産の売却　難易度 **A**

解答

借方科目	金額	貸方科目	金額
（備品減価償却累計額）	400,000＊1	（備　　品）	800,000
（未収入金）	350,000		
（固定資産売却損）	50,000＊2		

＊1　$800{,}000\text{円}\times\dfrac{4\text{年}}{8\text{年}}=400{,}000\text{円}$

＊2　800,000円－400,000円〈備品減価償却累計額〉＝400,000円〈帳簿価額〉
350,000円〈売却価額〉－400,000円〈帳簿価額〉＝△50,000円〈売却損〉

間接法で記帳している場合、備品を売却したときは、備品勘定（資産）の取得原価とその備品に対する減価償却累計額勘定の減少とします。さらに、売却価額から帳簿価額（備品の取得原価と減価償却累計額の差額）を差し引き、固定資産売却損（益）を計算します。なお、期首に売却していることから、帳簿価額の計算において当期分の減価償却費を考慮する必要はありません。

商品売買以外の取引から生じた代金の未収分は、未収入金勘定（資産）の増加とします。

13. 売上取引（クレジット払い）　難易度 **A**

解答

（クレジット売掛金）	98,000	（売　　　　上）	100,000
（支払手数料）	2,000 *		

＊　100,000円×２％＝2,000円

商品をクレジット払いの条件で販売した場合は、クレジット売掛金勘定（資産）の増加とし、「売掛金」とは区別して処理します。また、信販会社に対する手数料については「クレジット手数料として計上し、信販会社に対する債権から控除する」とあります。これは、手数料を商品の販売時に計上すると、売上代金から手数料を控除した残額がクレジット売掛金（信販会社に対する債権）となることから、「手数料の計上は販売時」であることを示しています。なお、信販会社に対する手数料の支払額は支払手数料勘定（費用）の増加とします。

14. 売掛金の回収　難易度 **A**

解答

（現　　　　金）	560,000	（売　掛　金）	660,000
（受取手形）	100,000		

売掛金の回収として受け取った得意先振り出しの小切手（＝他人振出小切手）は、通貨代用証券のため現金勘定（資産）の増加とし、得意先振り出しの約束手形の受け取りは、手形金額を受け取る権利として受取手形勘定（資産）の増加とします。

15. 売上取引　難易度 **A**

解答

（売　掛　金）	71,500	（売　　　　上）	65,000*
		（仮受消費税）	6,500

＊　30,000円＋35,000円＝65,000円〈税抜価額〉

消費税を税抜方式で記帳する場合、売上勘定（収益）で処理する金額は税抜価額で行い、受け取った消費税分は仮受消費税勘定（負債）の増加とします。なお、代金の受取額が税込価額になる点に注意しましょう。

(1)　主要簿である総勘定元帳に設定された買掛金勘定と、補助簿である買掛金元帳（仕入先元帳ともいう）との関係が問われています。
推定箇所が多いため少し解きにくいですが、帳簿組織の基礎問題なので高得点を目指しましょう。

〈買掛金勘定と買掛金元帳への記入〉

買掛金元帳は、買掛金の増減明細を相手先ごとに記録する補助元帳であり、買掛金勘定の内訳を示します。本問では、総勘定元帳の買掛金勘定、買掛金元帳の北海道商店勘定および沖縄商店勘定には、下記のような関連性があります。**同じ日付に着目して**、それぞれのつながり（下記の矢印参照）を把握しながら、解答を導き出していきます。なお、解説の便宜上、一部の空欄を（ａ）～（ｄ）で示してあります。

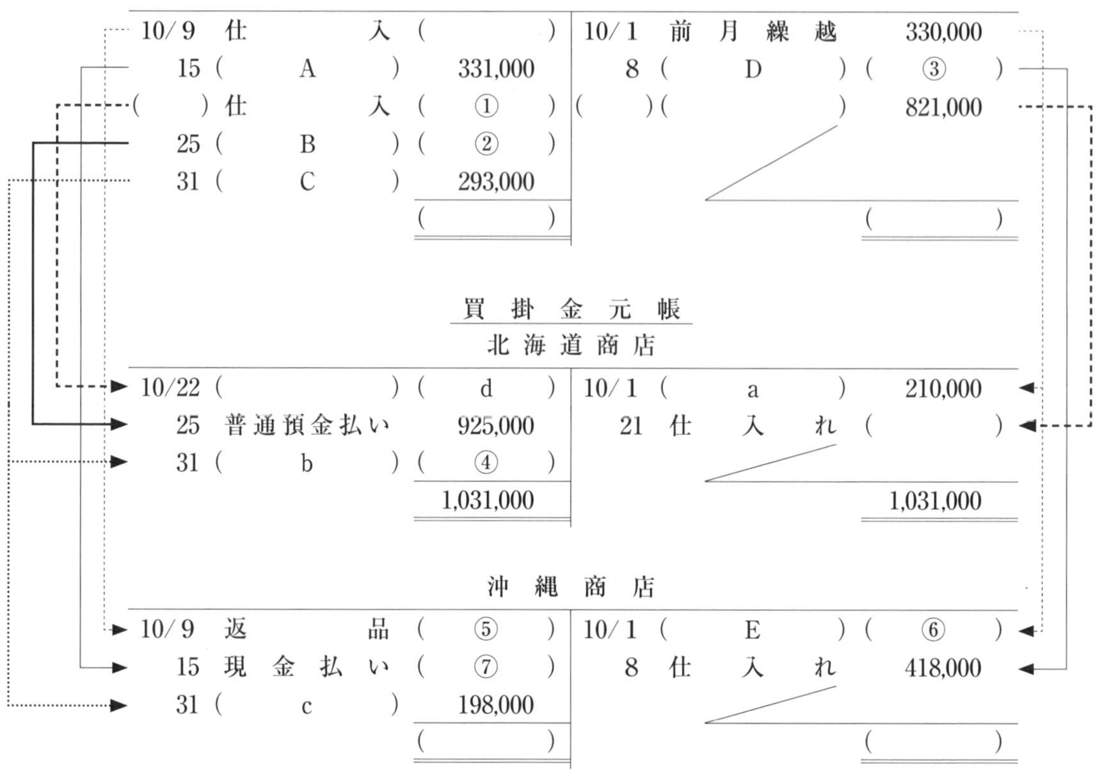

総勘定元帳

買掛金

日付	摘要	金額	日付	摘要	金額
10/9	仕入	(　　)	10/1	前月繰越	330,000
15	(A)	331,000	8	(D)	(③)
(　)	仕入	(①)	(　)	(　　)	821,000
25	(B)	(②)			
31	(C)	293,000			
		(　　)			(　　)

買掛金元帳

北海道商店

日付	摘要	金額	日付	摘要	金額
10/22	(　　)	(d)	10/1	(a)	210,000
25	普通預金払い	925,000	21	仕入れ	(　　)
31	(b)	(④)			
		1,031,000			1,031,000

沖縄商店

日付	摘要	金額	日付	摘要	金額
10/9	返品	(⑤)	10/1	(E)	(⑥)
15	現金払い	(⑦)	8	仕入れ	418,000
31	(c)	198,000			
		(　　)			(　　)

Ⅰ　各勘定の関連性からの推定

1．(a)、(E) および (⑥) の推定

買掛金勘定の「前月繰越　330,000」の内訳であることから、(a) および (E) には **[語群]** より「**ア　前月繰越**」が入ることがわかります。これにより (⑥) は、買掛金勘定の「前月繰越　330,000」から北海道商店の (a) 前月繰越「210,000」を差し引いた残額の「**120,000**」とわかります。なお、借方と貸方の合計金額は一致させて締め切るので、(⑥) の金額が判明すれば、沖縄商店勘定の貸方と借方の合計金額は「538,000」で締め切られたことがわかります。(⑤) の推定に必要な金額になるので計算しておきましょう。

2．(D) および (③) の推定

沖縄商店勘定の同一の日付（10月８日）の行に、「仕入れ」および「418,000」と記載されていることから、(D) には **[語群]** より「**オ　仕入**」が入り、(③) には「**418,000**」が入ることがわかります。

3．(A) の推定

沖縄商店勘定の同一の日付（10月15日）の行に、「現金払い」と記載されていることから、**[語群]** より「**ウ　現金**」が入ることがわかります。

4．(⑦) の推定

買掛金勘定の同一の日付（10月15日）の行に、「331,000」と記載されていることから、(⑦) にも「**331,000**」が入ることがわかります。

5．（ B ）および（ ② ）の推定

北海道商店勘定の同一の日付（10月25日）の行に、「普通預金払い」および「925,000」と記載されていることから、（ B ）には**［語群］**より「**エ　普通預金**」が入り、（ ② ）には「**925,000**」が入ることがわかります。

6．（ C ）、（ b ）および（ c ）の推定

日付が月末の10月31日であることから、（ C ）、（ b ）および（ c ）には**［語群］**よりそれぞれ「**イ　次月繰越**」が入ることがわかります。

7．（ ④ ）の推定

買掛金勘定の次月繰越の内訳であることから、買掛金勘定の（ C ）次月繰越「293,000」から沖縄商店勘定の（ c ）次月繰越「198,000」を差し引いた残額「**95,000**」が入ることがわかります。

Ⅱ　各勘定の貸借差額による推定

1．（ ⑤ ）の推定

（ ⑤ ）には、沖縄商店勘定の借方合計「538,000」から、10月15日の行の⑦「331,000」と10月31日の行の「198,000」を差し引いた残額「**9,000**」が入ることがわかります。

2．（ d ）および（ ① ）の推定

（ d ）には、北海道商店勘定の借方合計「1,031,000」から、10月25日の行の「925,000」と10月31日の行の④「95,000」を差し引いた残額「11,000」が入ることがわかります。また、（ ① ）の行の日付は、北海道商店勘定と沖縄商店勘定の記載内容から、消去法で考えてみると（ d ）の日付と同じ10月22日であることがわかります。したがって、（ ① ）にも、（ d ）と同額の「**11,000**」が入ることがわかります。

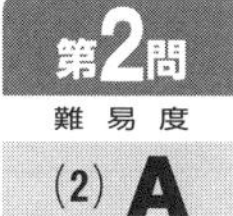

(2)　商品有高帳に必要な情報を仕入帳と売上帳から読み取り、払出単価の決定方法が先入先出法による場合の商品有高帳の記入が問われています。一部推定する部分もあるため、基礎的な記入問題より難易度は上がりますが、3つの補助簿の関連性を理解できているかが試せる問題です。

Ⅰ　本問で出題されている3つの補助簿

・　商品有高帳

商品の受け入れや払い出しのつど、商品の種類ごとに数量・単価・金額を記録して、**原価で**商品の増減および残高の管理を行います。先入先出法の場合は、先に仕入れたものから先に払い出す（販売する）と仮定して払出計算を行う方法なので、単価の異なる商品の払い出しや残高は別々に記入し、中カッコでくくります。

・　仕入帳

仕入取引の詳細（商品の種類・仕入数量など）を**原価で**記録します。

・　売上帳

売上取引の詳細（商品の種類・販売数量など）を**売価で**記録します。

Ⅱ　各補助簿の関連性からの推定

（注）商品有高帳上の説明箇所は、便宜的に**ア～オ**で示しています。

商品有高帳

（先入先出法）　　　　　　　　　　　　　　　Ａ　商　品

×8年		摘要	受入 数量	受入 単価	受入 金額	払出 数量	払出 単価	払出 金額	残高 数量	残高 単価	残高 金額
10	1	前月繰越	(　　)	(　　)	5,200				**ア**{(　　)	(　　)	5,200
	10	仕入	**イ**(100)	(120)	(12,000)				**ウ**(100)	(①120)	(12,000)
	20	売上				**エ**{(②)	(③)	(　　)	←		
						オ 90	(120)	(④10,800)	(　　)	(　　)	(　　)
	25	仕入	50	125	6,250						

1．**イ**について

仕入分は受入欄に記入します。仕入帳、10日の摘要欄より判明します。

2．**ウ**の推定

残高欄に印刷された中カッコのくくりにより、10日の仕入分は**ア**の位置に記入された商品とは異なる単価のものを仕入れたことがわかります。これにより、10日の仕入分は**ウ**の位置に記入することになるため、**①の単価は「120」**円となります。

3．**エ**の推定

販売分は払出欄に**原価で**記入します。はじめに、売上帳、20日の摘要欄より販売数量が130個であったことを読み取ります。130個のうち、90個が印刷済みであることから**②の数量は「40」**個であることがわかります。先に仕入れたものから先に払い出す（販売する）と仮定して払出単価とするので、**②の数量「40」**個分は、**ア**の位置に記入された単価で計算されたことになります。**ア**の金額欄「5,200」円を**②の数量「40」**個で割ると、**③の単価は「130」**円と判明します。

4．**オ**について

印刷済みの90個分は、**ウ**の位置の単価により計算することになるので、**④の金額は「10,800」**円となります。

5．仕入帳、25日の（ ？ ）について

商品有高帳、25日の受入欄に仕入分が記録されています。そこから、数量は50個、単価は125円、金額は6,250円であったことがわかります。

財務諸表（貸借対照表と損益計算書）を作成する問題です。
今回の訂正仕訳は難しいレベルといえますが、正しい仕訳さえわかれば、訂正仕訳は100%導くことができます。これを機に、固定資産の売却の仕訳もできるようにしましょう。訂正仕訳以外の決算整理事項等は、よく出題されているものです。必ず正解が出せるように、繰り返し練習してください。

Ⅰ　問題の流れ

決算整理前残高試算表に集められた各勘定の金額に決算整理仕訳等の金額を加減算して、貸借対照表と損益計算書を作成する問題なので、基本的に解法手順は精算表の作成と同じです。しかし、精算表のように決算整理仕訳等を記入できる修正記入欄はないので、必要な決算整理仕訳等は、［資料１］の残高試算表に書き込んで集計する等の工夫をしましょう。

ネット試験…問題資料への書き込みができないため、金額が増減する科目だけを計算用紙に書き出し、Ｔ字勘定等を使って集計するとよいでしょう。

この問題の資料と解答要求事項の関係を精算表の形式で示すと、次のようになります。参考2として「解答への道」の最後に精算表を載せてあります。

精　算　表

勘定科目	残高試算表		修正記入		損益計算書		貸借対照表	
	借方	貸方	借方	貸方	借方	貸方	借方	貸方

［資料1］…残高試算表　［資料2］…決算整理事項等　損益計算書・貸借対照表…答案用紙

精算表の損益計算書欄と貸借対照表欄に記入する金額と、財務諸表に載せる金額は同じですが、財務諸表は表示方法（＝見せ方）についてルールがあるので、別途暗記する必要があります。「解答への道」の最後の参考1を参照してください。

Ⅱ　決算整理事項等

本問における決算整理事項等の仕訳は次のとおりです。

1．普通預金口座への預け入れ〈未処理事項〉

（普通預金）	50,000	（現金）	50,000

2．現金過不足勘定の整理

現金過不足勘定3,000円（借方残高）のうち、原因の判明した「通信費の記帳漏れ」は通信費勘定の借方に振り替え、判明しなかった借方差額1,000円は雑損勘定（費用）で処理します。

（通信費）	2,000	（現金過不足）	3,000
（雑損）	1,000		

3．売掛金の回収〈未処理事項〉

（仮受金）	68,000	（売掛金）	68,000

4．訂正仕訳

訂正仕訳は、①誤った仕訳の逆仕訳と②正しい仕訳から導くとよいでしょう。

誤った仕訳：	（現金）	10,000	（車両運搬具）	800,000
	（固定資産売却損）	790,000		
①誤った仕訳の逆仕訳：	（車両運搬具）	800,000	（現金）	10,000
			（固定資産売却損）	790,000
②正しい仕訳：	（車両運搬具減価償却累計額）	700,000	（車両運搬具）	800,000
	（現金）	10,000		
	（固定資産売却損）	90,000		

①と②、2つの仕訳で訂正仕訳となります。

なお、①と②の仕訳の同一科目を相殺して以下のような1つの仕訳にします。

（車両運搬具減価償却累計額）	700,000	（固定資産売却損）	700,000

5．貸倒引当金の設定

「3．売掛金の回収」により、売掛金の残高が68,000円減少していることに注意して貸倒引当金を設定します。

（貸倒引当金繰入）	6,000*	（貸　倒　引　当　金）	6,000

＊　設　　定　　額（568,000円－68,000円）×２％＝10,000円
　　　　　　　　　　売掛金

　決算整理前残高　　4,000円

　差引：繰入額　　6,000円

6．売上原価の計算（注）仕入勘定で売上原価を算定する場合

（仕　　　　入）	198,000	（繰　越　商　品）	198,000
（繰　越　商　品）	235,000	（仕　　　　入）	235,000

7．有形固定資産の減価償却

備品については、問題文に「全額当期の８月１日に購入したもの」とあるので、５か月分（８/１～12/31）の月割計算になります。

（減　価　償　却　費）	150,000	（建物減価償却累計額）	100,000*1
		（備品減価償却累計額）	50,000*2

＊１　3,000,000円〈建物の取得原価〉÷30年＝100,000円

＊２　600,000円〈備品の取得原価〉÷５年×$\frac{5か月}{12か月}$＝50,000円

8．未払消費税の計上

決算にあたり、仮受消費税勘定の残高（期中に預かった消費税の金額）と、仮払消費税勘定の残高（期中に支払った消費税の金額）を相殺した残額（確定申告時の納税額）を、未払消費税勘定（負債）として計上します。

（仮　受　消　費　税）	880,000	（仮　払　消　費　税）	550,000
		（未　払　消　費　税）	330,000*

＊　880,000円〈仮受消費税〉－550,000円〈仮払消費税〉＝330,000円

9．前払保険料（前払費用）の計上

（前　払　保　険　料）	12,000	（保　　険　　料）	12,000

10．前受手数料（前受収益）の計上

当期の12月１日に受け取った向こう１年分の手数料のうち、11か月分は次期に係る収益の前受分であるため、受取手数料勘定（収益）から差し引き、前受手数料勘定（負債）として次期に繰り越します。

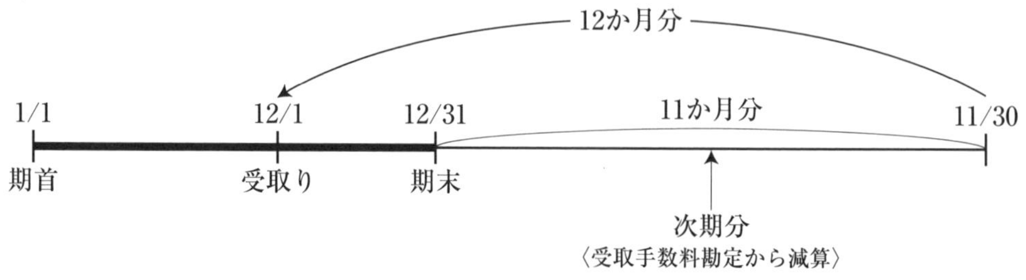

（受取手数料）	33,000	（前受手数料）	33,000*

＊　$36{,}000円 \times \frac{11か月}{12か月} = 33{,}000円$

11. 未払法人税等の計上

決算で計算された法人税、住民税及び事業税を計上し、期中に仮払法人税等勘定で処理されている中間納付額を控除した残額を、未払法人税等勘定（負債）とします。

（法人税、住民税及び事業税）	330,000	（仮払法人税等）	120,000
		（未払法人税等）	210,000*

＊　330,000円〈法人税、住民税及び事業税〉－120,000円〈仮払法人税等〉＝210,000円

12. 当期純利益の計算

損益計算書の貸方（収益合計）と借方（法人税、住民税及び事業税を含む費用合計）との差額により計算します。

8,803,000円（収益合計）－8,033,000円（費用合計）＝770,000円（当期純利益）

当期純利益は繰越利益剰余金（資本）の増加とすることから、繰越利益剰余金の決算整理前残高に当期純利益を加えた金額を、貸借対照表の貸方へ記入し、貸借対照表の貸借合計が一致することを確認します。

繰越利益剰余金：1,396,000円〈決算整理前残高〉＋770,000円〈当期純利益〉＝2,166,000円

参考1

〈貸借対照表記入上の注意〉

・貸倒引当金勘定の残高は、原則として、資産の部において受取手形や売掛金それぞれから控除する形式で表示します。

・繰越商品勘定の残高は、「**商品**」と表示します。

・経過勘定項目である「未払○○」は「**未払費用**」、「前払○○」は「**前払費用**」、「未収○○」は「**未収収益**」、「前受○○」は「**前受収益**」と表示します。

・建物減価償却累計額勘定および備品減価償却累計額勘定の残高は、原則として、資産の部において建物や備品それぞれから控除する形式で表示します。このとき、具体的な固定資産の科目名は付けずに「**減価償却累計額**」と表示します。

〈損益計算書記入上の注意〉

・仕入勘定の残高は、「**売上原価**」と表示します。
売上原価は、「期首商品棚卸高＋当期商品仕入高－期末商品棚卸高」の式で求めることもできます。
期首商品棚卸高198,000円＋当期商品仕入高5,500,000円－期末商品棚卸高235,000円＝5,463,000円

・売上勘定の残高は、「**売上高**」と表示します。

参考２

精算表に記入すると次のようになります。

精　算　表

勘定科目	残高試算表		修正記入		損益計算書		貸借対照表	
	借方	貸方	借方	貸方	借方	貸方	借方	貸方
現金	185,000			50,000			135,000	
現金過不足	3,000			3,000				
普通預金	928,000		50,000				978,000	
売掛金	568,000			68,000			500,000	
仮払消費税	550,000			550,000				
仮払法人税等	120,000			120,000				
繰越商品	198,000		235,000	198,000			235,000	
建物	3,000,000						3,000,000	
備品	600,000						600,000	
土地	2,500,000						2,500,000	
買掛金		861,000						861,000
仮受金		68,000	68,000					
仮受消費税		880,000	880,000					
貸倒引当金		4,000		6,000				10,000
建物減価償却累計額		1,200,000		100,000				1,300,000
車両運搬具減価償却累計額		700,000	700,000					
資本金		3,000,000						3,000,000
繰越利益剰余金		1,396,000						1,396,000
売上		8,800,000				8,800,000		
受取手数料		36,000	33,000			3,000		
仕入	5,500,000		198,000	235,000	5,463,000			
給料	1,760,000				1,760,000			
水道光熱費	165,000				165,000			
保険料	48,000			12,000	36,000			
通信費	30,000		2,000		32,000			
固定資産売却損	790,000			700,000	90,000			
	16,945,000	16,945,000						
雑損			1,000		1,000			
貸倒引当金繰入			6,000		6,000			
減価償却費			150,000		150,000			
備品減価償却累計額				50,000				50,000
未払消費税				330,000				330,000
前払保険料			12,000				12,000	
前受手数料				33,000				33,000
法人税、住民税及び事業税			330,000		330,000			
未払法人税等				210,000				210,000
当期純利益					770,000			770,000
			2,665,000	2,665,000	8,803,000	8,803,000	7,960,000	7,960,000

第9回 解答

問　題 ▶ 34

第1問 45点

仕訳一組につき３点

	借方		貸方	
	記号	金額	記号	金額
1	（ イ ）	400,000	（ エ ）	400,000
2	（ ア ）	800,000	（ カ ）	800,000
3	（ ウ ）	60,000	（ オ ） （ ア ）	40,000 20,000
4	（ カ ）	2,000,000	（ イ ）	2,000,000
5	（ オ ） （ ア ）	440,000 6,000	（ ウ ）	446,000
6	（ ウ ）	360,000	（ カ ）	360,000
7	（ イ ）	507,000	（ オ ） （ ア ）	500,000 7,000
8	（ カ ）	80,000	（ イ ）	80,000
9	（ オ ）	134,000	（ ウ ）	134,000
10	（ ア ）	124,000	（ エ ） （ カ ） （ オ ）	36,000 84,000 4,000
11	（ カ ）	420,000	（ イ ）	420,000
12	（ イ ） （ オ ）	100,000 850	（ エ ） （ ウ ）	100,000 850
13	（ ア ）	60,000	（ オ ）	60,000
14	（ カ ）	6,400	（ イ ）	6,400
15	（ ウ ）	149,400	（ ア ）	149,400

第2問 20点

(1)

問1は各日付の〇印がすべて正解につき2点

問2と問3は金額と〇印がどちらも正解につき2点

問1

日付＼補助簿	現金出納帳	当座預金出納帳	商品有高帳	売掛金元帳(得意先元帳)	買掛金元帳(仕入先元帳)	仕入帳	売上帳	固定資産台帳
5日	〇		〇			〇		
19日	〇	〇						〇
21日		〇	〇				〇	
28日		〇		〇				

問2　固定資産売却損益の金額　¥（ 164,000 ）　損 ・ (益)

問3　6月末の当座預金勘定の残高　¥（ 126,000 ）　(借方残高) ・ 貸方残高

(2)

●数字…予想配点

受取利息

日付	相手	金額	日付	相手	金額
4/1	[キ]	(30,400)	11/30	[カ]	(91,200)
3/31	② [ウ]	(84,600)	3/31	[キ]	(23,800) ②
		(115,000)			(115,000)

未収利息

日付	相手	金額	日付	相手	金額
4/1	[エ]	30,400	4/1	[イ]	(30,400) ②
3/31	[イ]	(23,800)	3/31	[オ]	(23,800)
		(54,200)			(54,200)
4/1	② [エ]	(23,800)			

第3問 35点

●数字…予想配点

貸借対照表

×3年3月31日　（単位：円）

資産			負債・純資産	
現金		(196,100)	買掛金	650,000
普通預金		(236,200)	借入金	600,000
当座預金		(③ 180,000)	(未払)消費税	(364,400) ③
受取手形	(220,000)		未払法人税等	(③ 138,000)
貸倒引当金	(△ 4,400)	(③ 215,600)	(未払)費用	(6,000) ③
売掛金	(③ 425,000)		資本金	3,000,000
貸倒引当金	(△ 8,500)	(416,500)	繰越利益剰余金	(② 2,172,000)
商品		(156,000)		
③ (前払)費用		(90,000)		
備品	(1,080,000)			
減価償却累計額	(△ 540,000)	(③ 540,000)		
土地		4,900,000		
		(6,930,400)		(6,930,400)

損益計算書

×2年4月1日から×3年3月31日まで　（単位：円）

費用		収益	
売上原価	(③ 5,980,000)	売上高	(9,600,000)
給料	2,160,000		
貸倒引当金繰入	(③ 10,900)		
減価償却費	(180,000)		
支払家賃	(175,000)		
水道光熱費	(37,200)		
通信費	(57,500)		
保険料	20,900		
③ 雑（損）	(500)		
支払利息	(18,000)		
法人税、住民税及び事業税	(288,000)		
当期純(利益)	(672,000)		
	(9,600,000)		(9,600,000)

第9回 解答への道

問題 ▶ 34

問題量は少し多めですが、難易度は標準的なレベルです。高得点を目指しましょう。
難易度は、A：普、B：やや難、C：難となっています。

第1問 統一試験では、指定された勘定科目は記号で解答しなければ正解にならないので注意してください。Aレベルは正解できるようにしましょう。
解答時間は1題につき30秒〜1分以内を目標に！

1．固定資産税の支払い　難易度 **A**

解答

借方科目	金額	貸方科目	金額
（租税公課）	400,000	（普通預金）	400,000

事業で使用する建物や土地に対する固定資産税の納付書を受け取ったときは、租税公課勘定（費用）の増加とします。なお、「未払金に計上することなく、ただちに普通預金口座から振り込んで納付した」とあるため、普通預金勘定（資産）の減少とします。

2．金銭の借入れ（返済）　難易度 **A**

解答

借方科目	金額	貸方科目	金額
（手形借入金）	800,000	（当座預金）	800,000

金銭の借入時に手形を振り出していた場合は、借用証書による借入れと区別するため、手形借入金勘定（負債）の増加としています。「手形の返却を受けた」ということは、その返済期日に、借入額が当座預金口座から引き落とされ、手形借入金の返済義務がなくなったことを意味しています。したがって、返済時は手形借入金勘定の減少となります。

3．旅費交通費の概算払い（精算）　難易度 **A**

解答

借方科目	金額	貸方科目	金額
（旅費交通費）	60,000*	（仮払金）	40,000
		（未払金）	20,000

*　40,000円〈概算額〉＋20,000円〈不足額〉＝60,000円〈旅費の金額〉

出張にあたり旅費の概算額を前渡ししたときは、仮払金勘定で処理しておき、その後、旅費の金額が確定したときに旅費交通費勘定に振り替える取引です。

前渡し時：（仮　払　金）　40,000　（現金など）　40,000

概算額40,000円に対して、不足額が20,000円ということは、旅費の金額が60,000円であったことがわかります。なお、問題文の指示に従い、従業員が立替払いした不足額を未払金勘定（負債）の増加とします。

4．株式の発行　難易度 **A**

解答

借方科目	金額	貸方科目	金額
（当座預金）	2,000,000	（資本金）	2,000,000

株式を発行したときは、原則として、払込金の全額を資本金勘定（資本）の増加とします。なお、「払込金はすべて当座預金口座に預け入れられた」とあるため、当座預金勘定（資産）の増加とします。

5．有形固定資産と消耗品の購入　難易度 **A**

解答

（備　　　　品）	440,000	（普　通　預　金）	446,000
（消　耗　品　費）	6,000		

事務用のオフィス機器を購入したときは備品勘定（資産）の増加とするのに対し、コピー用紙を購入したときは消耗品費勘定（費用）の増加とします。なお、「代金の合計を普通預金口座から振り込んだ」とあるため、普通預金勘定（資産）の減少とします。

6．借入金勘定への振り替え　難易度 **A**

解答

（当　座　預　金）	360,000	（借　　入　　金）	360,000

当座預金勘定が貸方残高のときは、当座借越契約上の一時的な借入れを表します。決算日時点に貸方残高となった場合は、負債の科目で貸借対照表に計上するため、本問では問題文の指示により借入金勘定（負債）に振り替えます。

7．資金の貸付け（返済）　難易度 **A**

解答

（現　　　　金）	507,000	（貸　　付　　金）	500,000
		（受　取　利　息）	7,000*

＊　500,000円×利率年2.4%×$\frac{7か月}{12か月}$＝7,000円

貸付金の返済を受けたときは、貸付金勘定（資産）の減少とし、受け取った利息については受取利息勘定（収益）の増加とします。

8．商品券の精算　難易度 **A**

解答

（現　　　　金）	80,000	（受　取　商　品　券）	80,000

代金として商品券を受け取ったときは、商品券の発行元から払い戻しを受ける権利として受取商品券勘定（資産）の増加とし、払い戻しが完了（＝精算）した時点で減少の仕訳を行います。

9．訂正仕訳　難易度 **A**

解答

（仕　　　　入）	134,000	（買　　掛　　金）	134,000

訂正仕訳は、①誤った仕訳の逆仕訳と②正しい仕訳から導くとよいでしょう。

誤　っ　た　仕　訳：	（買　掛　金）	67,000	（仕　　入）	67,000
①誤った仕訳の逆仕訳：	（仕　　入）	67,000	（買　掛　金）	67,000
②正　し　い　仕　訳：	（仕　　入）	67,000	（買　掛　金）	67,000

①と②、２つの仕訳で訂正仕訳となります。

なお、①と②の仕訳の同一科目を合算して以下のような１つの仕訳にすると、記録の誤りのみを部分的に修正する仕訳になります。

（仕　　入）	134,000	（買　掛　金）	134,000

10．仕入取引　難易度 **B**

解答

（仕　　　　入）	124,000	（前　　払　　金）	36,000*
		（買　　掛　　金）	84,000
		（現　　　　金）	4,000

＊　120,000円×30%（３割）＝36,000円

商品の仕入取引における内金は、商品代金の一部を前払いしたものです。

内金の支払時：

(前　払　金)	36,000	(当 座 預 金)	36,000

したがって、商品が到着したとき（引き渡しを受けたとき）に商品代金と相殺し、残額は、商品代金の支払義務を表す買掛金勘定（負債）の増加とします。また、商品を引き取る際に運賃を負担した場合は、その金額を含めて仕入原価とします。

11. 電子記録債権　難易度 A

解答

(電子記録債権)	420,000	(売　掛　金)	420,000

売掛金について、電子記録債権の発生記録の通知を受けたときは、その金額を電子記録債権勘定に振り替えます。具体的には、売掛金勘定（資産）の減少とするとともに、電子記録債権勘定（資産）の増加とします。

12. 買掛金の支払い　難易度 A

解答

(買　掛　金)	100,000	(支 払 手 形)	100,000
(通　信　費)	850	(現　　金)	850

買掛金の支払いに約束手形を振り出したので、買掛金勘定（負債）の減少とするとともに、手形金額を支払う義務として支払手形勘定（負債）の増加とします。なお、郵便代金は通信費勘定（費用）で処理します。

13. 手付金の支払い　難易度 A

解答

(前　払　金)	60,000	(当 座 預 金)	60,000

＊　150,000円×40％＝60,000円

商品の引き渡しを受ける前（注文時）に手付金を支払ったときは、注文品の引き渡しを受ける権利として、前払金勘定（資産）の増加とします。

14. 売上取引（返品）　難易度 A

解答

(売　　上)	6,400	(売　掛　金)	6,400

販売した商品が返品されたときは、販売したときの仕訳の逆仕訳を行い、販売した記録を取り消します。

15. 仕入取引　難易度 A

解答

(仕　　入)	149,400	(買　掛　金)	149,400

目黒商事（株）から商品を仕入れた千代田物産（株）の仕訳が解答となります。

納品書兼請求書によると、目黒商事（株）から商品代金の他に配送料をも請求されていることがわかります。これは、千代田物産（株）が配送料を負担して商品を仕入れたということです。したがって、その金額を含めて仕入原価とし、代金については問題文の指示どおりに全額を買掛金勘定（負債）の増加とします。

なお、本問のように、商品代金とあわせて配送料をも仕入先へ支払うときは、配送料だけを別途「未払金」で処理することはせず、簡便的に「買掛金」に含めて処理することもあります。

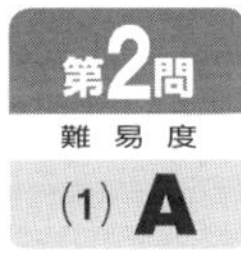

(1)　問1　取引ごとに必要な補助簿を選択する問題です。仕訳から記入する補助簿をイメージすると上手に選べるようになります。
問2　土地の売却に関しては、土地の取得原価に整地費用を含める処理ができているかがポイントです。
問3　当座預金勘定の残高については、取引の仕訳を集計してみましょう。6月1日時点の金額も忘れずに。

問1　補助簿の選択

各取引について仕訳を行い、そこで使用した勘定科目をもとにして、記入する補助簿を判断します。なお、**商品**有高帳には、仕入れや売上げ等の「**商品**に関わる取引」を記入しますので注意しましょう。

「×1年6月中の取引」の仕訳および記入する補助簿は次のようになります。

5日　仕入戻し

現金出納帳←（現　　金）* 150,000　（仕　　入）150,000→**仕入**帳／→**商品**有高帳〈商品の減少〉

＊　他社振出しの小切手を受け取ったときは、現金勘定（資産）の増加とします。

19日　土地の取得

固定資産台帳←（土　　地）1,996,000*　（当座預金）1,920,000→**当座預金**出納帳
（現　　金）76,000→**現金**出納帳

＊　80㎡×@24,000円＋76,000円〈付随費用〉＝1,996,000円

土地を取得するための付随費用は、土地の取得原価に含めます。なお、取得原価とは「その資産を手に入れて、使用できるまでにかかった金額」を表すものです。したがって、整地費用は取得原価に含めます。

21日　売上

（前受金）80,000　（売　　上）675,000→**売上**帳／→**商品**有高帳〈商品の減少〉
当座預金出納帳←（当座預金）595,000

28日　貸倒れ

当座預金出納帳←（当座預金）300,000　（売掛金）444,000→**売掛金**元帳
（貸倒引当金）140,000
（貸倒損失）4,000

＊　前期販売分の売掛金が貸し倒れた（回収不能となった）場合は、売掛金勘定（資産）の減少とするとともに、貸倒引当金を取り崩して充当します。なお、貸倒引当金の残高を超える金額については、貸倒損失勘定（費用）で処理します。

本問では、300,000円は通常の掛回収となり、144,000円分が貸倒れの処理になります。

問2　土地の売却

売却価額から帳簿価額を差し引いて、固定資産売却損益を計算します。

帳簿価額：1,996,000円〈19日の取引より〉

売却価額：80㎡×@27,000円＝2,160,000円

固定資産売却損益：2,160,000円－1,996,000円＝164,000円

帳簿価額よりも高い金額で売却しているため、差額の**164,000円**は固定資産売却**益**になります。

借方科目	金額	貸方科目	金額
（現金など）	2,160,000	（土　　地）	1,996,000
		（固定資産売却益）	164,000

問3　当座預金勘定の残高

取引の仕訳を当座預金勘定に転記して集計すると次のようになります。

当　座　預　金

借方			貸方		
6/1現在		1,151,000	6/19	土　　地	1,920,000
21	売　　上	595,000			
28	売 掛 金	300,000			

} 借方残高　126,000円

第2問
難易度
(2) A

(2)　受取利息に関連する勘定記入の問題です。
簿記一巡に沿った記帳のルールを問う基本問題です。前期末の決算整理から帳簿の締め切りと開始記入、そして期首の再振替など2つの会計期間のつながりを意識しながら考えてみましょう。

前期の処理から考えてみましょう。

問題文に「前期の×5年12月1日に取引先に対して¥3,800,000（期間1年、利息は利率年2.4％で満期に受け取り）を貸し付けた。」とあります。これにより、前期末時点において受取利息4か月分（×5年12月1日から×6年3月31日）を前期の収益として計上したことがわかります。

［前期の決算］

決算整理仕訳：（未　収　利　息）　30,400　（受　取　利　息）　30,400*

$$* \quad 3{,}800{,}000\text{円}\times\text{利率年}2.4\%\times\frac{4\text{か月}}{12\text{か月}}=30{,}400\text{円}$$

0．資産の勘定の締め切りと開始記入

決算整理後の未収利息勘定の借方残高30,400円を貸方に「次期繰越」と記入し、借方と貸方の合計金額を一致させて締め切ります。次に、翌期首の日付で借方に「前期繰越」と記入し、残高を借方に戻します。

未　収　利　息

借方		貸方	
3/31 受取利息	30,400	3/31 **次期繰越**	**30,400**

開始記入を示すと次のようになるので、答案用紙に印刷された「30,400」は「前期繰越」となります。

未　収　利　息

借方		貸方
4/ 1 **前期繰越**	30,400	

1．未収利息勘定の再振替仕訳

前期末の未収利息に関する決算整理仕訳を翌期首の日付で逆仕訳することで、もとの収益の勘定に戻します。

（受　取　利　息）　30,400　（未　収　利　息）　30,400

受　取　利　息

借方		貸方
4/ 1 **未収利息**	**30,400**	

未　収　利　息

借方		貸方	
4/ 1 前期繰越	30,400	4/ 1 **受取利息**	**30,400**

2．期中処理

貸付金3,800,000円の回収と利息の受け取りを仕訳します。

（普　通　預　金）	3,891,200	（貸　　付　　金）	3,800,000
		（受　取　利　息）	91,200*

＊　3,800,000円×利率年2.4％＝91,200円

受　取　利　息

借方		貸方	
4/ 1 未収利息	30,400	11/30 普通預金	91,200

未　収　利　息

借方		貸方	
4/ 1 前期繰越	30,400	4/ 1 受取利息	30,400

3,400,000円の貸付けを仕訳します。

（貸　　付　　金）	3,400,000	（普　通　預　金）	3,400,000

3．決算整理

貸付金3,400,000円に対する×6年12月１日から×7年３月31日までの４か月分の利息は、当期中に受け取っていないので未計上です。しかし、当期に係る収益であるため、受取利息勘定（収益）の増加とするとともに、未収利息勘定（資産）として計上します。

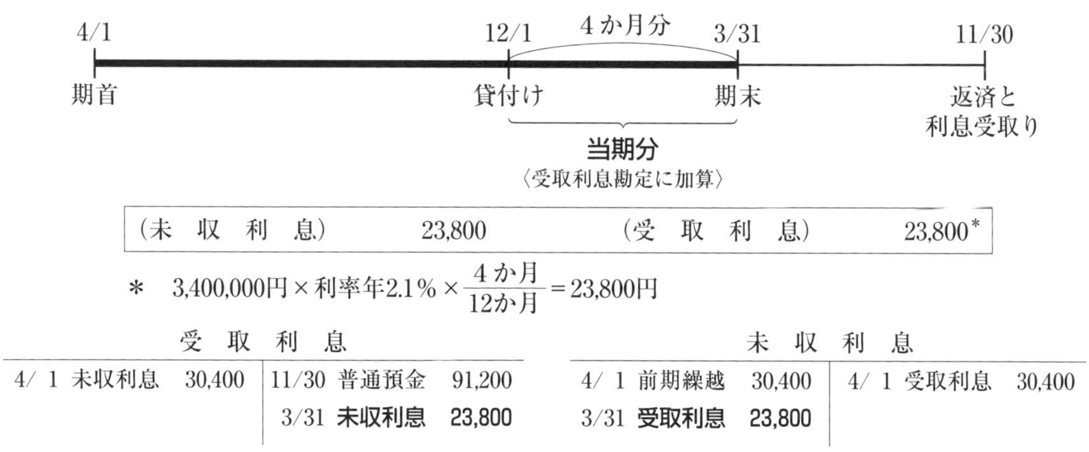

（未　収　利　息）	23,800	（受　取　利　息）	23,800*

＊　$3{,}400{,}000円 \times 利率年2.1\% \times \frac{4か月}{12か月} = 23{,}800円$

受　取　利　息

借方		貸方	
4/ 1 未収利息	30,400	11/30 普通預金	91,200
		3/31 **未収利息**	**23,800**

未　収　利　息

借方		貸方	
4/ 1 前期繰越	30,400	4/ 1 受取利息	30,400
3/31 **受取利息**	**23,800**		

4．収益の勘定の締め切り

決算整理後の受取利息勘定の貸方残高84,600円を損益勘定へ振り替え（決算振替仕訳）、受取利息勘定は残高ゼロで締め切ります。

（受　取　利　息）	84,600	（損　　　　　益）	84,600

受　取　利　息

借方		貸方	
4/ 1 未収利息	30,400	11/30 普通預金	91,200
3/31 **損　　益**	**84,600**	3/31 未収利息	23,800

未　収　利　息

借方		貸方	
4/ 1 前期繰越	30,400	4/ 1 受取利息	30,400
3/31 受取利息	23,800		

5．資産の勘定の締め切りと開始記入

決算整理後の未収利息勘定の借方残高23,800円を、貸方に「次期繰越」と記入し、借方と貸方の合計金額を一致させて締め切ります。次に、翌期首の日付で借方に「前期繰越」と記入し、残高を借方に戻します。

受　取　利　息

借方		貸方	
4/ 1 未収利息	30,400	11/30 普通預金	91,200
3/31 損　　益	84,600	3/31 未収利息	23,800
	115,000		115,000

未　収　利　息

借方		貸方	
4/ 1 前期繰越	30,400	4/ 1 受取利息	30,400
3/31 受取利息	23,800	3/31 **次期繰越**	**23,800**
	54,200		54,200
4/ 1 **前期繰越**	**23,800**		

財務諸表（貸借対照表と損益計算書）を作成する問題です。
今回の訂正仕訳は少し難しいレベルといえますが、正しい仕訳さえわかれば、訂正仕訳は100%導くことができます。また、備品の減価償却に関しては、月次計上を行っている旨の指示がありました。この場合、減価償却費勘定と備品減価償却累計額勘定の決算整理前残高は何を示すのか理解しておきましょう。

Ⅰ　問題の流れ

決算整理前残高試算表に集められた各勘定の金額に決算整理仕訳等の金額を加減算して、貸借対照表と損益計算書を作成する問題なので、基本的に解法手順は精算表の作成と同じです。しかし、精算表のように決算整理仕訳等を記入できる修正記入欄はないので、必要な決算整理仕訳等は、資料(1)の残高試算表に書き込みして集計する等の工夫をしましょう。

ネット試験…問題資料への書き込みができないため、金額が増減する科目だけを計算用紙に書き出し、T字勘定等を使って集計するとよいでしょう。

この問題の資料と解答要求事項の関係を精算表の形式で示すと、次のようになります。参考２として「解答への道」の最後に精算表を載せてあります。

精　算　表

勘定科目	残高試算表		修正記入		損益計算書		貸借対照表	
	借方	貸方	借方	貸方	借方	貸方	借方	貸方
	資料(1) ⋮ 残高試算表		資料(2) ⋮ 決算整理事項等		損益計算書		貸借対照表	
					答案用紙			

精算表の損益計算書欄と貸借対照表欄に記入する金額と、財務諸表に載せる金額は同じですが、財務諸表は表示方法（＝見せ方）についてルールがあるので、別途暗記する必要があります。「解答への道」の最後の参考１を参照してください。

Ⅱ　決算整理事項等

本問における決算整理事項等の仕訳は次のとおりです。

1．現金の過不足

現金の帳簿残高199,100円（(1)残高試算表より）を実際有高196,100円に合わせるため、帳簿残高から3,000円減らす仕訳が必要です。なお、原因の判明した「通信費の記入漏れ」は通信費勘定へ振り替え、判明しなかった借方差額500円は雑損勘定（費用）で処理します。

（通信費）	2,500	（現金）	3,000
（雑損）	500		

2．受取手形の決済〈未処理事項〉

（当座預金）	280,000	（受取手形）	280,000

3．訂正仕訳

訂正仕訳は、①誤った仕訳の逆仕訳と②正しい仕訳から導くとよいでしょう。

誤った仕訳：	（当座預金）	18,000	（売掛金）	18,000
①誤った仕訳の逆仕訳：	（売掛金）	18,000	（当座預金）	18,000
②正しい仕訳：	（当座預金）	81,000	（売掛金）	81,000

①と②、２つの仕訳で訂正仕訳となります。

なお、①と②の仕訳の同一科目を相殺して以下のような１つの仕訳にします。

(当座預金)	63,000	(売掛金)	63,000

(注) 当座預金勘定の残高について

決算整理前残高は163,000円の貸方残高ですが、「２．受取手形の決済」「３．訂正仕訳」により、180,000円の借方残高に変わるため、貸借対照表上、資産の部に計上します。

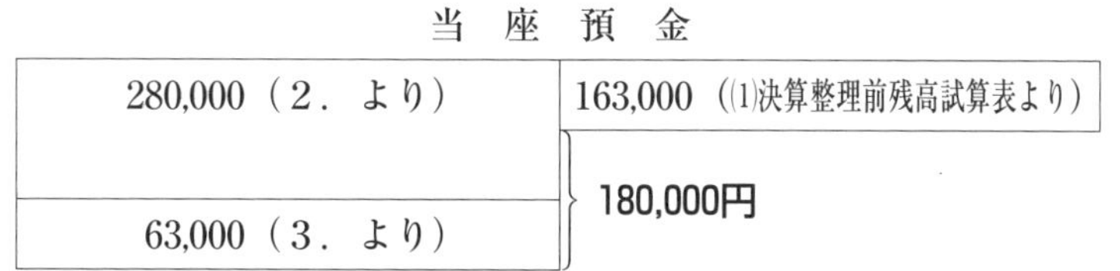

4．水道光熱費の支払い〈未処理事項〉

(水道光熱費)	3,800	(普通預金)	3,800

5．貸倒引当金の設定

「２．受取手形の決済」により受取手形の残高が280,000円、「３．訂正仕訳」により売掛金の残高が63,000円減少していることに注意して貸倒引当金を設定します。

(貸倒引当金繰入)	10,900 *	(貸倒引当金)	10,900

＊　設定額　(500,000円－280,000円)〈受取手形〉＋(488,000円－63,000円)〈売掛金〉×２％＝12,900円

決算整理前残高　2,000円

差引：繰入額　10,900円

6．売上原価の計算 (注) 仕入勘定で売上原価を算定する場合

(仕入)	180,000	(繰越商品)	180,000
(繰越商品)	156,000	(仕入)	156,000

7．有形固定資産の減価償却

「減価償却費を毎月末に１か月分計上している。」という指示により、決算整理前残高試算表上の「減価償却費165,000」は、当期４月から２月までの11か月分であると同時に、備品減価償却累計額勘定にも11か月分が含まれていることになります。よって、当月（３月）分を計上し、12か月分になるようにします。

(減価償却費)	15,000 *	(備品減価償却累計額)	15,000

＊　1,080,000円〈備品の取得原価〉÷６年×$\frac{1か月}{12か月}$＝15,000円

8．未払消費税の計上

決算にあたり、仮受消費税勘定の残高（期中に預かった消費税の金額）と、仮払消費税勘定の残高（期中に支払った消費税の金額）を相殺した残額（確定申告時の納税額）を、「未払消費税勘定（負債）」として計上します。

(仮受消費税)	960,000	(仮払消費税)	595,600
		(未払消費税)	364,400 *

＊　960,000円〈仮受消費税〉－595,600円〈仮払消費税〉＝364,400円

9．未払利息（未払費用）の計上

当期の１月１日から３月31日までの３か月分の利息は、当期中に支払っていないので未計上です。しかし、当期に係る費用であるため、支払利息勘定（費用）の増加とするとともに、未払利息勘定（負債）として計上します。

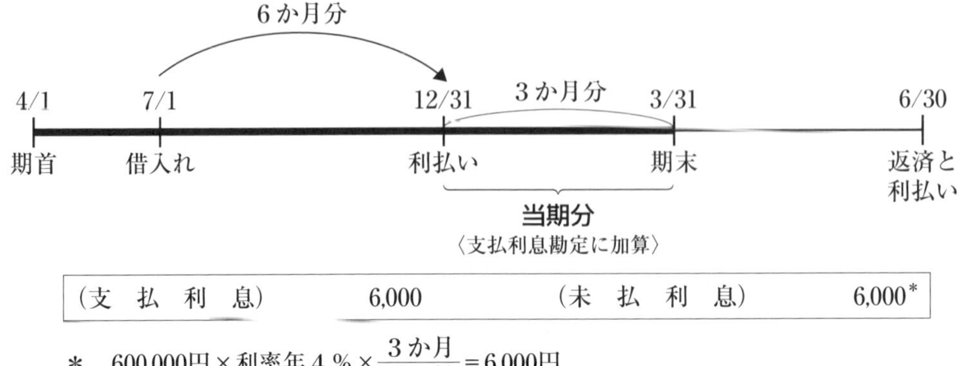

（支 払 利 息）	6,000	（未 払 利 息）	6,000*

＊ $600,000円 \times 利率年4\% \times \frac{3か月}{12か月} = 6,000円$

10．前払家賃（前払費用）の計上

当期の２月１日に支払った向こう６か月分の家賃135,000円のうち、４か月分は次期に係る費用の前払分であるため、支払家賃勘定（費用）から差し引き、前払家賃勘定（資産）として次期に繰り越します。

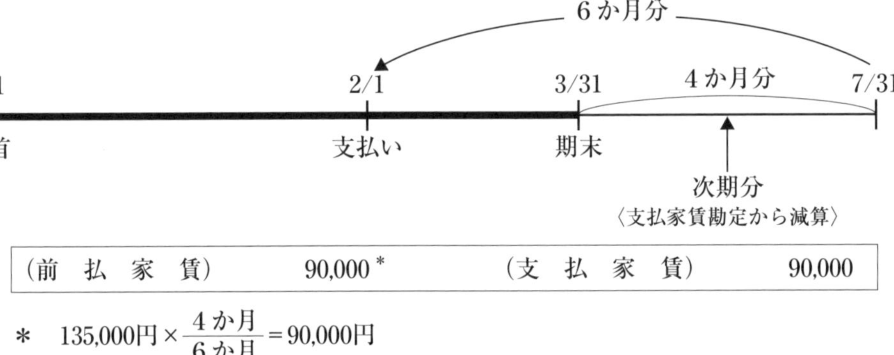

（前 払 家 賃）	90,000*	（支 払 家 賃）	90,000

＊ $135,000円 \times \frac{4か月}{6か月} = 90,000円$

11．未払法人税等の計上

決算で計算された法人税、住民税及び事業税を計上し、期中に仮払法人税等勘定で処理されている中間納付額を控除した残額を、未払法人税等勘定（負債）とします。

（法人税、住民税及び事業税）	288,000	（仮 払 法 人 税 等）	150,000
		（未 払 法 人 税 等）	138,000*

＊ 288,000円〈法人税、住民税及び事業税〉－150,000円〈仮払法人税等〉＝138,000円

12．当期純利益の計算

損益計算書の貸方（収益合計）と借方（法人税、住民税及び事業税を含む費用合計）との差額により計算します。

9,600,000円（収益合計）－8,928,000円（費用合計）＝672,000円（当期純利益）

当期純利益は繰越利益剰余金勘定（資本）の増加とすることから、決算整理前残高試算表の繰越利益剰余金に当期純利益を加えた金額を貸借対照表の貸方へ記入し、貸借対照表の貸借合計が一致することを確認します。

繰越利益剰余金：1,500,000円〈決算整理前残高試算表より〉＋672,000円〈当期純利益〉＝**2,172,000円**

参考1

〈貸借対照表記入上の注意〉

・貸倒引当金勘定の残高は、原則として、資産の部において受取手形や売掛金それぞれから控除する形式で表示します。

・繰越商品勘定の残高は、「**商品**」と表示します。

・経過勘定項目である「未払○○」は「**未払費用**」、「前払○○」は「**前払費用**」、「未収○○」は「**未収収益**」、「前受○○」は「**前受収益**」と表示します。

・建物減価償却累計額勘定および備品減価償却累計額勘定の残高は、原則として、資産の部において建物や備品それぞれから控除する形式で表示します。このとき、具体的な固定資産の科目名は付けずに「**減価償却累計額**」と表示します。

〈損益計算書記入上の注意〉

・仕入勘定の残高は、「**売上原価**」と表示します。
売上原価は、「期首商品棚卸高＋当期商品仕入高－期末商品棚卸高」の式で求めることもできます。
期首商品棚卸高180,000円＋当期商品仕入高5,956,000円－期末商品棚卸高156,000円
＝5,980,000円

・売上勘定の残高は、「**売上高**」と表示します。

参考２

精算表に記入すると次のようになります。

精　　算　　表

勘　定　科　目	残高試算表		修正記入		損益計算書		貸借対照表	
	借　方	貸　方	借　方	貸　方	借　方	貸　方	借　方	貸　方
現　　　金	199,100			3,000			196,100	
普　通　預　金	240,000			3,800			236,200	
当　座　預　金		163,000	280,000				180,000	
			63,000					
受　取　手　形	500,000			280,000			220,000	
売　掛　金	488,000			63,000			425,000	
仮払消費税	595,600			595,600				
仮払法人税等	150,000			150,000				
繰　越　商　品	180,000		156,000	180,000			156,000	
備　　　品	1,080,000						1,080,000	
土　　　地	4,900,000						4,900,000	
買　掛　金		650,000						650,000
借　入　金		600,000						600,000
仮受消費税		960,000	960,000					
貸倒引当金		2,000		10,900				12,900
備品減価償却累計額		525,000		15,000				540,000
資　本　金		3,000,000						3,000,000
繰越利益剰余金		1,500,000						1,500,000
売　　　上		9,600,000				9,600,000		
仕　　　入	5,956,000		180,000	156,000	5,980,000			
給　　　料	2,160,000				2,160,000			
支　払　家　賃	265,000			90,000	175,000			
水道光熱費	33,400		3,800		37,200			
通　信　費	55,000		2,500		57,500			
保　険　料	20,900				20,900			
減価償却費	165,000		15,000		180,000			
支　払　利　息	12,000		6,000		18,000			
	17,000,000	17,000,000						
雑　　　損			500		500			
貸倒引当金繰入			10,900		10,900			
未払消費税				364,400				364,400
未　払　利　息				6,000				6,000
前　払　家　賃			90,000				90,000	
法人税、住民税及び事業税			288,000		288,000			
未払法人税等				138,000				138,000
当期純利益					672,000			672,000
			2,055,700	2,055,700	9,600,000	9,600,000	7,483,300	7,483,300

第10回 解答

問　題 ▶ 38

第1問 45点

仕訳一組につき３点

	借　方		貸　方	
	記　号	金　額	記　号	金　額
1	（ カ ）	10,680	（ イ ） （ エ ）	9,000 1,680
2	（ ア ） （ オ ）	60,000 60,000	（ ウ ）	120,000
3	（ イ ）	276,000	（ カ ）	276,000
4	（ ウ ） （ ア ）	1,500,000 7,200	（ オ ）	1,507,200
5	（ イ ）	100	（ オ ）	100
6	（ カ ）	4,845,000	（ ウ ） （ ア ）	4,695,000 150,000
7	（ ア ）	250,000	（ エ ） （ カ ） （ オ ）	25,000 15,000 210,000
8	（ オ ） （ ウ ）	1,000,000 2,000	（ イ ） （ エ ）	1,000,000 2,000
9	（ エ ）	182,500	（ ア ） （ ウ ） （ カ ）	84,000 96,000 2,500
10	（ イ ）	320,000	（ オ ）	320,000
11	（ ア ）	460,000	（ エ ） （ カ ）	215,000 245,000
12	（ カ ）	50,000	（ イ ）	50,000
13	（ オ ）	2,000,000	（ ウ ） （ ア ）	1,800,000 200,000
14	（ ウ ） （ イ ）	210,000 126,000	（ ア ）	336,000
15	（ オ ）	1,840,000	（ イ ）	1,840,000

第2問 20点

各2点

(1)

①	②	③	④
ア	360,000	1,872,000	ウ

⑤	⑥
1,020,000	エ

(2)

問1

●数字…予想配点

商品有高帳

A 商品

×6年		摘要	受入 数量	受入 単価	受入 金額	払出 数量	払出 単価	払出 金額	残高 数量	残高 単価	残高 金額	
11	1	前月繰越	100	3,000	300,000				100	3,000	300,000	
	8	仕入	150	3,100	465,000				250	3,060	765,000	2
	11	売上				80	3,060	244,800	170	3,060	520,200	
	18	仕入	130	3,120	405,600				300	3,086	925,800	
	25	売上				100	3,086	308,600	200	3,086	617,200	
	28	売上戻り	20	3,086	61,720				220	3,086	678,920	2

問2

純売上高	売上原価	売上総利益
¥ ② 904,000	¥ ② 491,680	¥ 412,320

第3問　35点

●数字…予想配点

問１

精　算　表

勘定科目	残高試算表		修正記入		損益計算書		貸借対照表	
	借方	貸方	借方	貸方	借方	貸方	借方	貸方
現金	146,000						146,000	
現金過不足	3,000			3,000				
普通預金	1,808,000		76,000				1,884,000 ③	
当座預金		561,000	561,000					
受取手形	420,000						420,000	
売掛金	1,056,000			76,000			980,000	
仮払金	504,000			504,000				
仮払消費税	636,000			636,000				
繰越商品	836,000		750,000	836,000			750,000	
建物	4,320,000						4,320,000	
備品	400,000		504,000				904,000	
土地	4,500,000						4,500,000	
買掛金		894,000						894,000
仮受消費税		1,040,000	1,040,000					
借入金		3,800,000						3,800,000
貸倒引当金		10,300		17,700				28,000 ③
建物減価償却累計額		1,296,000		144,000				1,440,000
備品減価償却累計額		240,000		96,800				336,800 ③
資本金		4,000,000						4,000,000
繰越利益剰余金		1,409,700						1,409,700
売上		10,400,000				10,400,000		
仕入	6,360,000		836,000	750,000	6,446,000 ③			
給料	2,160,000				2,160,000			
通信費	77,200				77,200			
旅費交通費	112,800		2,200		115,000			
保険料	252,000			32,000	220,000 ③			
支払利息	60,000		12,500		72,500			
	23,651,000	23,651,000						
雑（損）			800		800 ③			
当座借越				561,000				561,000 ③
貸倒引当金繰入			17,700		17,700			
減価償却費			240,800		240,800 ③			
（未払）消費税				404,000				404,000 ③
（未払）利息				12,500				12,500 ③
前払保険料			32,000				32,000	
法人税等			315,000		315,000 ③			
未払法人税等				315,000				315,000
当期純（利益）					735,000			735,000
			4,388,000	4,388,000	10,400,000	10,400,000	13,936,000	13,936,000

問２　¥（ ② 2,880,000 ）

第10回 解答への道

問　題▶ 38

全体的に基礎的な理解力を問う良問です。

基礎的な理解力とは、簡単なレベルの問題が解けるということではなく、簿記一巡で行う会計処理を適切かつ正確に判断できる力ということです。計算ミスに気をつけて高得点を目指しましょう。難易度は、A：普、B：やや難、C：難となっています。

統一試験では、指定された勘定科目は記号で解答しなければ正解にならないので注意してください。Aレベルは正解できるようにしましょう。
解答時間は１題につき30秒～１分以内を目標に！

1．貯蔵品勘定への振り替え　難易度 **A**

解答

（貯　蔵　品）	10,680	（租　税　公　課）	9,000
		（通　信　費）	1,680

購入時に費用処理している収入印紙（租税公課勘定で処理）や郵便切手（通信費勘定で処理）について、決算日時点に未使用分があるときは、その金額をそれぞれの費用勘定から貯蔵品勘定（資産）へ振り替えます。

2．社会保険料の納付　難易度 **A**

解答

（社会保険料預り金）	60,000	（普　通　預　金）	120,000
（法　定　福　利　費）	60,000		

従業員にかかる健康保険料を納付したときは、その金額のうち会社負担分は法定福利費勘定（費用）の増加とします。これに対し、従業員負担分は給料を支給したときに、社会保険料預り金勘定（負債）の増加として処理しているため、納付したときは借方に記入して負債の減少とします。

3．修繕費の支払い　難易度 **A**

解答

（修　繕　費）	276,000	（未　払　金）	276,000

営業の用に供している（＝事業で使用している）固定資産の修繕を行ったときは、修繕費勘定（費用）の増加とします。なお、来月末に支払うこととなった代金276,000円については、商品売買以外の取引から生じた未払分であるため、未払金勘定（負債）の増加とします。

4．資金の借入れ（返済）　難易度 **A**

解答

（借　入　金）	1,500,000	（当　座　預　金）	1,507,200
（支　払　利　息）	7,200 *		

＊　1,500,000円×利率年2.19％×$\frac{80日}{365日}$＝7,200円

借入金の支払期日に、その元利合計（元金と利息の合計）を返済したときは、元金の返済額を借入金勘定（負債）の減少とし、利息の支払額を支払利息勘定（費用）の増加とします。

なお、借入れにともなう利息は、借入期間80日分の日割計算であることに気をつけてください。

5．現金の過不足　難易度 B

解答

(現 金 過 不 足)	100	(現　　　金)	100

期中に現金の実際有高（金庫の中身）と帳簿残高が一致していないときは、その不一致額を現金過不足勘定で処理しておき、原因を調査します。このとき、帳簿残高を実際有高（金庫の中身）にあわせるため、帳簿残高を増減させることに注意してください。

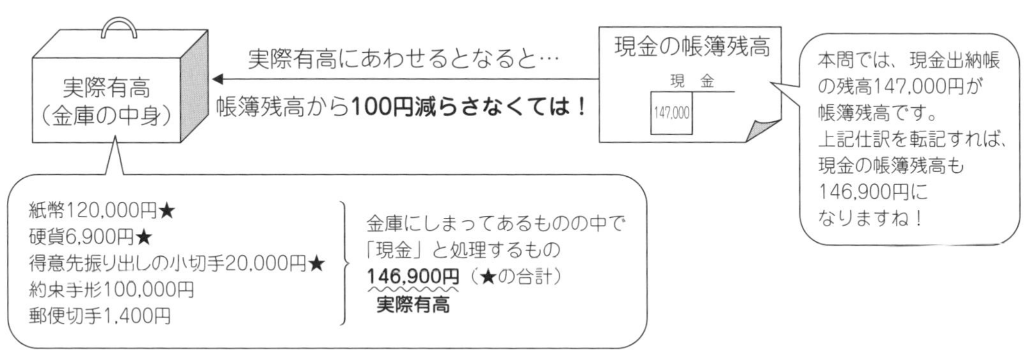

6．有形固定資産の購入　難易度 A

解答

(土　　　地)	4,845,000 *	(未　払　金)	4,695,000
		(現　　　金)	150,000

＊　150㎡×@30,000円〈購入代価〉＋345,000円〈付随費用〉＝4,845,000円

土地の購入にともなって生じた付随費用（本問では購入手数料195,000円および整地費用150,000円）は、土地の取得原価に含めます。取得原価とは、「その資産を手に入れて、利用できるまでにかかった金額」を表すものなので、整地費用も含まれます。なお、商品売買以外の取引から生じた代金の未払分は、未払金勘定（負債）の増加とします。

7．給料の支払い　難易度 A

解答

(給　　　料)	250,000	(所 得 税 預 り 金)	25,000
		(従 業 員 立 替 金)	15,000
		(当　座　預　金)	210,000

給料総額250,000円から差し引いた所得税の源泉徴収額は、所得税を納付する義務として、所得税預り金勘定（負債）の増加とし、従業員に対する立替額の回収は、従業員立替金勘定（資産）の減少とします。なお、「当座預金口座から従業員の預金口座へ振り替えて支給した。」とは、「当社の当座預金口座から従業員の手取額を引き出し、従業員の預金口座に入金した」という意味になるので、当座預金勘定（資産）の減少とします。

8．当座預金の預け入れ　難易度 A

解答

(当　座　預　金)	1,000,000	(普　通　預　金)	1,000,000
(支 払 手 数 料)	2,000	(現　　　金)	2,000

普通預金口座の金額を１銀行口座間で振り替えて当座預金口座へ預け入れる取引です。したがって、引き出される普通預金勘定（資産）の減少と入金先である当座預金勘定（資産）の増加となります。なお、金融機関に支払う手数料を当社が負担したときは、支払手数料勘定（費用）の増加とします。

9．仕入取引　難易度 **A**

解答

（仕　　　　入）	182,500	（前　払　金）	84,000
		（支 払 手 形）	96,000
		（現　　　金）	2,500

商品の仕入取引における手付金は、商品代金の一部を前払いしたものです。

手付金の支払時：（前　払　金）　84,000　（現 金 な ど）　84,000

したがって、商品の引き渡しを受けたときに商品代金と相殺し、残額は、約束手形を振り出したため、手形金額を支払う義務として支払手形勘定（負債）の増加とします。また、商品を引き取る際に運賃を負担した場合は、その金額を含めて仕入原価とします。

10．電子記録債務　難易度 **A**

解答

（買　掛　金）	320,000	（電子記録債務）	320,000

買掛金について、電子記録債務の発生記録の請求を行ったときは、その金額を電子記録債務勘定に振り替えます。具体的には、買掛金勘定（負債）の減少とするとともに、電子記録債務勘定（負債）の増加とします。

11．未払消費税の計上　難易度 **A**

解答

（仮 受 消 費 税）	460,000	（仮 払 消 費 税）	215,000
		（未 払 消 費 税）	245,000

期中に受け取った消費税は仮受消費税勘定（負債）、支払った消費税は仮払消費税勘定（資産）の増加として処理しています。決算においては、両勘定を相殺する仕訳を行い、確定申告時に納付すべき消費税額を未払消費税勘定（負債）の増加とします。

12．電子記録債権の貸倒れ　難易度 **A**

解答

（貸 倒 損 失）	50,000	（電子記録債権）	50,000

前期以前に生じた電子記録債権が貸し倒れた（回収不能となった）場合、電子記録債権勘定（資産）の減少とするとともに、貸倒引当金に残高があれば取り崩して充当しますが、問題文に「貸倒引当金の残高はゼロ」とあるため、全額を貸倒損失勘定（費用）で処理します。

13．内容不明の入金（判明）　難易度 **A**

解答

（仮　受　金）	2,000,000	（土　　　地）	1,800,000
		（固定資産売却益）	200,000*

＊　2,000,000円〈売却価額〉－1,800,000円〈帳簿価額〉＝200,000円〈売却益〉

売却代金については、仮受金勘定で処理しています。

代金受取時：（現 金 な ど）　2,000,000　（仮　受　金）　2,000,000

よって、売却の仕訳を行う際には仮受金勘定を借方に仕訳し、帳簿価額を差し引いて、固定資産売却損（益）を計算します。

14．売掛金の回収　難易度 **A**

解答

（受 取 手 形）	210,000	（売　掛　金）	336,000
（普 通 預 金）	126,000		

売掛金の回収として、得意先振り出しの約束手形210,000円の受け取りは、手形金額を受け取る権利として受取手形勘定（資産）の増加とし、残額126,000円については、普通預金口座に振り込

まれたため普通預金勘定（資産）の増加とします。

15. 有形固定資産の購入　難易度 **A**

解答

（備　　品）	1,840,000	（未　払　金）	1,840,000

購入したデスクセットは、オフィス用であることから、その取得原価（購入代価および付随費用の合計）を備品勘定（資産）の増加とします。本問では、請求書に記載されている配送料や据付費が備品の購入にともなう付随費用であることから、取得原価に含めて処理します。なお、有形固定資産など商品以外のものを購入した際の代金の未払額は、未払金勘定（負債）の増加とします。

(1)　期首の再振替仕訳から決算時における前受家賃の計上など、経過勘定項目に関する簿記一巡を理解しているか確認できる良問です。ただし、契約時点の異なった物件をそれぞれ考えていかなければならないのと、途中から家賃の値上がりもあることから、計算ミスが出やすい点に気をつけてください。

Ⅰ　物件Aの前期決算処理（×2年３/31）

1．決算整理仕訳：前受家賃の計上

（受　取　家　賃）	360,000	（前　受　家　賃）	360,000

＊　１か月分の家賃120,000円×３か月分（×2年４/１～６/30）＝360,000円

2．負債勘定の締め切り

決算整理後の前受家賃勘定の貸方残高360,000円を、借方に「次期繰越」と記入し、借方と貸方の合計金額を一致させて締め切ります（締切記入）。次に、翌期首の日付で貸方に「前期繰越」と記入し、残高を貸方に戻します（開始記入）。問題資料右側の「（　　）家賃」の貸方に「前期繰越」と印刷されていることから、右側の「（　　）家賃」が前受家賃勘定になります。

（①）家　賃

（前　受）家　賃

	4/1 前期繰越　360,000

これにより、問題資料左側の「（①）家賃」が受取家賃勘定と判明するので、①が「**ア　受取**」になります。

Ⅱ　当期の会計処理

×2年４/１　期首の再振替仕訳

前期決算整理で行った前受家賃の計上の仕訳を、翌期首の日付で逆仕訳することで、もとの収益勘定（受取家賃）に戻すための仕訳です。

（前　受　家　賃）	360,000	（受　取　家　賃）	② **360,000**

受　取　家　賃

	4/1 前受家賃　360,000

前　受　家　賃

4/1 受取家賃　360,000	4/1 前期繰越　360,000

×2年７/１　物件Aに対する向こう半年分の家賃の受け取り

（当　座　預　金）	720,000	（受　取　家　賃）	720,000

＊　１か月分の家賃120,000円×６か月分（×2年７/１～12/31）＝720,000円

×2年８/１　物件Bに対する向こう１年分の家賃の受け取り

（当　座　預　金）	1,872,000	（受　取　家　賃）	③ **1,872,000**

＊　１か月分の家賃156,000円×12か月分（×2年８/１～×3年７/31）＝**1,872,000円**

×3年1/1　物件Aに対する向こう半年分の家賃の受け取り

（注）今回から、1か月分の家賃は132,000円に値上げしています。

（当座預金）	792,000	（受取家賃）	792,000

＊　1か月分の家賃**132,000円**×6か月分（×3年1/1～6/30）＝792,000円

×3年3/31　決算処理

1．決算整理仕訳：前受家賃の計上

(ア)　物件A

当期の1月1日に受け取った向こう半年分の家賃792,000円のうち、3か月分は次期に係る収益の前受分であるため、前受家賃勘定（負債）として次期に繰り越します。

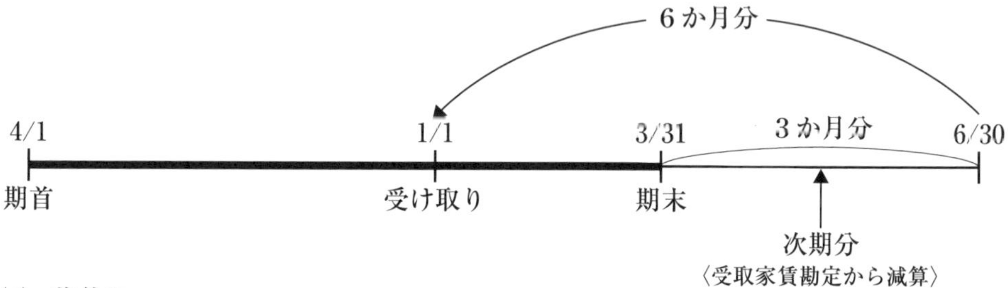

(イ)　物件B

当期の8月1日に受け取った向こう1年分の家賃1,872,000円のうち、4か月分は次期に係る収益の前受分であるため、前受家賃勘定（負債）として次期に繰り越します。

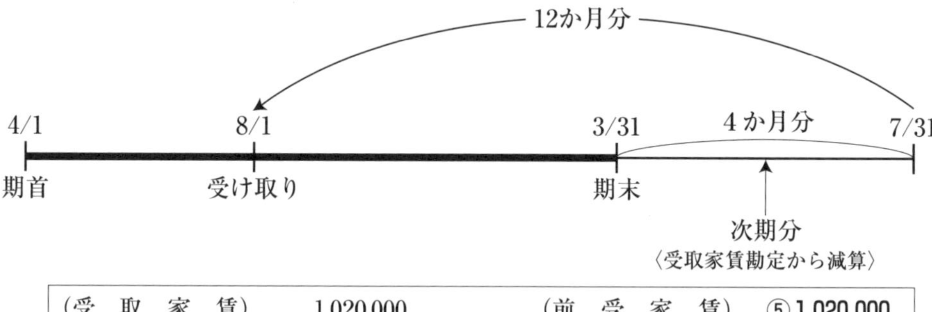

（受取家賃）	1,020,000	（前受家賃）	⑤**1,020,000**

＊　物件A：値上げ後の1か月分の家賃**132,000円**×3か月分＝396,000円
　　物件B：1か月分の家賃156,000円×4か月分＝624,000円
　　396,000円＋624,000円＝**1,020,000円**

2．決算振替仕訳

決算整理後の受取家賃勘定の貸方残高2,724,000円を損益勘定へ振り替えます。

（受取家賃）	2,724,000	（**損益**）⑥**エ**	2,724,000

この振り替えにより、受取家賃勘定の残高はゼロとなるため締め切ります。

3．負債勘定の締め切り

決算整理後の前受家賃勘定の貸方残高1,020,000円を、借方に「次期繰越」と記入し、借方と貸方の合計金額を一致させて締め切ります（締切記入）。したがって、④は「**ウ　次期繰越**」となります。

受取家賃

3/31	前受家賃	1,020,000	4/1	前受家賃	360,000
〃	損　益	2,724,000	7/1	当座預金	720,000
			8/1	当座預金	1,872,000
			1/1	当座預金	792,000
		3,744,000			3,744,000

前受家賃

4/1	受取家賃	360,000	4/1	前期繰越	360,000
3/31	次期繰越	1,020,000	3/31	受取家賃	1,020,000
		1,380,000			1,380,000

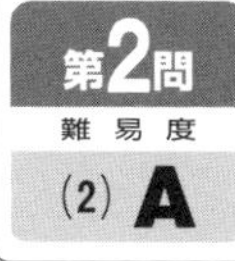

第2問　難易度　(2) A

(2)　移動平均法による商品有高帳の記入問題です。
返品分の書き方は、必ず問題文の指示どおりにしてください。なお、純売上高は売価で、売上原価は原価で返品分の金額を除くことに注意しましょう。

Ⅰ　払出単価の決定方法が移動平均法による場合の商品有高帳の記入

商品を仕入れたときは受入欄に、売り上げたときには払出欄に、在庫は残高欄にそれぞれ**原価を記入すること**に注意が必要です。なお、「移動平均法」の場合は異なる単価の商品を受け入れるごとに平均単価を計算して残高欄へ記入し、その単価を次の払出単価とします。

11月1日：前月繰越

受入欄と残高欄へ記入します。100個×@3,000円(**原価**)＝300,000円

8日：仕入

仕入分を受入欄へ記入します。150個×@3,100円(**原価**)＝465,000円

残高欄へ記入する単価は、直前の残高（1日時点）と合算して算定した平均単価になります。

$$\frac{300{,}000円\langle 1日残高\rangle + 465{,}000円\langle 8日仕入分\rangle}{100個\langle 1日残高\rangle + 150個\langle 8日仕入分\rangle} = \textbf{@3,060円}\langle 8日時点の平均単価\rangle$$

11日：売上

販売分の80個を払出欄へ**原価で記入**します。

(注) 問題資料の@5,600円は売価なので使用しません。

払出額および、在庫となる170個分の計算は、8日時点の平均単価3,060円を用います。

払出欄：80個×@3,060円＝244,800円

残高欄：170個×@3,060円＝520,200円

18日：仕入

仕入分を受入欄へ記入します。130個×@3,120円(**原価**)＝405,600円

残高欄へ記入する単価は、直前の残高（11日時点）と合算して算定した平均単価になります。

$$\frac{520{,}200円\langle 11日残高\rangle + 405{,}600円\langle 18日仕入分\rangle}{170個\langle 11日残高\rangle + 130個\langle 18日仕入分\rangle} = \textbf{@3,086円}\langle 18日時点の平均単価\rangle$$

25日：売上

販売分の100個を払出欄へ**原価で記入**します。

(注) 問題資料の@5,700円は売価なので使用しません。

払出額および、在庫となる200個分の計算は、18日時点の平均単価3,086円を用います。

払出欄：100個×@3,086円＝308,600円

残高欄：200個×@3,086円＝617,200円

28日：売上戻り

返品された商品は、問題文の指示に従い、受入欄へ**原価で記入**します。25日に販売した商品なので、計算に用いる平均単価は3,086円です。

受入欄：20個×@3,086円＝61,720円

残高欄：220個（25日時点の数量200個＋戻り分20個）×@3,086円＝678,920円

Ⅱ　純売上高、売上原価および売上総利益の計算

純売上高：
　448,000円　（問題資料より、11日売上分80個×売価@5,600円）
　570,000円　（問題資料より、25日売上分100個×売価@5,700円）
△ 114,000円　（問題資料より、25日売上戻り分△20個×売価@5,700円）
　904,000円

売上原価：11日に80個、25日に100個の商品を販売しているので、各日付の払出欄に記入した金額が売り上げた商品の**原価**になります。しかし、各時点で販売した数量に対する売上原価を示しているだけなので、28日の売上戻り20個分を除く必要があることに注意してください。

　244,800円　（商品有高帳の11日払出欄より）
　308,600円　（商品有高帳の25日払出欄より）
△ 61,720円　（商品有高帳の28日売上戻り分は受入欄より）
　491,680円

売上総利益：904,000円〈純売上高〉－491,680円〈売上原価〉＝**412,320円**

問1　精算表作成の問題です。
備品の購入と減価償却について正確な仕訳と計算ができれば、他の決算整理事項等は定番のものばかりなので解きやすい問題といえます。
問2　決算整理後の建物の帳簿価額については、決算手続きの流れをマスターしていれば容易に解答できるので、得点してほしいところです。

問1　精算表の作成

本問における決算整理事項等の仕訳は次のとおりです。

① 売掛金の回収〈未処理事項〉

（普通預金）	76,000	（売掛金）	76,000

② 仮払金の判明〈未処理事項〉

（備品）	504,000	（仮払金）	504,000

③ 現金過不足勘定の整理

現金過不足勘定の借方残高3,000円のうち、原因の判明した「旅費交通費の記帳漏れ」は旅費交通費勘定の借方に振り替え、判明しなかった借方差額800円は雑損勘定（費用）で処理します。

（旅費交通費）	2,200	（現金過不足）	3,000
（雑損）	800		

④　借越残高の振り替え

決算において、当座預金勘定が貸方残高（借越しの状態）となった場合は、その金額を負債の勘定（問題文の指示により当座借越勘定）に振り替えます。

（当　座　預　金）	561,000	（当　座　借　越）	561,000

⑤　貸倒引当金の設定

「①　売掛金の回収」により、売掛金の残高が76,000円減少していることに注意して貸倒引当金を設定します。

（貸倒引当金繰入）	17,700*	（貸　倒　引　当　金）	17,700

＊　設　定　額（420,000円＋1,056,000円－76,000円）×２％＝28,000円
　　（420,000円：受取手形、1,056,000円－76,000円：売掛金）
　　決算整理前残高　10,300円
　　差引：繰入額　17,700円

⑥　売上原価の計算

「仕入」の行（仕入勘定）で売上原価を算定します。

（仕　　　　入）	836,000	（繰　越　商　品）	836,000
（繰　越　商　品）	750,000	（仕　　　　入）	750,000

⑦　有形固定資産の減価償却

備品の減価償却費は、既存の備品400,000円に対する分と、「②　仮払金の判明」で処理した期中取得の備品504,000円に対する分とを分けて計算します。なお、期中に取得した備品については、２か月分（２/１～３/31）の月割計算になります。

（減　価　償　却　費）	240,800	（建物減価償却累計額）	144,000*1
		（備品減価償却累計額）	96,800*2

＊1　建　　物：4,320,000円〈取得原価〉÷30年＝144,000円

＊2　備品（既　存　分）：400,000円〈取得原価〉÷５年＝80,000円
　　備品（期中取得分）：504,000円〈取得原価〉÷５年×$\frac{2か月}{12か月}$＝16,800円
　　合計96,800円

⑧　未払消費税の計上

決算にあたり、仮受消費税勘定の残高（期中に預かった消費税の金額）と、仮払消費税勘定の残高（期中に支払った消費税の金額）を相殺した残額（確定申告時の納税額）を、未払消費税勘定（負債）として計上します。

（仮　受　消　費　税）	1,040,000	（仮　払　消　費　税）	636,000
		（未　払　消　費　税）	404,000*

＊　1,040,000円〈仮受消費税〉－636,000円〈仮払消費税〉＝404,000円

⑨　未払利息（未払費用）の計上

当期の12月１日から３月31日までの４か月分の利息は、当期中に支払っていないので未計上です。しかし、当期に係る費用であるため、支払利息勘定（費用）の増加とするとともに、未払利息勘定（負債）として計上します。

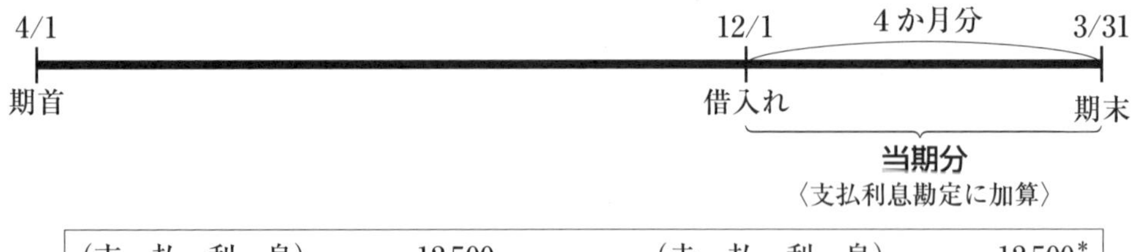

（支　払　利　息）	12,500	（未　払　利　息）	12,500*

＊　1,500,000円×利率年2.5％×$\frac{４か月}{12か月}$＝12,500円

⑩　前払保険料（前払費用）の計上

（前 払 保 険 料）	32,000	（保　　険　　料）	32,000

⑪　未払法人税等の計上

期中に法人税等の中間納付をしていない場合は、未払法人税等勘定（負債）の増加として処理する金額の全額が「法人税等」の金額（年税額）になります。

（法　人　税　等）	315,000	（未 払 法 人 税 等）	315,000

参考

仮に仕訳で表すと以下のようになります。

（法　人　税　等）	315,000	（仮 払 法 人 税 等）	0
		（未 払 法 人 税 等）	315,000

⑫　当期純利益の計算

損益計算書の貸方（収益合計）と借方（法人税等を含む費用合計）との差額により計算します。当期純利益の金額は、損益計算書欄の借方に記入し、同額を貸借対照表欄の貸方へ移記して、貸借合計が一致することを確認します。

10,400,000円（収益合計）－9,665,000円（費用合計）＝735,000円（当期純利益）

問２　決算整理後の建物の帳簿価額

間接法で記帳している場合の有形固定資産の帳簿価額は、取得原価から減価償却累計額を差し引いて計算します。本問は、決算整理**後**の帳簿価額が問われているので、当期末に行った決算整理**後**の減価償却累計額勘定の残高を差し引くことになります。

決算整理**後**の建物減価償却累計額勘定の残高：1,296,000円（決算整理前残高）＋144,000円（当期減価償却費）＝1,440,000円

決算整理**後**の建物の帳簿価額：4,320,000円〈建物の取得原価〉－1,440,000円＝**2,880,000円**

第11回 解答

問　題 ▶ 42

第1問 45点

仕訳一組につき３点

	借方		貸方	
	記号	金額	記号	金額
1	（ エ ）	400,000	（ ア ）	400,000
2	（ オ ） （ イ ）	6,400 20,000	（ ウ ） （ カ ）	24,000 2,400
3	（ ア ） （ カ ）	3,900 1,050	（ エ ）	4,950
4	（ ウ ） （ エ ）	560,000 285,000	（ オ ） （ ア ）	840,000 5,000
5	（ ア ）	75,000	（ エ ）	75,000
6	（ ウ ）	50,000	（ カ ）	50,000
7	（ ア ）	80,000	（ エ ）	80,000
8	（ イ ）	16,000	（ オ ）	16,000
9	（ カ ）	3,850,000	（ ア ） （ ウ ）	3,500,000 350,000
10	（ エ ）	2,000,000	（ イ ） （ オ ）	1,976,000 24,000
11	（ ア ）	12,500,000	（ カ ）	12,500,000
12	（ オ ）	640,000	（ ウ ）	640,000
13	（ カ ） （ イ ）	9,500 2,400	（ エ ）	11,900
14	（ ウ ）	20,000	（ ア ）	20,000
15	（ オ ）	210,000	（ ア ） （ ウ ）	207,500 2,500

第2問 20点

(1)

●数字…予想配点

仮払法人税等

❷ (11/29)	[ア]	〈576,000〉	(3/31)	[オ]	〈576,000〉

未払法人税等

❷ (5/29)	[ア]	〈480,000〉	4/1	前期繰越	〈480,000〉
❷ (3/31)	[ケ]	〈804,000〉	(3/31)	[オ]	〈804,000〉❷
		〈1,284,000〉			〈1,284,000〉

損　　益

3/31	仕入	4,375,000	3/31	売上	12,500,000
〃	その他費用	3,525,000			
〃	法人税等	〈❷ 1,380,000〉			
〃	❷ [エ]	〈3,220,000〉			
		12,500,000			12,500,000

(2)

各1点

a	b	c	d
オ	ウ	カ	ウ

①	②	③	④
150,000	450,000	4,200,000	7,500,000

第3問　35点

●数字…予想配点

貸借対照表

（単位：円）

資産			負債・純資産	
現金		290,600	買掛金	756,000
当座預金		（576,000）	（未払）消費税	（459,000）3
受取手形	（3 450,000）		未払法人税等	（300,000）
貸倒引当金	（△4,500）	（445,500）	（未払）費用	（20,000）
売掛金	（840,000）		借入金	2,000,000
貸倒引当金	（△8,400）	（831,600）	預り金	（21,000）
商品		（385,000）	資本金	3,000,000
貯蔵品		（19,800）	繰越利益剰余金	（2 957,501）
3（前払）費用		（25,000）		
建物	（3,000,000）			
減価償却累計額	（△360,000）	（3 2,640,000）		
備品	（750,000）			
減価償却累計額	（△449,999）	（3 300,001）		
土地		2,000,000		
		（7,513,501）		（7,513,501）

損益計算書

（単位：円）

費用	金額	収益	金額
売上原価	（3 6,219,000）	売上高	（11,300,000）3
給料	2,600,000		
法定福利費	（3 240,000）		
支払手数料	（3 72,600）		
租税公課	（3 115,200）		
貸倒引当金繰入	（3 9,000）		
減価償却費	（220,000）		
支払利息	（35,000）		
その他費用	789,200		
法人税等	（300,000）		
当期純利益	（700,000）		
	（11,300,000）		（11,300,000）

第11回 解答への道

問　題▶ 42

今回の第2問はどちらも受験生が苦手とする勘定記入の問題で、特に推定問題となっている(2)は点数が取りにくいでしょう。しかし、どちらも手続きの流れを理解していればすべて埋めることは可能です。手続きの流れを意識しながら「仕訳して転記する」という基本を忘れずに解き進めてみましょう。

難易度は、A：普、B：やや難、C：難となっています。

第1問

統一試験では、指定された勘定科目は記号で解答しなければ正解にならないので注意してください。Aレベルは正解できるようにしましょう。
解答時間は1題につき30秒～1分以内を目標に！

1．買掛金の支払い　難易度 A

解答

借方科目	金額	貸方科目	金額
(買　掛　金)	400,000	(支 払 手 形)	400,000

買掛金の決済（支払い）として、約束手形を振り出したときは、掛代金の支払義務が消滅し、その代わりに手形金額を支払う義務が発生するため、買掛金勘定（負債）の減少とするとともに、支払手形勘定（負債）の増加とします。

2．売上取引　難易度 B

解答

借方科目	金額	貸方科目	金額
(現　　　金)	6,400	(売　　　上)	24,000
(受 取 商 品 券)	20,000*	(仮 受 消 費 税)	2,400

＊ (24,000円＋2,400円)－6,400円＝20,000円
消費税を含めた合計額

消費税を税抜方式で記帳する場合、売上勘定（収益）で処理する金額は税抜価額で行い、受け取った消費税分は仮受消費税勘定（負債）の増加とします。なお、代金の受取額が税込価額になる点に注意しましょう。

消費税を含めた合計額（26,400円）のうち、6,400円は現金勘定（資産）の増加とし、商品券で受け取った分については、後日、商品券の発行元から払い戻しを受ける権利として、受取商品券勘定（資産）の増加で処理します。

3．仮払金の振り替え　難易度 A

解答

借方科目	金額	貸方科目	金額
(旅 費 交 通 費)	3,900	(仮　払　金)	4,950
(消 耗 品 費)	1,050		

問題文に、ＩＣカードのチャージ（入金）時に、その金額を仮払金勘定で処理している旨の指示があるため、ＩＣカードを使用して旅費交通費や消耗品費の支払いをしたときは、仮払金勘定から該当する勘定に振り替えます。

4．有形固定資産の売却　難易度 A

解答

借方科目	金額	貸方科目	金額
(車両運搬具減価償却累計額)	560,000	(車 両 運 搬 具)	840,000
(現　　　金)	285,000	(固定資産売却益)	5,000*

＊ 285,000円－(840,000円－560,000円)＝5,000円〈売却益〉
売却価額　帳簿価額

間接法で記帳している場合、車両を売却したときは、車両運搬具勘定（資産）の取得原価とその車両に対する減価償却累計額勘定の減少とします。さらに、売却価額から帳簿価額（車両の取得原価と減価償却累計額の差額）を差し引き、固定資産売却損（益）を計算します。

なお、本問のように売却時点が具体的に示されていないときは、「期首に売却した」とみなします。よって、帳簿価額の計算において当期分の減価償却費を考慮する必要はありません。

5．所得税の納付　難易度 **A**

解答

（所得税預り金）	75,000	（現　　金）	75,000

給料を支払った際に預かった所得税を納付したときの処理です。従業員の所得税（給料を得た人に課せられる税金）は、給料支払時に預かり、従業員に代わって税務署に納付します。

したがって、納付するまでは、所得税を納める義務として所得税預り金勘定（負債）の増加で処理し、納付した時点で負債の減少とします。

6．訂正仕訳　難易度 **A**

解答

（貸倒引当金）	50,000	（償却債権取立益）	50,000

問題文に「前期に貸倒れとして処理した」とあるため、回収できた50,000円は売掛金勘定（資産）の減少とすることはできません。貸方の科目は償却債権取立益勘定（収益）で処理します。

訂正仕訳は、①誤った仕訳の逆仕訳と②正しい仕訳から導くとよいでしょう。

誤った仕訳：	（現　　金）	50,000	（貸倒引当金）	50,000
①誤った仕訳の逆仕訳：	（貸倒引当金）	50,000	（現　　金）	50,000
②正しい仕訳：	（現　　金）	50,000	（償却債権取立益）	50,000

①と②、2つの仕訳で訂正仕訳となります。

なお、①と②の仕訳の同一科目を相殺して以下のような1つの仕訳にすると、記録の誤りのみを部分的に修正する仕訳になります。

（貸倒引当金）	50,000	（償却債権取立益）	50,000

7．伝票の推定（売上取引）　難易度 **A**

解答

（売　掛　金）	80,000	（売　　上）	80,000

一部現金取引の起票には、「いったん全額を掛取引として起票する方法」と「取引を分解して起票する方法」の2つがあります。取引を仕訳すると次のようになります。

（売　掛　金）	75,000	（売　　上）	80,000
（現　　金）	5,000		

売上代金の一部は現金で受け取っているのにもかかわらず、入金伝票の相手科目を「売掛金」と記入していることから、「いったん全額を掛取引として起票する方法」であると判断します。

1つの取引を2つの伝票に分けて記入すると次のようになります。

（売　掛　金）	80,000	（売　　上）	80,000	… 振替伝票（解答）
（現　　金）	5,000	（売　掛　金）	5,000	… 入金伝票

参考

「取引を分解して起票する方法」では、振替伝票の金額は「75,000」となり、入金伝票に記入する相手科目は「売上」となります。取引を２つの伝票に分けて記入すると次のようになります。

(売　掛　金)　75,000　(売　　上)　75,000 … 振替伝票
(現　　金)　5,000　(売　　上)　5,000 … 入金伝票

8．現金の過不足　難易度 **A**

解答

(現　　金)	16,000	(現 金 過 不 足)	16,000

期中に、現金の帳簿残高と実際有高（金庫の中身）が一致していないときは、その不一致額を現金過不足勘定で処理し、原因を調査します。このとき、帳簿残高が実際有高となるように修正するので、帳簿残高を増減させることに意識しましょう。

9．剰余金の配当と処分　難易度 **A**

解答

(繰越利益剰余金)	3,850,000	(未 払 配 当 金)	3,500,000
		(利 益 準 備 金)	350,000

繰越利益剰余金の配当と処分を行ったときは、繰越利益剰余金勘定（資本）の減少とし、配当金については「ただちに支払った」などの文言がなければ「後で支払われるもの」と読み取り、未払配当金勘定（負債）の増加とします。また、利益準備金の積立ては、利益準備金勘定（資本）の増加とします。

10．資金の貸付け　難易度 **A**

解答

(手 形 貸 付 金)	2,000,000	(当 座 預 金)	1,976,000
		(受 取 利 息)	24,000

金銭の貸付けにおいて、借用証書に代えて約束手形を受け取ることがあります。この場合は、借用証書による貸付けと区別するため手形貸付金勘定（資産）の増加とします。なお、当座預金口座から振り込んでいるため当座預金勘定（資産）の減少としますが、振込額は、貸付額2,000,000円から24,000円を差し引いた残額1,976,000円となることに注意しましょう。差し引いた24,000円は、利息の受け取りとし、受取利息勘定（収益）の増加とします。

11．株式の発行（増資時）　難易度 **A**

解答

(当 座 預 金)	12,500,000	(資　本　金)	12,500,000*

＊　500株×@25,000円＝12,500,000円

株式を発行したときは、原則として払込金額の全額を資本金勘定（資本）の増加とし、払込金額については問題文の指示に従い、当座預金勘定（資産）の増加とします。

12．当期純損失の計上　難易度 **A**

解答

(繰越利益剰余金)	640,000	(損　　益)	640,000

決算振替仕訳の問題です。帳簿上、当期純損益は損益勘定で算定されます。当期純損失であったときは、繰越利益剰余金勘定（資本）の減少とするため、損益勘定から繰越利益剰余金勘定の借方に振り替える仕訳を行います。

13. 費用の支払い　難易度 **A**

解答

(租税公課)	9,500	(現　　金)	11,900
(通信費)	2,400		

事業で使用するこれらは、ただちに使用するものとして、収入印紙は租税公課勘定（費用）、郵便切手は通信費勘定（費用）の増加とします。

14. 仕入取引（返品）　難易度 **A**

解答

(買掛金)	20,000	(仕　　入)	20,000

仕入れた商品を返品したときは、仕入れたときの仕訳の逆仕訳を行い、記録を取り消します。

発送代金については、「着払いの先方負担」とあります。「着払い」とは、荷物の到着先で受取人が送料を支払うことをいい、「先方負担」とは、相手先（本問では大船商店）が送料を負担するということです。したがって、当社に現金等の支出はないので仕訳は必要ありません。

15. 仕入取引　難易度 **A**

解答

(仕　　入)	210,000	(買掛金)	207,500
		(現　　金)	2,500

品物を受け取ったのは、×3年10月5日です。

商品代金207,500円については、品物とともに受け取った納品書兼請求書に「×3年10月31日までに合計額を下記口座へお振込みください」と記載されていることから、「後払いである」と読み取り、商品代金の支払義務を表す買掛金勘定（負債）の増加とします。また、「運賃の着払い」とは、荷物の到着先で受取人が運賃を支払うことをいいます。当社が負担した仕入諸掛り（本問では引取運賃2,500円）は、仕入原価に含めます。

第2問　難易度 (1) A

(1)　法人税等（または「法人税、住民税及び事業税」）の会計処理について、「前期分の確定申告⇒当期分の中間申告⇒当期分の年税額の計上」といった、一連の流れが問われています。流れに沿って仕訳がイメージできるようになるまで繰り返し練習しましょう。

1．未払法人税等勘定の前期繰越額

前期決算時に次のような仕訳をしています。

法人税等勘定に年税額を計上し、期中に仮払法人税等勘定で処理されている中間納付額を控除した残額を確定申告時の納付額とし、未払法人税等勘定（負債）として次期に繰り越しています。

×5/3/31	(法人税等)	1,152,000	(仮払法人税等)	672,000
			(未払法人税等)	480,000*

＊　1,152,000円－672,000円＝480,000円

したがって、未払法人税等勘定の「前期繰越」は**480,000円**になります。

未払法人税等

	4/1　前期繰越　**480,000**

2．前期決算で計上した法人税等の確定申告

未払法人税等勘定で処理した金額分を納付します。なお、【解答上の注意事項】により、支払いは普通預金から行います。

×5/5/29	(未払法人税等)	480,000	(普　通　預　金)	480,000

未払法人税等

5/29	普通預金 ア	480,000	4/1	前期繰越	480,000

3．中間申告

納付書に記載された「納期等の区分」の「中間申告」に○印があることから、法人税の中間納付であることがわかります。前年度に計上した法人税額が一定額を超えている場合は、当期中に中間申告・中間納付が義務づけられており、その納付額は仮払法人税等勘定（資産）で処理します。なお、【解答上の注意事項】により、支払いは普通預金から行います。

×5/11/29	(仮払法人税等)	576,000	(普　通　預　金)	576,000

仮払法人税等

11/29	普通預金 ア	576,000			

4．法人税等の計上（決算）

答案用紙の損益勘定により、収益総額と費用総額の差額から法人税等を控除する前の利益（税引前当期純利益という）を計算します。

12,500,000円〈収益総額＝売上〉－7,900,000円〈費用総額＝仕入＋その他費用〉＝4,600,000円〈税引前当期純利益〉

税引前当期純利益の30％を法人税等として計上し、11月29日に中間納付した分を控除した残額を、確定申告時の納付額として未払法人税等（負債）で処理します。

×6/3/31	(法　人　税　等)	1,380,000 *1	(仮払法人税等)	576,000
			(未払法人税等)	804,000 *2

＊1　4,600,000円〈税引前当期純利益〉×30％＝**1,380,000円〈法人税等＝年税額〉**

＊2　1,380,000円－576,000円＝**804,000円**

仮払法人税等

11/29	普通預金	576,000	**3/31**	**法人税等**	**576,000**

未払法人税等

5/29	普通預金	480,000	4/1	前期繰越	480,000
			3/31	**法人税等** オ	**804,000**

理解のために、法人税等勘定を示すと次のようになります。

法　人　税　等

3/31	諸　　口	1,380,000			

5．決算振替（決算）

①　損益勘定で当期純利益を算定するため、法人税等勘定の残高は損益勘定へ振り替えます。

(損　　　益)	1,380,000	(法　人　税　等)	1,380,000

損　　益

3/31	仕　入	4,375,000	3/31	売　上	12,500,000
〃	その他費用	3,525,000			
〃	法人税等	**1,380,000**			

理解のために、法人税等勘定を示すと次のようになります。

法　人　税　等

3/31	諸　口	1,380,000	3/31	損　益	1,380,000

② 当期純利益は、**帳簿上、繰越利益剰余金勘定（資本）の増加**とします。「当期純利益」と表示（記載）するのは損益計算書（財務諸表）です。混同しないように気をつけましょう。

（損　益）	3,220,000	（繰越利益剰余金）	3,220,000*

* 4,600,000円〈税引前当期純利益〉－1,380,000円〈法人税等〉＝**3,220,000円**

損　　益

3/31	仕　入	4,375,000	3/31	売　上	12,500,000
〃	その他費用	3,525,000			
〃	法人税等	1,380,000			
〃	**繰越利益剰余金**	**3,220,000**			
	エ	12,500,000			12,500,000

6．未払法人税等勘定の締め切り

決算整理後の貸方残高804,000円を、借方に「次期繰越」と記入し、借方と貸方の合計金額を一致させて締め切ります（締切記入）。

未払法人税等

5/29	普通預金	480,000	4/1	前期繰越	480,000
3/31	**次期繰越**	**804,000**	3/31	法人税等	804,000
	ケ	**1,284,000**			**1,284,000**

(2)　商品売買に関する諸勘定と損益勘定の記入問題です。
推定問題は逆進で考えなければ判明しない部分もありますが、基本的には決算整理から決算振替の流れをマスターできているかが問われています。

本問のように、取引等が文章で与えられていない勘定推定の問題は、金額が判明しなくても仕訳を想定して書き出してみることが第一歩です。問題資料から読み取れることは、費用である仕入勘定の借方残高と収益である売上勘定の貸方残高は、決算整理後に損益勘定へ振り替えられた（＝締め切られた）ということです。

問題文に「損益勘定には売上勘定と仕入勘定からの振り替えのみを記入すること」とあります。これにより、**損益勘定の借方に仕入勘定、貸方に売上勘定の残高が振り替えられた**ことがわかります。

1．繰越商品勘定と仕入勘定の推定

損益勘定の借方に振り替える仕入勘定の残高は、「売上原価」の金額を示します。したがって、売上原価の計算には仕入勘定を用いたことがわかります。

① 決算整理仕訳

3/31	（仕　　入）	（　?　）	（繰越商品）	（　?　）	←期首商品原価
	（繰越商品）	450,000	（仕　　入）	450,000* ②	←期末商品原価

＊ 繰越商品勘定の「次期繰越」より判明します。決算整理後の繰越商品勘定の残高は期末商品原価を示します。

② 決算振替仕訳

費用の勘定は、決算整理後にすべての残高を損益勘定の借方に振り替え、帳簿残高はゼロで締め切ります。

3/31	（**損　　益**） dウ	4,200,000	（**仕　　入**） cカ	4,200,000* ③

＊ 損益勘定の借方より判明します。

これまでの仕訳を転記すると、以下のようになります。なお、説明の便宜上、一部の空欄を（A）～（C）で示してあります。

繰越商品

4/1	前期繰越	（　①　）	3/31	仕　　入	（　　）
3/31	**仕　　入**	**450,000**	〃	次期繰越	450,000
		（　　）			（　　）

仕　　入

（　）	現　　金	800,000	（　）	買掛金	300,000
（　）	買掛金	3,000,000	3/31	繰越商品	② **450,000**
（　）	当座預金	1,000,000	〃	**損　　益** dウ	③ **4,200,000**
3/31	（　a　）	（　C　）			
		（　B　）			（　A　）

損　　益

3/31	**仕　　入** cカ	4,200,000	3/31	（　　）	（　④　）

転記後、**仕入勘定の貸方合計**（A）**は4,950,000円**となります。借方合計と貸方合計は貸借一致で締め切られますので、**借方合計**（B）**も4,950,000円**と判明します。

（C）の金額：4,950,000円－(800,000円＋3,000,000円＋1,000,000円)＝150,000円

（C）は、借方に「仕入」と仕訳して転記した金額であることから、売上原価を計算するために仕入勘定に振り替えた期首商品原価と判明します。期首商品原価は、帳簿上、繰越商品勘定の「前期繰越」が示しますので、**①の金額が「150,000」**ということです。

これにより、一部判明しなかった決算整理仕訳が完成します。

3/31	（仕　　入）	（ 150,000）	（**繰越商品**） aオ	（ **150,000**）	←期首商品原価

繰越商品

4/1	前期繰越 ①	**150,000**	3/31	仕　　入		**150,000**
3/31	仕　　入	450,000	〃	次期繰越		450,000
		(　　　)				(　　　)

仕　　入

(　　)	現　　金	800,000	(　　)	買掛金		300,000
(　　)	買掛金	3,000,000	3/31	繰越商品	②	450,000
(　　)	当座預金	1,000,000	〃	損　　益	③	4,200,000
3/31	**繰越商品** aオ	**150,000**				
		4,950,000				4,950,000

2．売上勘定と損益勘定の推定

収益の勘定は、決算整理後にすべての残高を損益勘定の貸方に振り替え、帳簿残高はゼロで締め切ります。売上勘定の貸方合計が7,880,000円と印刷済みであるため、**借方合計も7,880,000円**であったと判明します。

7,880,000円－380,000円＝**7,500,000円〈損益勘定への振替高〉**

〈決算振替仕訳〉

3/31	(売　　　上)	7,500,000	**(損　　　益)** bウ	**7,500,000** ④

上記仕訳を転記すると以下のようになります。

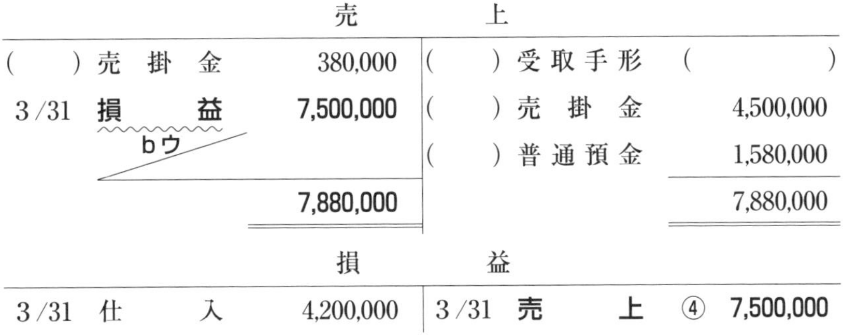

売　　上

(　　)	売掛金	380,000	(　　)	受取手形		(　　　)
3/31	**損　　益** bウ	**7,500,000**	(　　)	売掛金		4,500,000
			(　　)	普通預金		1,580,000
		7,880,000				7,880,000

損　　益

3/31	仕　　入	4,200,000	3/31	**売　　上**	④	**7,500,000**

財務諸表（貸借対照表と損益計算書）を作成する問題です。
「2．仮受金の判明」に関する仕訳が少し難しいかもしれませんが、取引の内容は正しく理解しておきましょう。また、本問の消費税に関する決算整理仕訳は「1．売上取引」を考慮する必要があります。

Ⅰ　問題の流れ

決算整理前残高試算表に集められた各勘定の金額に決算整理仕訳等の金額を加減算して、貸借対照表と損益計算書を作成する問題なので、基本的に解法手順は精算表の作成と同じです。しかし、精算表のように決算整理仕訳等を記入できる修正記入欄はないので、必要な決算整理仕訳等は、資料(1)の残高試算表に書き込んで集計する等の工夫をしましょう。

ネット試験…問題資料への書き込みができないため、金額が増減する科目だけを計算用紙に書き出し、T字勘定等を使って集計するとよいでしょう。

この問題の資料と解答要求事項の関係を精算表の形式で示すと、次のようになります。参考2として「解答への道」の最後に精算表を載せてあります。

精　算　表

勘定科目	残高試算表		修正記入		損益計算書		貸借対照表	
	借方	貸方	借方	貸方	借方	貸方	借方	貸方
	資料(1) ⋮ 残高試算表		資料(2) ⋮ 決算整理事項等		損益計算書		貸借対照表	
					答案用紙			

精算表の損益計算書欄と貸借対照表欄に記入する金額と、財務諸表に載せる金額は同じですが、財務諸表は表示方法（＝見せ方）についてルールがあるので、別途暗記する必要があります。「解答への道」の最後の参考1を参照してください。

Ⅱ　決算整理事項等

本問における決算整理事項等の仕訳は次のとおりです。

1．売上取引〈未処理事項〉

消費税を税抜方式で記帳する場合、売上勘定（収益）で処理する金額は税抜価額で行い、消費税の受取額は仮受消費税勘定（負債）の増加とします。なお、代金の受取額は、税込価額で記録する点に注意しましょう。

借方科目	金額	貸方科目	金額
（受取手形）	324,000 *2	（売上）	300,000
		（仮受消費税）	24,000 *1

＊1　300,000円×8％＝24,000円

＊2　300,000円＋24,000円＝324,000円

2．仮受金の判明〈未処理事項〉

⑴　振り込まれた金額を仮受金として処理したときの仕訳

借方科目	金額	貸方科目	金額
（当座預金）	85,800	（仮受金）	85,800

本来であれば、売掛金86,400円に対する回収額は「**86,400円**」であるところ、実際の受取額はそれよりも少ない「**85,800円**」です。両者の差額600円は、問題文の指示どおり振込手数料として費用処理します。

なお、考え方としては、「得意先から振り込まれた金額86,400円の中から金融機関より手数料600円を差し引かれてしまったため、当社側が600円少なく受け取ることになった。つまり、手数料は当社が負担したことになる」ということです。

⑵　本問の仕訳

借方科目	金額	貸方科目	金額
（仮受金）	85,800	（売掛金）	86,400
（支払手数料）	600		

3．貸倒引当金の設定

「1．売上取引」により、受取手形の残高が324,000円増加し、「2．仮受金の判明」により、売掛金の残高が86,400円減少していることに注意して貸倒引当金を設定します。

（貸倒引当金繰入）	9,000 *	（貸 倒 引 当 金）	9,000

＊ 設　定　額 （126,000円＋324,000円）＋（926,400円－86,400円）×1％＝12,900円
（受取手形）（売掛金）
決算整理前残高　3,900円
差引：繰入額　9,000円

4．売上原価の計算（注）仕入勘定で売上原価を算定する場合

（仕　　入）	484,000	（繰 越 商 品）	484,000
（繰 越 商 品）	385,000	（仕　　入）	385,000

5．貯蔵品への振り替え

収入印紙は、購入時に租税公課勘定（費用）の増加としています。決算時に未使用分があれば、租税公課勘定から差し引いて、貯蔵品勘定（資産）として次期に繰り越します。

（貯　蔵　品）	19,800	（租 税 公 課）	19,800

6．有形固定資産の減価償却

（注）備品については、問題文の指示により500,000円分のみ減価償却を行います。

（減 価 償 却 費）	220,000	（建物減価償却累計額）	120,000 *1
		（備品減価償却累計額）	100,000 *2

＊1　建物：3,000,000円〈取得原価〉÷25年＝120,000円
＊2　備品：500,000円〈取得原価〉（注）÷5年＝100,000円

補足

〈耐用年数到来後の有形固定資産について〉

耐用年数到来後も固定資産を使用し続ける場合、減価償却済みの固定資産があることを帳簿に記録しておくため、帳簿価額をゼロとせずに、「備忘価額」として金額が1円だけ残るように、最後の減価償却を行います。本問では、250,000円分の備品が昨年度の時点で減価償却を終了しているため、当期においては「仕訳なし」となります。

7．未払消費税の計上

決算にあたり、仮受消費税勘定の残高（期中に預かった消費税の金額）と、仮払消費税勘定の残高（期中に支払った消費税の金額）を相殺した残額（確定申告時の納税額）を、「未払消費税（負債）」として計上します。

（仮 受 消 費 税）	1,009,800 *1	（仮 払 消 費 税）	550,800
		（未 払 消 費 税）	459,000 *2

＊1　985,800円＋24,000円〈「1．売上取引」より〉＝1,009,800円
＊2　1,009,800円（仮受消費税）－550,800円（仮払消費税）＝459,000円

8．未払法定福利費（未払費用）の計上

社会保険料のうち、当社負担分はその金額を法定福利費勘定（費用）の増加とします。

（法 定 福 利 費）	20,000	（未払法定福利費）	20,000

9．前払利息（前払費用）の計上

問題文には「借入時にすべての利息が差し引かれた金額を受け取っている」とあります。これは、利息は借入時に全額支払済み（＝全額、支払利息勘定（費用）の増加として記帳済み）ということです。

借入時：				
	（現 金 な ど）	1,940,000	（借 入 金）	2,000,000
	（支 払 利 息）	60,000 *		

＊　2,000,000円×利率年３％＝60,000円〈１年分の利息〉

当期の９月１日に支払った向こう１年分の利息のうち、５か月分は次期に係る費用の前払分なので、支払利息勘定（費用）から差し引き、前払利息勘定（資産）として次期に繰り越します。

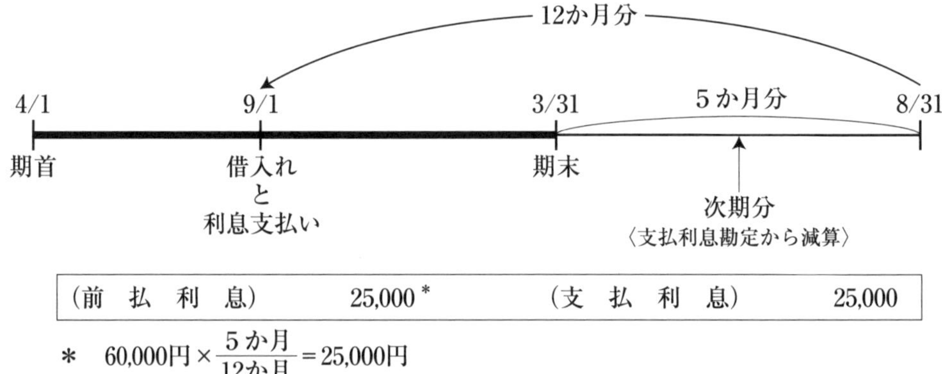

（前 払 利 息）	25,000 *	（支 払 利 息）	25,000

＊　$60{,}000\text{円}\times\dfrac{5\text{か月}}{12\text{か月}}=25{,}000\text{円}$

10．未払法人税等の計上

期中に法人税等の中間納付をしていない場合は、未払法人税等勘定（負債）の増加として処理する金額の全額が法人税等の金額（年税額）になります。

（法 人 税 等）	300,000	（未 払 法 人 税 等）	300,000

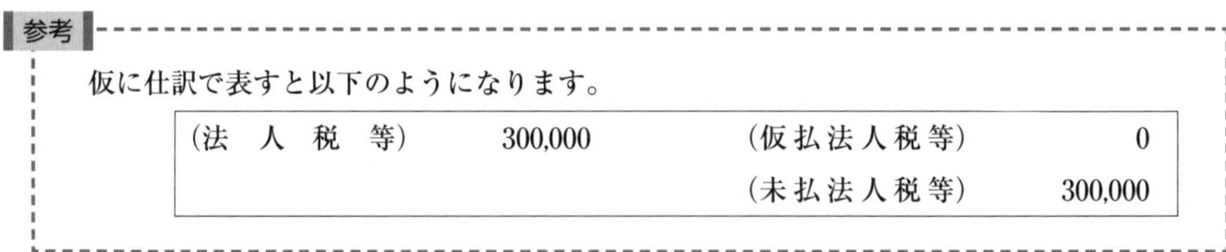
参考

仮に仕訳で表すと以下のようになります。

（法 人 税 等）	300,000	（仮 払 法 人 税 等）	0
		（未 払 法 人 税 等）	300,000

11. 当期純利益の計算

損益計算書の貸方（収益合計）と借方（法人税等を含む費用合計）との差額により計算します。

11,300,000円 − 10,600,000円 = 700,000円
収益合計　費用合計　当期純利益

当期純利益は、繰越利益剰余金勘定（資本）の増加とすることから、決算整理前残高試算表の繰越利益剰余金に当期純利益を加えた金額を貸借対照表の貸方へ記入し、貸借対照表の貸借合計が一致することを確認します。

繰越利益剰余金：257,501円〈決算整理前残高試算表より〉＋700,000円〈当期純利益〉＝**957,501円**

参考1

〈貸借対照表記入上の注意〉

・貸倒引当金勘定の残高は、原則として、資産の部において受取手形や売掛金それぞれから控除する形式で表示します。

・繰越商品勘定の残高は、「**商品**」と表示します。

・経過勘定項目である「未払○○」は「**未払費用**」、「前払○○」は「**前払費用**」、「未収○○」は「**未収収益**」、「前受○○」は「**前受収益**」と表示します。

・建物減価償却累計額勘定および備品減価償却累計額勘定の残高は、原則として、資産の部において建物や備品それぞれから控除する形式で表示します。このとき、具体的な固定資産の科目名は付けずに「**減価償却累計額**」と表示します。

・所得税預り金勘定の残高は、「**預り金**」と表示します。

〈損益計算書記入上の注意〉

・仕入勘定の残高は、「**売上原価**」と表示します。

売上原価は、「期首商品棚卸高＋当期商品仕入高－期末商品棚卸高」の式で求めることもできます。

期首商品棚卸高484,000円＋当期商品仕入高6,120,000円－期末商品棚卸高385,000円
＝6,219,000円

・売上勘定の残高は、「**売上高**」と表示します。

参考２

精算表に記入すると次のようになります。

精　算　表

勘定科目	残高試算表		修正記入		損益計算書		貸借対照表	
	借方	貸方	借方	貸方	借方	貸方	借方	貸方
現金	290,600						290,600	
当座預金	576,000						576,000	
受取手形	126,000		324,000				450,000	
売掛金	926,400			86,400			840,000	
仮払消費税	550,800			550,800				
繰越商品	484,000		385,000	484,000			385,000	
建物	3,000,000						3,000,000	
備品	750,000						750,000	
土地	2,000,000						2,000,000	
買掛金		756,000						756,000
借入金		2,000,000						2,000,000
仮受金		85,800	85,800					
仮受消費税		985,800	1,009,800	24,000				
所得税預り金		21,000						21,000
貸倒引当金		3,900		9,000				12,900
建物減価償却累計額		240,000		120,000				360,000
備品減価償却累計額		349,999		100,000				449,999
資本金		3,000,000						3,000,000
繰越利益剰余金		257,501						257,501
売上		11,000,000		300,000		11,300,000		
仕入	6,120,000		484,000	385,000	6,219,000			
給料	2,600,000				2,600,000			
法定福利費	220,000		20,000		240,000			
支払手数料	72,000		600		72,600			
租税公課	135,000			19,800	115,200			
支払利息	60,000			25,000	35,000			
その他費用	789,200				789,200			
	18,700,000	18,700,000						
貸倒引当金繰入			9,000		9,000			
貯蔵品			19,800				19,800	
減価償却費			220,000		220,000			
未払消費税				459,000				459,000
未払法定福利費				20,000				20,000
前払利息			25,000				25,000	
法人税等			300,000		300,000			
未払法人税等				300,000				300,000
当期純利益					700,000			700,000
			2,883,000	2,883,000	11,300,000	11,300,000	8,336,400	8,336,400

第12回 解答

問題 ▶ 48

第1問 45点

仕訳一組につき３点

	借方		貸方	
	記号	金額	記号	金額
1	（ ウ ） （ カ ）	2,000,000 4,400,000	（ ア ）	6,400,000
2	（ イ ）	40,000,000	（ オ ）	40,000,000
3	（ ア ） （ カ ）	5,412,000 88,000	（ ウ ）	5,500,000
4	（ オ ） （ ウ ） （ ア ）	240,000 480,000 240,000	（ エ ）	960,000
5	（ エ ）	1,500,000	（ カ ）	1,500,000
6	（ カ ）	830,000	（ ウ ） （ オ ）	800,000 30,000
7	（ ア ）	420,000	（ エ ） （ イ ）	180,000 240,000
8	（ ウ ） （ オ ）	16,200 4,800	（ カ ）	21,000
9	（ エ ）	1,600,000	（ ア ） （ イ ）	1,575,000 25,000
10	（ オ ） （ カ ）	301,500 1,500	（ ア ） （ エ ）	301,500 1,500
11	（ ウ ）	3,500,000	（ エ ） （ ア ） （ カ ）	262,000 350,000 2,888,000
12	（ イ ）	15,000	（ オ ）	15,000
13	（ ア ）	5,600,000	（ ウ ）	5,600,000
14	（ カ ） （ ウ ）	29,800 500	（ エ ） （ イ ）	18,300 12,000
15	（ カ ） （ イ ） （ エ ）	25,900 107,250 2,750	（ オ ）	135,900

第2問　20点

(1)

問1　　　　仕訳一組につき２点

借方		貸方	
記号	金額	記号	金額
（ カ ）	250,000	（ ア ）	250,000

問2　　　　●数字…予想配点

繰越利益剰余金

×5/6/25	未払配当金	❷（ 1,500,000 ）	×5/4/1	前期繰越	（ 2,150,000 ）❷
〃	❷［ エ ］	150,000	×6/3/31	［ ア ］	（ 1,920,000 ）
×6/3/31	❷［ イ ］	❷（ 2,420,000 ）			
		（ 4,070,000 ）			（ 4,070,000 ）

(2)　　　　仕訳一組につき２点
●数字…予想配点

		借方		貸方	
		記号	金額	記号	金額
問1	①	（ エ ）	299,999	（ ウ ）	299,999
	②	（ ウ ） （ エ ） （ ア ） （ カ ）	1,900,000 500,000 1,150,000 50,000	（ イ ）	3,600,000
	③	（ エ ）	120,000	（ ウ ）	120,000

問2　決算整理後の備品Cの帳簿価額　（ ￥ ❷ 3,240,000 ）

第3問 35点

●数字…予想配点

問１

決算整理後残高試算表
×8年３月31日　　（単位：円）

借方	勘定科目	貸方
③ 81,700	現金	
2,310,000	普通預金	
700,000	定期預金	
990,000	売掛金	
130,000	前払家賃	
395,000	繰越商品	
1,400,000	備品	
260,000	差入保証金	
	買掛金	516,000
	（前受金）	120,000 ③
	未払消費税	460,000 ③
	未払法人税等	130,000 ③
	（未払）利息	7,500 ③
	借入金	1,200,000
	貸倒引当金	19,800
	備品減価償却累計額	660,000
	資本金	1,500,000
	繰越利益剰余金	834,000
	売上	9,300,000
	受取利息	2,000 ③
③ 4,645,000	仕入	
1,625,000	給料	
③ 1,560,000	支払家賃	
89,200	通信費	
47,600	旅費交通費	
③ 16,800	貸倒引当金繰入	
③ 180,000	減価償却費	
28,500	支払利息	
③ 500	雑（損）	
290,000	法人税、住民税及び事業税	
14,749,300		14,749,300

問２　¥（　② 819,400　）

第12回 解答への道

問　題 ▶ 48

全体的にボリュームが多めです。

どの設問から解き始めるべきか、全体を見渡して戦略を立てましょう。その技術を磨くためには、いろんな問題を解いて経験することが大切です。高得点は取れなくても必ず合格点は取れるようになります。

難易度は、A：普、B：やや難、C：難となっています。

統一試験では、指定された勘定科目は記号で解答しなければ正解にならないので注意してください。Aレベルは正解できるようにしましょう。
解答時間は1題につき30秒～1分以内を目標に！

1．改良と修繕　難易度 **A**

解答

（建　　　　物）	2,000,000	（当　座　預　金）	6,400,000
（修　繕　費）	4,400,000		

建物にかかる支出は、その名目に関係なく、資産価値を高めるためのもの（＝資本的支出という）であれば、建物勘定（資産）の増加とし、機能を維持するためのもの（＝収益的支出という）であれば、修繕費勘定（費用）の増加とします。なお、代金は小切手を振り出して支払っているため、当座預金勘定（資産）の減少とします。

2．決算振替仕訳　難易度 **A**

解答

（売　　　　上）	40,000,000	（損　　　　益）	40,000,000

決算振替仕訳とは、当期純損益を計算するために、決算整理**後**の費用と収益の各勘定残高を損益勘定へ振り替えるための仕訳です。本問では、問題文の指示により、売上勘定の貸方残高40,000,000円を損益勘定の貸方に振り替えます。

3．資金の借入れ　難易度 **A**

解答

（当　座　預　金）	5,412,000	（手　形　借　入　金）	5,500,000
（支　払　利　息）	88,000		

金銭の借入れにおいて、借用証書に代えて約束手形を振り出す場合があります。この場合、借用証書による借入れと区別するため手形借入金勘定（負債）の増加とします。なお、当座預金の増加額は、借入額5,500,000円から利息88,000円を差し引いた（＝利息の先払いをしたということ）残額の5,412,000円になりますが、借入額は5,500,000円のままであることに気をつけましょう。

4．建物の賃借　難易度 **A**

解答

（支　払　家　賃）	240,000	（現　　　　金）	960,000
（差　入　保　証　金）	480,000		
（支　払　手　数　料）	240,000		

建物を賃借する（＝賃料を支払って借りる）契約を結んだ際に生じた不動産業者への手数料は支払手数料勘定、家賃の支払額は支払家賃勘定、いずれも費用の増加とします。

敷金については、賃借した建物に問題がなければ解約時に返還されるので、支払ったときは差入保証金勘定（資産）の増加とします。

5．預金口座間の振り替え　難易度 A

解答

(定　期　預　金)	1,500,000	(普　通　預　金)	1,500,000

引き出される普通預金勘定（資産）の減少と、預入先である定期預金勘定（資産）の増加とします。

6．仕入取引　難易度 B

解答

(仕　　　　入)	830,000 *2	(買　　掛　　金)	800,000 *1
		(現　　　　金)	30,000

＊1　10台×@80,000円＝800,000円

＊2　800,000円＋30,000円〈引取運賃〉＝830,000円

問題文に、その企業の「業種」が書いてあるときは注意してください。家具卸売業における販売用の棚の購入は、商品の仕入となります。したがって、借方は仕入勘定（費用）、貸方は商品代金の支払義務を表す買掛金勘定（負債）の増加とします。なお、仕入時に支払った引取運賃は仕入諸掛りとなるので仕入原価に含めます。

7．法人税等の計上　難易度 A

解答

(法　人　税　等)	420,000	(仮払法人税等)	180,000
		(未払法人税等)	240,000

中間納付額は仮払法人税等勘定（資産）の増加としています。

中間申告時：

(仮払法人税等)	180,000	(現　金　な　ど)	180,000

決算の結果、確定した法人税、住民税及び事業税の金額は、取引ごとに与えられた勘定科目により、法人税等勘定を用いて借方に仕訳し、中間納付額との差額を未払法人税等勘定（負債）の増加とします。

8．小口現金　難易度 A

解答

(旅費交通費)	16,200	(当　座　預　金)	21,000
(消　耗　品　費)	4,800		

定額資金前渡制を前提として「ただちに同額の小切手を振り出して小口現金係に渡した」とは、小口現金係に前渡し済みの定額資金のうち、支払いに使った分を小切手の振り出しによりただちに補給したということです。この場合は、補給のための小切手により支払いが行われたものと考えて、小口現金勘定の増減記録を省略することができます。したがって、貸方は「当座預金」となります。

9．有形固定資産の売却　難易度 A

解答

(未　収　入　金)	1,600,000	(土　　　　地)	1,575,000 *1
		(固定資産売却益)	25,000 *2

＊1　1,500,000円＋75,000円〈付随費用〉＝1,575,000円〈帳簿価額〉

＊2　1,600,000円〈売却価額〉－1,575,000円〈帳簿価額〉＝25,000円〈売却益〉

土地の売却価額から帳簿価額を差し引き、固定資産売却損（益）を計算します。なお、商品売買以外の取引から生じた代金の未収分は、未収入金勘定（資産）の増加とします。

10. 売上取引　難易度 A

解答

(売　　掛　　金)	301,500	(売　　　　　上)	301,500
(発　　送　　費)	1,500	(現　　　　　金)	1,500

売上取引において諸掛り（送料）が生じる場合、その処理方法について特別な指示がなければ、商品の配送に関わる金額分を含めて売上勘定（収益）で処理するため、相手先に対する代金にも含まれることとなります。本問では、掛けとした旨の指示があることから、売掛金勘定（資産）の増加とします。なお、送料の支払いについては、その支出額を発送費勘定（費用）で処理します。

【参考】問題文に、「発送費は当社負担とする」旨の指示があった場合、本問の仕訳は次のようになります。

（問題文例）

商品￥300,000を売り上げ、代金は掛けとした。また、当社負担の送料￥1,500は現金で支払った。

(売　　掛　　金)	300,000	(売　　　　　上)	300,000
(発　　送　　費)	1,500	(現　　　　　金)	1,500

11. 給料の支払い　難易度 A

解答

(給　　　　　料)	3,500,000	(所得税預り金)	262,000
		(社会保険料預り金)	350,000
		(普　通　預　金)	2,888,000

給料総額3,500,000円から、所得税の源泉徴収額262,000円と従業員が負担する社会保険料350,000円を差し引いて預かり、所得税の源泉徴収額は所得税預り金勘定（負債）、社会保険料は社会保険料預り金勘定（負債）の増加とします。従業員の手取額については、普通預金口座より振り込んでいるので普通預金勘定（資産）の減少とします。

12. 利息の支払い　難易度 A

解答

(支　払　利　息)	15,000	(当　座　預　金)	15,000

当座預金口座から引き落しで利払い（＝利息の支払い）が行われたときは、当座預金勘定（資産）の減少とするとともに、支払利息勘定（費用）の増加とします。

13. 訂正仕訳　難易度 B

解答

(建物減価償却累計額)	5,600,000 *	(固定資産売却損)	5,600,000

＊　12,000,000円÷15年×７年＝5,600,000円〈期首の建物減価償却累計額〉

間接法で記帳している場合、建物勘定（資産）の取得原価とその建物に対する減価償却累計額勘定の減少とする必要があります。

訂正仕訳は、①誤った仕訳の逆仕訳と②正しい仕訳から導くとよいでしょう。

誤った仕訳：	(現　　　金)	6,300,000	(建　　　物)	12,000,000
	(固定資産売却損)	5,700,000		

①誤った仕訳の逆仕訳：	(建　　　物)	12,000,000	(現　　　金)	6,300,000
			(固定資産売却損)	5,700,000

②正しい仕訳：

(建物減価償却累計額)	5,600,000	(建　　物)	12,000,000
(現　　金)	6,300,000		
(固定資産売却損)	100,000		

①と②、2つの仕訳で訂正仕訳となります。

なお、①と②の仕訳の同一科目を相殺して以下のような1つの仕訳にすると、記録の誤りのみを部分的に修正する仕訳になります。

(建物減価償却累計額)	5,600,000	(固定資産売却損)	5,600,000

14. 現金の過不足（一部判明）　難易度 B

解答

(通　信　費)	29,800	(現 金 過 不 足)	18,300
(雑　　損)	500	(受 取 手 数 料)	12,000

問題文の「現金過不足勘定で処理していた（不足額）￥18,300」とは、現金過不足勘定の帳簿残高が18,300円の借方残高であるという意味です。

過不足発生時：	(現金過不足)	18,300	(現　　金)	18,300

決算日においては、原因の判明した「通信費支払いの記入もれ」は通信費勘定へ、「手数料受取額の記入もれ」は受取手数料勘定へ振り替え、判明しなかったものは雑損勘定（借方差額の場合）または雑益勘定（貸方差額の場合）で処理します。

15. 売上取引（クレジット払い）　難易度 A

解答

(現　　金)	25,900	(売　　上)	135,900
(クレジット売掛金)	107,250 *2		
(支 払 手 数 料)	2,750 *1		

＊1　135,900円－25,900円＝110,000円〈クレジットカード決済額〉
　　110,000円×2.5％＝2,750円

＊2　110,000円－2,750円＝107,250円

売上集計表に記載された売上高135,900円のうち、クレジット決済額110,000円については、クレジット売掛金勘定（資産）の増加とし、「売掛金」とは区別して処理します。また、クレジット会社に対する手数料の支払額は支払手数料勘定（費用）の増加とし、販売時に計上する場合はクレジット決済額から手数料を差し引いた残額がクレジット売掛金となります。

(1) **繰越利益剰余金勘定への記入問題です。**
繰越利益剰余金に関わる仕訳は当期純損益の計上や剰余金の配当と処分ですが、どのようなときに利益は増加し、何を原因として利益は減少するのか、利益の増減に意識を持って考えることが大事です。できるようになるまで、本問をとおして繰り返し練習しましょう。

問題資料にもとづいて仕訳と勘定記入を示すと次のようになります。

第1期　(×3年4月1日から×4年3月31日まで)

1. 決算において**当期純利益**2,400,000円を計上〈=**利益の増加**〉

×4/3/31	(損　益)	2,400,000	**(繰越利益剰余金)**	**2,400,000**

2. 繰越利益剰余金勘定の締め切り

決算振替後の貸方残高2,400,000円を、借方に「次期繰越」と記入し、借方と貸方の合計金額を一致させて締め切ります。次に、翌期首の日付で貸方に「前期繰越」と記入し、残高を貸方に戻します。

繰越利益剰余金

日付	摘要	金額	日付	摘要	金額
×4/3/31	次期繰越	2,400,000	×4/3/31	損益	2,400,000

繰越利益剰余金

日付	摘要	金額	日付	摘要	金額
			×4/4/1	前期繰越	2,400,000

第2期　(×4年4月1日から×5年3月31日まで)

(注) 株主総会にて配当を行っていないため、利益準備金の積立てはありません。

1. 決算において**当期純損失**250,000円を計上〈=**利益の減少**〉⇒**問1の解答**

×5/3/31	**(繰越利益剰余金)** カ	**250,000**	**(損　益)** ア	**250,000**

2. 繰越利益剰余金勘定の締め切り

決算振替後の貸方残高2,150,000円(=2,400,000円−250,000円)を、借方に「次期繰越」と記入し、借方と貸方の合計金額を一致させて締め切ります。次に、翌期首の日付で貸方に「前期繰越」と記入し、残高を貸方に戻すため、×5年4月1日「前期繰越」の金額は「**2,150,000**」円になります。

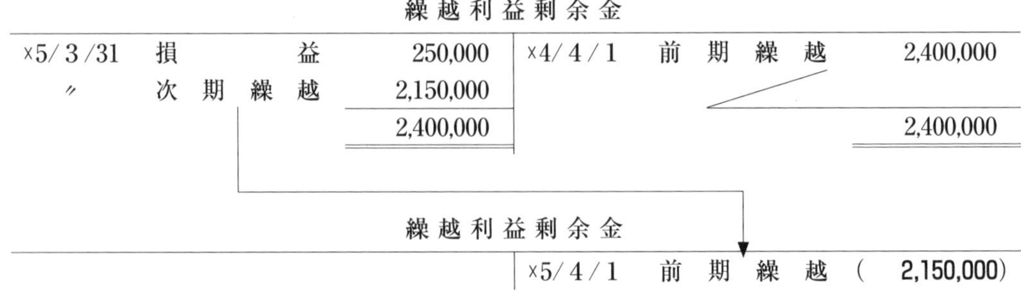

繰越利益剰余金

日付	摘要	金額	日付	摘要	金額
×5/3/31	損益	250,000	×4/4/1	前期繰越	2,400,000
〃	次期繰越	2,150,000			
		2,400,000			2,400,000

繰越利益剰余金

日付	摘要	金額	日付	摘要	金額
			×5/4/1	前期繰越	(**2,150,000**)

第3期（×5年4月1日から×6年3月31日まで）

1．株主総会における**剰余金の配当と処分**〈**＝利益の減少**〉

株主配当金の計算：**発行済み株式総数×1株当たりの配当額**

本問では、問題文の始まりにあった「発行済み株式総数は5,000株である」という資料を使って計算します。

繰越利益剰余金からの配当に伴う（　？　）の積立ては「**エ　利益準備金**」です。

×5/6/25	**（繰越利益剰余金）**	**1,650,000**	（未払配当金）	1,500,000*
			（利益準備金）エ	150,000

*　5,000株〈発行済み株式総数〉×@300円〈1株当たりの配当額〉＝1,500,000円

繰越利益剰余金

×5/6/25	未払配当金	1,500,000	×5/4/1	前期繰越	2,150,000
〃	**利益準備金**（エ）	150,000			

2．株主配当金の支払い

×5/6/28	（未払配当金）	1,500,000	（普通預金）	1,500,000

3．決算において**当期純利益**1,920,000円を計上〈**＝利益の増加**〉

×6/3/31	（損益）ア	1,920,000	**（繰越利益剰余金）**	**1,920,000**

繰越利益剰余金

×5/6/25	未払配当金	1,500,000	×5/4/1	前期繰越	2,150,000
〃	利益準備金	150,000	×6/3/31	**損益**（ア）	1,920,000

決算振替後の貸方残高 2,420,000円

4．繰越利益剰余金勘定の締め切り

決算振替後の貸方残高2,420,000円を、借方に「次期繰越」と記入し、借方と貸方の合計金額を一致させて締め切ります。したがって、借方の×6年3月31日の摘要欄の記入は「**イ　次期繰越**」となり、金額は「**2,420,000**」円になります。

理解のために、開始記入も示しておきます。

翌期首の日付で貸方に「前期繰越」と記入し、残高を貸方に戻します。

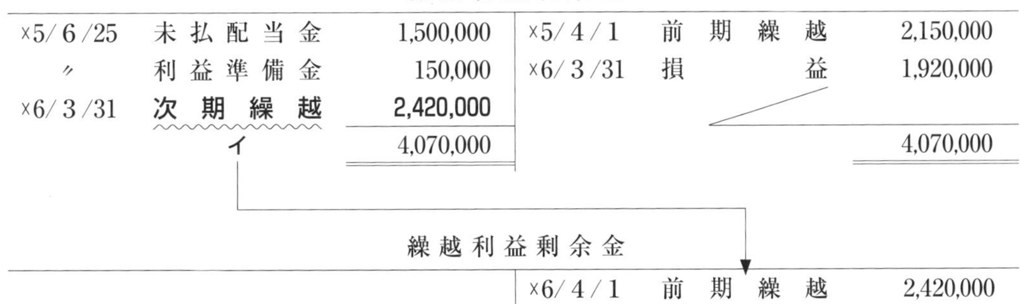

繰越利益剰余金

×5/6/25	未払配当金	1,500,000	×5/4/1	前期繰越	2,150,000
〃	利益準備金	150,000	×6/3/31	損益	1,920,000
×6/3/31	**次期繰越**（イ）	**2,420,000**			
		4,070,000			4,070,000

繰越利益剰余金

			×6/4/1	前期繰越	2,420,000

(2) **有形固定資産の減価償却に関する問題です。問題の資料は多いですが、ひととおりのことが問われているので減価償却をマスターしているかが試せる問題です。**

1．当期末の備品Aにかかる減価償却

備品Aは、すでに4年分の減価償却を終えているため今期が最後になります。

耐用年数到来後も固定資産を使用し続ける場合、減価償却済みの固定資産があることを帳簿に記録しておくため、帳簿価額をゼロとせずに、「備忘価額」として金額が1円だけ残るように、最後の減価償却費を計上します。

解答

借方	金額	貸方	金額
(減価償却費)	299,999	(備品減価償却累計額)	299,999*

＊　1,500,000円〈備品Aの取得原価〉÷５年＝300,000円
300,000円－１円〈帳簿価額〉＝299,999円

2．備品Bの売却

間接法で記帳している場合、備品勘定（資産）とその備品に対する減価償却累計額勘定の減少とします。さらに、売却価額から売却時点の帳簿価額（備品の取得原価と減価償却額との差額）を差し引き、固定資産売却損（益）を計算します。

解答

借方	金額	貸方	金額
(備品減価償却累計額)	1,900,000 *2	(備品)	3,600,000 *1
(減価償却費)	500,000 *3		
(普通預金)	1,150,000		
(固定資産売却損)	50,000 *4		

＊1　備品Bの取得原価

＊2　期首減価償却累計額の計算

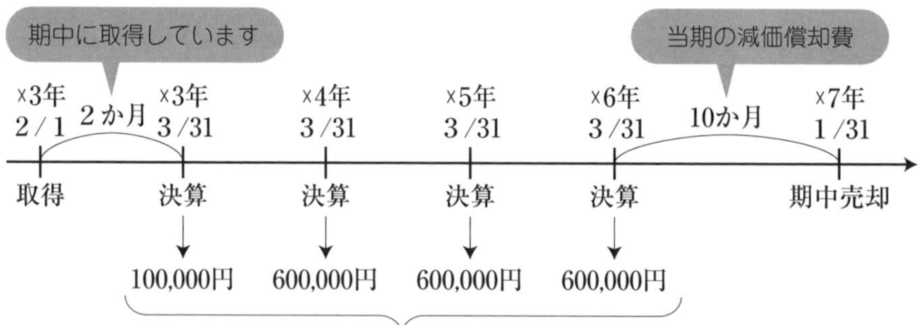

×3. 2. 1～×3. 3. 31：3,600,000円÷６年×$\frac{2か月}{12か月}$＝ 100,000円
×3. 4. 1～×6. 3. 31：3,600,000円÷６年×３年分＝1,800,000円
} 合計1,900,000円

＊3　当期（×6年度）の減価償却

（注）期中売却であるため減価償却が必要です。

×6. 4. 1～×7. 1. 31：3,600,000円÷６年×$\frac{10か月}{12か月}$＝**500,000円**

＊4　固定資産売却損益の計算

1,150,000円 − (3,600,000円 − 1,900,000円 − 500,000円) = △**50,000円**〈固定資産売却損〉

売却価額　　売却時点の帳簿価額

3．×7年1月末の備品Cにかかる減価償却（月次決算を行っていた場合）

会社の業績を「年単位」ではなく「月単位」で把握することがあり、これを月次損益といいます。この場合、「年度末」に行う決算整理を「毎月末」に行うことになるので、これを月次決算といいます。

問題文の指示どおりに、1月分に係る減価償却費を1か月分計上します。

解答

借方	金額	貸方	金額
（減 価 償 却 費）	120,000	（備品減価償却累計額）	120,000＊

＊　4,320,000円〈備品Cの取得原価〉÷ 3年 × $\frac{1か月}{12か月}$ = **120,000円**

4．決算整理後の備品Cの帳簿価額

間接法で記帳している場合の有形固定資産の帳簿価額は、取得原価から減価償却累計額を差し引いて計算します。本問は、決算整理**後**の帳簿価額が問われているので、当期末に行った決算整理**後**の減価償却累計額を差し引くことになります。

決算整理**後**における備品Cの減価償却累計額：

4,320,000円〈備品Cの取得原価〉÷ 3年 × $\frac{9か月^{*}}{12か月}$ = **1,080,000円**　＊　×6年7月1日〜×7年3月31日

決算整理**後**の備品Cの帳簿価額：4,320,000円〈備品Cの取得原価〉− 1,080,000円 = **3,240,000円**

問1　決算整理後残高試算表を作成する問題です。
本問の決算整理事項等の処理に関しては定番のような出題です。27点以上は狙いたいところです。

問2　当期純利益または当期純損失の計算については、決算整理後残高試算表に集計した金額を使って計算します。問2の解説にある「参考」を確認しておきましょう。

問1　決算整理後残高試算表の作成

「**決算整理後**残高」とは、「**決算整理仕訳を転記した後**の残高」ということです。

したがって、決算整理前残高試算表に集められた各勘定の金額に、**決算整理事項等にもとづいて行った仕訳を加減算した後**の金額を、答案用紙に記入します。

本問における決算整理事項等の仕訳は次のとおりです。

1．銀行口座間の振り替え〈未処理事項〉

借方	金額	貸方	金額
（普　通　預　金）	1,002,000	（定　期　預　金）	1,000,000
		（受　取　利　息）	2,000

2．仮受金の判明〈未処理事項〉

借方	金額	貸方	金額
（仮　　受　　金）	120,000	（前　　受　　金）	120,000

3．現金の過不足

現金の帳簿残高85,400円（(1)決算整理前残高試算表より判明）を実際有高81,700円に合わせるため、帳簿残高から3,700円減らす仕訳が必要です。なお、原因の判明した「通信費の記帳漏れ」は通信費勘定へ振り替え、判明しなかった借方差額500円は雑損勘定（費用）で処理します。

借方科目	金額	貸方科目	金額
（通　信　費）	3,200	（現　金）	3,700
（雑　損）	500		

4．貸倒引当金の設定

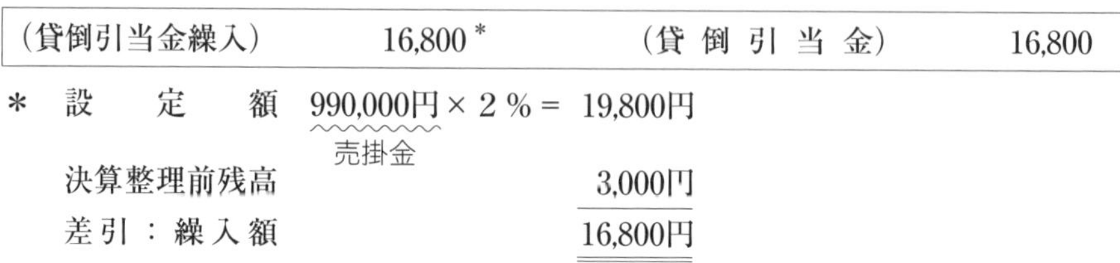

借方科目	金額	貸方科目	金額
（貸倒引当金繰入）	16,800*	（貸 倒 引 当 金）	16,800

＊ 設　定　額　990,000円（売掛金）× 2 ％＝ 19,800円
決算整理前残高　3,000円
差引：繰入額　16,800円

5．売上原価の計算

仕入勘定で売上原価を算定します。

借方科目	金額	貸方科目	金額
（仕　入）	340,000	（繰 越 商 品）	340,000
（繰 越 商 品）	395,000	（仕　入）	395,000

6．有形固定資産の減価償却

問題文に「備品のうち¥600,000は×8年２月１日から使用しているもの」とあるので、既存分とは分けて計算します。なお、期中に取得した備品については、２か月分（２/１～３/31）の月割計算になります。

借方科目	金額	貸方科目	金額
（減 価 償 却 費）	180,000*	（備品減価償却累計額）	180,000

＊ 備品（既　存　分）：800,000円〈取得原価〉÷５年 ＝160,000円
備品（期中取得分）：600,000円〈取得原価〉÷５年×$\frac{2か月}{12か月}$＝ 20,000円
合計180,000円

7．未払利息（未払費用）の計上

当期の11月１日から３月31日までの５か月分の利息は、当期中に支払っていないので未計上です。しかし、当期に係る費用であるため、支払利息勘定（費用）の増加とするとともに、同額を未払利息勘定（負債）とします。

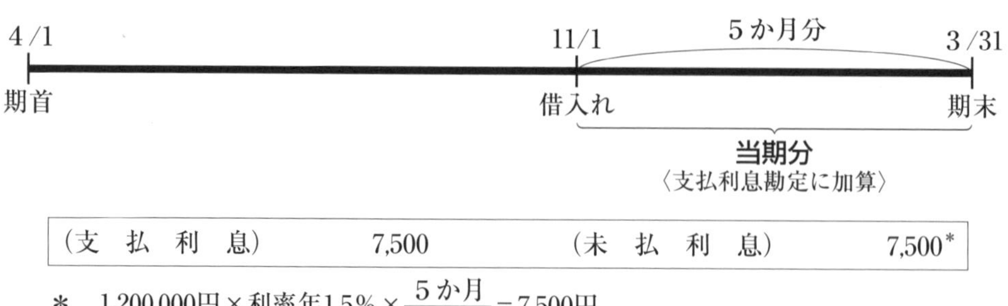

借方科目	金額	貸方科目	金額
（支 払 利 息）	7,500	（未 払 利 息）	7,500*

＊ 1,200,000円×利率年1.5％×$\frac{5か月}{12か月}$＝7,500円

8．前払家賃（前払費用）の計上

（前　払　家　賃）	130,000	（支　払　家　賃）	130,000

9．未払消費税の計上

決算にあたり、仮受消費税勘定の残高（期中に預かった消費税の金額）と、仮払消費税勘定の残高（期中に支払った消費税の金額）を相殺した残額（確定申告時の納税額）を、未払消費税勘定（負債）として計上します。

（仮 受 消 費 税）	930,000	（仮 払 消 費 税）	470,000
		（未 払 消 費 税）	460,000*

＊　930,000円〈仮受消費税〉－470,000円〈仮払消費税〉＝460,000円

10．未払法人税等の計上

算定された法人税、住民税及び事業税を計上し、期中に仮払法人税等勘定で処理されている中間納付額を控除した残額を、未払法人税等勘定（負債）とします。

（法人税、住民税及び事業税）	290,000	（仮 払 法 人 税 等）	160,000
		（未 払 法 人 税 等）	130,000*

＊　290,000円〈法人税、住民税及び事業税〉－160,000円〈仮払法人税等〉＝130,000円

問2　当期純利益または当期純損失の計算

当期純利益または当期純損失は、決算整理後の収益と費用（法人税、住民税及び事業税を含む）の差額により計算するので、決算整理後残高試算表（答案用紙）に記入した金額の中から、収益と費用の金額だけを抜き出して差額を計算します。

9,302,000円〈収益合計〉－8,482,600円〈法人税、住民税及び事業税を含む費用合計〉＝**819,400円〈当期純利益〉**

参考

決算整理後残高試算表（答案用紙）に記入した金額をもとに損益計算書を作成すると次のようになります。

損 益 計 算 書

○○株式会社　　自×7年4月1日　至×8年3月31日　　（単位：円）

費　用	金　額	収　益	金　額
売上原価	4,645,000	売上高	9,300,000
給料	1,625,000	受取利息	2,000
支払家賃	1,560,000		
通信費	89,200		
旅費交通費	47,600		
貸倒引当金繰入	16,800		
減価償却費	180,000		
支払利息	28,500		
雑損	500		
法人税、住民税及び事業税	290,000		
当期純利益	**819,400**		
	9,302,000		9,302,000

上記のように、決算整理後残高試算表（答案用紙）に記入した金額をもとに損益計算書を作れることが理解できると、決算整理後残高試算表（答案用紙）上で簡便的に計算することにも気づけますね。

決算整理後残高試算表

借　方	勘定科目	貸　方
81,700	現金	
〜	〜	〜
	繰越利益剰余金	834,000
	売上	9,300,000
	受取利息	2,000
4,645,000	仕入	
1,625,000	給料	
1,560,000	支払家賃	
89,200	通信費	
47,600	旅費交通費	
16,800	貸倒引当金繰入	
180,000	減価償却費	
28,500	支払利息	
500	雑損	
290,000	法人税、住民税及び事業税	

損益計算書項目
貸方の合計
9,302,000円

損益計算書項目
借方の合計
8,482,600円

9,302,000円－8,482,600円＝819,400円〈当期純利益〉

よくわかる簿記シリーズ

合格するための本試験問題集　日商簿記３級
2024年AW対策

（'04年11月検定対策　2004年７月20日　初版　第１刷発行）

2024年８月26日　初　版　第１刷発行

編　著　者　ＴＡＣ株式会社（簿記検定講座）
発　行　者　多田敏男
発　行　所　TAC株式会社　出版事業部（TAC出版）

〒101-8383
東京都千代田区神田三崎町3-2-18
電 話 03(5276)9492(営業)
FAX 03(5276)9674
https://shuppan.tac-school.co.jp

印　　刷　株式会社　光　邦
製　　本　東京美術紙工協業組合

ISBN 978-4-300-10851-2
N.D.C. 336

乱丁・落丁による交換，および正誤のお問合せ対応は，該当書籍の改訂版刊行月末日までといたします。なお，交換につきましては，書籍の在庫状況等により，お受けできない場合もございます。
また，各種本試験の実施の延期，中止を理由とした本書の返品はお受けいたしません。返金もいたしかねますので，あらかじめご了承くださいますようお願い申し上げます。

簿記検定講座のご案内

選べる学習メディアでご自身に合うスタイルでご受講ください！

通学講座

3級コース　3・2級コース　2級コース　1級コース　1級上級コース

教室講座　通って学ぶ

定期的な日程で通学する学習スタイル。常に講師と接することができるという教室講座の最大のメリットがありますので、疑問点はその日のうちに解決できます。また、勉強仲間との情報交換も積極的に行えるのが特徴です。

ビデオブース講座　通って学ぶ　予約制

ご自身のスケジュールに合わせて、TACのビデオブースで学習するスタイル。日程を自由に設定できるため、忙しい社会人に人気の講座です。

直前期教室出席制度
直前期以降、教室受講に振り替えることができます。

無料体験入学
ご自身の目で、耳で体験し納得してご入学いただくために、無料体験入学をご用意しました。

無料講座説明会
もっとTACのことを知りたいという方は、無料講座説明会にご参加ください。

無　料
予約不要※

※ビデオブース講座の無料体験入学は要予約。
無料講座説明会は一部校舎では要予約。

通信講座

3級コース　3・2級コース　2級コース　1級コース　1級上級コース

Web通信講座

教室講座の生講義をブロードバンドを利用し動画で配信します。ご自身のペースに合わせて、24時間いつでも何度でも繰り返し受講することができます。また、講義動画はダウンロードして2週間視聴可能です。有効期間内は何度でもダウンロード可能です。
※Web通信講座の配信期間は、お申込コースの目標月の翌月末までです。

TAC WEB SCHOOL ホームページ
URL https://portal.tac-school.co.jp/
※お申込み前に、左記のサイトにて必ず動作環境をご確認ください。

DVD通信講座　見て学ぶ

講義を収録したデジタル映像をご自宅にお届けします。講義の臨場感をクリアな画像でご自宅にて再現することができます。
※DVD-Rメディア対応のDVDプレーヤーでのみ受講が可能です。パソコンやゲーム機での動作保証はいたしておりません。

資料通信講座（1級のみ）

テキスト・添削問題を中心として学習します。

Webでも無料配信中！
「TAC動画チャンネル」

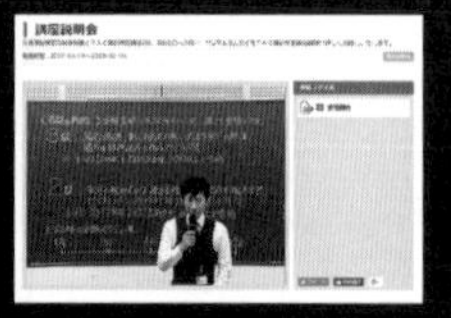

● **講座説明会** ※収録内容の変更のため、配信されない期間が生じる場合がございます。
● **1回目の講義（前半分）が視聴できます**

詳しくは、TACホームページ「TAC動画チャンネル」をクリック！

TAC動画チャンネル　簿記　検索

コースの詳細は、簿記検定講座パンフレット・TACホームページをご覧ください。

パンフレットのご請求・お問い合わせは、TACカスタマーセンターまで

通話無料 0120-509-117（ゴウカク イイナ）

受付時間　月～金 9:30～19:00　土・日・祝 9:30～18:00
※携帯電話からもご利用になれます。

TAC簿記検定講座ホームページ
TAC 簿記　検索

(2024年2月現在)

書籍のご購入は

1 全国の書店、大学生協、ネット書店で

2 TAC各校の書籍コーナーで

資格の学校TACの校舎は全国に展開!
校舎のご確認はホームページにて

資格の学校TAC ホームページ
https://www.tac-school.co.jp

3 TAC出版書籍販売サイトで

TAC 出版 で 検索

24時間ご注文受付中

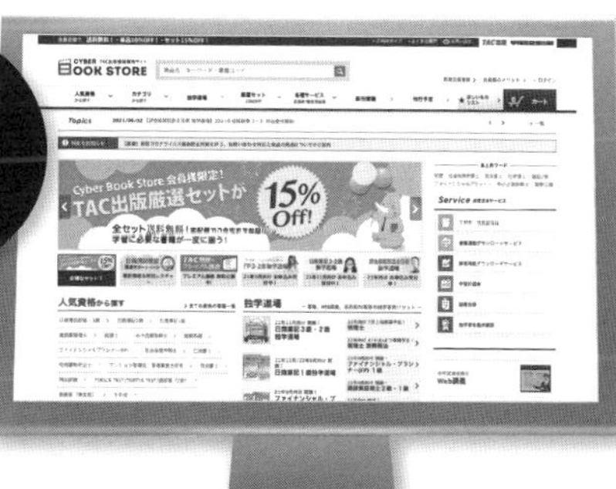

https://bookstore.tac-school.co.jp/

新刊情報をいち早くチェック!

たっぷり読める立ち読み機能

学習お役立ちの特設ページも充実!

TAC出版書籍販売サイト「サイバーブックストア」では、TAC出版および早稲田経営出版から刊行されている、すべての最新書籍をお取り扱いしています。
また、会員登録(無料)をしていただくことで、会員様限定キャンペーンのほか、送料無料サービス、メールマガジン配信サービス、マイページのご利用など、うれしい特典がたくさん受けられます。

サイバーブックストア会員は、特典がいっぱい!(一部抜粋)

通常、1万円(税込)未満のご注文につきましては、送料・手数料として500円(全国一律・税込)頂戴しておりますが、1冊から無料となります。

専用の「マイページ」は、「購入履歴・配送状況の確認」のほか、「ほしいものリスト」や「マイフォルダ」など、便利な機能が満載です。

メールマガジンでは、キャンペーンやおすすめ書籍、新刊情報のほか、「電子ブック版TACNEWS(ダイジェスト版)」をお届けします。

書籍の発売を、販売開始当日にメールにてお知らせします。これなら買い忘れの心配もありません。

日商簿記検定試験対策書籍のご案内

TAC出版の日商簿記検定試験対策書籍は、学習の各段階に対応していますので、あなたのステップに応じて、合格に向けてご活用ください！

3タイプのインプット教材

1

簿記を専門的な知識にしていきたい方向け

満点合格を目指し 次の級への土台を築く

「合格テキスト」

「合格トレーニング」

- 大判のB5判、3級～1級累計300万部超の、信頼の定番テキスト&トレーニング！TACの教室でも使用している公式テキストです。3級のみオールカラー。
- 出題論点はすべて網羅しているので、簿記をきちんと学んでいきたい方にぴったりです！

◆3級　□2級 商簿、2級 工簿　■1級 商・会 各3点、1級 工・原 各3点

2

スタンダードにメリハリつけて学びたい方向け

教室講義のような わかりやすさでしっかり学べる

「簿記の教科書」

「簿記の問題集」

滝澤 ななみ 著

- A5判、4色オールカラーのテキスト(2級・3級のみ)&模擬試験つき問題集！
- 豊富な図解と実例つきのわかりやすい説明で、もうモヤモヤしない!!

◆3級　□2級 商簿、2級 工簿　■1級 商・会 各3点、1級 工・原 各3点

3

気軽に始めて、早く全体像をつかみたい方向け

初学者でも楽しく続けられる！

「スッキリわかる」

テキスト／問題集一体型

滝澤 ななみ 著（1級は商・会のみ）

- 小型のA5判(4色オールカラー)によるテキスト／問題集一体型。これ一冊でOKの、圧倒的に人気の教材です。
- 豊富なイラストとわかりやすいレイアウト！かわいいキャラの「ゴエモン」と一緒に楽しく学べます。

◆3級　□2級 商簿、2級 工簿

■1級 商・会 4点、1級 工・原 4点

「スッキリうかる本試験予想問題集」

滝澤 ななみ 監修　TAC出版開発グループ 編著

- 本試験タイプの予想問題9回分を掲載

◆3級　□2級

コンセプト問題集

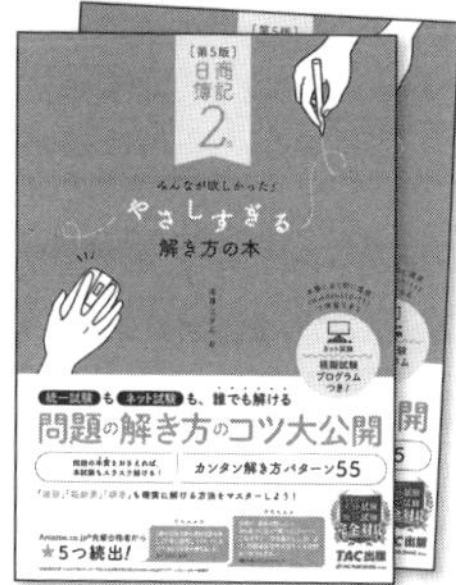

得点力をつける!

『みんなが欲しかった! やさしすぎる解き方の本』 

B5判　滝澤 ななみ 著

● 授業で解き方を教わっているような新感覚問題集。再受験にも有効。

◆3級　□2級

本試験対策問題集

本試験タイプの問題集

『合格するための本試験問題集』 

（1級は過去問題集）

B5判

● 12回分（1級は14回分）の問題を収載。ていねいな「解答への道」、各問対策が充実

● 年２回刊行。

◆3級　□2級　■1級

知識のヌケをなくす!

『まるっと完全予想問題集』 

（1級は網羅型完全予想問題集）

A4判

● オリジナル予想問題（3級10回分、2級12回分、1級8回分）で本試験の重要出題パターンを網羅。

● 実力養成にも直前の本試験対策にも有効。

◆3級　□2級　■1級

直前予想

『○年度試験をあてる TAC予想模試 ＋解き方テキスト ○～○月試験対応』 

（1級は第○回試験をあてるTAC直前予想模試）

A4判

● TAC講師陣による４回分の予想問題で最終仕上げ。

● 2級・3級は、第１部解き方テキスト編、第２部予想模試編の２部構成。

● 年３回（1級は年２回）、各試験に向けて発行します。

◆3級　□2級　■1級

あなたに合った合格メソッドをもう一冊!

仕訳 **『究極の仕訳集』**

B6変型判

● 悩む仕訳をスッキリ整理。ハンディサイズ、一問一答式で基本の仕訳を一気に覚える。

◆3級　□2級

仕訳 **『究極の計算と仕訳集』**

B6変型判　境 浩一朗 著

● 1級商会で覚えるべき計算と仕訳がすべてつまった１冊!

■1級 商・会

理論 **『究極の会計学理論集』**

B6変型判

● 会計学の理論問題を論点別に整理、手軽なサイズが便利です。

■1級 商・会、全経上級

電卓 **『カンタン電卓操作術』**

A5変型判　TAC電卓研究会 編

● 実践的な電卓の操作方法について、丁寧に説明します!

：ネット試験の演習ができる模擬試験プログラムつき（2級・3級）

：スマホで使える仕訳Webアプリつき（2級・3級）

・2024年２月現在　・刊行内容、表紙等は変更することがあります　・とくに記述がある商品以外は、TAC簿記検定講座編です

書籍の正誤に関するご確認とお問合せについて

書籍の記載内容に誤りではないかと思われる箇所がございましたら、以下の手順にてご確認とお問合せをしてくださいますよう、お願い申し上げます。
なお、正誤のお問合せ以外の**書籍内容に関する解説および受験指導などは、一切行っておりません。**
そのようなお問合せにつきましては、お答えいたしかねますので、あらかじめご了承ください。

1 「Cyber Book Store」にて正誤表を確認する

TAC出版書籍販売サイト「Cyber Book Store」の
トップページ内「正誤表」コーナーにて、正誤表をご確認ください。

CYBER BOOK STORE TAC出版書籍販売サイト

URL:https://bookstore.tac-school.co.jp/

2 1の正誤表がない、あるいは正誤表に該当箇所の記載がない ⇒ 下記①、②のどちらかの方法で文書にて問合せをする

★ご注意ください★

お電話でのお問合せは、お受けいたしません。
①、②のどちらの方法でも、お問合せの際には、「お名前」とともに、
「対象の書籍名(○級・第○回対策も含む)およびその版数(第○版・○○年度版など)」
「お問合せ該当箇所の頁数と行数」
「誤りと思われる記載」
「正しいとお考えになる記載とその根拠」
を明記してください。
なお、回答までに1週間前後を要する場合もございます。あらかじめご了承ください。

① ウェブページ「Cyber Book Store」内の「お問合せフォーム」より問合せをする

【お問合せフォームアドレス】

https://bookstore.tac-school.co.jp/inquiry/

② メールにより問合せをする

【メール宛先　TAC出版】

syuppan-h@tac-school.co.jp

※土日祝日はお問合せ対応をおこなっておりません。
※正誤のお問合せ対応は、該当書籍の改訂版刊行月末日までといたします。

乱丁・落丁による交換は、該当書籍の改訂版刊行月末日までといたします。なお、書籍の在庫状況等により、お受けできない場合もございます。
また、各種本試験の実施の延期、中止を理由とした本書の返品はお受けいたしません。返金もいたしかねますので、あらかじめご了承くださいますようお願い申し上げます。

TACにおける個人情報の取り扱いについて
■お預かりした個人情報は、TAC(株)で管理させていただき、お問合せへの対応、当社の記録保管にのみ利用いたします。お客様の同意なしに業務委託先以外の第三者に開示、提供することはございません(法令等により開示を求められた場合を除く)。その他、個人情報保護管理者、お預かりした個人情報の開示等及びTAC(株)への個人情報の提供の任意性については、当社ホームページ(https://www.tac-school.co.jp)をご覧いただくか、個人情報に関するお問い合わせ窓口(E-mail:privacy@tac-school.co.jp)までお問合せください。

(2022年7月現在)

答案用紙

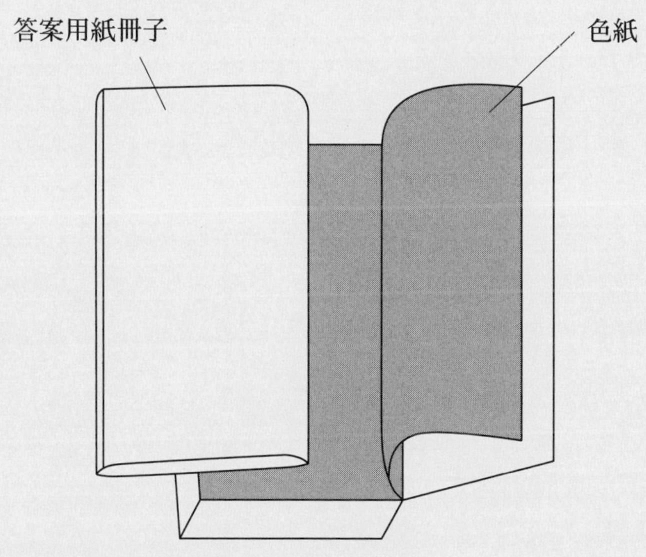

〈答案用紙ご利用時の注意〉

以下の「答案用紙」は，この色紙を残したままていねいに抜き取り，ご利用ください。

また，抜取りの際の損傷についてのお取替えはご遠慮願います。

答案用紙はダウンロードもご利用いただけます。

TAC出版書籍販売サイト・サイバーブックストアにアクセスしてください。

https://bookstore.tac-school.co.jp/

チェック・リスト

問題	回数	第1問	第2問	第3問	合　計	解答時間	出来具合
1回	1回目	点	点	点	点	分	○ △ ×
	2回目	点	点	点	点	分	○ △ ×
2回	1回目	点	点	点	点	分	○ △ ×
	2回目	点	点	点	点	分	○ △ ×
3回	1回目	点	点	点	点	分	○ △ ×
	2回目	点	点	点	点	分	○ △ ×
4回	1回目	点	点	点	点	分	○ △ ×
	2回目	点	点	点	点	分	○ △ ×
5回	1回目	点	点	点	点	分	○ △ ×
	2回目	点	点	点	点	分	○ △ ×
6回	1回目	点	点	点	点	分	○ △ ×
	2回目	点	点	点	点	分	○ △ ×
7回	1回目	点	点	点	点	分	○ △ ×
	2回目	点	点	点	点	分	○ △ ×
8回	1回目	点	点	点	点	分	○ △ ×
	2回目	点	点	点	点	分	○ △ ×
9回	1回目	点	点	点	点	分	○ △ ×
	2回目	点	点	点	点	分	○ △ ×
10回	1回目	点	点	点	点	分	○ △ ×
	2回目	点	点	点	点	分	○ △ ×
11回	1回目	点	点	点	点	分	○ △ ×
	2回目	点	点	点	点	分	○ △ ×
12回	1回目	点	点	点	点	分	○ △ ×
	2回目	点	点	点	点	分	○ △ ×

本試験演習編

第2部

答案用紙

第1回 答案用紙

問題▶ 2
解答▶ 55

第1問 45点

	借方		貸方	
	記号	金額	記号	金額
1	(　　)		(　　)	
	(　　)		(　　)	
	(　　)		(　　)	
	(　　)		(　　)	
2	(　　)		(　　)	
	(　　)		(　　)	
	(　　)		(　　)	
	(　　)		(　　)	
3	(　　)		(　　)	
	(　　)		(　　)	
	(　　)		(　　)	
	(　　)		(　　)	
4	(　　)		(　　)	
	(　　)		(　　)	
	(　　)		(　　)	
	(　　)		(　　)	
5	(　　)		(　　)	
	(　　)		(　　)	
	(　　)		(　　)	
	(　　)		(　　)	
6	(　　)		(　　)	
	(　　)		(　　)	
	(　　)		(　　)	
	(　　)		(　　)	
7	(　　)		(　　)	
	(　　)		(　　)	
	(　　)		(　　)	
	(　　)		(　　)	

	借方		貸方	
	記号	金額	記号	金額
8	(　　)		(　　)	
	(　　)		(　　)	
	(　　)		(　　)	
	(　　)		(　　)	
9	(　　)		(　　)	
	(　　)		(　　)	
	(　　)		(　　)	
	(　　)		(　　)	
10	(　　)		(　　)	
	(　　)		(　　)	
	(　　)		(　　)	
	(　　)		(　　)	
11	(　　)		(　　)	
	(　　)		(　　)	
	(　　)		(　　)	
	(　　)		(　　)	
12	(　　)		(　　)	
	(　　)		(　　)	
	(　　)		(　　)	
	(　　)		(　　)	
13	(　　)		(　　)	
	(　　)		(　　)	
	(　　)		(　　)	
	(　　)		(　　)	
14	(　　)		(　　)	
	(　　)		(　　)	
	(　　)		(　　)	
	(　　)		(　　)	
15	(　　)		(　　)	
	(　　)		(　　)	
	(　　)		(　　)	
	(　　)		(　　)	

第2問 20点

(1)

備　　　品

4/1	[　　]	(　　　)	3/31	[　　]	(　　　)
7/1	[　　]	(　　　)			
		(　　　)			(　　　)

備品減価償却累計額

3/31	[　　]	(　　　)	4/1	[　　]	(　　　)
			3/31	[　　]	(　　　)
		(　　　)			(　　　)

損　　　益

3/31	[　　]	(　　　)	3/31	売上	18,000,000
〃	その他費用	14,571,500	〃	その他収益	356,000
〃	[　　]	(　　　)			
		18,356,000			18,356,000

便宜上、問題等から判明しない収益と費用は「その他収益」もしくは「その他費用」に合計額を記載している。

(2)

1.

(ア)	(イ)

2.

(ウ)	(エ)

第3問 35点

貸借対照表

×8年3月31日　(単位：円)

資産			負債・純資産	
現金		(　　)	買掛金	(　　)
当座預金		668,000	(　　　)	(　　)
売掛金	(　　)		(　　)消費税	(　　)
(　　　)	(△　　)	(　　)	未払法人税等	(　　)
商品		(　　)	未払費用	(　　)
(　　)費用		(　　)	借入金	600,000
(　　)収益		(　　)	資本金	1,700,000
建物	(　　)		繰越利益剰余金	(　　)
減価償却累計額	(△　　)	(　　)		
備品	(　　)			
減価償却累計額	(△　　)	(　　)		
土地		(　　)		
		(　　)		(　　)

損益計算書

×7年4月1日から×8年3月31日まで　(単位：円)

費用		収益	
売上原価	(　　)	売上高	7,000,000
給料	960,000	受取手数料	(　　)
貸倒引当金繰入	(　　)		
減価償却費	(　　)		
支払家賃	(　　)		
水道光熱費	130,000		
通信費	(　　)		
雑(　　)	(　　)		
支払利息	(　　)		
法人税、住民税及び事業税	(　　)		
当期純(　　)	(　　)		
	(　　)		(　　)

第2回　答案用紙

問題▶ 6
解答▶ 70

第1問　45点

	借方		貸方	
	記号	金額	記号	金額
1	(　　)		(　　)	
	(　　)		(　　)	
	(　　)		(　　)	
	(　　)		(　　)	
2	(　　)		(　　)	
	(　　)		(　　)	
	(　　)		(　　)	
	(　　)		(　　)	
3	(　　)		(　　)	
	(　　)		(　　)	
	(　　)		(　　)	
	(　　)		(　　)	
4	(　　)		(　　)	
	(　　)		(　　)	
	(　　)		(　　)	
	(　　)		(　　)	
5	(　　)		(　　)	
	(　　)		(　　)	
	(　　)		(　　)	
	(　　)		(　　)	
6	(　　)		(　　)	
	(　　)		(　　)	
	(　　)		(　　)	
	(　　)		(　　)	
7	(　　)		(　　)	
	(　　)		(　　)	
	(　　)		(　　)	
	(　　)		(　　)	

	借方		貸方	
	記号	金額	記号	金額
8	(　)		(　)	
	(　)		(　)	
	(　)		(　)	
	(　)		(　)	
9	(　)		(　)	
	(　)		(　)	
	(　)		(　)	
	(　)		(　)	
10	(　)		(　)	
	(　)		(　)	
	(　)		(　)	
	(　)		(　)	
11	(　)		(　)	
	(　)		(　)	
	(　)		(　)	
	(　)		(　)	
12	(　)		(　)	
	(　)		(　)	
	(　)		(　)	
	(　)		(　)	
13	(　)		(　)	
	(　)		(　)	
	(　)		(　)	
	(　)		(　)	
14	(　)		(　)	
	(　)		(　)	
	(　)		(　)	
	(　)		(　)	
15	(　)		(　)	
	(　)		(　)	
	(　)		(　)	
	(　)		(　)	

第2問 20点

(1)

支 払 利 息

9/30	[　　]	(　　)	3/31	[　　]	(　　)
3/31	普通預金	(　　)			
〃	[　　]	(　　)			
		(　　)			(　　)

未 払 利 息

3/31	[　　]	(　　)	3/31	[　　]	(　　)
			4/1	[　　]	(　　)

(2)

①	②	③	④

答案用紙

第2回

第3問　35点

精　算　表　(単位：円)

勘定科目	残高試算表		修正記入		損益計算書		貸借対照表	
	借方	貸方	借方	貸方	借方	貸方	借方	貸方
現金	141,200							
現金過不足	6,300							
普通預金	110,000							
当座預金		27,000						
受取手形	165,500							
売掛金	222,000							
仮払金	13,000							
仮払消費税	213,600							
繰越商品	228,000							
建物	1,320,000							
備品	630,000							
土地	600,000							
買掛金		162,000						
借入金		300,000						
仮受消費税		326,300						
貸倒引当金		9,500						
建物減価償却累計額		209,400						
備品減価償却累計額		371,400						
資本金		800,000						
繰越利益剰余金		717,700						
売上		3,263,000						
仕入	2,136,000							
給料	370,000							
通信費	7,500							
旅費交通費	17,200							
支払利息	6,000							
	6,186,300	6,186,300						
雑（　　）								
当座借越								
貸倒引当金（　）入								
減価償却費								
（　　）利息								
（　　）消費税								
法人税、住民税及び事業税								
（　　）法人税等								
当期純（　　）								

第3回 答案用紙

問　題▶ 10
解　答▶ 81

第1問 45点

	借方		貸方	
	記号	金額	記号	金額
1	(　　)		(　　)	
	(　　)		(　　)	
	(　　)		(　　)	
	(　　)		(　　)	
2	(　　)		(　　)	
	(　　)		(　　)	
	(　　)		(　　)	
	(　　)		(　　)	
3	(　　)		(　　)	
	(　　)		(　　)	
	(　　)		(　　)	
	(　　)		(　　)	
4	(　　)		(　　)	
	(　　)		(　　)	
	(　　)		(　　)	
	(　　)		(　　)	
5	(　　)		(　　)	
	(　　)		(　　)	
	(　　)		(　　)	
	(　　)		(　　)	
6	(　　)		(　　)	
	(　　)		(　　)	
	(　　)		(　　)	
	(　　)		(　　)	
7	(　　)		(　　)	
	(　　)		(　　)	
	(　　)		(　　)	
	(　　)		(　　)	

	借方		貸方	
	記号	金額	記号	金額
8	(　　)		(　　)	
	(　　)		(　　)	
	(　　)		(　　)	
	(　　)		(　　)	
9	(　　)		(　　)	
	(　　)		(　　)	
	(　　)		(　　)	
	(　　)		(　　)	
10	(　　)		(　　)	
	(　　)		(　　)	
	(　　)		(　　)	
	(　　)		(　　)	
11	(　　)		(　　)	
	(　　)		(　　)	
	(　　)		(　　)	
	(　　)		(　　)	
12	(　　)		(　　)	
	(　　)		(　　)	
	(　　)		(　　)	
	(　　)		(　　)	
13	(　　)		(　　)	
	(　　)		(　　)	
	(　　)		(　　)	
	(　　)		(　　)	
14	(　　)		(　　)	
	(　　)		(　　)	
	(　　)		(　　)	
	(　　)		(　　)	
15	(　　)		(　　)	
	(　　)		(　　)	
	(　　)		(　　)	
	(　　)		(　　)	

第2問　20点

(1)

補助簿 / 日付	現　金 出納帳	当座預金 出納帳	商　品 有高帳	売掛金 元　帳	買掛金 元　帳	受取手形 記入帳	支払手形 記入帳	売上帳	仕入帳	固定資産 台　帳	該当なし
10月1日											
11日											
16日											
20日											
27日											
31日											

(2)

損　　益

日付	摘要	金額	日付	摘要	金額
3/31	仕　入	4,500,000	3/31	売　上	6,800,000
〃	その他費用	1,200,000			
〃	[　　]	〈　　〉			
〃	[　　]	〈　　〉			
		6,800,000			6,800,000

利益準備金

日付	摘要	金額	日付	摘要	金額
(　　)	[　　]	〈　　〉	4/1	前期繰越	178,000
			(　　)	[　　]	〈　　〉
		〈　　〉			〈　　〉

繰越利益剰余金

日付	摘要	金額	日付	摘要	金額
6/28	未払配当金	〈　　〉	4/1	前期繰越	1,430,000
〃	[　　]	〈　　〉	(　　)	[　　]	〈　　〉
(　　)	[　　]	〈　　〉			
		〈　　〉			〈　　〉

第3問 35点

問1

決算整理後残高試算表

借　方	勘定科目	貸　方
	現金	
	受取手形	
	売掛金	
	繰越商品	
	(　　)家賃	
	(　　)利息	
300,000	貸付金	
480,000	備品	
1,100,000	土地	
	支払手形	360,000
	買掛金	344,400
	当座借越	
	(　　)消費税	
	未払法人税等	
	(　　)手数料	
	貸倒引当金	
	備品減価償却累計額	
	資本金	1,500,000
	繰越利益剰余金	
	売上	4,360,000
	受取手数料	
	受取利息	
	仕入	
304,000	給料	
	貸倒引当金繰入	
	減価償却費	
	支払家賃	
43,400	消耗品費	
54,000	水道光熱費	
	雑(　　)	
	法人税等	

問2

当期純利益　・　当期純損失	¥

第4回 答案用紙

問題▶ 14
解答▶ 94

第1問 45点

	借方		貸方	
	記号	金額	記号	金額
1	(　　)		(　　)	
	(　　)		(　　)	
	(　　)		(　　)	
	(　　)		(　　)	
2	(　　)		(　　)	
	(　　)		(　　)	
	(　　)		(　　)	
	(　　)		(　　)	
3	(　　)		(　　)	
	(　　)		(　　)	
	(　　)		(　　)	
	(　　)		(　　)	
4	(　　)		(　　)	
	(　　)		(　　)	
	(　　)		(　　)	
	(　　)		(　　)	
5	(　　)		(　　)	
	(　　)		(　　)	
	(　　)		(　　)	
	(　　)		(　　)	
6	(　　)		(　　)	
	(　　)		(　　)	
	(　　)		(　　)	
	(　　)		(　　)	
7	(　　)		(　　)	
	(　　)		(　　)	
	(　　)		(　　)	
	(　　)		(　　)	

	借方		貸方	
	記号	金額	記号	金額
8	(　　)		(　　)	
	(　　)		(　　)	
	(　　)		(　　)	
	(　　)		(　　)	
9	(　　)		(　　)	
	(　　)		(　　)	
	(　　)		(　　)	
	(　　)		(　　)	
10	(　　)		(　　)	
	(　　)		(　　)	
	(　　)		(　　)	
	(　　)		(　　)	
11	(　　)		(　　)	
	(　　)		(　　)	
	(　　)		(　　)	
	(　　)		(　　)	
12	(　　)		(　　)	
	(　　)		(　　)	
	(　　)		(　　)	
	(　　)		(　　)	
13	(　　)		(　　)	
	(　　)		(　　)	
	(　　)		(　　)	
	(　　)		(　　)	
14	(　　)		(　　)	
	(　　)		(　　)	
	(　　)		(　　)	
	(　　)		(　　)	
15	(　　)		(　　)	
	(　　)		(　　)	
	(　　)		(　　)	
	(　　)		(　　)	

第2問 20点

(1)

支 払 手 数 料

(　　)	[　　]	(　　　　)	3/31	[　　]	(　　　　)
(　　)	[　　]	(　　　　)	〃	[　　]	(　　　　)
		(　　　　)			(　　　　)

前 払 手 数 料

3/31	[　　]	(　　　　)	3/31	[　　]	(　　　　)

(2)

商 品 有 高 帳（A 商 品）

×7年		摘 要	受 入			払 出			残 高		
			数量	単価	金額	数量	単価	金額	数量	単価	金額
10	1	前月繰越	200	350	70,000				200	350	70,000

×7年10月中のA商品の

売上高 ¥

売上総利益 ¥

第3問　35点

問1

精　算　表

勘定科目	残高試算表		修正記入		損益計算書		貸借対照表	
	借方	貸方	借方	貸方	借方	貸方	借方	貸方
現金	172,000							
普通預金	369,000							
売掛金	270,000							
仮払金	30,000							
繰越商品	226,000							
仮払消費税	256,000							
仮払法人税等	150,000							
建物	870,000							
備品	360,000							
土地	2,900,000						2,900,000	
買掛金		198,000						
前受金		68,000						
仮受消費税		489,000						
貸倒引当金		3,000						
建物減価償却累計額		522,000						
備品減価償却累計額		180,000						
資本金		2,800,000						2,800,000
繰越利益剰余金		436,000						436,000
売上		4,890,000						
受取家賃		45,000						
仕入	2,560,000							
給料	1,300,000							
通信費	41,000							
旅費交通費	27,000							
保険料	100,000							
	9,631,000	9,631,000						
貸倒引当金繰入								
売上原価								
減価償却費								
(　　　)消費税								
(　　　)保険料								
前受家賃								
未払給料								
法人税等								
未払法人税等								
当期純(　　　)								

問2　¥ (　　　　　　　　　)

第5回 答案用紙

問　題 ▶ 18
解　答 ▶ 106

第1問 45点

	借方		貸方	
	記号	金額	記号	金額
1	(　　)		(　　)	
	(　　)		(　　)	
	(　　)		(　　)	
	(　　)		(　　)	
2	(　　)		(　　)	
	(　　)		(　　)	
	(　　)		(　　)	
	(　　)		(　　)	
3	(　　)		(　　)	
	(　　)		(　　)	
	(　　)		(　　)	
	(　　)		(　　)	
4	(　　)		(　　)	
	(　　)		(　　)	
	(　　)		(　　)	
	(　　)		(　　)	
5	(　　)		(　　)	
	(　　)		(　　)	
	(　　)		(　　)	
	(　　)		(　　)	
6	(　　)		(　　)	
	(　　)		(　　)	
	(　　)		(　　)	
	(　　)		(　　)	
7	(　　)		(　　)	
	(　　)		(　　)	
	(　　)		(　　)	
	(　　)		(　　)	

	借方		貸方	
	記号	金額	記号	金額
8	(　　)		(　　)	
	(　　)		(　　)	
	(　　)		(　　)	
	(　　)		(　　)	
9	(　　)		(　　)	
	(　　)		(　　)	
	(　　)		(　　)	
	(　　)		(　　)	
10	(　　)		(　　)	
	(　　)		(　　)	
	(　　)		(　　)	
	(　　)		(　　)	
11	(　　)		(　　)	
	(　　)		(　　)	
	(　　)		(　　)	
	(　　)		(　　)	
12	(　　)		(　　)	
	(　　)		(　　)	
	(　　)		(　　)	
	(　　)		(　　)	
13	(　　)		(　　)	
	(　　)		(　　)	
	(　　)		(　　)	
	(　　)		(　　)	
14	(　　)		(　　)	
	(　　)		(　　)	
	(　　)		(　　)	
	(　　)		(　　)	
15	(　　)		(　　)	
	(　　)		(　　)	
	(　　)		(　　)	
	(　　)		(　　)	

第2問　20点

(1)

問1

当　座　預　金

4/(　　)	(　　　　　)	(　　　　　)	4/(　　)	(　　　　　)	(　　　　　)
(　　)	(　　　　　)	(　　　　　)	(　　)	(　　　　　)	(　　　　　)
(　　)	(　　　　　)	(　　　　　)	(　　)	(　　　　　)	(　　　　　)
(　　)	(　　　　　)	(　　　　　)	(　　)	(　　　　　)	(　　　　　)

問2　4月30日時点の当座預金勘定の残高　¥(　　　　　)　借方残高　・　貸方残高

(2)

①	②	③	④	⑤

⑥	⑦	⑧

第3問　35点

貸借対照表

×9年12月31日　(単位：円)

借方			貸方	
現金		315,000	買掛金	640,000
普通預金		285,400	未払金	(　　)
受取手形	(　　)		(　　)消費税	(　　)
売掛金	(　　)		未払法人税等	(　　)
(　　)	(△　　)	(　　)	借入金	300,000
商品		(　　)	(　　)費用	(　　)
(　　)費用		(　　)	(　　)収益	(　　)
建物	(　　)		資本金	3,600,000
減価償却累計額	(△　　)	(　　)	繰越利益剰余金	(　　)
備品	(　　)			
減価償却累計額	(△　　)	(　　)		
土地		4,300,000		
		(　　)		(　　)

損益計算書

×9年1月1日から×9年12月31日まで　(単位：円)

借方		貸方	
売上原価	(　　)	売上高	9,560,000
給料	(　　)	受取地代	(　　)
支払手数料	104,000		
水道光熱費	(　　)		
通信費	85,600		
旅費交通費	(　　)		
減価償却費	(　　)		
貸倒引当金繰入	(　　)		
支払利息	(　　)		
固定資産(　　)	(　　)		
法人税、住民税及び事業税	(　　)		
当期純(　　)	(　　)		
	(　　)		(　　)

第6回 答案用紙

問　題 ▶ 22
解　答 ▶ 120

第1問　45点

	借方		貸方	
	記号	金額	記号	金額
1	(　　)		(　　)	
	(　　)		(　　)	
	(　　)		(　　)	
	(　　)		(　　)	
2	(　　)		(　　)	
	(　　)		(　　)	
	(　　)		(　　)	
	(　　)		(　　)	
3	(　　)		(　　)	
	(　　)		(　　)	
	(　　)		(　　)	
	(　　)		(　　)	
4	(　　)		(　　)	
	(　　)		(　　)	
	(　　)		(　　)	
	(　　)		(　　)	
5	(　　)		(　　)	
	(　　)		(　　)	
	(　　)		(　　)	
	(　　)		(　　)	
6	(　　)		(　　)	
	(　　)		(　　)	
	(　　)		(　　)	
	(　　)		(　　)	
7	(　　)		(　　)	
	(　　)		(　　)	
	(　　)		(　　)	
	(　　)		(　　)	

	借方		貸方	
	記号	金額	記号	金額
8	(　　)		(　　)	
	(　　)		(　　)	
	(　　)		(　　)	
	(　　)		(　　)	
9	(　　)		(　　)	
	(　　)		(　　)	
	(　　)		(　　)	
	(　　)		(　　)	
10	(　　)		(　　)	
	(　　)		(　　)	
	(　　)		(　　)	
	(　　)		(　　)	
11	(　　)		(　　)	
	(　　)		(　　)	
	(　　)		(　　)	
	(　　)		(　　)	
12	(　　)		(　　)	
	(　　)		(　　)	
	(　　)		(　　)	
	(　　)		(　　)	
13	(　　)		(　　)	
	(　　)		(　　)	
	(　　)		(　　)	
	(　　)		(　　)	
14	(　　)		(　　)	
	(　　)		(　　)	
	(　　)		(　　)	
	(　　)		(　　)	
15	(　　)		(　　)	
	(　　)		(　　)	
	(　　)		(　　)	
	(　　)		(　　)	

第2問 20点

(1)

①	②	③	④

(a)	(b)

(2)

①	②	③	④

第3問 35点

問１

決算整理後残高試算表

×9年３月31日

借　　　方	勘　定　科　目	貸　　　方
	現　　　　金	
	普　通　預　金	
	売　　掛　　金	
	前　払　保　険　料	
	繰　越　商　品	
	建　　　　物	
	備　　　　品	
3,300,000	土　　　　地	
	買　　掛　　金	539,000
	借　　入　　金	
	前　受　手　数　料	
	（　　　）消　費　税	
	未　払　法　人　税　等	
	貸　倒　引　当　金	
	建物減価償却累計額	
	備品減価償却累計額	
	資　　本　　金	3,150,000
	繰越利益剰余金	1,470,000
	売　　　　上	
	受　取　手　数　料	
	仕　　　　入	
1,500,000	給　　　　料	
	旅　費　交　通　費	
	保　　険　　料	
	貸倒引当金繰入	
	減　価　償　却　費	
	雑　　（　　　）	
	法人税、住民税及び事業税	

問２	当期純利益　・　当期純損失	￥

第7回 答案用紙

問　題▶ 26
解　答▶ 132

第1問 45点

	借方		貸方	
	記号	金額	記号	金額
1	(　　)		(　　)	
	(　　)		(　　)	
	(　　)		(　　)	
	(　　)		(　　)	
2	(　　)		(　　)	
	(　　)		(　　)	
	(　　)		(　　)	
	(　　)		(　　)	
3	(　　)		(　　)	
	(　　)		(　　)	
	(　　)		(　　)	
	(　　)		(　　)	
4	(　　)		(　　)	
	(　　)		(　　)	
	(　　)		(　　)	
	(　　)		(　　)	
5	(　　)		(　　)	
	(　　)		(　　)	
	(　　)		(　　)	
	(　　)		(　　)	
6	(　　)		(　　)	
	(　　)		(　　)	
	(　　)		(　　)	
	(　　)		(　　)	
7	(　　)		(　　)	
	(　　)		(　　)	
	(　　)		(　　)	
	(　　)		(　　)	

	借方		貸方	
	記号	金額	記号	金額
8	(　　)		(　　)	
	(　　)		(　　)	
	(　　)		(　　)	
	(　　)		(　　)	
9	(　　)		(　　)	
	(　　)		(　　)	
	(　　)		(　　)	
	(　　)		(　　)	
10	(　　)		(　　)	
	(　　)		(　　)	
	(　　)		(　　)	
	(　　)		(　　)	
11	(　　)		(　　)	
	(　　)		(　　)	
	(　　)		(　　)	
	(　　)		(　　)	
12	(　　)		(　　)	
	(　　)		(　　)	
	(　　)		(　　)	
	(　　)		(　　)	
13	(　　)		(　　)	
	(　　)		(　　)	
	(　　)		(　　)	
	(　　)		(　　)	
14	(　　)		(　　)	
	(　　)		(　　)	
	(　　)		(　　)	
	(　　)		(　　)	
15	(　　)		(　　)	
	(　　)		(　　)	
	(　　)		(　　)	
	(　　)		(　　)	

第2問 20点

(1)

問1

7日	(　　　　　　　　　　) つ
12日	(　　　　　　　　　　) つ
15日	(　　　　　　　　　　) つ
22日	(　　　　　　　　　　) つ

問2	問3
¥	¥

(2)

問1

固　定　資　産　台　帳

×7年3月31日　　　　(単位：円)

取得年月日	種類・用途	耐用年数	取得原価	減価償却累計額			期末帳簿価額
				期首残高	当期償却額	期末残高	
×2年4月1日	備品A	7年	(　　　)	(　　　)	400,000	2,000,000	(　　　)
×3年12月3日	備品B	5年	4,800,000	(　　　)	960,000	(　　　)	(　　　)
×6年10月1日	建　物	30年	18,000,000	(　　　)	(　　　)	(　　　)	(　　　)

問2

固定資産売却 (　　　　)	¥

第3問　35点

問1

精　算　表

勘定科目	残高試算表		修正記入		損益計算書		貸借対照表	
	借方	貸方	借方	貸方	借方	貸方	借方	貸方
現金	407,000							
小口現金	35,000							
普通預金	1,320,000							
受取手形	420,000							
売掛金	300,000							
仮払消費税	423,000							
繰越商品	480,000							
建物	800,000							
備品	750,000							
土地	2,400,000							
買掛金		510,000						
手形借入金		1,000,000						1,000,000
仮受金		1,300,000						
仮受消費税		650,000						
貸倒引当金		10,000						
建物減価償却累計額		390,000						
備品減価償却累計額		280,000						
資本金		1,800,000						1,800,000
繰越利益剰余金		410,000						410,000
売上		6,500,000						
仕入	4,230,000							
給料	600,000							
旅費交通費	80,000							
支払家賃	180,000							
保険料	300,000							
消耗品費	80,000							
支払利息	45,000							
	12,850,000	12,850,000						
固定資産売却(　)								
未収入金								
貸倒引当金繰入								
(　　　)消費税								
減価償却費								
(　　　)給料								
(　　　)利息								
法人税、住民税及び事業税								
未払法人税等								
当期純(　　　)								

問2　¥(　　　　　　　　　)

第8回 答案用紙

問　題 ▶ 30
解　答 ▶ 145

第1問　45点

	借方		貸方	
	記号	金額	記号	金額
1	(　　)		(　　)	
	(　　)		(　　)	
	(　　)		(　　)	
	(　　)		(　　)	
2	(　　)		(　　)	
	(　　)		(　　)	
	(　　)		(　　)	
	(　　)		(　　)	
3	(　　)		(　　)	
	(　　)		(　　)	
	(　　)		(　　)	
	(　　)		(　　)	
4	(　　)		(　　)	
	(　　)		(　　)	
	(　　)		(　　)	
	(　　)		(　　)	
5	(　　)		(　　)	
	(　　)		(　　)	
	(　　)		(　　)	
	(　　)		(　　)	
6	(　　)		(　　)	
	(　　)		(　　)	
	(　　)		(　　)	
	(　　)		(　　)	
7	(　　)		(　　)	
	(　　)		(　　)	
	(　　)		(　　)	
	(　　)		(　　)	

	借　　方		貸　　方	
	記　号	金　　額	記　号	金　　額
8	(　　)		(　　)	
	(　　)		(　　)	
	(　　)		(　　)	
	(　　)		(　　)	
9	(　　)		(　　)	
	(　　)		(　　)	
	(　　)		(　　)	
	(　　)		(　　)	
10	(　　)		(　　)	
	(　　)		(　　)	
	(　　)		(　　)	
	(　　)		(　　)	
11	(　　)		(　　)	
	(　　)		(　　)	
	(　　)		(　　)	
	(　　)		(　　)	
12	(　　)		(　　)	
	(　　)		(　　)	
	(　　)		(　　)	
	(　　)		(　　)	
13	(　　)		(　　)	
	(　　)		(　　)	
	(　　)		(　　)	
	(　　)		(　　)	
14	(　　)		(　　)	
	(　　)		(　　)	
	(　　)		(　　)	
	(　　)		(　　)	
15	(　　)		(　　)	
	(　　)		(　　)	
	(　　)		(　　)	
	(　　)		(　　)	

第2問　20点

(1)

A	B	C	D	E

①	②	③	④	⑤

⑥	⑦

(2)

①	②	③	④

第3問　35点

貸借対照表
×3年12月31日　(単位：円)

現金		(　　)	買掛金	861,000
普通預金		(　　)	(　　)消費税	(　　)
売掛金	(　　)		未払法人税等	(　　)
貸倒引当金	(△　　)	(　　)	(　　)収益	(　　)
商品		(　　)	資本金	3,000,000
(　　)費用		(　　)	繰越利益剰余金	(　　)
建物	(　　)			
減価償却累計額	(△　　)	(　　)		
備品	(　　)			
減価償却累計額	(△　　)	(　　)		
土地		2,500,000		
		(　　)		(　　)

損益計算書
×3年1月1日から×3年12月31日まで　(単位：円)

売上原価	(　　)	売上高	8,800,000
給料	1,760,000	受取手数料	(　　)
水道光熱費	165,000		
保険料	(　　)		
通信費	(　　)		
貸倒引当金繰入	(　　)		
減価償却費	(　　)		
雑(　　)	(　　)		
固定資産売却損	(　　)		
法人税、住民税及び事業税	(　　)		
当期純(　　)	(　　)		
	(　　)		(　　)

答案用紙

問　　題▶ 34
解　　答▶ 159

第1問 45点

	借　方		貸　方	
	記　号	金　額	記　号	金　額
1	(　　)		(　　)	
	(　　)		(　　)	
	(　　)		(　　)	
	(　　)		(　　)	
2	(　　)		(　　)	
	(　　)		(　　)	
	(　　)		(　　)	
	(　　)		(　　)	
3	(　　)		(　　)	
	(　　)		(　　)	
	(　　)		(　　)	
	(　　)		(　　)	
4	(　　)		(　　)	
	(　　)		(　　)	
	(　　)		(　　)	
	(　　)		(　　)	
5	(　　)		(　　)	
	(　　)		(　　)	
	(　　)		(　　)	
	(　　)		(　　)	
6	(　　)		(　　)	
	(　　)		(　　)	
	(　　)		(　　)	
	(　　)		(　　)	
7	(　　)		(　　)	
	(　　)		(　　)	
	(　　)		(　　)	
	(　　)		(　　)	

	借方		貸方	
	記号	金額	記号	金額
8	(　　)		(　　)	
	(　　)		(　　)	
	(　　)		(　　)	
	(　　)		(　　)	
9	(　　)		(　　)	
	(　　)		(　　)	
	(　　)		(　　)	
	(　　)		(　　)	
10	(　　)		(　　)	
	(　　)		(　　)	
	(　　)		(　　)	
	(　　)		(　　)	
11	(　　)		(　　)	
	(　　)		(　　)	
	(　　)		(　　)	
	(　　)		(　　)	
12	(　　)		(　　)	
	(　　)		(　　)	
	(　　)		(　　)	
	(　　)		(　　)	
13	(　　)		(　　)	
	(　　)		(　　)	
	(　　)		(　　)	
	(　　)		(　　)	
14	(　　)		(　　)	
	(　　)		(　　)	
	(　　)		(　　)	
	(　　)		(　　)	
15	(　　)		(　　)	
	(　　)		(　　)	
	(　　)		(　　)	
	(　　)		(　　)	

第2問 20点

(1)

問1

補助簿＼日付	現金出納帳	当座預金出納帳	商品有高帳	売掛金元帳(得意先元帳)	買掛金元帳(仕入先元帳)	仕入帳	売上帳	固定資産台帳
5日								
19日								
21日								
28日								

問2　固定資産売却損益の金額　¥（　　　　　）　損　・　益

問3　6月末の当座預金勘定の残高　¥（　　　　　）　借方残高　・　貸方残高

(2)

受　取　利　息

4/1	[　　]	(　　　)	11/30	[　　]	(　　　)
3/31	[　　]	(　　　)	3/31	[　　]	(　　　)
		(　　　)			(　　　)

未　収　利　息

4/1	[　　]	30,400	4/1	[　　]	(　　　)
3/31	[　　]	(　　　)	3/31	[　　]	(　　　)
		(　　　)			(　　　)
4/1	[　　]	(　　　)			

第3問 35点

貸借対照表

×3年3月31日　（単位：円）

借方科目		金額	貸方科目	金額
現金		(　　)	買掛金	650,000
普通預金		(　　)	借入金	600,000
当座預金		(　　)	(　　)消費税	(　　)
受取手形	(　　)		未払法人税等	(　　)
貸倒引当金	(△　　)	(　　)	(　　)費用	(　　)
売掛金	(　　)		資本金	3,000,000
貸倒引当金	(△　　)	(　　)	繰越利益剰余金	(　　)
商品		(　　)		
(　　)費用		(　　)		
備品	(　　)			
減価償却累計額	(△　　)	(　　)		
土地		4,900,000		
		(　　)		(　　)

損益計算書

×2年4月1日から×3年3月31日まで　（単位：円）

借方科目	金額	貸方科目	金額
売上原価	(　　)	売上高	(　　)
給料	2,160,000		
貸倒引当金繰入	(　　)		
減価償却費	(　　)		
支払家賃	(　　)		
水道光熱費	(　　)		
通信費	(　　)		
保険料	20,900		
雑(　　)	(　　)		
支払利息	(　　)		
法人税、住民税及び事業税	(　　)		
当期純(　　)	(　　)		
	(　　)		(　　)

第10回 答案用紙

問　題 ▶ 38
解　答 ▶ 173

第1問 45点

	借方		貸方	
	記号	金額	記号	金額
1	(　　)		(　　)	
	(　　)		(　　)	
	(　　)		(　　)	
	(　　)		(　　)	
2	(　　)		(　　)	
	(　　)		(　　)	
	(　　)		(　　)	
	(　　)		(　　)	
3	(　　)		(　　)	
	(　　)		(　　)	
	(　　)		(　　)	
	(　　)		(　　)	
4	(　　)		(　　)	
	(　　)		(　　)	
	(　　)		(　　)	
	(　　)		(　　)	
5	(　　)		(　　)	
	(　　)		(　　)	
	(　　)		(　　)	
	(　　)		(　　)	
6	(　　)		(　　)	
	(　　)		(　　)	
	(　　)		(　　)	
	(　　)		(　　)	
7	(　　)		(　　)	
	(　　)		(　　)	
	(　　)		(　　)	
	(　　)		(　　)	

	借　　方		貸　　方	
	記　号	金　額	記　号	金　額
8	(　　)		(　　)	
	(　　)		(　　)	
	(　　)		(　　)	
	(　　)		(　　)	
9	(　　)		(　　)	
	(　　)		(　　)	
	(　　)		(　　)	
	(　　)		(　　)	
10	(　　)		(　　)	
	(　　)		(　　)	
	(　　)		(　　)	
	(　　)		(　　)	
11	(　　)		(　　)	
	(　　)		(　　)	
	(　　)		(　　)	
	(　　)		(　　)	
12	(　　)		(　　)	
	(　　)		(　　)	
	(　　)		(　　)	
	(　　)		(　　)	
13	(　　)		(　　)	
	(　　)		(　　)	
	(　　)		(　　)	
	(　　)		(　　)	
14	(　　)		(　　)	
	(　　)		(　　)	
	(　　)		(　　)	
	(　　)		(　　)	
15	(　　)		(　　)	
	(　　)		(　　)	
	(　　)		(　　)	
	(　　)		(　　)	

第2問 20点

(1)

①	②	③	④

⑤	⑥

(2)

問1

商品有高帳

A 商品

×6年		摘要	受入			払出			残高		
			数量	単価	金額	数量	単価	金額	数量	単価	金額
11	1	前月繰越									
	8	仕入									
	11	売上									
	18	仕入									
	25	売上									
	28	売上戻り									

問2

純売上高	売上原価	売上総利益
¥	¥	¥

第3問　35点

問1

精　　算　　表

勘定科目	残高試算表		修正記入		損益計算書		貸借対照表	
	借方	貸方	借方	貸方	借方	貸方	借方	貸方
現金	146,000							
現金過不足	3,000							
普通預金	1,808,000							
当座預金		561,000						
受取手形	420,000							
売掛金	1,056,000							
仮払金	504,000							
仮払消費税	636,000							
繰越商品	836,000							
建物	4,320,000							
備品	400,000							
土地	4,500,000							
買掛金		894,000						
仮受消費税		1,040,000						
借入金		3,800,000						3,800,000
貸倒引当金		10,300						
建物減価償却累計額		1,296,000						
備品減価償却累計額		240,000						
資本金		4,000,000						4,000,000
繰越利益剰余金		1,409,700						1,409,700
売上		10,400,000						
仕入	6,360,000							
給料	2,160,000							
通信費	77,200							
旅費交通費	112,800							
保険料	252,000							
支払利息	60,000							
	23,651,000	23,651,000						
雑（　　）								
当座借越								
貸倒引当金繰入								
減価償却費								
（　　）消費税								
（　　）利息								
前払保険料								
法人税等								
未払法人税等								
当期純（　　）								

問2　¥（　　　　　　　　）

答案用紙

問　　題▶　42
解　　答▶　185

第1問　45点

	借方		貸方	
	記　号	金　額	記　号	金　額
1	(　　)		(　　)	
	(　　)		(　　)	
	(　　)		(　　)	
	(　　)		(　　)	
2	(　　)		(　　)	
	(　　)		(　　)	
	(　　)		(　　)	
	(　　)		(　　)	
3	(　　)		(　　)	
	(　　)		(　　)	
	(　　)		(　　)	
	(　　)		(　　)	
4	(　　)		(　　)	
	(　　)		(　　)	
	(　　)		(　　)	
	(　　)		(　　)	
5	(　　)		(　　)	
	(　　)		(　　)	
	(　　)		(　　)	
	(　　)		(　　)	
6	(　　)		(　　)	
	(　　)		(　　)	
	(　　)		(　　)	
	(　　)		(　　)	
7	(　　)		(　　)	
	(　　)		(　　)	
	(　　)		(　　)	
	(　　)		(　　)	

	借方		貸方	
	記号	金額	記号	金額
8	(　　)		(　　)	
	(　　)		(　　)	
	(　　)		(　　)	
	(　　)		(　　)	
9	(　　)		(　　)	
	(　　)		(　　)	
	(　　)		(　　)	
	(　　)		(　　)	
10	(　　)		(　　)	
	(　　)		(　　)	
	(　　)		(　　)	
	(　　)		(　　)	
11	(　　)		(　　)	
	(　　)		(　　)	
	(　　)		(　　)	
	(　　)		(　　)	
12	(　　)		(　　)	
	(　　)		(　　)	
	(　　)		(　　)	
	(　　)		(　　)	
13	(　　)		(　　)	
	(　　)		(　　)	
	(　　)		(　　)	
	(　　)		(　　)	
14	(　　)		(　　)	
	(　　)		(　　)	
	(　　)		(　　)	
	(　　)		(　　)	
15	(　　)		(　　)	
	(　　)		(　　)	
	(　　)		(　　)	
	(　　)		(　　)	

第2問 20点

(1)

仮払法人税等

( ) [ ]	〈 〉	( ) [ ]	〈 〉

未払法人税等

( ) [ ]	〈 〉	4/1 前期繰越	〈 〉
( ) [ ]	〈 〉	( ) [ ]	〈 〉
	〈 〉		〈 〉

損　　益

3/31	仕入	4,375,000	3/31	売上	12,500,000
〃	その他費用	3,525,000			
〃	法人税等	〈 〉			
〃	[ ]	〈 〉			
		12,500,000			12,500,000

(2)

a	b	c	d

①	②	③	④

第3問 35点

貸借対照表

(単位：円)

現金		290,600	買掛金	756,000
当座預金		(　　)	(　　)消費税	(　　)
受取手形	(　　)		未払法人税等	(　　)
貸倒引当金	(△　　)	(　　)	(　　)費用	(　　)
売掛金	(　　)		借入金	2,000,000
貸倒引当金	(△　　)	(　　)	預り金	(　　)
商品		(　　)	資本金	3,000,000
貯蔵品		(　　)	繰越利益剰余金	(　　)
(　　)費用		(　　)		
建物	(　　)			
減価償却累計額	(△　　)	(　　)		
備品	(　　)			
減価償却累計額	(△　　)	(　　)		
土地		2,000,000		
		(　　)		(　　)

損益計算書

(単位：円)

売上原価	(　　)	売上高	(　　)
給料	2,600,000		
法定福利費	(　　)		
支払手数料	(　　)		
租税公課	(　　)		
貸倒引当金繰入	(　　)		
減価償却費	(　　)		
支払利息	(　　)		
その他費用	789,200		
法人税等	(　　)		
当期純利益	(　　)		
	(　　)		(　　)

第12回 答案用紙

問　題 ▶ 48
解　答 ▶ 201

第1問 45点

	借方		貸方	
	記号	金額	記号	金額
1	(　　)		(　　)	
	(　　)		(　　)	
	(　　)		(　　)	
	(　　)		(　　)	
2	(　　)		(　　)	
	(　　)		(　　)	
	(　　)		(　　)	
	(　　)		(　　)	
3	(　　)		(　　)	
	(　　)		(　　)	
	(　　)		(　　)	
	(　　)		(　　)	
4	(　　)		(　　)	
	(　　)		(　　)	
	(　　)		(　　)	
	(　　)		(　　)	
5	(　　)		(　　)	
	(　　)		(　　)	
	(　　)		(　　)	
	(　　)		(　　)	
6	(　　)		(　　)	
	(　　)		(　　)	
	(　　)		(　　)	
	(　　)		(　　)	
7	(　　)		(　　)	
	(　　)		(　　)	
	(　　)		(　　)	
	(　　)		(　　)	

	借　　方		貸　　方	
	記　号	金　額	記　号	金　額
8	(　　)		(　　)	
	(　　)		(　　)	
	(　　)		(　　)	
	(　　)		(　　)	
9	(　　)		(　　)	
	(　　)		(　　)	
	(　　)		(　　)	
	(　　)		(　　)	
10	(　　)		(　　)	
	(　　)		(　　)	
	(　　)		(　　)	
	(　　)		(　　)	
11	(　　)		(　　)	
	(　　)		(　　)	
	(　　)		(　　)	
	(　　)		(　　)	
12	(　　)		(　　)	
	(　　)		(　　)	
	(　　)		(　　)	
	(　　)		(　　)	
13	(　　)		(　　)	
	(　　)		(　　)	
	(　　)		(　　)	
	(　　)		(　　)	
14	(　　)		(　　)	
	(　　)		(　　)	
	(　　)		(　　)	
	(　　)		(　　)	
15	(　　)		(　　)	
	(　　)		(　　)	
	(　　)		(　　)	
	(　　)		(　　)	

第2問 20点

(1)

問1

借方		貸方	
記号	金額	記号	金額
(　　)		(　　)	
(　　)		(　　)	
(　　)		(　　)	
(　　)		(　　)	

問2

繰越利益剰余金

×5/6/25	未払配当金	(　　　)	×5/4/1	前期繰越	(　　　)
〃	[　　]	150,000	×6/3/31	[　　]	(　　　)
×6/3/31	[　　]	(　　　)			
		(　　　)			(　　　)

(2)

		借方		貸方	
		記号	金額	記号	金額
問1	①	(　　)		(　　)	
		(　　)		(　　)	
		(　　)		(　　)	
		(　　)		(　　)	
	②	(　　)		(　　)	
		(　　)		(　　)	
		(　　)		(　　)	
		(　　)		(　　)	
	③	(　　)		(　　)	
		(　　)		(　　)	
		(　　)		(　　)	
		(　　)		(　　)	

問2　決算整理後の備品Cの帳簿価額　(　¥　　　　　　　　)

第3問　35点

問1

決算整理後残高試算表

×8年3月31日　（単位：円）

借　　方	勘　定　科　目	貸　　方
	現　　　　金	
	普　通　預　金	
	定　期　預　金	
	売　　掛　　金	
	前　払　家　賃	
	繰　越　商　品	
	備　　　　品	
260,000	差　入　保　証　金	
	買　　掛　　金	
	（　　　　　　）	
	未　払　消　費　税	
	未払法人税等	
	（　　　）利　　息	
	借　　入　　金	
	貸　倒　引　当　金	
	備品減価償却累計額	
	資　　本　　金	1,500,000
	繰越利益剰余金	834,000
	売　　　　上	9,300,000
	受　取　利　息	
	仕　　　　入	
1,625,000	給　　　　料	
	支　払　家　賃	
	通　　信　　費	
	旅　費　交　通　費	
	貸倒引当金繰入	
	減　価　償　却　費	
	支　払　利　息	
	雑　　　（　　　）	
	法人税、住民税及び事業税	

問2　¥（　　　　　　　　　　）